Das Gesellschaftlich-Komische

PETER CHRISTIAN GIESE

Das »Gesellschaftlich-Komische«

Zu Komik und Komödie am Beispiel der Stücke

und Bearbeitungen Brechts

MCMLXXIV
J. B. METZLERSCHE VERLAGSBUCHHANDLUNG
STUTTGART

ISBN 3 476 00280 2

Satz und Druck: Gulde-Druck, Tübingen
Printed in Germany

Inhalt

Wenn die Philosophie ihr Grau in Grau malt, dann ist eine Gestalt des Lebens alt geworden, und mit Grau in Grau läßt sie sich nicht verjüngen, sondern nur erkennen; die Eule der Minerva beginnt erst mit der einbrechenden Dämmerung ihren Flug. G. W. F. HEGEL

In den Zeiten der Umwälzung, den furchtbaren und fruchtbaren, fallen die Abende der untergehenden Klassen mit den Frühen der aufsteigenden zusammen. Dies sind die Dämmerungen, in denen die Eule der Minerva ihre Flüge beginnt. BERTOLT BRECHT

Die Geschichte ist gründlich und macht viele Phasen durch, wenn sie eine alte Gestalt zu Grabe trägt. Die letzte Phase einer weltgeschichtlichen Gestalt ist ihre *Komödie*. Die Götter Griechenlands, die schon einmal tragisch verwundet waren im gefesselten Prometheus des Äschylus, mußten noch einmal komisch sterben in den Gesprächen Lucians. Warum dieser Gang der Geschichte? Damit die Menschheit *heite*r von ihrer Vergangenheit scheide. KARL MARX

Alle beseitigbaren gesellschaftlichen Unvollkommenheiten gehören nicht in die Tragödie, sondern in die Komödie.
BERTOLT BRECHT

In der bürgerlichen Gesellschaft herrscht also die Vergangenheit über die Gegenwart, in der kommunistischen die Gegenwart über die Vergangenheit. MARX/ENGELS

Die Probleme von heute sind vom Theater nur soweit erfaßbar, als sie Probleme der Komödie sind. Alle anderen entziehen sich der direkten Darstellung. Die Komödie läßt Lösungen zu, die Tragödie, falls man an ihre Möglichkeit überhaupt noch glaubt, nicht.
BERTOLT BRECHT

Vorbemerkung

Die Untersuchung gilt dem »Gesellschaftlich-Komischen«, das am Beispiel von Komik und Komödie bei Brecht dargestellt werden soll. Dabei geht es weder um irgendeine neue Wesensbestimmung des Komischen überhaupt noch um ein Problem sogenannter »Gattungstheorie«. Bewußt wird davon abgesehen, das Komische als etwas Allgemeines vorauszusetzen, als wäre dann nur dessen Besonderungen bei Brecht nachzuspüren. Auch wird darauf verzichtet, jene Stücke ausführlich zu behandeln, die — wie z. B. *Mann ist Mann* oder *Puntila* — der landläufigen Vorstellung von Komödie ohnehin schon nahekommen. Der Autor Brecht soll nicht auf Traditionspfaden wie Charakterkomödie oder Volksstück ertappt werden; er ist kein Komödienautor im »genremäßigen« Sinn.

Beabsichtigt ist dies: am Beispiel Brechts das historisch-gesellschaftliche Moment des Komischen hervorzuheben, um damit indirekt eine gewisse Unzulänglichkeit bisheriger »Komik-Theorie« zu korrigieren, sowie die geschichtsphilosophisch-politische Intention von Komödie zu verdeutlichen, die dann auch — über das Beispiel hinaus — einen Ansatz zum genaueren Verständnis anderer Komödien bzw. anderer Werke mit komödischen Zügen aus Vergangenheit und Gegenwart liefern könnte.

In der Literaturwissenschaft ist der Terminus »Gesellschaftskomödie« bekannt. Mit diesem hat der Begriff des »Gesellschaftlich-Komischen« nichts zu tun [1], der hier gleich zu Beginn umrißweise zu erläutern bzw. zu rechtfertigen ist, denn er ist sprachlich wenig glücklich, steht hier aber mangels eines besseren. Die Anführungszeichen, mit denen er versehen wird, dokumentieren nun kein ständig mitlaufendes Unbehagen an ihm, sondern besagen, daß es sich um ein Zitat handelt. Die Fundstelle ist der mit dem Titel »Das Gesellschaftlich Komische« überschriebene Abschnitt im Band *Theaterarbeit* (Berlin [2]1961). Zwar wird der Begriff dort in direktem Bezug auf den *Puntila* verwandt und wird überdies im Inhaltsverzeichnis unter der Rubrik »Schauspielerisches« geführt, als sei er nur von der Aufführung bzw. von der Art der Darstellung herleitbar, doch schließt das ja die Möglichkeit nicht aus, ihm generelle Bedeutung abzugewinnen. Der erste Teil des Abschnitts sei zitiert:

Das Gesellschaftlich Komische
Für Stücke wie den *Puntila* wird man nicht allzuviel in der Rumpelkammer des »Ewig-Komischen« finden. Zwar hat auch das »Ewig-Komische« — der mit großem Aplomb ausmarschierende Clown fällt auf die Nase — ein gesellschaftliches Element, jedoch ist dieses verloren gegangen, so daß der Clownsturz als etwas schlechthin Biologisches, als bei allen Menschen in allen Situationen Komisches erscheint. Die Schauspieler, die *Herr Pun-*

tila und sein Knecht Matti spielen, müssen die Komik aus der heutigen Klassensituation ziehen, selbst wenn dann die Mitglieder der oder jener Klasse nicht lachen. (*Theaterarbeit*, S. 42)

Zu diesem Text sei vorläufig nur soviel gesagt: Das »Gesellschaftlich-Komische« ist parteilich konstruiert und vollendet sich in entsprechend parteilicher Rezeption. Die Intention zielt also auf kein vermeintlich allgemeinmenschliches Phänomen Lachen, sondern richtet sich auf die Heiterkeit eines Publikums, dem im Blick zurück seine historisch-soziale Überlegenheit bewußt gemacht werden soll. Das »Gesellschaftlich-Komische« ist für Brecht fast durchweg identisch mit der objektiv vorhandenen Komik (d. h. der geschichtlichen Überholtheit und falschen Lebendigkeit) der bürgerlichen Gesellschaft, wie sie aus sozialistischer Perspektive sichtbar wird. Es wäre demnach bestimmbar als eine besondere Form des historischen Widerspruchs zwischen alter und neuer Gesellschaft, der vom Standpunkt der letzteren aus bewertet wird. Dieser Widerspruch ist also realiter stets vorgegeben — nur ist er wegen seines tatsächlichen Vorhandenseins nicht auch schon *als* komischer wahrgenommen und muß deshalb akzentuiert, hervorgekehrt werden.

Die vorliegende Untersuchung interessiert sich vor allem für das Inhaltliche, die Themen und Motive, in denen das »Gesellschaftlich-Komische« erscheint. Nach einem kurzen Literaturbericht und einer Fixierung der Problemstellung werden zunächst Brechts frühe Einakter betrachtet, damit im chronologischen Vorgehen das »Gesellschaftlich-Komische« an einem wichtigen, immer wiederkehrenden Motiv (aus der Familien- und Moralsphäre) inhaltlich konkretisiert werden kann. Da die Brechtschen Einakter häufig mit den Attributen »grotesk« und »absurd« versehen wurden, ist diesen Phänomenen wie auch dem des »Tragikomischen« genauer nachzugehen, um die Begriffe Komik und Komödie als von ihnen unterschiedene weiter einzugrenzen. Darauf sind wenigstens Hinweise zu solchen Problemen zu formulieren, die — wie Verfremdung, Parodie, Humor, Satire — in das hier gestellte Thema hineinreichen.

Das Hauptgewicht der Untersuchung liegt auf der Analyse von komischem Motiv und komischer Szene bei Brecht sowie auf den Komödienbearbeitungen, bei denen jeweils das Original *als* Komödie auch für sich eingehend behandelt werden soll. Die Deutungen des Molièreschen *Dom Juan* und des Lenzschen *Hofmeister* erheben den Anspruch, gerade anhand des bei Brecht konstruierten Modells von Komödie wichtige Einsichten zum gesellschaftlichen Gehalt der Werke Molières und Lenzens zu gewinnen.

Literaturbericht. Problemstellung. Thesen

Die Literatur zu Komik und Komödie hat einen beträchtlichen Umfang, quantitativ gewichtig ist auch die zu Brecht — doch beide überschneiden sich selten. Läßt man zudem jene Komik-Theorien beiseite, denen es vornehmlich um das Lachen und um dessen Erklärung zu tun ist, und versucht man, auch die Untersuchungen auszusparen, die im Werke Brechts meist da ansetzen, wo der Autor in seinen theoretischen Schriften schon vorformuliert hat, so schrumpft der Gesichtskreis merklich zusammen. Das Gebiet Komik und Komödie bei Brecht ist zwar ein »weites Feld«, aber vor allem ein wenig bebautes. Diese Tatsache ist — unabhängig von ihrer Bewertung als Vorteil oder Nachteil für die vorliegende Arbeit — zunächst einfach überraschend. Denn allzu deutlich scheinen Komödienliteratur und Brecht-Theater einen gemeinsamen Schnittpunkt zu bilden, den zu analysieren nicht allein für das Verständnis vieler Brecht-Stücke wichtig wäre, sondern an dem die Entwicklung des Dramas bis hin zu Brecht und, klarer noch, seit Brecht als kontinuierliche dargestellt werden könnte.

Komödie, nicht dem Begriffe oder irgendeiner »Tradition«, sondern der Sache nach, zeigt sich als die seit langem aktuellste Form des Theaters. Es sei nur auf die in den sechziger Jahren zu verzeichnende Sternheim-Renaissance oder auf die Horvath-»Entdeckung« verwiesen, wie denn die zeitgenössische Inszenierungspraxis überhaupt mit Vorliebe Komödien auswählt oder geschichtliche Stoffe »komödisch« darbietet. [2] Unmittelbar einsichtig hätte sein sollen, daß Brecht Spuren hinterlassen hat, auf denen man nahezu direkten Weges zur Komödie gelangt. Ein kurzer Überblick mag das verdeutlichen.

Erwin Strittmatter, Helmut Baierl, Peter Hacks, Hartmut Lange sind Verfasser von Komödien eines Typus', der dem Brecht-Theater deutlich verpflichtet ist. Strittmatters *Katzgraben* wurde noch unter Brechts Mithilfe geschrieben, von ihm im Berliner Ensemble inszeniert (1953) und mit Anmerkungen versehen (*Katzgraben-Notate*), die wesentlich zum Verständnis auch seiner eigenen Stücke beitragen. *Katzgraben* zeigt sozusagen das, was im *Puntila* noch nicht zu sehen war: Landleben, das Großgrundbesitzer schon nicht mehr kennt. Brecht begriff das Bauernschauspiel als »eine historische Komödie« (GW 16, 780), während Manfred Wekwerth es als eines der »zwei Zeitstücke« bezeichnet, die das Berliner Ensemble herausgebracht hat. [3] Das andere ist *Frau Flinz* von Helmut Baierl, eine Komödie in drei Akten mit Prolog und Epilog (1961), deren Zentralmotiv eine Reverenz an Brecht darstellt, indem es die Kenntnis der Mutterfiguren in den *Gewehren der Frau Carrar* und der *Mutter Courage* voraussetzt: die Mutter, die, eigensinnig auf das Wohl ihrer Söhne bedacht, diese gleichwohl verliert, nur eben an die neue und bessere Gesellschaft. *Katzgraben* und *Frau Flinz*, sozialistisches Zeitstück mit Brechtschem Komödientypus in Einklang haltend, ließen die Gefahr eines Abgleitens in humoristische Erbauungsliteratur ahnen, was dann im Sinne der lächelnden Selbstkritik, des »positiven Helden« usw. für eine breite Strömung der Komödienliteratur in der DDR Wirklichkeit wurde.

Peter Hacks' *Moritz Tassow* (1962) und Hartmut Langes *Marski* (1963) bewiesen aber, daß die Entwicklung des Brecht-Modells nicht notwendig zu jener Schwundstufe der Komödie als Affirmation des erreichten Gesellschaftszustandes führen muß. Beide Autoren benutzen oft literarisch bekannte Fabeln — wie z. B. Hacks' *Die Schlacht bei Lobositz* (1953) nach Ulrich Bräker, Langes *Die Gräfin von Rathenow* (1969) nach Kleists *Marquise von O* — zur vergnüglichen Aufhellung geschichtlicher Zusammenhänge. Sie lieben die Annäherung an einen poetischen Hochstil in kräftiger Verssprache und betonen den Spielcharakter der Komödie durch einen von Prolog und Epilog geschaffenen Rahmen. Beide Autoren setzen auch die Linie von Brechts Bearbeitungen fort, z. B. Hacks' *Kindermörderin* nach H. L. Wagner oder Langes *Alchimist* nach Ben Jonson, mit Eingriffen, die weniger das Stoffliche ändern, als das Vergangene im Lichte geschichtlicher Erfahrung gesellschaftlich konkreter situieren wollen, damit — nach den Worten von Peter Hacks — die »Haltung des Publikums, also das Genre« verändert werde, denn:

> Der tödliche Schrecken der Ausbeuterwelt wird fremd dem, der ihr entkommen ist, und verfremdeter Schreck heißt Komik. [4]

Eine Tendenz zur Komödie im weitesten Sinne ist aber auch bei Autoren nachweisbar, die Brechts ideologischer Position nicht im gleichen Maße nahestehen, wie das für die erwähnten Schriftsteller zutrifft, also etwa bei Max Frisch, Martin Walser oder auch Peter Weiss. Vor anderen indessen Friedrich Dürrenmatt hat sein Werk ganz auf von ihm Komödien genannte Stücke abgestellt und es mit Postulaten und Anmerkungen ebenso verallgemeinernder wie programmatischer Natur begleitet, die sich zu der einprägsamen Merkformel verdichten: in einer Zeit, da der Fall Antigone von Kreons Sekretären erledigt würde, komme »uns« nur noch die Komödie bei. [5] Indem Dürrenmatt allerdings den Gedanken pflegt, Komödie zum abstrakten Welttheater zu stilisieren, wobei ihm schnell der modische Begriff »Groteske« bei der Hand ist [6], berührt er sich ungewollt mit Intentionen des sog. absurden Theaters. Denn auch dieses hat oberflächlich, d. h. rein formal betrachtet, was den hohen Anteil von mimischen und pantomimischen Elementen betrifft, mit Komödie zu tun, und es setzt in dieser Hinsicht fort, was bei Pirandello, Giraudoux, Anouilh schon angelegt war; sogar die Stücke Becketts wären noch als Komödie interpretierbar: der Mensch als Clown spielt sich und seinen Partnern Existenz selbst als komische vor.

Um einem Mißverständnis vorzubeugen: dies alles auf einen gemeinsamen Begriff Komödie bringen zu wollen und es dabei zu belassen, hieße dessen Konturen von vornherein allzu stark zu verwischen. Zumal der gesellschaftliche Gehalt fällt sehr unterschiedlich aus und trägt z. B. bei Dürrenmatt bürgerlich-resignative, bei den sog. Absurden deutlich reaktionäre Züge. Wenn man sich aber nicht an den manifesten gesellschaftlichen Gehalt, sondern an den mittelbaren hält, der negativ, nämlich durch seine Gegenposition zu Tragödie und deren ideologischen Bedingungen, bestimmbar ist, so hätte man hier den Ansatzpunkt für eine Bestandsaufnahme dessen finden können, was Komödie heute bedeutet. Und da Brecht sein Theater in Theorie und Praxis aus der Reflexion über dessen gesellschaftliche Funktion entwickelt hat, hätte die Bestandsaufnahme von Komödie nahezu zwangsläufig auf Brecht hin bzw. von ihm her gerichtet sein müssen, so offenkundig will der Zusammenhang scheinen.

Streng genommen, gibt es nur eine, allerdings grundlegende Arbeit, die in der Analyse des Komischen an diesem Zusammenhang sich orientierte: die des Philosophen Wolfgang Heise, *Hegel und das Komische* (Sinn und Form 16 [1964] S. 811 bis 830). Diese Arbeit zeichnet aus, daß ihr Erkenntnisinteresse eben nicht auf eine »immanente« Hegel-Deutung beschränkt ist, daß sie bei Hegel nur bleibt, um über ihn hinauszusehen. Auszugehen ist davon, daß bereits bei Hegel der komische Widerspruch als historischer gewertet wird. Während aber Hegels Analyse letztlich nur den Bereich einer humoristischen sozialen Selbstkritik erfaßt und damit die »dynamische Funktion des Komischen in der Bewegung der sozialen Antagonismen« verfehlt, dem Komischen vielmehr die Funktion auferlegt, den Menschen mit seiner schlechten sozialen Wirklichkeit zu versöhnen — sieht Heise im Komischen die »ästhetische Gestalt des Kampfes für die Überwindung der entfremdeten Gestalten und Zusammenhänge des gesellschaftlichen Lebens«. Die komische Gestaltung reproduziert also nicht lediglich den je konkreten historisch-sozialen Konflikt, sondern nimmt in kritischer Weise zu ihm Stellung: ihr ist es, meint Heise, gegeben, »durch Entzauberung der herrschenden Macht deren Besiegbarkeit und Veränderungsfähigkeit zu demonstrieren«. Anders als Hegel, der die substantielle Identität von Subjekt und Objekt der Komik stets voraussetzt (was natürlich heißt, eine grundsätzliche Harmonisierbarkeit der gesellschaftlichen Gegensätze stillschweigend als Tatsache einzusegnen), insistiert Heise auf dem »operativen Ernst«, der die Beziehung der komischen Gestaltung zu ihrem Objekt charakterisiere. Das Komische gewinne dadurch eine aufzeigende, enthüllende Funktion, und diese sei parteilich. In diesem Sinne formuliert Heise, ein berühmtes Wort von Marx variierend, das Komische sei in der Lage, »Zustände zum Tanzen zu bringen, indem es ihnen ihre eigene Melodie, ihre objektive komische Melodie, die ihre historische Berechtigung verloren hat, vorspielt«.

Da für Heise der »epochale Gehalt« bzw. die Aktualität des Komischen in der »Depravierung der Ideale und Werte der Herrschenden« liegt, wodurch zugleich die »Selbstaufklärung der Massen« befördert werden könne, muß er natürlich auf die entsprechenden Intentionen des Brecht-Theaters zu sprechen kommen. Dieses zeige, z. B. im *Arturo Ui,* eine sowohl historisch-bewußte wie zielgerichtet-kritische Tendenz, die der bloß moralischen Empörung, in die das Komische etwa bei Dürrenmatt auslaufe, ganz wesentlich überlegen sei, während das absurde Theater gar Entfremdung zum Fetisch mache, die undurchschaute gesellschaftliche Wirklichkeit bloß registrierend.

Zwar stellt der Versuch von Heise, das Phänomen des Komischen in einigen wesentlichen Aspekten in den Griff zu bekommen, unter den zur Zeit vorliegenden Bemühungen die brauchbarste dar, doch handelt es sich andererseits ja nur um einen Aufsatz, der rein quantitativ schon vielen Problemen nicht gerecht werden kann und sie in allzu großer Allgemeinheit beläßt. Einige der skizzierten Wege können zudem durchaus in die Irre führen: zweifelhaft ist nämlich, ob der von Hegel bzw. vom jungen Marx hergeleitete Begriff der Entfremdung wirklich derart entschieden in den Mittelpunkt der Reflexionen zum Komischen gerückt werden sollte, wie Heise das tut. Auch scheint die Perspektive, in der das Komische und die Brechtsche »Verfremdung« sich ineinander verschränken, eher an der Oberfläche zu verbleiben. Die Definition des Komischen als »soziale Organisation des Lachens über die Mechanisierung des Lebens« ist besonders unglücklich. Nicht nur wegen der abstrakten Formulierung von der »Mechanisierung des Lebens«, deren augenfällige Nähe zu Bergsons idealistischer Komik-Theorie für einen Marxisten höchst seltsam ist, sondern ebenfalls wegen der Betonung des Lachens, das mit Sicherheit kein entscheidendes Kriterium des Komischen darstellt, zumal dann nicht, wenn die Analyse doch vor allem das historisch-gesellschaftliche Moment hervorheben will.

Positiv bemerkenswert, und in der politischen Implikation geradezu eine »Linksabweichung«, ist Heises Prognose, die im Komischen vermittelten gesellschaftlichen Widersprüche blieben auch in der sozialistischen Gesellschaft prinzipiell gültig. Das unterscheidet ihn von der in der Arbeit Georgina Baums, *Humor und Satire in der bürgerlichen Ästhetik. Zur Kritik ihres apologetischen Charakters* (Berlin 1959), vertretenen These, derzufolge nach dem Verschwinden antagonistischer Konflikte die operativ-satirische Form von Komödie allenfalls an noch verbliebene kleinbürgerliche Gewohnheiten sich heften, ansonsten aber hinter der durch humoristische Selbstkritik gekennzeichneten Komödie im Sinne Hegels zurücktreten werde. Die Behauptung, die Komödie sozialistischer Autoren zeichne sich dadurch aus, daß im Stück selbst ein positives Gegenbild verankert werde, so wie z. B. Brecht seinen Matti gegen Puntila stelle, ist eine unzulässige Verengung, die zum Maßstab erhebt, was für die Komödien Brechts gerade *nicht* typisch ist. Genau an diesem Punkt entzündete sich vielmehr die von offizieller Seite gegen Brecht gerichtete Polemik, die stereotypen Fragen nach der »schöpferischen Kraft des Volkes« und dem »positiven Helden« usw. So ist das Verdienst der Untersuchung Georgina Baums kaum in ihren Bemerkungen zur literarischen Erscheinungsform von Komödie zu suchen, auch die Untergliederung des Komischen in »Situation«, »Charakter« und »Konflikt« ist wohl etwas schematisch, sondern liegt vorwiegend in der Kritik der nachhegelschen bürgerlichen Ästhetik.

Welchen Beitrag leistet nun der explizit literaturwissenschaftliche Ansatz? Unverkennbar hat sich aus der Diskussion um die sog. »offene Form« im Drama (V. Klotz) sowie unter dem Eindruck und aus der — formalen — Rezeption der Brecht-Dramaturgie heraus ein stärkeres Interesse an Komödie und Komödientradition gebildet. So mutet z. B. der Weg, der Walter Hinck von seiner *Dramaturgie des späten Brecht* (Göttingen [1]1959) zu seiner Arbeit *Das deutsche Lustspiel des 17. und 18. Jahrhunderts und die italienische Komödie* (Stuttgart 1965) führte, ausgesprochen folgerichtig an. Eine ähnliche »Doublette« lieferte Helmut Arntzen, der bereits vor seinem Aufsatz *Komödie und episches Theater* (DU 21 [1969] S. 67 bis 77) seine Arbeit *Die ernste Komödie. Das deutsche Lustspiel von Lessing bis Kleist* (München 1968) vorgelegt hatte, die auf ein Motto von Brecht sich stützte, nämlich auf dessen Wort zum *Arturo Ui,* daß im allgemeinen »die Tragödie die Leiden der Menschen häufiger auf die leichte Achsel nimmt als die Komödie« (GW 17, 1178). Die Arbeit Arntzens ist besser als ihr Titel, der auf den ersten Blick wie eine bloße Übersetzung von Diderots »comédie sérieuse« wirken muß und insofern die falsche Assoziation an eine spezifische Form der bürgerlichen Komödie im 18. Jahrhundert schafft. Die wesentliche These Arntzens lautet, daß das Ernste in der Komödie keineswegs mit dem Tragischen identisch ist, daß vor allem die Komödie, wenn sie Ernstes integriert, darum nicht aufhört, Komödie zu sein oder zu einer sog. »Tragikomödie« wird. Wesentlich ist auch Arntzens Einsicht, daß Komödie nicht durch Komik (im Sinne dessen, was lachen macht) konstituiert werde, sondern einer Intention folge, die sich als »Kritik« und »Utopie« bestimmen lasse. All dies könnte uneingeschränkt übernommen werden, wenn Arntzen nicht immer die grundlegenden Konflikte, von deren Lösbarkeit die Komödie handelt, als solche zwischen *dem* einzelnen und *der* Gesellschaft definieren würde, was eine wirklich historisch-gesellschaftliche Konkretion der einzelnen Analyse verhindert. Gleichwohl unterscheidet sich Arntzen beträchtlich von dem, was die bürgerliche Literaturwissenschaft üblicherweise zu Komik und Komödie zu vermelden pflegt, d. h. sein Verdienst ist bereits darin zu sehen, daß er das Problem Komödie eben *nicht* von vornherein als rein formale Angelegenheit versteht. Nur ist nüchtern festzustellen, wie weit dieses Verdienst reicht und reichen kann: die linksliberale Variante bürgerlicher Literaturwissenschaft führt über deren Norm hinaus, bleibt ihr aber prinzipiell verhaftet und stößt an dieselbe Grenze. Denn wenn schon einmal, wie bei Arntzen, versucht wird, Komödie gesellschaftlich zu interpretieren, dann gerät dem Interpreten »Gesellschaft« zu einem merkwürdig abstrakten Begriff des »Gegenüber«, weil von einer klassenmäßigen Präzisierung souverän abgesehen wird.

Am Schluß seiner Arbeit sagt Arntzen lapidar, daß die deutsche Komödie sich »seit dem Naturalismus [...] als die zentrale Erscheinungsform unseres Dramas« zeige. [7] Dieser Devise folgte auch die von ihm und Karl Pestalozzi seit dem Jahre 1962 herausgegebene Reihe *Komedia,* die Traditionslinien zur gegenwärtigen Form der Komödie aufzeigen sollte. Allerdings wird die eigentlich interessante Frage, *warum* denn heute Komödie derart in den Vordergrund rücken konnte, mit dem Hinweis auf irgendeine Tradition ja nicht beantwortet. Die Empfehlung, die deutsche Komödie müsse auf ihren »Ursprung als auf ihre Zukunft« sich besinnen [7], darf als wunderlich bezeichnet werden.

Eine ähnliche Tendenz ist zu beobachten in dem Buch von Eckehard Catholy, *Das deutsche Lustspiel. Vom Mittelalter bis zum Ende der Barockzeit* (Stuttgart 1969), das als erster Teil einer Untersuchung angelegt ist, deren Fortsetzung noch aussteht. In der Schlußpassage wird darauf verwiesen, daß die Dramaturgie Bertolt Brechts einen Wandel geschaffen habe, »der sich nicht nur auf die wissenschaftliche Beschäftigung mit dem Lustspiel, sondern auf dieses selbst auszuwirken beginnt«.

Darunter versteht Catholy aber lediglich Formales: angeblich sei die Entwicklung dadurch zu kennzeichnen, daß — z. B. bei Peter Hacks — der Spielcharakter hervortrete und die dramatische Geschlossenheit, die Illusionierung, Psychologisierung sowie die Anwendung des Kausalitätsprinzips überwinde. [8]

Es ist mittlerweile zur Regel geworden, die unverbindliche Einsicht zu verkünden, daß »Brecht sowohl wie das moderne Theater [...] eine neue und fruchtbare Besinnung auf die Komödie und ihre Formenwelt« implizieren, wie das Hans Steffen im Vorwort zu der von ihm herausgegebenen zweibändigen Interpretationssammlung, *Das deutsche Lustspiel* (Göttingen 1968/69), schreibt. [9] Die vage Feststellung, das epische Theater sei in der Komödie bzw. in deren »Formenwelt« — was immer das heißen soll — »schon immer angelegt« gewesen, findet sich wörtlich so auch in einem Aufsatz Walter Müller-Seidels. [10]

Besagen solche Ausführungen etwa nicht, daß der gemeinsame Schnittpunkt von Brecht-Theater und Komödie nun doch erkannt wurde? Entgegen dem Augenschein ist eher das Gegenteil der Fall. Denn die »neue und fruchtbare Besinnung«, die sich angeblich an Brecht orientiert, führt bloß zu den alten Gemeinplätzen, und sobald diese ausgesprochen sind, wird in bekannter Weise drauf los interpretiert. Anstatt das zu tun, was die Interpreten ankündigen, nämlich von Brecht her Komödie neu zu reflektieren, gehen sie den umgekehrten Weg: *das* »epische Theater« wird ebenso als Fixpunkt vorausgesetzt wie *die* Komödie und ihre »Formenwelt«, die sich irgendwie selbst durch die Geschichte transportiert haben muß. Da wird dann schließlich eine »offene Form« gesichtet, etwas, das zur »Verfremdung« und »Nichtidentifikation« seit je schon hindränge, um — absichtlich oder nicht — den Eindruck zu erwecken, was Brecht wollte, sei denn gar so neu nicht, sondern aus langer Tradition erklärbar. Dadurch tritt, wo Präzisierung gefordert wäre, eine Nivellierung ein, die sowohl zu Komödie wie zu Brecht nur Belangloses beiträgt, sofern nicht einfach Falsches geschrieben wird.

Paradigmatisch ist der von R. Daunicht, W. Kohlschmidt und W. Mohr gemeinsam verfaßte Artikel »Lustspiel« im *Reallexikon der deutschen Literaturgeschichte* (Bd. II, Berlin ²1965, Sp. 226—240) — paradigmatisch im Sinne einer verwirrenden Terminologie und mit Folgerungen, die derart willkürlich sind, daß die Überlegung angebracht ist, wie denn eine Wissenschaft noch legitimiert werden kann, die ideologische Wunschbehauptungen als Forschungsbilanz ausgibt. Da heißt es, man werde »auf das Lachen der Menge als auf das Wesentliche am Lustspiel zurückgehen müssen«? Warum eigentlich? Und wie soll das geschehen? Die Fragen werden erst gar nicht gestellt, geschweige denn beantwortet, weil dann ja die Prämisse begründet werden müßte, daß ein Unterschied zwischen »Komödie« und »Lustspiel« überhaupt notwendig und nachweisbar ist. Es ist schon kurios, das Lustspiel hochtrabend als »Ausdruck der menschlichen Grundgegebenheit des Spieltriebs« (!) zu definieren und nach solcher Definition ausgerechnet auf Brecht zu verweisen:

> Bei Brecht ist ein, kaum vom Geist des 18. Jahrhunderts ganz zu trennendes, moralistisches Moment aufrechterhalten, dessen humanitärer Untergrund selbst das Klassenkämp-

ferische überwiegen kann. Bei ihm am ehesten kommt dabei, freilich fast wider Willen, so etwas wie ein reines Lustspiel zustande (*Herr Puntila und sein Knecht Matti*). [11]

Diese Sätze können nur ideologiekritisch noch betrachtet werden, wobei unerheblich ist, ob die Schreiber das Gesagte wirklich glauben oder in bewußter Harmonisierung und Verharmlosung Brecht germanistisch unterkriegen wollen. In welch beeindruckender Weise die zitierte These das genaue Gegenteil von dem besagt, was Sinn und Intention der Brechtschen Komödie ausmacht, braucht an dieser Stelle nicht ausgeführt zu werden, da die vorliegende Arbeit insgesamt als Widerlegung solcher Behauptungen angelegt ist. Hier geht es darum, an einem exemplarischen Fall zu zeigen, wie in der allgemeinen Literaturwissenschaft die verbale Ankündigung, man wolle von Brecht her eine neue Bestandsaufnahme der Komödie leisten, realiter in fragwürdiger, weil rein formaler, Parallelisierung von Komödie und »epischem Theater«, von Komik und »Verfremdung« besteht.

Wie sieht es nun mit der Bilanz der speziellen Literatur zu Brecht aus? Gerade die Untersuchungen, die als Standardwerke gelten, sind — was Komik und Komödie bei Brecht betrifft — von strenger Enthaltsamkeit: Ernst Schumachers *Die dramatischen Versuche Bertolt Brechts 1918—1933* (Berlin 1955) sowohl wie Werner Mittenzweis *Bertolt Brecht. Von der »Maßnahme« zu »Leben des Galilei«.* (Berlin 1962), und Volker Klotz' *Bertolt Brecht. Versuch über das Werk* (Bad Homburg 1957) ebenso wie Käthe Rülicke-Weilers *Die Dramaturgie Brechts* (Berlin 1966).

An beiläufigen Hinweisen hat es freilich nicht gefehlt. Noch zu Lebzeiten Brechts, im Jahre 1949, hatte Hans Mayer in seinem Aufsatz *Bertolt Brecht oder die plebejische Tradition* angedeutet, daß die im Sprachgestus erkennbare Sicht, d. h. die von unten nach oben gerichtete Perspektive, zu »Komik als Wirkung« führe, und es wurde an Aristophanes erinnert. [12] Gerhard Zwerenz, *Aristotelische und Brechtsche Dramatik. Versuch einer ästhetischen Wertung* (Rudolstadt 1956), nannte in sehr flüchtiger Weise »Verfremdung« und »Paradoxon« Kunstmittel, die aus der Tradition der (Tragi-)Komödie herleitbar seien. [13] In Eric Bentleys Aufsatz *Die Theaterkunst Brechts,* der im zweiten Brecht-Sonderheft der Zeitschrift »Sinn und Form« 1957 erschien, stand dann folgende Behauptung:

> Brechts Theorie des Theaters *ist* meines Erachtens eine Theorie der Komödie. Etwas sehr Ähnliches wie die von Brecht beschriebene Dramaturgie hat Aristophanes angewendet. Etwas sehr Ähnliches wie die von Brecht beschriebene Darstellungsart wurde (wie man annehmen möchte) von den Schauspielern der Commedia dell'arte praktisch ausgeübt. [14]

»Etwas sehr Ähnliches«, wäre boshaft zu ergänzen, zeichnet die Brecht-Literatur generell aus, wenn sie überhaupt auf das Komische eingeht: beiläufig wird vermerkt, daß der berüchtigte Verfremdungseffekt, wie Marianne Kesting z. B. formuliert, »oft — nicht immer! — in der Einführung des komischen Moments« bestehe, weil »jedes komische Element« andererseits ja »ein episches ohnehin« sei. [15] Komik und Verfremdung, darauf läuft es nicht nur in dem gleichnamigen Essay Reinhold Grimms von 1963 hinaus, auf den später noch zurückzukommen ist — Komik und Verfremdung also seien als unselbständige Mittel zu einem außerästhetischen Zweck »wesensverwandt«. Wenngleich Brechts Theater, dessen Struktur die eines »kontrastierenden Dramas« sei, auch mit Komödie sich berühre, gehe es weit über diese hinaus. [16]

Derart blasser Kommentar ist die Regel, die allenfalls punktuell durchbrochen wird, dann nämlich, wenn es sich um die Interpretation »einschlägiger« Stücke handelt. Dies ist der Fall bei Volker Klotz' *Engagierte Komik. Brechts »Mann ist Mann«* ([1]1959), bei Fritz Martinis unter dem Titel *Soziale Thematik und Formwandlungen des Dramas* (1966) verborgenen *Puntila*-Analyse oder bei Predrag Kostić' Aufsatz *»Turandot« — das letzte dramatische Werk Bertolt Brechts* (1968), der aber sagen zu müssen glaubt, daß — mehrere Werke werden genannt — »es sich hier um politisch-satirische Stücke handelt und nicht um Komödien«. [17] Doch worin schließen Komödie und politisch-satirisches Stück denn einander aus bzw. warum soll nicht mehr Komödie heißen, was politisch-satirischen Gehalt hat?

Das ist ein wichtiger Punkt: wann immer der Gedanke näher rückt, daß Komik und Komödie für das Verständnis vieler Brecht-Stücke von Bedeutung sind, wird der, dem dieser Gedanke kam, von einer Art germanistischer Befangenheit ereilt, die ihn zur schnellen Relativierung zwingt. Dann setzt jene lange Tradition sich durch, die auch von den großen Komödien der Vergangenheit meist zu sagen wußte, eigentlich seien es doch verkappte Tragödien — oder aber, nach der anderen Richtung hin, die Komödie sei eher Satire zu nennen. Die Vorstellung von Komik und Komödie ist so eng gefaßt, daß sie der Erkenntnis, viele Brecht-Stücke seien Komödien, einfach keinen Raum mehr läßt. Oder gar gibt es ideologische Gründe, einen kaum verhüllten Antikommunismus, die die Anerkennung einer Brechtschen Komödie als solche verhindern: so muß wohl der Beitrag von J. W. Onderdelinden, *Brechts »Mann ist Mann«: Lustspiel oder Lehrstück?* (1970), gewertet werden. [18]

Gerade am Beispiel des *Puntila* ist ein deutlicher Unterschied zwischen »westlicher« und »östlicher« Interpretation festzustellen. Zwar zeichnet sich mittlerweile so etwas wie eine Selbstkritik der bürgerlichen Literaturwissenschaft ab, so z. B. bei E. Speidels Artikel *Brechts »Puntila«: A Marxist Comedy* (1970) oder bei Jost Hermand, *»Herr Puntila und sein Knecht Matti«. Brechts Volksstück.* (1971), doch führt die an einem Fall gemachte »Entdeckung«, daß Marxismus und Komödie zusammenpassen können, zu keinen weitergehenden Folgerungen. Wenn Hermand dann noch zu dem Ergebnis kommt, daß nach der Feststellung der »dialektischen Struktur des Ganzen auch die Interpretation am Schluß notwendig offen bleiben« müsse [19], ist allerdings der harmonisierende und formalistische Standard bürgerlicher Literaturwissenschaft wieder erreicht.

Den erwähnten Einzelinterpretationen zum Problem der Komödie bei Brecht ist gemeinsam, daß sie sich praktisch auf nur zwei Stücke, *Mann ist Mann* und *Puntila,* konzentrieren, d. h. den Ausgangspunkt dort suchen, wo die Voraussetzung gegeben scheint, die Frage einer Brecht-Komödie zu entscheiden, ohne auf die grundsätzliche Frage, was denn Komödie sei, einzugehen. Auf die Möglichkeit, am Beispiel Brechts eine generelle Horizonterweiterung des Begriffs Komödie ins Auge zu fassen, wird damit von vornherein verzichtet. Darunter fällt auch der Versuch, mit Hilfe des alles und nichts sagenden Zauberworts »Groteske« der Reflexion über

Komödie auszuweichen, so etwa Marianne Kesting: *Die Groteske vom Verlust der Identität: Brechts »Mann ist Mann«.* (1969). Es kommt zu einem paradoxen Ergebnis: gerade die Untersuchungen, deren Ansatz besonders günstig gewählt scheint, erweisen sich als besonders wenig geeignet, die Erscheinungsform der Komödie bei Brecht inhaltlich zu bestimmen und Funktion wie Gehalt des Komischen herauszuarbeiten.

Bei dieser Sachlage empfiehlt es sich, jene Äußerungen in der Brecht-Literatur zu zitieren, die — so vereinzelt sie auch stehen mögen, so fragmentarisch sie auch ausfallen — wenigstens die richtige Richtung skizzieren, in der die Reflexion beginnen muß. Da ist zunächst die Bemerkung Hans Mayers in seinem Buch *Bertolt Brecht und die Tradition* (München 1965) zu nennen, mit der er — nach der Erörterung möglicher Verbindungslinien zu Hegels *Ästhetik* — Hegels Begriff des Komischen ausdrücklich jede Bedeutung für Brecht abspricht:

> Einer für sich und in sich selbst komischen Gestalt aber, der es, wie der Stuttgarter Hegel gelegentlich sagt, in ihrer Haut einfach »sauwohl« ist, gewinnt Brecht keinerlei Interesse ab. Auf die Wirkung des Komischen beim Zuschauer kommt es ihm an. Heiterkeit als heitere Erkenntnis. Erkenntnis von Widersprüchen. Die allerdings sind verschiedener Art: antagonistisch oder auch nicht-antagonistisch. Je nachdem, ob es sich um Widersprüche innerhalb der bürgerlichen Gesellschaft oder in der sozialistischen Entwicklung handelt. [20]

Die zitierte Bemerkung geht kaum über das hinaus, was Heise zum Verhältnis von Hegel und Brecht ausgeführt hatte, ist eher dessen Paraphrase (gemeint im Sinne einer Paraphrase »avant la lettre«, denn Mayers Arbeit ist früher geschrieben). Trotzdem ließe sich bei einer extensiven Auslegung feststellen, daß es auch einem Literaturwissenschaftler gelingen kann, von der sog. Gattungstradition abzusehen und das Komische nicht lediglich als Darstellungsmittel zu betrachten, daß er ferner die Wirkung des Komischen nicht schon im Lachen vollendet sieht. Wesentlich ist, daß Mayer das Komische nach dem objektiv vorgegebenen Gegenstand, den gesellschaftlichen Widersprüchen, beurteilt. Aber, wie gesagt, die Notiz sollte nicht über Gebühr strapaziert werden, sie steht in Mayers Arbeit isoliert, und auf ihr liegt nicht der Akzent.

Die gleiche Einschränkung gilt für Helmut Jendreiek. »Hegelsche Dialektik und Brechtscher Humor« ist ein Abschnitt in seinem Buch *Bertolt Brecht. Drama der Veränderung* (Düsseldorf 1969) überschrieben, in dem sich der Autor sozusagen ins Schlepptau der entsprechenden Passagen in Brechts *Flüchtlingsgesprächen* (vgl. GW 14, 1460 ff.) zu hängen versucht. Das führt zu folgender These:

> Das Komische ist für Brecht die antitragische ästhetische Form des Humors, der sich verfremdungstechnisch aus der durch gestisches Dialektisieren und Historisierung gewonnenen Hoffnung auf eine bessere Zukunft ergibt. [21]

Um diese These von ihrer Abstraktion zu befreien, bedarf es der gezielten Interpolation. Denn das Komische als Gegenbegriff des Tragischen zu bezeichnen, ist nahezu selbstverständlich — nur müssen die Gründe präzisiert werden. Jendreieks Text ist nicht entschieden genug gegen eine Auslegungsmöglichkeit abgesichert, die hier etwa eine Charakterdisposition Brechts, eine bloß individuelle »Weltanschauung«, die Dinge eben »humoristisch« und nicht »tragisch« anzusehen, als Ursache vermuten könnte. [22] Auch ist es zwar richtig, den Gegensatz des Komischen bei Brecht zur aristotelisch-lessingschen Theorie der Katharsis zu betonen, die sich auf den Gedanken der schicksalhaften Notwendigkeit und Unabänderlichkeit des Geschehens stützt. Aber dieser *ästhetische* Gegensatz gilt für das Brechtsche Theater insgesamt, wogegen das Komische bei Brecht nicht primär ästhetisch begründbar ist. Es ist vielmehr von einer anderen Geschichtsauffassung auszugehen, in der die bürgerliche Vergangenheit bzw. die zur Vergangenheit stilisierte bürgerliche Gegenwart keine Probleme mehr bringt, in die »man« direkt involviert würde, sondern in sozialistischer Perspektive ist die alte Gesellschaftsordnung *komisch geworden*, und dies hat die Darstellung zum Ausdruck zu bringen. Das heißt keineswegs die Probleme verharmlosen, wohl aber ihren Absolutheitscharakter zu bestreiten, heißt nicht, ihre Bedrohlichkeit zu leugnen, wohl aber die gesellschaftliche Lösbarkeit in der Weise geltend zu machen, daß das objektiv Überholte als solches sichtbar wird.

Wieweit die skizzierte Interpolation der Absicht Jendreieks adäquat ist, sei dahingestellt, auf jeden Fall ist sie bei diesem Text noch möglich, auf jeden Fall ist das ein Fortschritt innerhalb der speziellen Brecht-Literatur, hält man zum Kontrast etwa die bereits erwähnte Arbeit von Walter Hinck, *Die Dramaturgie des späten Brecht* (1959), entgegen. Hinck spricht von einer »Unterwanderung der Tragödie durch die Komödie im Drama Brechts«, so daß es weder »zur Katastrophe der Tragödie« noch »zum guten Ende der Komödie« komme. [23] Seine Arbeit ist ein prägnantes Beispiel dafür, daß der Blick auf Komik und Komödie bei Brecht nur auf vordergründige Einzelheiten treffen kann, wenn zuvor die Brille eines Wolfgang Kayser aufgesetzt wurde, die den Gesichtskreis auf die Wahrnehmung eines »explosiven befreienden Lachen[s]« einschränkt [24] oder — mit Emil Staiger — nur darauf achten läßt, ob irgendwo etwas »aus dem Rahmen einer Welt herausfällt und außerhalb des Rahmens in selbstverständlicher, fragloser Weise besteht«. [25] Was fällt da heraus? Warum fällt es? Auf welche Weise (satirisch, grotesk, humorig usw.) geschieht das, in welcher Form der Darbietung wird das objektiv Komische präsentiert? Walter Hinck weiß dazu lediglich zu sagen, daß es bei Brecht keine »reine Komik« gebe. Da kein »eigentlich erlösendes, befreiendes Lachen» zustande komme, handele es sich nur um »Spott«. [26] Spott, wenn es denn solcher ist, wird also nicht als eine besondere Form in der Darstellung des Komischen gesehen, sondern als etwas anderes, für sich Bestehendes, das verbiete, weiterhin von Komik zu sprechen. Dem so verengten Begriff des Komischen, das nur als Technikum verstanden wird, will Hinck dann auch Persiflage, Parodie, Paradoxon, Entlarvung von hohlem Pathos usw. nicht subsumieren, reiht sie als vermeintlich selbständige Kategorien aneinander, wie er dem »Grotesken und Zügen der Commedia dell'arte« ebenfalls ein gesondertes Kapitel einräumt, einzig deshalb, weil das »befreiende Lachen« nicht an sein geistiges Ohr dringt. [27] Nach solchen formalistischen Selbstbeschränkungen verwundert es nicht, daß Hinweise auf Komödie sich auf die Erwähnung des aus deren Geschichte bekannten Personals beschränken. So nimmt Hinck z. B. das Motiv der »Doppelrolle« als Beleg für das

Nachwirken der Commedia dell'arte, wiewohl Brecht es natürlich nicht rein »äußerlich« benutze, sondern auf »das Wesen« der jeweiligen Figur übertrage. [28] Indem Hinck das Motiv aus einer Gattungstradition herzuleiten versucht und jeden Zusammenhang mit dem Identitätsproblem bzw. dem Marxschen Entfremdungsbegriff übersieht, verfehlt er den von der »Doppelrolle« her möglichen Ansatz, Werke wie *Dreigroschenoper, Puntila, Guter Mensch von Sezuan* als Komödien zu erkennen.

Eine gehaltvollere Würdigung von Komik und Komödie bei Brecht liefert die Arbeit Hans Kaufmanns, *Bertolt Brecht. Geschichtsdrama und Parabelstück* (Berlin 1962). Das Komische wird hier u. a. auch unter dem Aspekt der Umgangssprache erörtert, die ihm eine Bedeutung wie »unerwartet«, »verdächtig«, »nicht normal« beimißt [29], wofür übrigens sogar das Wort von Brecht, man solle »bei Begriffen in der Literatur sich nicht allzuweit von ihrer Bedeutung auf anderen Gebieten entfernen« (GW 19, 315), die Rechtfertigung liefern könnte. Die Tragweite solcher Definition muß indessen vorsichtig beurteilt werden; wichtiger scheint Kaufmanns Einsicht, daß von den genremäßigen Komödienzügen »kein direkter Weg zur umfassenden Gestaltung der bürgerlichen Welt, wie sie Brecht mehr und mehr anstrebte«, führt. [30] Auch scheint sich Kaufmann der Erkenntnis zu nähern, daß Komödie, wie der *Arturo Ui,* auch ohne heiteren Schluß nicht aufhört, Komödie zu sein — doch mündet das recht bald in die These von einer »Tragikomödie«, die Kaufmann in seinem späteren Aufsatz *Zum Tragikomischen bei Brecht und anderen* (1970) nicht wesentlich modifiziert. Hierauf wird zurückzukommen sein. Vorerst sei notiert, daß Kaufmanns These von Tragikomödie mit der der bürgerlichen Literaturwissenschaft nicht identifiziert werden darf: Kaufmann bestimmt nämlich Komödie durchaus inhaltlich, als Vermittlung des heiteren Abschieds von einer schlechten Vergangenheit, und hält daher die in finsteren Zeiten entstandenen Brecht-Stücke für Tragikomödien, weil sie *noch nicht* Komödien sein könnten. Die bürgerliche Theorie, deren Hauptvertreter K. Guthke ist [31], hält Komödie dagegen von vornherein für »nicht mehr möglich« und plädiert für die angeblich aktuellere und ästhetisch »notwendige« Mischform. Wie verschieden aber auch der Weg der Argumentation, das gemeinsame Resultat muß hier wie dort gleichermaßen kritisiert werden, insofern Komödie weder an der Quantität noch an der Kontinuität ihrer komischen Szenen meßbar ist, sondern einer Gesamtintention folgt, die durch die Integration des Ernsten nicht zunichte wird. [32]

Dies nachdrücklich unterstrichen zu haben, ist das Verdienst des bereits genannten Aufsatzes *Komödie und episches Theater* (1969) von Helmut Arntzen. Anschaulich beschreibt er das Paradoxon, daß Komik in der Komödie »für die Realisierung der Komödienintention besonders geeignet, für sie aber auch besonders hinderlich sein kann«. [33] Rätselhaft ist nur, wie Arntzen, der unter dem Komischen »das Lächerliche als Anschaulichkeit eines potentiell aufhebbaren Mangelhaften« versteht und sich gegen den Versuch Reinhold Grimms wendet, das *Darstellungsmittel* Komik als Konstituens der Komödie zu erklären, gleichwohl eine Relation Komik/Komödie in Parallele zu der von Verfremdung/episches Theater etablieren kann, was den Überlegungen Grimms recht ähnlich sieht. Bei Grimm,

Komik und Verfremdung (1963), geht nun allerdings alles durcheinander: Brechts »Verfremdungsdichtung« habe mit Satire die Stilmittel Parodie, Travestie, Ironie, Karikatur, Groteske gemeinsam; Komödie entstehe aus Komik, diese aber berühre sich eng mit Verfremdung, schließlich wird nur noch vom Grotesken als einem der bestimmenden Elemente bei Brecht gesprochen, es gebe da eine Tradition, die vom deutschen Sturm und Drang zum absurden Theater hinführe. Die sog. Stilmittel werden rein technisch und ahistorisch betrachtet, der Bezugspunkt ist das scheinbar Moderne — und heute schon Veraltete —, nämlich das Groteske und Absurde. Auf solche Arbeit anders als in totaler Negation sich zu beziehen, müßte mit dem Verzicht auf terminologische Klarheit bezahlt werden.

Der annähernden Vollständigkeit dieser Literaturübersicht willen sei noch auf eine Stelle in Ernst Schumachers Buch *Drama und Geschichte. Bertolt Brechts »Leben des Galilei« und andere Stücke* (Berlin 1965) hingewiesen, die merkwürdigerweise als allgemeiner »Ausblick« dasteht, ohne daß ein direkter Bezug zu den Stücken Brechts hergestellt wird. Die Rede ist davon, daß das heutige Theater »nicht mehr der richtige Ort [sei], um den ›blutigen Ernst‹, die äußersten tragischen Umschläge der Geschichte zur Anschauung zu bringen«, (mit welcher These Schumacher schwerlich die Zustimmung Brechts gefunden hätte!), daß das Theater aber geeignet sei, »auf lachende Weise von der Vergangenheit Abschied zu nehmen«:

Es gehört mit zu den geschichtlichen Erfahrungen, daß alle »überstandenen« Phasen der geschichtlich-gesellschaftlichen Entwicklung früher oder später als komisch empfunden werden, mögen sie noch so tragisch gewesen sein. Die erste Form der »Erledigung« ist die satirische Form, die zweite das »reine Lachen«. Der tiefere Grund dafür ist, daß die Menschen zu der Überzeugung gelangt sind oder immer mehr gelangen, daß die bloßgestellten Zustände überwindbar sind. [...] In unserer Epoche, in der die Wissenschaft immer mehr Utopien zur Realität macht und der Wissenschaftliche Sozialismus die Utopie einer menschlichen Gesellschaft zu verwirklichen sich anschickt, gehört nicht viel Phantasie dazu, sich vorzustellen, daß das »lachende Abschiednehmen« von der Vergangenheit durch die »fröhliche Vorwegnahme« einer »vermenschlichten« Geschichte im Theater ergänzt werden könnte. [34]

Diese Sätze stecken den Rahmen ab, innerhalb dessen die Fragen nach dem Komischen und der Komödie bei Brecht untersucht werden können —, sie machen aber gleichzeitig klar, warum Schumacher selbst auf die Fragen nicht eingegangen ist. Denn die Unterteilung in satirische Form und die des »reinen Lachens« ist zu schematisch: auch die Antizipation einer besseren Zukunft ist eine Form der »Erledigung« der Vergangenheit, ja der Wert und Rang des utopischen Moments liegt gerade darin, daß gezeigt wird, *wovon* die Utopie sich entfernt. Das heißt: Komödie, wie sie bei Brecht sich zeigt, ist eine Kombination satirisch-kritischer und utopisch-antizipierender Bestandteile, und diese Kombination ist nicht dann erst herstellbar, wenn die reale geschichtliche Entwicklung so weit gediehen ist, daß die Komödie ihr adäquater Reflex wäre.

Bei Schumacher kommt ferner nicht zum Ausdruck, inwieweit das Komische *entdeckt* werden muß: über das ohnehin schon Selbstverständliche mag ja herzhaft gelacht werden, mag sogar ein »reines« Lachen erschallen, nur hat das mit Literatur dann nicht mehr viel zu tun. Weder gab es noch wird es oberhalb gewisser Qualitätsgrenzen eine Form von Komödie geben, die ihre Motive und Szenen derart konstruiert, daß das Lachen des Publikums nur eine Wiederholung und Bestätigung des fraglos Bekannten bedeutet; denn eine Komödie, die ein anderes Ziel nicht kennt und anstrebt, gibt ihren ästhetischen Anspruch preis und wird ihre Existenz nicht mehr begründen können, wird vielmehr, als jederzeit abrufbare Affirmation, überflüssig und langweilig.

Der Überblick über die Literatur, die die Möglichkeit von Komik und Komödie bei Brecht erwähnt, sei hiermit abgeschlossen. Die Folgerung kann nur sein: an die Stelle der Suche nach einem gemeinsamen Nenner, dem Brechts Komödien wie die des Aristophanes, der Commedia dell'arte, Shakespeares, Molières u. a. ein Gleiches noch verdanken, hat zu treten die Bestimmung der neu erscheinenden Gestalt, die Komödie bei Brecht annimmt. Erst von daher wären dann, ohne das gleich ein »heuristisches Modell« zu nennen, vorsichtige Generalisierungen und Rückschlüsse denkbar, die ein wichtiges Moment von Komödie allgemein betreffen.

Am einfachsten ist es vielleicht, beim Verhältnis Tragödie/Komödie anzusetzen und dabei gleich hinzuzufügen, daß dieses Verhältnis als Gegensatz gesehen werden muß, daß wichtiger aber ist, in welcher Weise dieser Gegensatz gedeutet wird. Auffällig ist nun, daß so verschiedene Autoren wie Schiller, Hegel, Marx diesen Gegensatz *geschichtsphilosophisch* interpretieren, so daß die Komödie nicht einfach mit der Tragödie im Kampf liegt, sondern *nach* dieser erscheine, als deren notwendige »Ablösung«. Bei Schiller heißt es:

Wenn also die Tragödie von einem wichtigen Punkt ausgeht, so muß man auf der andern Seite gestehen, daß die Komödie einem wichtigern Ziel entgegengeht, und sie würde, wenn sie es erreichte, alle Tragödie überflüssig und unmöglich machen. [35]

Wohlgemerkt: hier interessiert allein, wie Schiller Tragödie und Komödie aufeinander bezieht und nicht, wie er die Phänomene je für sich zu bestimmen versucht. Der gleiche Vorbehalt gilt für Hegel, der ebenfalls, in der *Phänomenologie des Geistes,* die Komödie als eine gegenüber der Tragödie entwickeltere Ausdrucksform der menschlichen Selbstbewegung in der Geschichte versteht, und der, in seiner *Ästhetik,* mit der modernen Komödie immerhin das »Ende der Kunst« überhaupt nahen sieht. [36]

Aufschlußreicher scheint aber noch eine andere Stelle der Hegelschen *Ästhetik,* obwohl in ihr den Worten nach nicht von Komödie gehandelt wird:

Hat nun aber die Kunst die wesentlichen Weltanschauungen, die in ihrem Begriffe liegen, sowie den Kreis des Inhalts, welcher diesen Weltanschauungen angehört, nach allen Seiten hin offenbar gemacht, so ist sie diesen jedesmal für ein besonderes Volk, eine besondere Zeit bestimmten Gehalt losgeworden, und das wahrhafte Bedürfnis, ihn wieder aufzunehmen, erwacht nur mit dem Bedürfnis, sich *gegen* den bisher allein gültigen Gehalt zu kehren: wie in Griechenland Aristophanes z. B. sich gegen seine Gegenwart und Lukian sich gegen die gesamte griechische Vergangenheit erhob und in Italien und Spanien, beim scheidenden Mittelalter, Ariosto und Cervantes sich gegen das Rittertum zu wenden anfingen. [37]

Hier wäre lediglich eine Korrektur anzubringen: die Gegenstände selbst sind durch die geschichtliche Bewegung alt und widerlegbar geworden — nicht nur die Gegenstände als solche für Kunst und Denken. Nicht »der Geist« zieht sich aus ihnen zurück (»Der Geist arbeitet sich nur solange in den Gegenständen herum, solange noch ein Geheimnis, Nichtoffenbares darin ist«) — sondern der reale dialektische Prozeß drängt über sie hinaus, nimmt *gegen* sie in der Weise Stellung, daß er sie als komische denunziert. Diese Korrektur vorausgesetzt, wird eine geschichtsphilosophische Konstruktion sichtbar, die in Form der Komödie ihre literarisch-ästhetische Vermittlung findet. Das ist die Voraussetzung, unter der das Problem der Brechtschen Komödie greifbar wird. Der eigentliche Ansatzpunkt ist in den Sätzen von Marx gegeben, wo er — in der *Einleitung zur Kritik der Hegelschen Rechtsphilosophie* — über das schlechte Alte spricht, das komisch zu verstehen als Aufgabe denen zufällt, die von jener Vergangenheit sich befreien:

Die Geschichte ist gründlich und macht viele Phasen durch, wenn sie eine alte Gestalt zu Grabe trägt. Die letzte Phase einer weltgeschichtlichen Gestalt ist ihre *Komödie.* Die Götter Griechenlands, die schon einmal tragisch verwundet waren im gefesselten Prometheus des Äschylus, mußten noch einmal komisch sterben in den Gesprächen Lucians. Warum dieser Gang der Geschichte? Damit die Menschheit *heiter* von ihrer Vergangenheit scheide. [38]

Die Bedeutung dieser Sätze für die Brechtsche Komödie ist nicht hoch genug einzuschätzen, und das gilt nicht nur für den *Puntila,* in dessen Zusammenhang sie von Brecht und seinen Mitarbeitern als programmatisches Zitat gerückt werden. [39] Allerdings bleibt zu berücksichtigen, daß Marxens Überlegungen keineswegs auf Ästhetik sich richten, sondern erst der Analyse bestimmter historischer Situtationen, wie z. B. der deutschen Vormärz-Periode, abgewonnen wurden, um dann auch allgemeiner auf »Tragödie und Komödie in der Geschichte« [40] sich zu erstrecken, wobei die Beispiele aus der Literatur vor allem ihrer Anschaulichkeit wegen eingefügt werden.

Für Marx entsteht Tragik aus dem »weltgeschichtlichen Irrtum« einer untergehenden Klasse, der, wenn diese Klasse zu einem einzigen Anachronismus wird, schließlich komisch werden *muß.* Mit der Formulierung eines ähnlichen Gedankens beginnt Marx seinen *Achtzehnten Brumaire:*

Hegel bemerkt irgendwo, daß alle großen weltgeschichtlichen Tatsachen und Personen sich sozusagen zweimal ereignen. Er hat vergessen hinzuzufügen: das eine Mal als Tragödie, das andere Mal als Farce. [41]

So klar der Gedanke in den beiden Zitaten ausgedrückt ist, so kompliziert ist im im Grunde seine direkte Anwendbarkeit, zumal bei genauerer Lektüre dieser und anderer Marx-Schriften deutlich wird, daß der geschichtliche Tragik- bzw. Tragödienbegriff, auf den sich dann der der Komödie (Farce) bezieht, in beiden Zitaten keinesweg identisch ist! [41a. Exkurs]

Es geht jedenfalls nicht an, beide Stellen schlankweg aneinanderzukoppeln und, ausgehend von Marxens Deutung der geschichtlichen Rolle Louis Napoleons, zu sagen, hier sei ein Widerspruch ins Licht gerückt, der ein wesentlicher Faktor von

»Charakterkomik« sei. Ähnliches versucht aber Georgina Baum, die hervorhebt, daß das Komische bei Marx einen Konfliktcharakter aufweist, um daran Folgerungen für die Kollision im ästhetischen Bereich zu knüpfen. [42]

Wenn Geschichte als Prozeß begriffen wird, in dem nicht eine Epoche unmerklich in der nächstfolgenden verschwindet, sondern in Kollisionen und qualitativen Sprüngen sich bewegt, so ist das eine Sache. Eine andere (falsche) aber ist es, von der Literatur verlangen zu wollen, sie müsse das Aufeinanderprallen zweier historischer Formationen dermaßen exakt »widerspiegeln«, daß erst im Kontrast zum neuen »positiven Helden« der Charakterdarsteller einer überholten Ordnung satirisch-komisch entlarvt werden kann. Die doktrinäre »Widerspiegelungstheorie« scheint, was die Literatur fürs Theater betrifft, unvermeidlich beim Hegelschen Kollisionsbegriff [43] zu landen, der wesentlich auf das Dramatische im Drama zielte und für den Brechtschen Stück-Typus demnach keine große Verbindlichkeit mehr hat. Um jedes Mißverständnis auszuschließen: es soll gar nicht bestritten werden, daß das je verschieden auftretende Komische sich in der Form des Konflikts, Widerspruchs, Gegensatzes, Kontrastes zu erkennen gibt. Auch könnte der Rekurs auf den Hegelschen Kollisionsbegriff dadurch relativiert werden, daß — mit den Worten F. G. Jüngers — zum Kennzeichen des komischen Konflikts gehöre, »daß die Parteien in ihm nicht ebenbürtig sind« [44], was für die Personendarstellung in der Komödie ja schon von weitreichender Konsequenz ist. Aber das reicht vermutlich nicht aus, denn betont werden muß, daß die Brechtsche Komödie ihren Charakter gerade darin hat, nicht im Stück selbst die Kollision mit ihrer Lösung vorzuführen, sondern die Erkenntnis des Komischen dem Zuschauer zuspielt, den kein positiver Held zur Identifikation einlädt. Es ist mit solcher Entschiedenheit darauf zu verweisen, weil in der Literaturwissenschaft der DDR z. B. oft an Brecht bemängelt wurde, daß er »den realen Gegenspieler, der eine [...] Dekuvrierung des Kapitalismus und seiner Helfer an sich dargestellt hätte, eben die kämpferische Arbeiterschaft, nicht auf konkrete Weise zu gestalten vermochte«. [45]

Vor einer zu unmittelbaren, kommentarlosen Anwendung der Marxschen Texte ist also zu warnen. Ein weiteres Problem ist dies: Marx sprach konkret vom deutschen »ancien régime«, das im Gegensatz zu dem in England und Frankreich nicht seine Tragödie, sprich: die bürgerliche Revolution, erlebte, sondern weil diese, obwohl überfällig, ausblieb, eine »zur Weltschau ausgestellte Nichtigkeit« wurde und also komisch. Ist in diesem Modell nun aber ein »historisches Entwicklungsgesetz« getroffen, das ohne weiteres auch für den »Übergang« von Kapitalismus und bürgerlicher Gesellschaft zum Sozialismus gelten muß? Hier liegen jedenfalls beträchtliche Schwierigkeiten, zumal das Wort »Übergang« fast mehr Metapher denn handhabbarer Begriff ist.

Dadurch, daß die Marx-Zitate durch die Schiller- und Hegel-Stellen zum Verhältnis von Tragödie und Komödie »vorbereitet« wurden, sollte hier gezeigt werden, daß bei diesem Problem das exakt historische Moment sich mit dem geschichtsphilosophischen, also spekulativen, die Waage hält. Es ist nicht davon auszugehen, daß Marx eine besonders tiefe und der Kritik enthobene Einsicht in das »Wesen«

der Komödie gelungen wäre, wohl aber davon, daß Marx einen Maßstab gesetzt hat, an dem Komik und Komödie bei Brecht erst meßbar werden. Gegen den Vorwurf des allzu Billigen und Plumpen solcher These ist zu setzen ein Bekenntnis gerade zu dem sog. »plumpen Denken«, das auf Subtilitäten der Methode weniger aus ist als auf die Ergebnisse, zu denen es hinkommen will. Die Verwertbarkeit der Marxschen Worte wird sich somit nicht im Vergleich mit sonstigen Komödientheorien zu bewähren haben, sondern an dem, was am einzelnen Stück oder Motiv bei Brecht von der Intention des »Abschieds« von der Vergangenheit entziffert werden kann — als Antwort auf die Frage, was jeweils die gesellschaftliche Institution, Verhaltensweise usw. ist, die durch ihr Verharren auf einem objektiv überholten Standpunkt zur Komödie »reif« geworden ist.

Nun hat die These, daß Brecht die bürgerliche Gesellschaft komisch sah und seine Darstellung an Marx orientierte, wenig Originelles an sich, und das Ergebnis, *daß* die These tatsächlich zutrifft, wird kaum überraschen. Doch wäre hier vielleicht eine von Brecht geschätzte Maxime zu erinnern: »The proof of the pudding is in the eating.« Wenn die Untersuchung sich nämlich darum kümmert, *welche* inhaltlichen Momente Brecht zum komischen Gesamtbild zusammenträgt, wird es auch an überraschenden Ergebnissen nicht fehlen.

Eine Bemerkung muß noch dem Begriff »Heiterkeit« gewidmet sein. Marx versuchte im »Gang der Geschichte«, im Wechsel von Tragödie zu Komödie, einen latenten Sinn aufzudecken: dies geschehe, »damit die Menschheit *heiter* von ihrer Vergangenheit scheide«. Die Formulierung hat mitunter Verwirrung gestiftet und eine zu enge Auslegung erfahren. [46] »Heiterkeit« sollte nicht verstanden werden, als sei sie das absolute Ziel, das sich einstellt, wenn sozusagen alles überstanden ist. Bei Marx heißt es wörtlich: »Diese *heitere* Bestimmung vindizieren wir den politischen Mächten Deutschlands.« Also Heiterkeit im und durch den Prozeß der Überwindung der Vergangenheit, fortwährender politischer Kampf für eine bessere *Zukunft*. Denn die Heiterkeit ist nach vorn bezogen und ist kein Selbstzweck, sie soll Impulse verleihen und keinen Schlußpunkt setzen, als wäre alles Häßliche, Bedrohliche, Schlechte der Geschichte dann ein für allemal sistiert. Das bedeutet, auf die Komödie als literarische Form bezogen: sie registriert nicht nur den politischen Kampf, sondern sie begleitet und fördert ihn mit den ihr eigenen Mitteln. Auch wenn der *politische* Kampf gegen einen gesellschaftlichen Anachronismus gewonnen ist, geht der *ideologische* Kampf weiter, und in ihm hat die Komödie ihren Platz. Die geschichtliche Dialektik von Vergangenheit und Zukunft findet in Kritik und Utopie der Komödie ihre Entsprechung. Brechts *Arturo Ui* z. B. ist schon *vor* der Zerschlagung des Faschismus »möglich« gewesen und hatte nach 1945 eine wichtigere Funktion als die, »Heiterkeit« im Sinne des »Wir sind noch einmal davongekommen« zu erwecken.

Wie also wäre das Marxsche Diktum zur Komödie auf Brecht anwendbar? Nicht jedenfalls so, daß Komödie die Vergangenheit, von der heiter zu scheiden ist, als Kollision mit anschließender Lösung fertig und abgeschlossen zur Rezeption stellt. Brechts Komödien sind weniger Historien als »historisierende« Stücke, und das ist mehr als terminologische Nuance.

»In der bürgerlichen Gesellschaft herrscht« — so lautet die Stelle im *Kommunistischen Manifest* — »die Vergangenheit über die Gegenwart, in der kommunistischen die Gegenwart über die Vergangenheit.« [47] Die Konsequenz für Brecht: da der Kommunismus noch nicht herrscht, hat die Gegenwart an Vergangenheit noch ihre Bürde. Nun muß sichtbar gemacht werden, daß hier keine lebendige Gestalt mitgeschleppt wird, sondern eine Leiche, die es zu beerdigen gilt. In diesem Sinne, als Beitrag zur Leichenbeseitigung, arbeitet Brecht das schlechte Alte zur Komödie auf:

> Verehrtes Publikum, der Kampf ist hart
> Doch lichtet sich bereits die Gegenwart.
> Nur ist nicht überm Berg, wer noch nicht lacht
> Drum haben wir ein komisches Spiel gemacht. (GW 4, 1611)

Daraus erhellt auch der scheinbare Widerspruch, daß Brecht — nicht müde werdend, die Veränderbarkeit aller Verhältnisse zu betonen — in der »Handlung« seiner Stücke wenig an Veränderung und neuen Gegenspielern zeigt. Denn zum Partner macht er sich das Publikum, dem er das Vergangene — und sei es auch noch nicht so lange zurück — in Geschehnissen seiner komischen Erstarrung vorführt, bei denen stets aufs neue zur distanzierenden Betrachtung aufgerufen wird, damit man mit dem eigenen »Urteil dazwischenkommen« könne. (GW 16, 694) Zur »Heiterkeit« — d. h. zur durchschauenden sozialen Erkenntnis — befreien sollen sich die Zuschauer, nicht aber ist nötig, daß die im Stück dargestellten Personen diesen Prozeß schon vollziehen, wie Hegel das an Aristophanes' Komödien so schätzte. Notwendig ist ebenfalls nicht, daß sich die im Parkett versammelten Repräsentanten der alten Ordnung satirisch getroffen fühlen. Die satirische Anstrengung ist da sekundär, wo die Komödie sich in einer Weise darbietet, die das Publikum als antizipiertes Modell der künftigen Gesellschaft mitkonstruiert.

Dabei meint »Publikum« nicht jene Masse, die für die Dauer einer Aufführung durch den sog. Kunstgenuß zusammengeschweißt wird. Die Brechtsche Dramaturgie »spaltet ihr Publikum« (GW 17, 1063) — oder will es wenigstens tun. [48] Gerechnet wird mit einem Typus Zuschauer, wie er zu Brechts Lebzeiten kaum je in großer Anzahl im Parkett gesessen hat: ihm werden charakteristische Aspekte der bürgerlichen Gesellschaft komisch vorgezeigt, damit er lerne, von ihr Abschied zu nehmen. Daß mitunter, wie bei der *Dreigroschenoper*, das Bürgertum hat über sich selbst lachen können, hebt die Brechtsche Komödien-Intention nicht auf. Die mannigfachen Formen der listigen Verständigung zwischen Bühne und Publikum darüber, daß das Vergangene bzw. die historisierte Gegenwart, als Spiel vorgeführt, zum komischen Beispiel wird, machen die Brechtschen Stücke zur Komödie und weniger zur Satire, der es nach Schillers Definition ja genügt, am Bild der schlechten Wirklichkeit ex negativo »das Ideal« aufscheinen zu lassen, das zwar fertig nach Hause getragen werden kann, aber immer etwas Illusionäres behält. Nicht aus der moralischen Verurteilung erhofft sich die Komödie ihre Wirkung, sondern sie will ihr Objekt mit dem Ziel lächerlich machen, daß die Schwäche und Verwundbarkeit des Gegners hervortritt. Daß Lächerlichkeit »tötet«, ist nur so ein Wort: das Lächerliche geht nicht an sich selbst zugrunde. Dazu braucht es der konkreten Nachhilfe, und zu dieser will die Komödie allerdings die anregenden Impulse liefern.

So ist denn Brechts Theater, wie Walter Benjamin einmal sagt, »üppig nur in Anlässen des Gelächters«. [49] Der Akzent gehört auf das Vorhandensein und die von Brecht aufgewiesene Quantität der *Anlässe* des Gelächters. Diese Anlässe will Brecht nicht einfach im Lachen verschwinden lassen, sie nicht als schon überwundene zeigen, wohl aber sie ihrer falschen Natürlichkeit entkleiden und die vermeintlich ewige Lebensfähigkiet der alten Gestalt bestreiten.

Der Grundgedanke des Komödienspiels ist, zu zeigen: so war es — die alte Institution, Bewußtseinshaltung usw. — so ist es zum großen Teil auch noch. Seht, wie *komisch, weil veränderbar,* alles ist, was sich für ewig hält. Deshalb gehören, wie Brecht mit sperriger Formulierung sagt, »alle beseitigbaren gesellschaftlichen Unvollkommenheiten [...] nicht in die Tragödie« — mit ihren unausweichlich sich reproduzierenden, scheinbar absoluten Kollisionen zwischen Individuum und Gesellschaft — »sondern in die Komödie«. [50] Brecht sagt auch, welche »Haltung« des Zuschauers er dabei voraussetzt oder benötigt: jene »völlig freie, kritische, auf rein irdische Lösungen von Schwierigkeiten bedachte Haltung«, die »keine Basis für eine Katharsis« bietet. (GW 15, 241)

Trotzdem ist es falsch, zu glauben, Brecht gehe es darum, sein »Theater als Alternative zur Tragödie zu etablieren«. [51] Hier wird lediglich die Konsequenz gezogen aus der Überholtheit einer absterbenden (bzw. sterben sollender) Gesellschaftsform, die als aufsteigende einst damit begann, sich ihre Konflikte im »bürgerlichen Trauerspiel« tragisch zur Schau zu stellen. Wäre Brecht auf die »Alternative« zur Tragödie und ihren Bedingungen erpicht, wollte er die Dinge nur »anders« als in Tragödien üblich sehen, so hieße das deren ungebrochene Lebendigkeit voraussetzen. Aber die komische Gestaltung will ja nicht in Konkurrenz zur tragischen treten, sie will in ihrer Existenz jene »erledigen«. Das gilt vor allem für das große Individuum, für die sog. »Persönlichkeit«, die da mit *der* Gesellschaft »ringt«: diese geschichtliche und gesellschaftliche Konstruktion vielmehr war für Brecht komisch geworden.

Um es als These noch einmal ganz deutlich herauszustellen: das Komische bei Brecht ist nicht identisch mit dem Darstellungsmittel Komik, das sich auf beliebige Gegenstände heftet, sondern es wird durch seinen gesellschaftlichen Inhalt konstituiert.

Brechts frühe Einakter sind in der neuen Werkausgabe durch fünf Beispiele repräsentiert, die alle im Jahr 1919 entstanden. Dieselbe Entstehungszeit muß indessen nicht notwendig schon Gemeinsamkeit von Thematik und Gestaltung verbürgen, denn auch *Baal* und *Trommeln in der Nacht* wurden ja zur selben Zeit verfaßt.

Werden die Einakter dennoch als Ensemble gesehen, so geschieht das etwa mit der Behauptung, sie seien

> [...] eine Wiederaufnahme und Fortführung jenes Ur-Mimus, der bei dem Griechen Philistion zu episierenden Formen des Schauspiels geführt hatte: zum Wechsel von Prosa und Vers und Musikeinlagen, und der als dramatische Volkspoesie nicht nur Shakespeare, sondern auch Goethe nachhaltig beeinflußt hat, sich vor allem in der bayrisch-österreichischen Volkspoesie und Volksdramatik erhalten hatte und besonders bei Karl Valentin zu einer neuen Blüte gelangt war. [52]

Nur zeigt schon eine flüchtige Lektüre der frühen Texte, daß von episierenden Formen kaum die Rede sein kann, daß keine Verse gegen Prosa gesetzt sind und die Musikeinlagen sich auf ein Lied reduzieren, das in der *Kleinbürgerhochzeit* aus dem Dialog heraus entsteht.

Bleibt Karl Valentin, nach dessen »Vorbild« Brecht seine »stark mit volkstümlichen Elementen durchsetzten Einakter« geschrieben habe. [53] Brechts Dialogführung vor allem sei geprägt worden durch Valentins »vertrackte Dialektik« [54], und überhaupt gehe es um »Groteske und kritische Satire«, die gemäß dem Vorbild »im Stil des Volkstheaters« gehalten seien. [55] Der Hinweis auf Valentin läßt sich zwar auf die von Brechts Vita bekannten Details stützen, reicht aber sicher nicht aus, den Einaktern mit einem gemeinsamen Nenner erklärend näher kommen zu wollen.

Natürlich ist richtig, daß Brecht Valentin stets lobend erwähnt hat. Von diesem »Clown«, »der in einer Bierhalle auftrat [und] in kurzen Skizzen renitente Angestellte, Orchestermusiker oder Photographen [spielte], die ihren Unternehmer haßten«, habe er mehr noch gelernt als von Georg Büchner und Frank Wedekind (GW 16, 599). Brecht bekennt sogar, »als Regisseur die Arrangements des Volkskomikers Karl Valentin [kopiert]« zu haben (GW 16, 714). Diese Bemerkungen belegen allerdings nur das Bewußtsein einer allgemeinen Verwandtschaft und sind noch kein Beweis für einen Valentin-»Einfluß«. Zudem hat Brecht die Eigenart des Komischen bei Valentin in einer Charakteristik aus dem Jahre 1922 derart treffend beschrieben, daß an ihr der Abstand zu seiner eigenen komischen Intention — auch wenn er für Brecht damals noch nicht klar bewußt war — deutlich wird. In den *Augsburger Theaterkritiken* hieß es über Valentin:

Dieser Mensch ist ein durchaus komplizierter, blutiger Witz. Er ist von einer ganz trockenen, innerlichen Komik, bei der man rauchen und trinken kann und unaufhörlich von einem innerlichen Gelächter geschüttelt wird, das nichts besonders Gutartiges hat. [...] Hier wird gezeigt die *Unzulänglichkeit aller Dinge,* einschließlich uns selber. (GW 15, 39)

Valentin aber bleibt bei der Konstatierung solcher Unzulänglichkeiten stehen — daher der fatalistische Zug seiner Komik, wie er sich dem Zuschauer in einem Lachen mitteilt, das sich selbst nicht recht geheuer ist. *Die* Dinge verharren in ihrer Fremdheit, und die sprachlichen Anstrengungen, sich über die Umwelt und über den eigenen Platz in ihr zu verständigen, sprengen die Kette der Gewohnheitsassoziationen nur, um in traurigen Kalauern zu enden. Valentins Sprachspiele sind auf Situationen des gewöhnlichen Alltags im Leben des sog. »kleinen Mannes« fixiert; der Zuschauer nimmt die Widersprüche, die ihm so offenbar werden, wahr, doch kann er sie nicht durchschauen. Vielmehr soll er seine eigene »Unzulänglichkeit« erkennen und seine Verwirrung, die jener des personifizierten »blutigen Witzes« vor ihm auf der Bühne gleicht, im betroffenen Gelächter eingestehen. Komik mit diesem sozusagen metaphysischen Anspruch findet sich nicht bei Brecht, auch nicht in den frühen Einaktern. [56]

Eher schon als von Valentin ließe sich von einer ungefähren Phänomenologie des Typus Einakter her verständlich machen, was die frühen Texte Brechts verbindet. [57]

Die Theatertradition kennt viele Vorformen dessen, was heute unter den Begriff Einakter fällt, und meist handelt es sich dabei um szenische Spiele, die in weiterem Sinne als Kurzkomödien gelten können: die sog. Quacksalberszenen, Fastnachtspiele, Farcen, Schwänke, Zwischenspiele (z. B. die spanischen »entremeses«), Singspiele, Vaudevilles, Possen usw. Brecht scheint diese Tradition nicht ganz unbekannt gewesen, angeblich hat er für seine Einakter sogar »in erster Linie die ›handfesten‹ Zwischenspiele des Cervantes als Vorbild empfunden«. [58] Dies sind Vorformen, die allesamt mehr dem Theater (d. h. der spezifischen Bühnendarbietung) als der Literatur verpflichtet scheinen.

Die Bemühung um den Einakter als eigenständigen *literarischen* Formtypus setzt etwa um das Jahr 1890 ein und ist mit der Zielsetzung zweier »Epochenstile«, des Naturalismus und des Impressionismus, verknüpft. Der Einakter konnte nämlich — naturalistisch — verstanden werden als die Verwirklichung einer Dramenintention, die auf verwickelte Handlungen zugunsten der Herausarbeitung von psychologischen »Fällen« verzichtet und die in der vom Einakter leicht zu liefernden Einheit von Ort, Zeit und Handlung die Übereinstimmung von äußerer Wahrscheinlichkeit und innerer Wahrhaftigkeit optimal erreicht sieht. Andererseits — impressionistisch gesehen — erfüllt der Einakter idealtypisch die Forderung an die Literatur, sie müsse den flüchtigen Eindruck, die Nuance in atmosphärischer Stimmung wie einzelnem Empfinden festhalten, so daß, da alles Leben nur dem Augenblick sich schenke, gerade die Kürze des einen Aktes die »Echtheit« des dramatischen Vorgangs garantiert.

Unter der Voraussetzung, der Typus Einakter lasse sich in die drei skizzierten Momente — Tradition der Kurzkomödie, naturalistische bzw. impressionistische Intention — aufgliedern, wären einige Differenzierungen für Brechts frühe Einakter möglich. Sie sind bedeutungsvoller als die These vom Valentin-Einfluß, haben für die hier verfolgte Problemstellung allerdings auch nur bedingtes Gewicht.

Der Bettler oder Der tote Hund — mehr als »Szene« denn als Einakter zu bezeichnen — beginnt so:

Ein Tor. Rechts davon hockt der Bettler, ein mächtiger zerlumpter Bursche mit kalkiger Stirn. Er hat eine kleine Drehorgel, die er unter seinen Lumpen versteckt hält. Es ist früh am Morgen. Ein Kanonenschuß fällt. Der Kaiser kommt, von Soldaten eskortiert; sein Haar ist lang und rötlich, unbedeckt. Er trägt violette Wolle. Glockenläuten.
Kaiser Zu der Stunde, wo ich zu meinem Siegesfest über meinen größten Feind gehe und das Land meinen Namen mit schwarzem Weihrauch zusammenmischt, sitzt ein Bettler vor meinem Tor und stinkt nach Elend. Zwischen den großen Ereignissen aber ziemt es sich, mit dem Nichts zu sprechen. *Die Soldaten treten zurück.* Weißt du, Mensch, warum die Glocken läuten?
Bettler Ja. Mein Hund ist gestorben.
Kaiser War das Frechheit?
Bettler Nein. Es war Altersschwäche. (GW 7, 2747)

Die Szene ist ganz auf den Kontrast abgestellt, der schon optisch stark hervortritt und vom Dialog nur noch akzentuiert werden kann. Die Eingangspointe des Mißverständnisses resümiert bereits alles Folgende, das kein Geschehen mehr bietet, sondern nur Dialogvariationen des ersten Witzes, dessen Komik dadurch verspielt wird. Will man die ganze Szene als *Witz* betrachten, so bestätigt sich, daß der Witz — ungleich dem Schwank (der »in der Regel etwas mehr oder minder Normales im Momentbild typisiert«) — dazu neigt, »das Un-Normale in der Individualisierung vorzuführen«. [59] Unnormal sind die Reaktionen des blinden Bettlers, die Szene ist sozusagen ein Nachtrag zur Sensualismus-Diskussion in Diderots *Lettre sur les aveugles*. Der Bettler ist keineswegs ein »weiser Narr«, sondern einfach ein Blinder, der sich ein falsches Bild von der Welt macht, wenngleich des Kaisers Bild von ihr nicht richtiger sein mag.

So ist der Kontrast zwischen Kaiser und Bettler bloße Verschiedenheit, nicht aber Widerspruch, nicht also »Vermittlung« von substantiellen Gegensätzen, sondern bleibt unmittelbar negativ. Die Szene wirkt, als sei sie in einem Historienstück nach Art des Shakespeare am richtigen Platz. Sie unterscheidet sich stark von den übrigen Einaktern, und für das Komische bei Brecht gibt sie kaum wichtigen Aufschluß.

Der Fischzug scheint wie nach einer Schwankerzählung gefertigt: zwei Männer schleppen einen Fischer nach Hause. Der Fischer ist besoffen, und seine Frau ist geil. Die beiden Kumpane schlagen einander vor, sich auf den Heimweg zu machen, und zwangsläufig kommt ihr Gespräch auf die Frau:

1. Mann Sie ist treu.
2. Mann Wo?
1. Mann Im Herzen!

2. *Mann* Aber uns gefallen ihre Schenkel!
1. *Mann* Da rede ich nimmer mit. Das ist zu unzüchtig.
2. *Mann* Also, ich will einfach auch ran. (GW 7, 2801 f.)

Moralische Prinzipientreue und kleinbürgerliche Lüsternheit, die ein jeder in Balance zu halten versucht, treten nun entäußert gegeneinander auf: die Männer streiten sich und schlagen sich, und natürlich kriecht als Sieger der Mann zur Frau durchs Fenster, der ihre Herzenstreue lobte. Der Fischer, dem es trotz seiner Trunkenheit gelungen ist zu bemerken, was sich da in seinem Hause anspinnt, befestigt ein Netz derart geschickt um das Bett, daß Frau und erster Mann, als sie sich zu Taten rüsten, im Netz gefangen werden. Damit hat er seinen »Fischzug« getan, er ruft Leute herbei, um ihn zu zeigen, und er läßt ihn ins Wasser befördern. Sie kommen triefnaß zurück, die Frau schiebt die »Gäste« aus der Tür, wendet sich ihrem Mann zu, und mit der Regieanweisung: »Sie löscht die Lichter, nimmt ihn auf den Rücken, trägt ihn zum Bett.« (GW 7, 2813) schließt der Einakter.

Die Fabel des *Fischzugs* ist die des in der Schwankliteratur so häufig auftretenden Modells des »Ausgleichstyps« [60], in dem eine Partei der anderen zunächst überlegen ist, worauf die andere Partei die erlittene Schlappe ausgleicht und ihre Überlegenheit beweist. Dieser Ausgleichstypus bestimmt das Verhältnis Fischer—Frau sowohl wie das von Erster Mann—Zweiter Mann. Er gilt auch noch ein drittes Mal: ein Bettlerpaar ist nach der vorübergehenden Verstoßung der Fischersfrau ins Haus gelangt und nutzt die Situation, indem es unter mitfühlenden Worten und kräftigem Alkoholzuspruch sich auf dem Sofa niederläßt. Von komischer Konsequenz ist, daß die »Übeltäter«, durch deren Auszug erst die Bettler diese Bleibe hatten finden können, nun zurückkehren und gar kein Verständnis für Liebespaare mehr haben: »Sie sind etwas schamlos«, findet der von Nässe triefende Verführer, und: »Habt ihr keine Scham?«, fragt auch die Ungetreue, bevor sie die Bettler mit dem Besen aus der Tür treibt (GW 7, 2812 f.).

Mit den Bettlern, die in die kalte Nacht verstoßen werden, kommt natürlich »das Soziale« ins Spiel, wie es in naturalistischer Literatur nicht fehlen darf. Im *Fischzug* ist das stoffliche Schema des Schwanks denn auch durchgehend naturalistisch aufgefüllt. Das zeigt sich gerade am zentralen »Hahnrei«-Motiv, dessen Tradition (in den italienischen und französischen Burlesken) so aussieht, daß stets für den »Ehebrecher« eindeutig Stellung genommen wurde: »Der Ehemann, der ein unangemessenes Verhältnis gestiftet hat, erscheint von vornherein als der unterlegene Provokateur und geht in dem komischen Konflikt, der daraus entsteht, zugrunde. Der Hahnrei ist deshalb zumeist alt, impotent, dumm, häßlich, immer aber ungeliebt, der Ehebrecher dagegen eine Verkörperung des jugendlichen, mächtigen Triebes, der alle Hindernisse, Fallen und Einschränkungen überwindet und als kühner und listenvoller Odysseus seine Sache zum Siege führt.« [61] Das Hahnrei-Motiv in dieser Ausprägung dankte seine Aktualität, ganz allgemein gesprochen, einer Gesellschaftsform, in der die sog. Liebesheirat die Ausnahme, die durch Familienbeschluß (d. h. durch finanzielle Erwägung) gestiftete Ehe dagegen die Regel war. Große Bedeutung hat das Motiv in der Gesellschaftskomödie etwa bei Molière, wo »in der Gestalt des Liebhabers [...] sich gleichsam die Gesellschaft insgesamt an dem Gatten rächt, der ihr die Frau durch die Heirat entzog«. [62]

In Brechts *Fischzug* indessen erscheint der Hahnrei als ein vom »Schicksal« schwer bedräuter Mann: er hat lange nichts mehr gefangen, hält Zwiesprache mit dem Wind und fühlt sich von Gott gestraft. Auch seine Frau »hat's nicht wie im Paradies« (GW 7, 2796), in trotziger Entschlossenheit (»Soll ich nichts haben?« GW 7, 2803) läßt sie sich mit dem Verführer ein, der als gewissenhafter Mann (»Ich habe fünf Kinder« GW 7, 2812) den Hahnrei tröstet und keineswegs als überlegener Rivale das Feld verläßt.

Dem Motiv fehlt hier jede Beschwingtheit, denn das Schwankmodell ist durch die Betonung von »Milieu« und durch andeutende Charakterisierung der Personen durchgehend naturalistisch beschwert. Wahrscheinlich muß dem Einakter aber eine zusätzliche Dimension eingeräumt werden, sofern man ihn nämlich als Brechts erste »Bearbeitung« ansehen will. Der Vorwurf ist im Achten Gesang der *Odyssee* zu finden, und Brechts *Fischzug* wäre dann als Gegenentwurf zur Episode von Ares, Aphrodite und Hephaistos entstanden, in den zugleich die biblische Allegorie vom Menschenfang ironisch eingearbeitet sein könnte. [63]

Nach dem Modell eines Schwanks, oder besser noch: nach dem einer *Farce* (was ebenfalls eine ungefähre, keine präzise Gattungsbezeichnung ist [64], ist auch der Einakter *Er treibt einen Teufel aus* konstruiert. Die Fabel bietet ein besonderes, aber nicht ungewöhnliches Geschehen, das durch Typen des familiären (Mädchen, Bursche, Mutter, Vater) wie des sozialen Bereichs in einem Dorf (Pfarrer, Wächter, Lehrer, Bürgermeister, Bauern) repräsentiert wird. Der eindeutig-zweideutige Slapstick-Dialog, der im *Fischzug* stellenweise anklang, ist hier durchgehend beibehalten. Um davon einen Eindruck zu geben:

Mädchen Ich glaube, die Sterne kommen bald. Dann muß ich noch zu den Kühen.
Bursche Die haben es gut.
Mädchen Warum?
Bursche Weil du zu ihnen mußt.
Mädchen Da haben sie was.
Bursche Zu mir gehst du nicht.
Mädchen Weil ich nicht muß.
Bursche Weil du nicht magst.
Mädchen Ich glaube nicht, daß ein Wetter kommt.
Bursche Sonst mußt du aus dem Bett.
Mädchen In die Stube. Da betet Mutter.
Bursche Statt daß man im Bett betet.
Mädchen Jetzt muß ich dann zu den Kühen.
Bursche Ich sehe noch keine Sterne.
Mädchen Das merk ich.
Pause (GW 7, 2757)

Endlos sind die Stichwortketten, in denen Bursche und Mädchen ihre bestimmten Wünsche und Absichten sowohl enthüllen wie verschweigen [65], während der um die Unschuld der Tochter besorgte Vater ruhelos um das Haus streicht und die Mutter den milden Abend preist. Der Bursche gelangt schließlich über eine Leiter ins Zimmer des Mädchens. »Man sieht die Kassiopeia über dem Dach. Stille.

Wind. Und ein Bett knarrt.« (GW 7, 2765) Das ist ein Stoff wie für einen schönen »Heimatfilm« aus dem Freistaat Bayern. [66] Der Vater naht mit »Herrgottsakkerment!«, sieht aber nicht das auf den Dachgiebel geflüchtete Paar. Die Entdekkung erfolgt durch Pfarrer und Wächter: blitzartig füllt sich die Szene mit Honoratioren und Dorfbewohnern, und den Schluß bildet eine burleske Bewegungsregie im Stil der Commedia dell'arte. Unter ungeheurem Gelächter aller Anwesenden wird dem Vater bedeutet, »der Teufel«, den er in seinen Flüchen beschwor, habe sich mit seiner Tochter auf sein Dach gesetzt.

Verglichen mit dem *Fischzug*, gerät der leichtgewichtigen Farce zum Vorteil, daß sie auf naturalistische Milieuzeichnung weitgehend verzichtet und ihr Personal in allgemeiner Typisierung beläßt. *Er treibt einen Teufel aus* scheint am ehesten von den fünf Einaktern die Tradition des Zwischenspiels aufzugreifen; vorstellbar wäre sogar, die einaktige Farce mit leichten Veränderungen etwa als »Pausenspiel« in den *Puntila* einzubauen.

Lux in Tenebris ist eine etwas in die Länge gezogene Kabarett-Nummer über das Verhältnis von Moral und dem Profit, den man aus ihr ziehen kann. Mit dem Licht in der Finsternis ist einmal die rote Lampe gemeint, die zum Bordellbesuch lockt. Licht in die Finsternis will zum anderen Paduk bringen, die von Unzucht bedrohte Menschheit bedürfe seiner »Aufklärung«. Paduk ist ein Mann, der im Bordell nicht nach seinen Vorstellungen bedient worden war und nun aus einem Ressentiment, das sich mit Geschäftstüchtigkeit paart, einen Stand errichtet, in dem er und der von ihm ausgebeutete Gehilfe gegen Eintrittsgeld Auskunft über Geschlechtskrankheiten geben. In einem Interview äußert er seine streng moralischen Überzeugungen, und dem Kaplan, der mit seinem Christkatholischen Gesellenverein kommt, gewährt er Sonderrabatt. Er läßt sich von der Bordellmutter aber schnell davon überzeugen, daß es für beide Teile besser wäre, das Geld gemeinsam in ihr Unternehmen zu stecken, das langfrisitg eben doch die besseren Gewinnchancen bietet.

Was der Kurzkomödie *Lux in Tenebris* den Charakter einer Kabarett-Nummer verleiht, liegt daran, daß hier nicht mehr allgemeine Typen, sondern gezielte Karikaturen das Geschehen bestimmen. Das körperlich-sinnliche Moment der Dialoge und Aktionen, das in den Schwank- bzw. Farce-artigen Einaktern *Fischzug* und *Er treibt einen Teufel aus* zu beobachten war, muß deshalb fehlen. Künstlerisch noch dürftiger als die genannten Einakter, ist *Lux in Tenebris* dennoch vielleicht wegen der satirisch-schärferen Absicht »typischer« für Brecht.

Die Kleinbürgerhochzeit ist der geschlossenste und gewichtigste von Brechts frühen Einaktern, der einzige auch, der ein gewisses Bühnenleben hat erreichen können. Das Motiv einer Hochzeitsfeier mit schwangerer Braut, obszönen Gesängen und zunehmender Aggressivität bis hin zur Rauferei hat eine lange Schwanktradition hinter sich; Literaturhistoriker mögen sich an die unter dem Titel *Der Bauernhochzeitsschwank* zusammengefaßten Texte *Meier Betz* und *Metzen hochzît* (um/nach 1300) erinnern. Was die *Kleinbürgerhochzeit* aus der Schwanktradition heraushebt, und was ihre Struktur auch z. B. von der der Farce *Er treibt einen Teufel aus* unterscheidet, ist dies: die Situation wird nicht aufgebaut, um in die *eine* große Pointe umzuschlagen. Vielmehr zeigt die Situation Hochzeitsfeier viele Pointenaufschwünge, die qualitativ nicht voneinander geschieden sind und die typische Verhaltensweise aller Personen in einer Nummernfolge zusammenschließen.

Das Personal der *Kleinbürgerhochzeit* ist paarweise gestaffelt: das Elternpaar erscheint in »klassischer« Rollenteilung. Der Vater hält die Position im Wohnzimmer, indem er zu immer neuen Zotenerzählungen ansetzt, denn seine Lebenserfahrung läßt ihn wissen:

[...] wenn man was erzählt, was niemand angeht, wird es besser. Sie vertragen es so schlecht, wenn man sie sich selbst überläßt. (GW 7, 2740)

Die Mutter macht sich in der Küche zu schaffen und bestreitet ihren Teil der Unterhaltung mit Aufforderungen, beim Essen doch tüchtig zuzulangen. Die Brautleute sind flankiert von einem Paar, das schon länger verheiratet ist: die Frau wirft ihrem Mann ständig »Marasmus« vor, worauf dieser, der sie mit dem Tischbein verfehlt und nur eine Vase trifft, zu einem Klagemonolog ansetzt, der in den Worten gipfelt:

Vom Tage seiner Hochzeit an ist man nicht mehr ein Tier, das einer Herrin dient, sondern ein Mensch, der einem Tier dient, und das ist etwas, was einen herunterbringt, bis man alles verdient. (GW 7, 2730)

Ohne Partnerin ist der Freund des Bräutigams erschienen, dafür singt er aber die »Keuschheitsballade in Dur«, in der Mann und Frau ihr Verhältnis so verstehen: »Es ist doch nur Sauerei.« (GW 7, 2730) Ein viertes Paar schließlich findet erst während der Feier im dunklen Korridor zueinander, und ihm als einzigem wird schließlich dennoch »ein sehr schöner Abend« zuteil (GW 7, 2740). Zu vermuten bleibt, daß dieses Paar zu neuer Hochzeit antreten wird. Das Personal der *Kleinbürgerhochzeit* ist nämlich derart repräsentiert, daß es die verschiedenen Phasen bürgerlicher Ehe generationsmäßig besetzt: 1. das junge Liebespaar, 2. das Hochzeitspaar, das die meisten Illusionen bereits verloren hat, 3. das in langjährigem Eheclinch zermürbte und weiter sich zermürbende Couple und 4. schließlich die Alten: Vater erzählt Zoten, und Mutter macht das Essen. Was die Kleinbürger insgesamt kennzeichnen soll, ist, daß sie sich ständig langweilen: ein jeder fürchtet das Stocken des Gesprächs, immer krampfhafter sprudeln die Vorschläge, was man noch unternehmen könne, z. B. tanzen, ein Lied singen, die Wohnung inspizieren, die Möbel besichtigen usw. Jeder dieser Versuche sieht sich komisch zum Scheitern gebracht, darauf folgt stets eine Pause: »Man erholt sich« (GW 7, 2722) lautet dann etwa die Regieanweisung. Der Dialog des Einakters legt immer neue Proben von Assoziationsreihen dafür vor, daß diese Leute sich nichts zu sagen haben. Ein Beispiel: der Vater hat soeben eine seiner Zoten zur verpatzten Pointe geführt:

Man lacht.
Der Bräutigam *Sehr* gut.
Der junge Mann Er erzählt fabelhaft!

Die Schwester Aber Fisch esse ich jetzt nicht mehr.
Der Bräutigam Ja, Gänse essen nie Fische. Nur vegetarisch.
Die Frau Ist die Lampe eigentlich nicht fertig geworden?
Die Braut Ina, tu das Messer weg bei Fisch!
Der Mann Lampen sind geschmacklos. Das sieht ganz gut aus.
Die Frau Ja, aber man hat es nicht.
Der Freund Das ist das richtige Licht für einen Kabeljau.
Der junge Mann *zur Schwester:* Finden Sie das? Sind Sie für das Romantische?
Die Schwester Ja sehr. Besonders für Heine. Der hat so ein süßes Profil.
Der Vater Starb an der Rückenmarkschwindsucht.
Der junge Mann Eine schreckliche Krankheit!
Der Vater Ein Bruder vom Onkel des alten Weber hatte sie. Es war furchtbar, wenn er davon erzählte. Man konnte die Nacht darauf einfach nicht mehr schlafen. Also er sagte zum Beispiel ...
Die Braut Aber, Vater, das ist doch so unanständig!
Der Vater Was?
Die Braut Die Rückenmarkschwindsucht!
Die Mutter Schmeckt es dir, Jakob?
Die Frau Uns besonders. Heut nacht sollte man doch schlafen können.
Der Freund *zum Bräutigam:* Prost, alter Kunde!
Der Bräutigam Prosit, allseits!
Man stößt an. (GW 7, 2716 f.)

Dieser Text könnte einer genauen Sprachanalyse unterzogen werden, die sich darum kümmert, *wie* hier Komik (Komik in einfachem Wortsinn) entsteht. Aber komisch ist ja nicht allein der sprunghafte Gesprächs-Gestus, und komisch ist nicht irgendeine »Unangemessenheit«, irgendeine Sprengung des Anstands, um den sich alle doch so bemühen — komisch ist auch schon die »anständige« Verhaltensweise selbst, die hier z. B. im Befehl »Ina, tu das Messer weg bei Fisch!« ihren Ausdruck findet. Warum eigentlich darf Fisch nicht mit dem Messer zerteilt werden? In der Hochzeitsszene der *Dreigroschenoper* wird dieses »Problem« erneut behandelt:

Mac Was hast du da in der Hand, Jakob?
Jakob Ein Messer, Captn.
Mac Und was hast du denn auf dem Teller?
Jakob Eine Forelle, Captn.
Mac So, und mit dem Messer, nicht wahr, da ißt du die Forelle. Jakob, das ist unerhört, hast du so was schon gesehen, Polly? Ißt den Fisch mit dem Messer! Das ist doch einfach eine Sau, der so was macht, verstehst du mich, Jakob?
(GW 2, 412)

Komisch, wie gesagt, ist nicht allein der Kontrast, der entsteht, wenn um den bürgerlichen Benimm sich müht, wer dessen Vorschriften nicht völlig beherrscht. Vielmehr diese Vorschriften selbst sind komisch, genauer: sie sind komisch *geworden,* die Komik ist historisch vermittelt. Wenn hier der »gebildete« Kleinbürger die Konsorten eine Überlegenheit spüren läßt, die er aus der Kenntnis der Regeln über den Gebrauch von Eßbestecken gewinnt, so ist es nicht unwichtig sich zu erinnern, welcher Periode des Bürgertums solche Regeln entstammen und welche Bedeutung sie einst hatten. Eine kurze Bemerkung über den berüchtigten *»Knigge«,* dem solche Regeln zugeschrieben werden, mag diesen Zusammenhang erhellen.

Der radikale Spätaufklärer Adolph Freyherr Knigge war früh ins bürgerliche Lager übergetreten und hatte dessen Sache in politisch-philosophischen, meist satirischen, Schriften und Pamphleten energisch vertreten. Die im Jahre 1788 veröffentlichte Schrift *»Über den Umgang mit Menschen«* sollte beitragen, der aufsteigenden Klasse jenes Selbstbewußtsein auf gesellschaftlich-geselligem Gebiet erringen zu helfen, das sie auf wirtschaftlichem und intellektuellem Sektor, den Adel verdrängend, längst zu erreichen begonnen hatte. Die Rezeptionsgeschichte dieses Buches könnte viel über die gesellschaftliche Entwicklung in Deutschland aussagen [67], als »der Knigge« jedenfalls geriet das Werk dem Bürgertum zu einer allgemein und ewig verbindlichen Instanz in »Anstandsdingen«, die zum leeren Ritual wurden. Was im 18. Jahrhundert zur *Abrundung* des neuen Klassenbewußtseins hatte helfen sollen, wurde späterhin, und wie dann erst in der wilhelminischen Ära, zum fast einzigen Bezugspunkt, an dem spätbürgerliche Lebensform sich noch messen konnte.

Die Kleinbürger in Brechts Einakter glauben im Grunde nicht mehr an ihre eigene Identität, haben das Vertrauen in ihre Lebenshaltung verloren. Sie sind, nach Marxens Wort, nur noch die »Komödiant[en] einer Weltordnung, deren wirkliche Helden gestorben sind« [68], wobei hinzugefügt werden muß, daß ihre deutschen Vorfahren nie in jenem Sinne »Helden« gewesen waren. Nun wollen sie aus einem mehr oder weniger bewußten Kompensationstrieb heraus ein Familienleben vorführen, wie es einst die bürgerliche Idylle beschrieb:

Stille
Der Vater Bei den Modernen wird das Familienleben so in den Schmutz gezogen. Und das ist doch das Beste, was wir Deutsche haben.
Der Freund Das ist allerdings wahr.
Pause (GW 7, 2734)

Wie sprach einst Hermann zu seiner Dorothea, als man im trauten Familienkreis die Ringe getauscht?:

> Desto fester sei bei der allgemeinen Erschütterung,
> Dorothea, der Bund! Wir wollen halten und dauern,
> Fest uns halten und fest der schönen Güter Besitztum,
> Denn der Mensch, der zur schwankenden Zeit auch schwankend gesinnt ist,
> Der vermehret das Übel und breitet es weiter und weiter;
> Aber wer fest auf dem Sinne beharrt, der bildet die Welt sich.
> Nicht dem Deutschen geziemt es, die fürchterliche Bewegung
> Fortzuleiten und auch zu wanken hierhin und dorthin.
> »Dies ist unser!« so laß uns sagen und so es behaupten!
> Denn es werden noch stets die entschlossenen Völker gepriesen,
> Die für Gott und Gesetz, für Eltern, Weiber und Kinder
> Stritten und gegen den Feind zusammenstehend erlagen.
> Du bist mein; und nun ist das Meine meiner als jemals. [69]

Das ist geschrieben im Jahre 1797 — die Franzosen mochten ihre gesellschaftlichen Konflikte bis zur Revolution führen, die Deutschen würden nur desto fester ins Familiennest sich kuscheln. »Freiheit«, »Glück« des Menschen wurden gesehen als Ewiges, das dem Individuum ohne weiteres verfügbar bleibe, wenn es nur »fest auf dem Sinne beharrt«. Der Germanist Erich Trunz merkt dazu an: »Die Form der Familie, das Verhältnis der Generationen, die Liebe der Geschlechter — dergleichen war überzeitlich, Ewiges im Gegenwärtigen.« [70] Mochte solche Behauptung eventuell im Jahre 1797 noch ein minimales Recht auf Irrtum für sich beanspruchen können, so zeigt die *Kleinbürgerhochzeit* von 1919, daß zur Komödie werden *muß*, was einst zur falschen Idylle noch sich hatte runden können. Komisch *muß* werden, daß die Kleinbürger des Jahres 1919 das Goethesche Familienidyll, das Generationsverhältnis, die Beziehungen der Geschlechter nahezu unberührt glauben von der stürmischen Entwicklung des Kapitalismus in Deutschland, der — seit langem schon in seine imperialistische Phase eingetreten — nun sich anschickt, die Folgen des Ersten Weltkriegs zu verarbeiten. Eine Ahnung zwar schon ist da, daß es mit dem Familienleben eine schwierige Sache geworden ist: die »modernen Dichter« immerhin ziehen es in den Schmutz, aber es bleibt eben »das Beste, was wir Deutsche haben«. (Der Germanist Trunz denkt noch nach dem Zweiten Weltkrieg trotzig dasselbe).

Das »Mechanische im Lebendigen« (du mécanique plaqué sur du vivant), das nach Bergsons abstrakter und unhistorischer Theorie die Definition für Komik schlechthin abgeben soll [71], entsteht in der *Kleinbürgerhochzeit* dadurch, daß die Kleinbürger des Jahres 1919, in ihrem Selbstverständnis unsicher, *nicht anders können,* als Halt zu suchen in einem Verhaltensschema, das geschichtlich unwahr geworden ist. Die Sprache ist ein beredtes Zeugnis; hier werden mechanisch Redewendungen übernommen, die einer früheren Geschichtsstufe des Bürgertums entstammen:

Der junge Mann steht hoch aufgerichtet: Wenn zwei junge Menschen in die Ehe treten, die reine Braut und der in den Stürmen des Lebens gereifte Mann, dann singen, heißt es, die Engel im Himmel! Wenn die junge Braut — *zur Braut gewandt* — zurückschaut auf die schönen Tage ihrer Kindheit, dann mag sie wohl eine leise Wehmut beschleichen, denn nun tritt sie hinaus ins Leben, ins feindliche Leben — *die Braut schluchzt* —, freilich an der Seite des erprobten Mannes, der nun einen Ehestand gegründet hat, mit eigener Hand, in unserem Falle wörtlich zu nehmen, um nun mit der Erwählten seines Herzens Freud und Leid zu tragen. Deshalb laßt uns trinken auf das Wohl dieser beiden edlen, jungen Menschenkinder, die heute einander zum erstenmal gehören sollen — *die Frau lacht* —, und dann für alle Ewigkeit! Zugleich laßt uns aber zu ihrer Ehre das Lied: »Es muß ein Wunderbares sein« von Liszt singen. *Er fängt an, da aber niemand mitsingt, setzt er sich bald. Stille.* (GW 7, 2721)

Das sind Worte, deren »Innigkeit« und »Andacht« vom Herzen kommen sollen, und die doch gerade deshalb in das vorgefertigte Sprachschema rutschen, das für dergleichen Gelegenheiten parat ist. Man vergleiche das Vokabular mit dem der Hochzeitsreden in Vossens *Luise* (1795) — es ist nahezu identisch. Nur spricht hier ein junger Mann die Sätze, die in der klassischen bürgerlichen Idylle meist aus dem Mund des weisen Pfarrers perlen. Der Hochzeitstag sei der schönste Tag, dann aber beginne »das Leben«, und für die Braut heißt das zunächst einmal:

> Dann wird weder gehüpft noch gelacht, dann wandelt man ehrbar!
> Dann wird die Wiege bestellt! Dann singt man Eio Popeio! [72]

Bürgerlichem Selbstverständnis des 18. Jahrhunderts stellte sich Familie dar als

Keimzelle des Staates. Die Idyllendichtung spiegelte die allgemeine Übereinkunft der Klassenangehörigen darüber, daß es vor anderem gelte, sich und »der schönen Güter Besitztum« zu bewahren: die heitere Zuversicht in eigene Leistung und Leistungsfähigkeit war unerschüttert. Die Kleinbürger des 20. Jahrhunderts aber hat es in die Städte verschlagen, wo ein fester Hort nur schwer zu finden ist. So kann der Brautvater in Brechts kleinem Stück »aus der schönen Güter Besitztum« nur jene alten Betten anbieten, in denen Onkel August der Wassersucht erlag:

Der Vater Es sind sogar Erbstücke. Sie haben Altertumswert. Und massiv sind sie auch.
Der Freund Ja, früher wußte man, was man tat.
Der junge Mann Das waren aber auch andere Leute. (GW 7, 2719)

Möbel gelten dem Kleinbürger mehr als bloße Gebrauchsgegenstände, mit ihnen wird Heimat und Gemütlichkeit geschaffen, mit ihnen baut er die eigenen vier Wände zum Bollwerk gegen die Außenwelt aus. Der Bräutigam hat seine Möbel selbst gefertigt:

Die Frau Aber ob es sich auch hält!
Die Braut Länger als Sie und wir alle! Man weiß doch, was daran ist! Auch den Leim hat er selber gemacht.
Der Bräutigam Auf das Lumpenzeug in den Läden kann man sich ja nicht verlassen!
Der Mann Es ist eine gute Idee. Man verwächst dann mehr mit den Sachen. (GW 7, 2717)

Doch der Schrank läßt sich nicht öffnen, und erst die Stühle, dann der Tisch und zuletzt auch das Bett krachen auseinander. Hierbei handelt es sich weder um irgendeine allgemein-komische »Tücke des Objekts« noch um eine »entfesselte Requisiten-Pantomine« im Stil des absurden Theaters, wo *die* Dinge *dem* Menschen angeblich fremd geworden sind. Die Funktion der Möbel in der Darstellung von Familienleben ist näher zu erläutern.

Walter Benjamin machte einmal auf den »Charakter der bürgerlichen Wohnung, die nach dem namenlosen Mörder zittert, wie eine geile Greisin nach dem Galan«, aufmerksam und las aus den Kriminalromanen Poes und Conan Doyles eine geheime Logik heraus, insofern die »seelenlose Üppigkeit des Mobiliars« im Interieur des späten neunzehnten Jahrhunderts »adäquat allein der Leiche zur Behausung« diene: »wahrhafte[n] Komfort erst vor dem Leichnam« gewinne. [73] Mit solcher Enthüllung des Bedrohlichen im Vertrauen hat Brechts Einakter aber nichts mehr zu tun, wie komische Darstellung auch generell »unpsychologisch« vorgeht.

In der *Kleinbürgerhochzeit* wird bewußt kein charakterisierendes Interieur gezeigt, in dem Autoren wie Ibsen, Strindberg, Tschechow Familienleben und Geschlechterkampf ansiedelten. Denn solche Gestaltung reflektierte noch eine sozusagen aktuelle Erfahrung — die der verlorenen Illusionen, welches Motiv sich schon im bürgerlichen realistischen Roman als das bestimmende durchgesetzt hatte. Das Mobiliar, feste, gediegene Stücke, in denen Tradition nistet, stellte den schaurig-gemütlichen Hintergrund, vor dem die zerbröckelnden Personen sich abhoben: »die

Zeit« ging am Inventar spurlos vorüber, nicht aber an den Menschen. Solches Kontrastverhältnis der Personen zum Interieur ist auch für den Typus der späten Gesellschaftskomödie geradezu konstitutiv: undenkbar, daß die müden Gestalten Oscar Wildes oder Hofmannsthals an anderem Ort als dem »Salon« über ihre Unzeitgemäßheit räsonieren.

Der Ansatzpunkt der *Kleinbürgerhochzeit* ist anders. Das Fehlen des überkommenen Mobiliars unterstreicht hier das Fehlen einer noch irgend lebendigen Tradition, an der die Personen zu messen wären. Nicht mehr wird Kontinuität von Familienleben beschworen, um dann aufgesprengt zu werden. Brecht versteht sich als »Historiker« des Bürgertums, daher ist der Zerfall einer Ehe gar kein Thema mehr für ihn. Er wählt das Motiv der Hochzeit, wo ja gemeinhin die Brautleute voller Optimismus sind, neuen Anfang setzen wollen und die neuen Möbel für die gemeinsame Zukunft anschleppen, zum Komödienbeweis, daß, was zur bürgerlichen Ehe zusammenkittet, nur schlechter Leim, und daß, was da auf ewig zu halten und dauern meint, auf wackligen Füßen steht. Das Zusammenbrechen des gesamten Mobiliars, an dem der Bräutigam monatelang gewerkelt, der Geruch des Leims, der sich trotz des versprühten Parfums durchsetzt, bieten in diesem Sinne eine Art Primitivsymbolik, die aber einer Komödie erlaubt ist und zudem große Bühnenwirksamkeit haben muß.

Ist die *Kleinbürgerhochzeit* eine *Satire?* Der Titel selbst scheint das anzudeuten, hieß das Stück doch ursprünglich nur *Die Hochzeit*. Satire ist aber eine Gattung, die die zu »treffenden« Charaktere oder Typen sehr viel konkreter gestalten können muß — in Brechts Einakter ist jedoch nicht einmal zu erfahren, welche Berufe Bräutigam, Freund usw. haben. Die Kleinbürger repräsentieren hier keinen bestimmten sozialen Typus, der sie von Arbeitern und Bourgeois deutlich unterschiede. Nun wäre solche Konkretisierung zu einer Kleinbürgersatire vielleicht gar nicht notwendig. Schon Friedrich Engels wollte im deutschen Klein- oder Spießbürgertum »keine normale historische Phase, sondern eine auf die Spitze getriebene Karikatur« sehen, der es gelungen sei, »sich auch allen anderen deutschen Gesellschaftsklassen mehr oder minder als allgemein deutscher Typus aufzudrükken«. [74] Dies vorausgesetzt, war es in der bürgerlichen Literatur stets fatal, das Kleinbürgertum als vermeintlichen Sondertypus sich polemisch herzurichten, um dann das Bürgertum darüber lachen zu machen. Brechts Kleinbürger ist vielleicht darum kein genauer sozialer Typus, sondern eben der bürgerliche Herr Jedermann und, um überspitzt zu formulieren: diese Komödie entsteht aus der Situation und nicht aus der Standestypik. Denn wichtig ist nicht, daß ein Kleinbürger an dem Ereignis Hochzeit und seinem verpflichtenden Verhaltensschema scheitert, wohingegen ein »normalerer« Bourgeois die Situation »besser« würde meistern können. Wichtig ist vielmehr, daß der bürgerliche Ehevertrag, den Kant einst so drastisch formuliert hatte [75], kein privates, gegen die Gesellschaft abgeschirmtes Glück mehr verbürgen kann, sondern das Geschlechterverhältnis in einer historisch überholten Form regelt. Daß an dieser Form festgehalten wird, obwohl ein neuer Inhalt fehlt, ist Komödienthema für Brecht.

Noch ein anderer Gesichtspunkt spräche gegen Satire, die Tatsache nämlich, daß die *Kleinbürgerhochzeit* zwar eine Komödie, aber nur eine kurze, eben ein Einakter ist. Satire aber braucht, wenn sie sich an Personen heftet, um sie zur Kenntlichkeit zu entstellen, in viel stärkerem Maße »Handlung«. Im Einakter dominiert indes die Situation ganz entschieden über den Menschen, es kommt nur noch zum »Geschehen«, d. h. es bleibt bei dem *einen* Zustand, der zu wenige qualitative Abstufungen bietet, an denen Satire sich bewähren könnte. Man verstehe recht: es ist der Typus Einakter, der für Satire ungünstig ist. Nicht soll behauptet werden, Komödie und Satire stünden unvereinbar gegenüber. Das Gegenteil ist richtig. Komödie ohne satirische Züge scheint gar nicht mehr denkbar, denn als lediglich heiteres Spiel war sie nur in Epochen möglich, die noch keine »Unterhaltungsindustrie« kannten, so daß sie die heute gesondert verwaltete Aufgabe, dem Bedürfnis nach Lustbarkeit und Spektakel im weitesten Sinne zu entsprechen, noch mitübernehmen mußte.

Nun hat allerdings Brecht den Unterhaltungsfaktor seines Theaters stets hoch veranschlagt — nie aber dachte er dabei an ein Spiel, das eben nichts als Spiel sein will:

Die Scheidung der Bedürfnisse nach Unterhaltung und nach Unterhalt ist eine künstliche, in der Unterhaltung (der ablenkenden Art) wird der Unterhalt ständig bedroht, denn der Zuschauer wird nicht etwa ins Nichts geführt, nicht in eine Fremde, sondern in eine verzerrte Welt, und er bezahlt seine Ausschweifungen, die ihm nur als Ausflüge vorkommen, im realen Leben. (GW 16, 654)

Die qualitative Bestimmung der intendierten Unterhaltung wandelt sich zwar bei Brecht, z. B. vom »Spaß« des Sportpublikums über die »Entdeckerfreude« des Wissenschaftlers zum »Genuß« des Proletariers am Lernen, und schließlich zum »Vergnügen« der Gesellschaftsumwälzer [76], stets aber bemühte sich Brecht um eine Vermittlung von Belehrung und Unterhaltung:

Eine Kunst, die den Erfahrungen ihres Publikums nichts hinzufügt, die sie entläßt, wie sie kamen, die nichts will, als rohen Instinkten zu schmeicheln und unreife oder überreife Meinungen bestätigen, taugt nichts. Die sogenannte reine Unterhaltung ergibt nur Katzenjammer. Aber genau so wenig taugt eine Kunst, die mit ihrem Publikum nichts vorhat, als es zu erziehen, und glaubt, sich dazu zu kasteien, d. h. sich aller ihrer vielfachen Mittel entledigen zu müssen. Sie wird das Publikum nicht erziehen, sondern nur langweilen. Das Publikum hat Anspruch auf Unterhaltung. Sie dient nicht nur zur Reproduktion der Arbeitskraft, aber sie muß auch dazu dienen. Und die Künstler haben einen Anspruch darauf, unterhalten zu dürfen. [77]

Wenn also »künstlerische« und didaktische Intention keineswegs einander ausschließen, das Prodesse auch für Brecht durchaus mit dem Delectare sich verbinden kann und soll — warum wird dann hier dennoch Wert darauf gelegt, die *Kleinbürgerhochzeit* ausdrücklich Komödie und nicht Satire zu nennen? Daß das Motiv Hochzeit gar keine satirische Anstrengung mehr benötige und daß diese durch den Formtypus Einakter stark behindert werde, wurde schon gesagt. Hinzu kommt nun, daß das didaktische Moment bei Brecht niemals *moralisch* verstanden werden kann. Weder will er die Menschen »bessern« noch die Empörung gegen die mit Bitterkeit registrierten Mißstände organisieren, wie das der Satire als Großform doch wohl eigentümlich ist. Insoweit ist die *Kleinbürgerhochzeit* gerade *als* Komödie für Brechts spätere und »größere« Komödien paradigmatisch.

Auf eine Formel gebracht: wo die Satire gegen ihr Objekt attackierend anstürmt und diesen Impetus vermitteln möchte, setzt die Komödie auf jene heitere Distanz zum lächerlich gemachten Objekt, die für dessen Erkenntnis sorgen will. Ihr Anspruch ist bescheidener und ihre intendierte Wirkung längerfristig als die der Satire geplant, welche sich alles davon erhofft, daß ihr dégoût am jeweils aufgezeigten Skandalon sofort geteilt werde.

Etwas anderes ist, daß der Komödie — zumal bei Brecht — satirische Züge, d. h. die entlarvende Schärfe im Detail, nahezu immanent sind. In der *Kleinbürgerhochzeit* aber fehlen sie doch noch sehr. Um dies zu verdeutlichen, seien einige Sätze aus Brechts Schrift *Der Dreigroschenprozeß. Ein soziologisches Experiment* (1931) zitiert, die — will man sie auf die *Kleinbürgerhochzeit* beziehen — wie eine Selbstkritik wirken müssen. Brecht warnt vor der »gefährlichen Passivität«, zu der die parteiliche Einsicht in gesellschaftliche Zusammenhänge führen kann:

> Der Klassenkampf ist dann nicht mehr Sache des Menschen, sondern der Mensch eine Sache des Klassenkampfs. So ist vielen linken Schriftstellern die Welt mit Barrikadenbrettern vernagelt. Die Barrikade verbirgt ihnen den Gegner und schützt diesen mehr als sie selber. Die Welt besteht dann aus zwei Welten, die voneinander entfernt, nicht ineinander sind. Dann sind eine große Menge Menschen Kleinbürger und Kleinbürger eben nichts als Kleinbürger, einer unveränderlichen, natürlichen Kategorie angehörend; eine gewisse Art, den Fisch zu essen, ist kleinbürgerlich, bestimmte gesellschaftliche Arbeiten werden von Kleinbürgern verrichtet, und die sie verrichten, sind Kleinbürger. (GW 18, 184)

Was Brecht den linken Schriftstellern vorwirft, ist die fehlende Dialektik in der Gestaltung der gesellschaftlichen Wirklichkeit. Wenn Literatur einen Beitrag zum Klassenkampf leisten will, darf sie den Gegner nicht nur als Endprodukt der nun einmal gegebenen Verhältnisse betrachten, sondern auch als deren Produzenten. Literatur darf nicht mit einer bloßen Bestandsaufnahme des »anderen Lagers« sich begnügen, der analytische Blick nicht auf der Oberfläche feixend verharren. Mit einem Wort: Literatur soll so nicht sein, wie die *Kleinbürgerhochzeit* nun allerdings tatsächlich ist.

Zu berücksichtigen ist aber, daß die zitierten Sätze aus dem Jahre 1931 stammen, aus einer Zeit also, wo der Kleinbürger zwar noch immer der allgemeine deutsche Typus ist, wohl aber eine neue historische Qualität erlangt hat. Die *Kleinbürgerhochzeit* von 1919 zeigte noch den Spießer der wilhelminischen Epoche, der nach dem Ende des Weltkriegs wieder in die alte Gestalt zurückzuschlüpfen suchte. Aus dem Debakel von 1918 und einer gescheiterten Revolution sowie aus der prekären wirtschaftlichen Lage entstand der Typus eines neuen Mittelstands, der seine Bösartigkeit und Gefährlichkeit im Laufe der zwanziger Jahre bereits hinreichend unter Beweis stellte, bevor er sich im Jahre 1933 offiziell etablieren konnte. Die Literatur der Zeit trägt dem auch Rechnung. [78]

Wenn eine Voraussetzung der Brechtschen Komödie ist, daß die Ideologie des

Bürgertums, an dessen realem Verhalten gemessen, sich immer blamiert, so zeigt die *Kleinbürgerhochzeit* eben *nur* die Blamage. Brechts spätere Komödien zeigen darüber hinaus noch die gefährliche Komponente dieses Verhaltens und zeigen, zu welchen Konsequenzen es führt. Dafür sei schon hier ein Beispiel zitiert: wie die *Kleinbürgerhochzeit* als Komödie der bürgerlichen Form von Ehe und Familie gelten kann, so *Mann ist Mann* (1926) als die des bürgerlichen »freien Individuums«. Demonstriert wird, mit welcher Geschwindigkeit einer seine Identität verlieren kann, was impliziert, daß da nicht sehr viel mehr zu verlieren war. Dazu wird aber noch gezeigt, *wozu* einer sich verändert, der nie nein sagen kann und von der Aussicht, ein Geschäft machen zu können, leicht verführbar ist: seine neue Identität ist die der »menschlichen Kampfmaschine«. Was an *Mann ist Mann* schärfer und treffender gegenüber der *Kleinbürgerhochzeit* geworden ist, wobei die Problematik des Vergleichs von »richtigem Stück« und Einakter einmal übergangen sei, verdankt sich erkennbar der geschichtlichen Erfahrung. Die Kleinbürger aus dem frühen Stück bleiben bei sich zu Haus, versuchen in der Abkapselung des Privaten ihr Glück zu finden. Galy Gay tritt aus dem Haus »ins Leben« hinaus (seine Frau hatte ihn einen Fisch kaufen geschickt) und kehrt nie mehr »zu sich« zurück. Vor seinen neuen Kumpanen verleugnet er seine Frau und findet seine Heimat in den Reihen des auf Überfall in fremdes Land sich rüstenden Heeres. Der Traum von der Selbstverwirklichung im Privaten, der in der *Kleinbürgerhochzeit* komisch destruiert wird, ist hier durch den Traum von der Zugehörigkeit zu einem größeren Ganzen ersetzt: der verschwommene Drang des Kleinbürgers zum Kollektiv führt ihn, weil er ihn zu reflektieren nicht versteht, nicht zum Sozialismus, sondern in jene »Volksgemeinschaft«, die für ihn die Rolle einer »menschlichen Kampfmaschine« bereithält. Im frühen Einakter von 1919 wird der Kleinbürger nur als solcher vorgeführt, als unveränderlicher Typus — die Komödie des Jahres 1926 entlarvt zugleich seine dumpfe, bewußtlose Gefährlichkeit, wie objektiv komisch er auch noch immer geblieben ist.

Festzuhalten ist dies: Brechts *Kleinbürgerhochzeit* ist die erste seiner Komödien, in denen eine alte Gestalt »zu Grabe getragen« wird, nämlich die bürgerliche Ehe und Familie. In den folgenden Komödien nimmt der Anteil des Satirischen zu, insofern es zu einer vollständigeren Analyse des lächerlichen Objekts kommt. Die Komödienintention bleibt indessen bestehen, ihr Verhältnis zur Satire wird später noch genauer zu differenzieren sein.

Die Behandlung der frühen Einakter sei hiermit abgeschlossen. Der Blick, der auf sie fiel, suchte den Beleg für Komik und Komödie aus der Perspektive von Brechts späteren Stücken. Die einzelnen Fabeln wurden ausführlich vorgestellt, wobei die Rechtfertigung solcher Ausführlichkeit allerdings nicht darin liegen kann, daß das Komische, dem die Suche galt, auch gefunden wurde. Vielmehr muß der »Fund« auch zum Verständnis des komischen Motive und Szenen in Brechts späteren Stücken beitragen können.

Dabei ist zunächst vielleicht noch einmal auf den Formtypus Einakter zurückzukommen. Georg Lukács dekretierte:

Eine dramatische Form, die der Novelle, der Ballade, dem Märchen usw. entsprechen würde, gibt es nicht. Die vereinzelt auftauchenden und am Ende des 19. Jahrhunderts als besondere Gattung aufgefaßten Einakter haben zumeist ihrem Wesen nach keine wirklich dramatischen Elemente. [79]

Was Lukács am Einakter tadelt, das fehlende »Dramatische« im Sinne der Hegelschen *Ästhetik,* entspricht nun aber genau der formalen Intention der Einakter Brechts: sie greifen auf »erzählende« Kleinformen wie Schwank und Farce zurück, ihr Personal sind Typen, nicht Charaktere, und ein eigentlich »dramatischer« Konflikt wird gar nicht erst fingiert. Brechts Einakter erscheinen somit — ohne daß man sie direkt »episch« nennen dürfte — als logische Etappe auf dem Weg zu einem »epischen Theater«, welchen Begriff Brecht lange Zeit als schlechthin programmatischen für sein Schaffen verwendete. Das heißt: Brechts Einakter sind für ihren Autor charakteristischer als für den Formtypus Einakter selbst, wie er von anderen Autoren behandelt wird, und sie sind dies eben dadurch, daß sie wesentlich an dessen Vorformen, also an der Kurzkomödie mit ihrem naiven, zur Schau gestellten Materialismus, orientiert bleiben. Zur Verdeutlichung sei zitiert, auf welche Weise der Einakter in Peter Szondis *Theorie des modernen Dramas* beschrieben wird: bei Strindberg, Schnitzler, Maeterlinck, Hofmannsthal, Wedekind u. a. zeige der Einakter nicht nur an, daß diesen Autoren »die überlieferte Form des Dramas problematisch wurde, sondern [sei] oft schon der Versuch, den ›dramatischen‹ Stil als aufs Futurische gerichteten Stil der Spannung aus dieser Krise zu retten«. Weiter heißt es, die Situation des Einakters sei meist eine »Grenzsituation«, die »Katastrophe« als »futurische Gegebenheit liefernd; was den Menschen »vom Untergang trenn[e], [sei] die leere Zeit, die durch keine Handlung mehr auszufüllen ist, in deren reinem, auf die Katastrophe hin gespanntem Raum er zu leben verurteilt wurde«. Deshalb sei der Einakter »das Drama des unfreien Menschen«. [80] Inwieweit solch steile Interpretation, die dem Formtypus zurechnet, was erst durch einen ganz bestimmten Inhalt entstand, den erwähnten Autoren überhaupt gerecht wird, sei dahingestellt. Daß Brechts Einakter keinen irgendwie »aufs Futurische« gerichteten dramatischen Stil haben retten wollen, ist hingegen ebenso sicher wie die Tatsache, daß in ihnen keine irgendwie »verurteilten« Menschen — (wer verurteilt wen und warum?) — auftreten, und von »Katastrophe« kann erst recht nicht gesprochen werden. Weder in diesem noch in anderem Sinne ließen sich Brechts frühen Einakter für den Einakter als Gattung irgend wichtige Erkenntnisse abgewinnen, auch ist ihr literarischer Wert wohl eher gering einzuschätzen.

An Brechts frühen Einaktern ist aber mehr oder minder deutlich schon zu erkennen, wie Komik und Komödie in den späteren Stücken auftreten. Die *Kleinbürgerhochzeit* ist das erste Modell einer Komödie, in der spezifisch bürgerliche Erscheinungsformen in ihrer geschichtlichen Überholtheit ausgestellt werden; hier ist es die Ehe und Familie, später die »freie Persönlichkeit (*Mann ist Mann*), der »gute Mensch« (*Heilige Johanna, Guter Mensch von Sezuan*), der »geistige« Mensch oder Intellektuelle (*Turandot*) usw. Die anderen Einakter weisen vor allem auf das einzelne komische Motiv voraus, das oft als Exempel auftritt. *Der Bett-*

ler oder Der tote Hund steht relativ isoliert, sofern man nicht in dem abstrakt-archaischen Verhältnis zwischen Bettler und Kaiser, das als szenischer Witz präsentiert wird, schon das Komische vorweggenommen sieht, das bei Brecht oft aus dem Zusammenprall der »plebejischen« Perspektive mit der der »Oberen« seine Anschaulichkeit gewinnt. Was den übrigen Einaktern, die *Kleinbürgerhochzeit* eingeschlossen, gemeinsam ist, ist das bei Brecht immer wieder begegnende komische Motiv der Geschlechterbeziehung. »Entfremdung« wird nicht als Verhängnis bejammert, sondern allemal zur komischen Demonstration genutzt, insofern das »Natürliche« mit dem »Gesellschaftlichen« kollidiert. Die dialektische Beziehung zwischen bürgerlicher Ehe und Prostitution im weitesten Sinne ist ein zentrales Brecht-Motiv. Die sogenannte Moral führt nicht mehr wie bei Hebbel, Hauptmann, Wedekind u. a. zu vermeintlich tragischen Konflikten, sondern wird als objektiv lächerlich gewordene erinnert. Sexualität wird zu keiner dämonischen Macht mehr stilisiert, sie wird vielmehr als komisches Hemmnis des ebenso komischen höheren Strebens registriert:

> Nachmittags weiht man sich noch eilig 'ner Idee,
> Am Abend sagt man: mit mir geht's nach oben
> Und vor es Nacht wird, liegt man wieder droben. (GW 2, 440)

Von der robusten Sinnlichkeit Baals über die Anfechtungen des Sergeant Fairchild (*Mann ist Mann*), den Gewohnheitsgang ins Bordell (*Dreigroschenoper*) bis hin zu den *Don Juan*- und *Hofmeister*-Themen der Bearbeitungen erscheint Sexualität in immer neuen Variationen als komisches Motiv. Von daher ist es dann aufschlußreich, daß Brechts frühe Texte eine sexuelle Komponente nicht nur aufweisen, sondern an dieser ihre Struktur finden: da ist der Ehebruchsschwank (*Der Fischzug*), die Farce des vom Pfarrer bei der »Unzucht« ertappten Paares (*Er treibt einen Teufel aus*), die Kabarett-Nummer über das Geschäft mit Aufklärung und Prostitution (*Lux in Tenebris*), schließlich die Hochzeit, welches Motiv Brecht besonders häufig aufgreift.

Es ließe sich demnach behaupten, daß das Gemeinsame der frühen Einakter nicht in irgendeinem »Einfluß« (Valentin usw.), noch im formalen Typus, sondern in dem Moment der Sexualität zu suchen ist, dessen »Gesellschaftlich-Komisches« allerdings nicht durchweg so klar wie in der *Kleinbürgerhochzeit* und den späteren Hochzeitsszenen sichtbar wird.

Komisches, Komödie und verwandte Phänomene bei Brecht

I. Zum Problem des Grotesken und Absurden

Dem Grotesken und Absurden ist angeblich eine »nahe Verwandtschaft« zur Form des Einakters gegeben, und Brechts frühe Texte wurden deshalb nahezu unbesehen als »Groteskformen des Theaters« eingestuft. [81] Doch nicht nur dies: *Kleinbürgerhochzeit, Im Dickicht der Städte, Mann ist Mann* seien allesamt groteske bzw. absurde Stücke — die Begriffe werden, wenn nicht einfach identisch gebraucht, so doch nicht voneinander geschieden — und zu Brechts Farce *Das Elefantenkalb* (dem selten aufgeführten Zwischenspiel zu *Mann ist Mann*) habe »das Unterbewußtsein des Autors den dramatischen Stoff geliefert«. [82] Ein wahrhaft erstaunliches Résumé lautet:

> Brecht war einer der ersten Meister des Absurden und sein Fall macht offenbar, daß ein Thesenstück nicht mit seinen politischen Gehalten, sondern mit seiner dichterischen Wahrheit steht und fällt, die jenseits des Politischen liegt, weil sie aus sehr viel tieferen Schichten der Persönlichkeit des Autors aufsteigt. Das Wesen Brechts enthielt ein starkes Element des Anarchismus und der Verzweiflung, weshalb er selbst in der Zeit seines politischen Engagements bei der Darstellung der kapitalistischen Welt im wesentlichen negative und absurde Bilder gebrauchte: in »Der gute Mensch von Sezuan« wird die Welt von unzurechnungsfähigen Göttern regiert, die Welt des »Puntila« erinnert an eine Chaplinade und in »Der kaukasische Kreidekreis« wird der Sieg der Gerechtigkeit nur durch den unwahrscheinlichsten aller Zufälle herbeigeführt. [83]

Diese Deutung ist schon kurios: die »negativen und absurden Bilder« in der Darstellung des Kapitalismus stünden also nicht etwa da, weil sie dem Sujet angemessen sind, sondern sollen, dem politischen Bewußtsein des Autors zum Trotz, aus Brechts »Wesen« heraus sich in die ästhetische Erscheinung schmuggeln. Kurios ist ebenfalls eine Auffassung von »dichterischer Wahrheit«, die weniger an der Konstruktion des Werkes sich erweist als aus den Tiefenschichten der Verfasserpersönlichkeit herleitbar sei. Wenn »alle Kunst [...] letzten Endes subjektiv« sein soll, dann geht es doch sehr seltsam zu, daß ausgerechnet das rein persönliche »Daseinsgefühl« bzw. die »individuelle Weltanschauung« des Autors trotzdem in der Lage sein kann, »das Bild eines absurden Universums«, »einer Welt, die von keinen rationalen Prinzipien mehr beherrscht wird« [84], erkennen zu können. Solche Ungereimtheiten in dem Buch Martin Esslins, *Das Theater des Absurden* (Hamburg 1965), verwundern nicht bei einem Autor, der schon früher, in seiner Arbeit *Brecht. Das Paradox des politischen Dichters* (Frankfurt a. M. 1962), hatte beweisen wollen, wie der »dichterische Brecht« dem »politischen Brecht« immer wieder einen Streich spielt.

Würde es sich hier nur um die Fehldeutungen und ideologischen Voreingenommenheiten eines einzelnen Literaturwissenschaftlers handeln, so wäre das relativ unerheblich. Die Art, wie hier von Brecht sowohl wie vom Grotesken und Absurden gesprochen wird, ist indessen symptomatisch für die intellektuelle Diskussion der späten fünfziger bis frühen sechziger Jahre [85]; und die Bestimmungen des Grotesken und Absurden haben sich seit jener Zeit, mögen sie auch inzwischen mit weniger Verve vorgetragen werden, bis heute jedenfalls in der Form erhalten, daß sie im Vergleich zum Komischen als ästhetisch belangvollere und erkenntnismäßig »tiefere« Phänomene gelten.

Das Grundbuch dieser Ansicht ist Wolfgang Kaysers Arbeit *Das Groteske in Malerei und Dichtung* (Hamburg 1960), in der dunkle Andeutungen über eine »andringende Welt« gemacht werden, die — »undurchschaubar und fremdartig« — allen »Aufwand an Überlegung [...] immer wieder zuschanden« mache. Dort werde »eine randvoll mit bedrohlichen Spannungen erfüllte Zuständlichkeit«, ein allgemeiner »Verlust der Identität« sowie die »Aufhebung der Dingkategorie« konstatiert, bis hin zu dem Fazit:

Was einbricht, bleibt unfaßbar, undeutlich, impersonal. *Wir können eine neue Wendung gebrauchen: das Groteske ist die Gestaltung des »Es«.* [86]

Wolfgang Kayser scheint zu entgehen, daß sein Bestreben, das Groteske als eine, vom Komischen streng geschiedene, »ästhetische Kategorie« zu etablieren (was deren historische Wandelbarkeit impliziert), dadurch zunichte werden muß, daß er bei einem ahistorischen Begriff der Psychoanalyse definitorische Zuflucht sucht. Es geht nicht an, ein und dasselbe Phänomen mal als jederzeit verfügbaren »Stil«, mal inhaltlich als das Phantastische, Unheimliche, Anomale usw. hinzustellen, es gar mit der »entfremdeten Welt« zu identifizieren (»Das Groteske ist die entfremdete Welt«), um es gleich darauf als künstlerische Abwehrhaltung gegen diese zu definieren (»die Gestaltung des Grotesken ist der Versuch, das Dämonische in der Welt zu bannen und zu beschwören«). [87]

Wie konnte es geschehen, daß solche Ausführungen, die zu kaum mehr als feuilletonistischem Tiefsinn taugen, immer wieder zustimmend referiert und sogar auf Brecht übertragen werden konnten? [88] Die Vermutung drängt sich auf, daß das Groteske wie das Absurde nur das Stichwort, die Chiffre eines spätbürgerlichen »Lebensgefühls« sind, das — um sich selbst bestätigen zu können — mit vagen Assoziationen auskommt und die fehlende Präzision im Begrifflichen gar nicht wahrnimmt, geschweige denn als störend empfindet. Wenn die Vermutung richtig ist, dann würde auch erklärlich, warum so ein großes Gewicht auf die nicht näher erläuterte »Psyche« gelegt wird, die all das Beängstigende registriert, und warum diese passive Spiegelung dann zugleich zu einer radikal mutigen Bestandsaufnahme stilisiert wird: hier handelt es sich um eine »Weltanschauung« mit deutlich solipsistischen Zügen. Fast unnötig ist, darauf hinzuweisen, daß dies alles mit Brecht nicht nur nichts zu tun hat, sondern daß Brecht gerade gegen solche Thesen stets sich verwahrt hat:

Weder die Welt noch der Mensch können sichtbar gemacht werden (ist erkennbar und behandelbar beschrieben), wenn nur die Spiegelung der Welt in der menschlichen Psyche oder nur die menschliche Psyche, wenn sie die Welt spiegelt, beschrieben wird. Der Mensch muß in seinen Reaktionen und in seinen Aktionen beschrieben werden. (GW 19, 321 f.)

Den Menschen in seinen Aktionen und Reaktionen beschreiben ist etwas anderes, als eine immer irgendwie »vorfindliche« Situation voraussetzen, die als solche eben hinzunehmen (oder wie es im Jargon heißt: »auszuhalten«) sei, und die bestenfalls »gebannt« werden könne. Gegenüber der grotesken Gestaltung, die — wie ihre positiven Interpreten meinen — »Grundbefindlichkeiten« menschlichen Daseins in Szene setzen, den Widerspruch zwischen »dem« Menschen und »der« Welt darstellen kann, geht es der Komödie um gesellschaftliche Widersprüche, deren »Unvernunft« nicht »gebannt«, sondern kritisiert werden muß. Dabei kann sich die Komödie, um ihre Intention zu verwirklichen, nun allerdings grotesker Mittel bedienen, und gerade das Werk Bertolt Brechts gibt dafür einige Beispiele.

Wichtig ist dies: will das Groteske ein irgend Konkretes bedeuten, so muß es von dem Begriff des Absurden zuvor klar getrennt werden. »Die Welt« ist keineswegs so für sich selbst absurd und jeder Erkenntnis entzogen, sondern so erscheint sie nur dem, der seine Gegenwart nicht als geschichtlich gewordene (und damit: veränderbare) verstehen kann oder will. Groteske Darstellung am einzelnen, konkreten Fall wäre als Kritik an jener vermeintlich »andringenden« Welt der Beweis, daß Erkenntnis mitnichten vor der *produzierten* Absurdität hat kapitulieren müssen.

Es ist das Verdienst von Arnold Heidsieck, in seinem Buch *Das Groteske und das Absurde im modernen Drama* (Stuttgart 1969) als erster die unterschiedslose Vermengung von Groteskem und Absurdem gesprengt zu haben. Das Groteske gilt ihm »zunächst nicht [als] ein Begriff der Ästhetik, sondern des Erkennens, der über eine bestimmte Beschaffenheit von Wirklichkeit aussagt«. Gerade im Werk Brechts zeige sich dagegen

> [...] die ästhetische Funktion des Grotesken unmißverständlich: es steigert die Entstellung bis an die Grenze des Absurden, aber es will nicht ein Absurdes zeigen, sondern die planmäßige Entstellung des Menschen. Es stellt das Schreckliche nicht als unabänderlich hin. Es erteilt dem Betrachter eine gewalttätige Lektion, will »Lehrstück« sein.

Grotesk sei »immer nur das bekannte Fremde, die Verkehrung des Menschen, nicht ein alogisch-Irreales, sondern ein logischer, in der Wirklichkeit anzutreffender Widerspruch«. Folglich handele es sich beim Grotesken um »ein realistisches Gestaltungsprinzip«, um »eine realistische Stilintention«. In dem Kapitel »Der Übergang vom Absurden zum Grotesken im Drama Bertolt Brechts« interpretiert Heidsieck das Stück *Im Dickicht der Städte* richtig als eine »erste Vorwegnahme der modernen Gestalt des Absurden« und fügt auch gleich hinzu, daß dies im Brechtschen Werk vereinzelt dastehe. Seit *Mann ist Mann* begegne häufiger das Groteske »als extreme Möglichkeit der Verfremdung«, aber — wiederum wird der entscheidende Zusatz nicht vergessen —: »Sofern es auftritt«, werde es »integriert«. [89]

Dem könnte fast durchweg zugestimmt werden, aber Heidsieck behauptet auch: »Die groteske Form schließt Tragik, Komik wie auch Tragikomik ganz aus.« Und weiter, das von ihm in den grotesken Dramen Brechts, Frischs und Dürrenmatts entdeckte »Parabelbild« beanspruche, »das Bild einer grotesken Welt« zu sein. »Die Absurdität, die Undurchsichtigkeit« seien nur der »Schein des gänzlich Grotesken«,

d. h. »das Ganze« sei grotesk: das Groteske als »Kunstform, die mit der Zeit wahr geworden ist«, sei ein Abbild der Welt, das diese jedoch in vielem gar nicht mehr erreichen könne. [90]

In solchen Behauptungen droht die erreichte Differenzierung von Groteskem und Absurdem wieder zu verschwinden. Denn wenn partout »das Ganze«, »die Welt« abgebildet sein sollen (wobei Heidsieck sich diesen Abbildungsprozeß offensichtlich als unmittelbaren Vorgang vorstellt), dann macht es nur noch einen geringen Unterschied, ob »das Ganze« durch irgendein mythisches Verhängnis in Unordnung geriet oder durch »vom Menschen« selbst bewirkte Tat. Die Kategorie »der Mensch« ist nämlich um nichts konkreter als etwa die des »Schicksals«, die auf versteckte Weise im absurden Theater wieder zu Ansehen gekommen ist (nur wird dort dann vom »Geworfensein« des Menschen usw. geraunt).

Heidsieck versteigt sich sogar zu folgender These: »der groteske Hintergrund unserer Zeit« werde durch die »fortgeschrittenen Methoden in Physik und Chemie, in Biologie und Genetik« geliefert, überhaupt von den »heutigen politisch-gesellschaftlichen Entwicklungen«; auch »industrielle Produktion und administrative Bürokratie« werden schnell noch hinzugezählt [91], so als ob die Bürokratie etwa einer Schweizer Kantonsverwaltung und die des amerikanischen Pentagon in gleicher Weise das Groteske »unserer Zeit« repräsentieren würden.

Der grundlegende Irrtum, den Heidsieck mit anderen Exegeten des Grotesken teilt, ist darin zu sehen, daß er das Groteske nicht als eine geschichtliche Erscheinungsform des Komischen zu erkennen in der Lage ist, sondern aus ihm eine literarische Großform konstruieren will, die mit weniger nicht als dem Anspruch sich bescheidet, »die Welt« abzubilden. Doch ein Stück, in dem groteske Elemente auftreten, wird darum noch nicht notwendig *zur* Groteske in jenem emphatischen Sinn.

Höchst unglücklich ist der von Heidsieck immer wieder bemühte Abbildungsbegriff, insofern er suggeriert, das Groteske im Stück sei direkt von der Wirklichkeit diktiert, es werde nur »realistisch« nachgezeichnet. Dabei wird übersehen, daß das Groteske eine bewußte künstlerische Anstrengung darstellt, einen komischen Widerspruch in besonders gesteigerter, exemplarischer Weise hervorzuheben —, nicht aber muß Geschichte in ihrer gegenwärtigen Phase *unmittelbar* als Groteske übernommen werden. Falls das Groteske so etwas tatsächlich anstrebt, also »die Welt« im Schreckensbild kopieren und es dabei dann zu belassen, dann geht die kritische Funktion, wie immer sie noch beschworen werden mag, verloren und der Abstand zum Absurden wird eingeebnet. Bei Brecht dagegen behält das Groteske seine demonstrative, enthüllende Funktion, es ist nur ein Mittel, nicht der Zweck selbst. Als Beispiel sei das Motiv der Verstümmelung und Entstellung im *Badener Lehrstück vom Einverständnis* (1929) herangezogen. In einer als »Clownsnummer« angekündigten Szene, die aus dem Stück deutlich heraustritt, geschieht folgendes:

Drei Zirkusclowns von denen einer, Herr Schmitt genannt, ein Riese ist, besteigen das Podium. Sie sprechen sehr laut. [Dem Riesen Schmitt ist in seiner Haut nicht wohl, er rechnet auf die Hilfsbereitschaft der beiden Kleinen. Die Hilfe, die sie ihm in Aussicht stellen, ist zwar nicht ganz das, was ihm vorschwebte, er akzeptiert sie dennoch. Seine Leiden werden nun so gemindert: die kleinen Clowns sägen ihm erst den linken Fuß ab, dann das andere Bein, schrauben sein linkes Ohr ab, sägen den linken Arm ab, legen ihm alle abgenommenen Glieder in den Schoß, erzählen ihm eine Geschichte, die er weder hören will noch lustig finden kann, schrauben seinen Kopf heraus, und als Herr Schmitt sich darüber beklagt, mit dem Rücken auf einem Stein zu liegen, sagen sie:] Ja, Herr Schmitt, alles können Sie nicht haben. *Die beiden lachen schallend. (Ende der Clownsnummer.)* (GW 2, 593—598)

Der *komische* Widerspruch ist der, daß in einer gewalttätigen Gesellschaft unverdrossen an spontane und uneigennützige Hilfsbereitschaft »von Mensch zu Mensch« geglaubt wird, daß also an die verbale Humanität geglaubt wird, obwohl die konkrete Erfahrung anderes lehrt, daß auf »das Menschliche« hofft, der wissen müßte, daß »die Menschen« nach ihrem Klasseninteresse handeln. So nimmt der Riese (das zahlenmäßig starke Proletariat) die helfenden Bemühungen der beiden Kleinen (der zahlenmäßig schwachen Kapitalisten) an, obwohl er undeutlich weiß, daß er die Hilfe, die ihm nottut, von diesen nicht erwarten dürfte. Daß er sich selbst helfen müsse, kommt ihm nicht in den Sinn — die Folge ist, daß er zerstümmelt am Boden liegt.

Das Groteske in diesem Fall ist nun mit Sicherheit kein unmittelbares Abbild der Welt, sondern ein aufs Äußerste zugespitztes komisches Exempel, das anschaulich macht, was die danach folgende Maxime verkündet:

> Wenn keine Gewalt mehr herrscht, ist keine Hilfe mehr nötig.
> Also sollt ihr nicht Hilfe verlangen, sondern die Gewalt abschaffen.
> Hilfe und Gewalt geben ein Ganzes
> Und das Ganze muß verändert werden. (GW 2, 599)

Nicht daß Heidsieck den Sinn des Grotesken völlig verkennt, aber, seinem Abbildbegriff verpflichtet, muß er sofort das Motiv der Verstümmelung isolieren und aus der Wirklichkeit abzuleiten versuchen [91a], wogegen die Grotesknummer doch lediglich ein *konstruiertes* Exempel ist, das zur Erkenntnis der kapitalistischen Welt beitragen soll.

Die Gründe, die Heidsieck — und nicht nur ihn — daran hindern, das Groteske als eine bestimmte Erscheinungsform des Komischen anzusehen, liegen aber tiefer. Wenn nämlich das Komische zu dem sog. »rein Komischen« verengt wird, dann müssen zwangsläufig all seine qualitativen Ausprägungen als etwas je völlig anderes betrachtet werden. Dabei wird man den Verdacht nicht los, daß die Literaturwissenschaftler in der Weise verfahren, daß sie die ästhetischen Bestimmungen an ihrer eigenen, gefühlsmäßigen Reaktion messen: wo »befreites Lachen«, da sei die »reine Komik«, wo das überlegene Lächeln, da seien Ironie und Humor, wo sich das Lachen nicht recht meldet, sei das Groteske, wo es sich bei der Komik um keine nichtigen Anlässe handelt, sei das »Tragikomische«, wo etwas *ver*lacht wird, sei die Satire am Werk — und das alles sei je für sich etwas Eigenes, Besonderes, das mit »bloßer Komik« keinesfalls viel zu tun habe.

Wenn indessen an dem Grundgegensatz tragisch/komisch festgehalten wird, zeigt sich, daß Satirisches, Humoristisches, Groteskes nur Konkretisierungen des Abstraktums Komisches sind, nicht aber ein selbständiges ästhetisches Phänomen. [92] So wie kaum jemand das Tragische an einer Gemütsregung Weinen wird ernstlich bestimmen wollen, so sollte auch das Komische nicht länger auf die Reaktion Lachen fixiert werden. Das Komische ist vielmehr die Vermittlung gesellschaftlicher Widersprüche im ästhetischen Bereich — wenigstens bei Brecht! Das heißt, Gesellschaft objektiviert sich in einer bestimmten Weise im literarischen Werk, und der Rezipient muß, um sie als geschichtlich überholte und unvernünftige erkennen zu können, den ihm vom literarischen Werk zugespielten Standpunkt avancierter Vernunft übernehmen. Nicht geschieht dies aber direkt, als ob das ästhetisch Komische die Komik der aktuellen Wirklichkeit bloß immer zu kopieren hätte, als sei nur zu wiederholen, was ohnehin schon alle wissen. Das Komische *entdeckt* etwas an der gesellschaftlichen Realität und will diese Entdeckung propagieren. Zumal Brecht hat immer wieder betont, daß in unserer Zeit »weniger denn je eine einfache ›Wiedergabe der Realität‹ etwas über die Realität aussagt«. (GW 18, 161) Das Komische wird konstruiert, zum Exempel hergerichtet, um über Realität auszusagen: es ist eine in höchstem Maße intellektuelle Form der Wirklichkeitsdarstellung, die aber ihre Demonstrationen und Effekte gerade körperlich-sinnlich, als Spiel, als »Nummer«, zum Teil in grotesker Übertreibung vorführt.

In der Darstellung der bürgerlich-kapitalistischen Welt, deren faschistische Phase eingeschlossen, geht Brecht z. B. davon aus, daß sie so beschaffen sei, daß jeder sie verstehen könnte. Objektiv produziert ist aber die psychische Beschaffenheit der Menschen, die im Kapitalismus leben, und die ist derart, daß die Überzeugung, man werde am Bestehenden ja doch nie etwas ändern können, von vornherein jeden Erkenntnisdrang verhindert. Das komische Beispiel, die grotesk zugespitzte Nummer haben bei Brecht die Aufgabe, den erstarrten Bewußtseinszustand punktuell aufzusprengen und zur Erkenntnis wieder frei zu machen, das Komische hat ideologiekritische Funktion. Wenn das Komische in grotesker Form erscheint, dann immer nur im einzelnen, »zeigenden« Fall, nicht aber als »Abbild« einer grotesken Welt, denn dies hieße, die Möglichkeit eines praktischen Erkenntnisinteresses weitgehend auszuschließen und die gesellschaftliche Resignation durch den individuellen, künstlerischen Protest gegen das »Groteske der Welt« notdürftig zu kaschieren. Brechts Intentionen haben damit nichts gemein. Dafür seien einige Beispiele erwähnt.

Der große »Montageakt« in *Mann ist Mann*, der in fünf Nummern gegliedert ist, deren Inhalt von einem Mitspieler vorweg jeweils ausgerufen wird, mag als grotesk angesehen werden. Doch wird deshalb nicht die ganze Komödie *zur* Groteske: ihr Thema, wie leicht das vermeintlich autonome Individuum verformbar ist, wird von den grotesken Nummern lediglich akzentuiert. Heidsieck muß daher einen »Mangel« konstatieren:

> Zwar ist dieses eine Moment der grotesken Form, daß nämlich der groteske Inhalt als ein selbstverständlich fragloser vorkomme, durchaus realisiert, doch ihr zweites wesentliches Moment, die Stilisierung des grotesken Verhältnisses zum offensichtlichen und unerträglichen Widerspruch, fällt fort. Das Perverse darin, daß der Mensch [...] entstellt wird, tritt nicht ganz heraus. [94]

Wem *die* Entstellung des Menschen grundsätzlich als Thema des Grotesken feststeht, das dann möglichst getreu nachgezeichnet bzw. »abgebildet« werden müsse, der mißversteht, worum es in *Mann ist Mann* geht: nämlich nicht darum, was Menschen dem Menschen gegen seinen Willen antun können, sondern darum, daß da kein selbständiger Wille mehr da ist, es sei denn der, einen Vorteil zu erringen und in alles einzuwilligen, was dafür von einem verlangt wird. *Mann ist Mann* ist die Komödie, in der der bürgerliche Individualitätsbegriff komisch denunziert wird — und gerade nicht die Groteske von der verbrecherischen Umfunktionierung einer menschlichen Persönlichkeit, denn diese war gar nicht mehr vorhanden.

Auch für die Oper *Aufstieg und Fall der Stadt Mahagonny* (1929) braucht der Begriff Komödie nicht durch den einer dramatischen Großform Groteske ersetzt zu werden, obwohl die grotesk überzeichneten Nummern hier besonders zahlreich auftreten. Nur bilden sie wieder einen vom übrigen Geschehen abgesetzten Zyklus, der durch einen Song zusammengehalten wird:

> Erstens, vergeßt nicht, kommt das Fressen
> Zweitens kommt der Liebesakt
> Drittens das Boxen nicht vergessen
> Viertens Saufen, laut Kontrakt.
> Vor allem aber achtet scharf
> Daß man hier alles dürfen darf. (GW 2, 532, 537, 540, 547)

Die vier deutlich voneinander getrennten Nummern Fressen, Lieben, Boxen, Saufen sind komische Exempla, in denen gezeigt wird, wie in einer Gesellschaftsordnung, in der man für Geld »alles dürfen darf«, die scheinbar ganz individuellen Wünsche und Bedürfnisse von einer eigens dafür geschaffenen Unterhaltungsindustrie befriedigt werden. Komödienthema ist, wie hier der geheime Wunsch des Kleinbürgers nach anarchischer Selbstverwirklichung sowohl erfüllt wie negiert wird. Die einzelne Nummer liefert dazu den überdeutlich-krassen Fall als Paradigma: gezeigt wird nicht in der Kontinuität einer Handlung, wie das verordnete und verwaltete Vergnügen dem Konsumenten schlecht anschlägt, sondern die groteske Szene führt sozusagen körperlich sinnfällig vor, wie einer frißt und frißt, bis er dabei zu Tode kommt. Auch der Boxkampf endet mit einem, von anhaltendem Gelächter begleiteten, letalen Ausgang, und der, der seine Zeche schuldig bleibt, wird dafür zum Galgen, nicht bloß ins Kittchen geführt. Nicht also tatsächliche groteske Welt wird realistisch nachgebildet, sondern die groteske Nummer konstruiert ein bewußt überzeichnetes Exempel, in dem der komische Widerspruch zwischen den ideologischen Glücksverheißungen und Freiheitsmöglichkeiten zur Realität kenntlich gemacht werden soll.

Die Regel ist, daß das Groteske als äußerste Steigerung des Komischen bei Brecht seine Funktion als Mittel der Darstellung und nicht als Kopie der Sache selbst hat. Die Ausnahme ist die Szenenfolge *Furcht und Elend des Dritten Reiches* (1938). Brecht sah das Stück später im Rückblick als »eine große Sammlung von Gesten, die unter einer Diktatur zu beobachten sind, und die mehr über sie erzählen als irgendwelche Ansichten über sie«. [95] Hier wird nun in der Tat groteske Gegenwart als solche zitiert; die Behauptung, der Text »beruh[e] auf Augenzeugenberichten und Zeitungsnotizen« (GW 3, 1187), ist vielleicht nicht für jede Szene richtig, aber eben auch nicht unwahr, d. h. das Charakteristische dieser Zeit scheint durchweg unmittelbar getroffen. *Furcht und Elend* ist in erster Linie *Zustandsschilderung*, Bestandsaufnahme der »›Volksgemeinschaft‹ der Henker und Opfer, der Unternehmer und Unternommenen« (GW 17, 1176), ebenso grauenvoll wie absolut lächerlich. Daß in dieser Szenenfolge das Groteske sich derart hatte selbständig machen können und wohl tatsächlich als »Abbild« angesehen werden muß, liegt in dem Sondercharakter, den *Furcht und Elend* in formaler Hinsicht gegenüber den anderen Brecht-Stücken einnimmt, begründet, keineswegs aber an dem Gegenstand Faschismus selbst, so als erlaubte er keine andere Darstellung. Die ursprünglichen Titel — zunächst *Deutschland — ein Greuelmärchen*, dann für die Uraufführung einzelner Szenen in Paris 1938: *»99 %«* und für die New Yorker Inszenierung 1941: *The Private Life of the Master Race* — wären allesamt Komödientitel, die auf eine satirisch-parodistische Tendenz hinweisen, d. h. erwarten lassen, daß die offizielle Nazi-Ideologie auf komische Weise ad absurdum geführt wird. Nun ist es zwar möglich, einzelne Szenen des Werkes so zu kombinieren, daß dieses Ergebnis herauskommt — die Intention des Ganzen geht darin mit Sicherheit nicht auf. Sie zielt darauf, ein *Dokument* zu sein, ein Dokument der Tatsache, daß — wie Walter Benjamin gelegentlich der Pariser Uraufführung schrieb — »die Schreckensherrschaft, die sich als Drittes Reich vor den Völkern brüstet, alle Verhältnisse zwischen Menschen unter die Botmäßigkeit der Lüge zwingt«. [96] Hier soll weniger entlarvt als registriert werden; die Szenenfolge, die kein eigentliches Stück zu nennen ist, bietet darum auch keine Perspektive, die über das Gezeigte hinausweist, sondern bleibt starren Blicks an die geschilderte Gegenwart verhaftet. Walter Benjamin hielt im Jahre 1938 für denkbar, *Furcht und Elend* könne erreichen, »die noch glühende Aktualität so in sich einzulassen, daß sie als ein ehernes Zeugnis auf die Nachwelt gelangt«. [96] Also: Dokument, Zeugnis, Zustandsschilderung — was eine Rezeption voraussetzt, der Brechts Theater sonst gerade nicht entgegenkommen will.

Zum Vergleich sind *Die Rundköpfe und die Spitzköpfe* (1938), *Der aufhaltsame Aufstieg des Arturo Ui* (1941) sowie *Schweyk im Zweiten Weltkrieg* (1943) als drei Komödien (oder wenigstens komödische Stücke) heranzuziehen, in denen Faschismus nicht grotesk-unmittelbar, sondern im Verlauf einer konkreten Fabel dargestellt wird, die zudem nach bekannten literarischen Modellen (Shakespeares *Measure for Measure* bzw. der amerikanische Gangsterfilm bzw. die Schwejk-Figur von Hašek) gefertigt ist. Formal betrachtet, handelt es sich bei dieser Art Darstellung jeweils um »Verfremdung«, der genauere Terminus ist hier »Historisierung«. Das heißt nach Brechts Wortgebrauch: »Bei der *Historisierung* wird ein bestimmtes Gesellschaftssystem vom Standpunkt eines anderen Gesellschaftssystems aus betrachtet.« (GW 16, 653) Eine Darstellung, die diesem Prinzip folgt, verschiebt die Perspektive auf den Gegenstand Faschismus in der Weise, daß der Stellenwert des Grotesken in ihr reduziert wird. Nur in einer reinen Zustandsschilderung wie in *Furcht und Elend*, wo Gegenwart in einer disparaten Sammlung charakteristischer Momente *als* Gegenwart vorgeführt wird, war es — zumal bei diesem historisch einschneidenden Thema — möglich, »groteske Welt« einmal »realistisch« in einer Summe grotesker Szenen wiederzugeben. Solche direkte, fast naturalistische Art der Darstellung steht aber nicht nur relativ vereinzelt im Brechtschen Werk, ihr gerade galt seine Kritik, weil von ihr keine wie auch immer vermittelten aktivierenden Wirkungen zu erwarten sind. In den genannten drei Komödien wird dagegen »historisiert«, d. h. die aktuelle politische Gegenwart in einen historischen Abstand gerückt, der es dem Zuschauer ermöglicht, über die geschilderte Situation hinauszusehen. Am Schluß der Stücke wird jeweils angedeutet, wie das Dargestellte (das historisch Besondere) bereits an einem Endpunkt angelangt ist.

Da steht am Schluß der *Rundköpfe und Spitzköpfe* der Gesang der Pachtherren: »Vielleicht fällt Regen von unten doch nach oben?«, während schon ein »großes rotes Sichelzeichen zum Vorschein kommt«. (GW 3, 1040) Hier ist es also die explizite Hoffnung auf die Revolution, welche die Perspektive der Komödie bestimmt und die Vorläufigkeit der dargestellten Verhältnisse somit optimistisch betont. Am Schluß des *Schweyk* wird wiederum ein Schlußstrich gezogen, obwohl im Jahre 1943 der Faschismus zwar »am Ende«, aber seine tatsächliche Zeit noch nicht zu Ende war:

> *Chor aller Spieler die ihre Masken abnehmen und an die Rampe gehen:*
> Es wechseln die Zeiten. Die riesigen Pläne
> Der Mächtigen kommen am Ende zum Halt.
> [...]
> Das Große bleibt groß nicht und klein nicht das Kleine.
> Die Nacht hat zwölf Stunden, dann kommt schon der Tag. (GW 5, 1993 f.)

Der Bezugspunkt, von dem aus die Aktualität des Faschismus zur Vergangenheit stilisiert wird, ist hier allerdings einem mechanischen Fortschrittsgedanken verpflichtet, der in nicht geringem Maß zur Zwiespältigkeit des Brechtschen *Schweyk* beiträgt. [97]

Wie überzeugend oder illusionär die Hoffnung auf Revolution im einen und auf bloßen Wechsel der Zeiten im anderen Fall auch gewertet werden mag, wichtig ist der damit aufgerissene Horizont, in dessen Licht der Komödiencharakter beider Stücke erst seine entscheidende Kontur erlangt. Und dieser Komödiencharakter tritt im Laufe der Jahre immer stärker hervor, je stärker das »Historisierte« tatsächlich historisch wird und das Interesse auf das Exemplarische der Parabel richtet.

So wird auch der Komödiencharakter des Parabelstücks *Arturo Ui* durch die — später hinzugefügten — Prolog und Epilog abgerundet und intensiviert: angekündigt wird »die große historische Gangsterschau« (GW 4, 1721). Jeweils also wird Faschismus durch »Historisierung«, d. h. durch die geliehene Perspektive von dem Standpunkt eines anderen Gesellschaftssystems her, als sei dieses schon erreicht, seiner lächerlich-bedrohlichen Gegenwärtigkeit entkleidet. Dadurch verliert das Groteske seinen Absolutheitsanspruch, wird auf eine funktionale Bedeutung reduziert und in die Komödie integriert, wie etwa die Zwischenspiele im *Schweyk*, die nach Brechts Hinweis »im Stil des Gruselmärchens« (GW 5, 1995) gehalten werden sollten.

Zusammenfassend ließe sich sagen: Absurdes und Groteskes, wiewohl oft modisch aneinander gekoppelt, sind keineswegs identische Phänomene. Dem sogenannten absurden Theater kommt das Stück *Im Dickicht der Städte* am nächsten, doch von ihm führt weder ein direkter Weg zu den späteren Stücken noch zeigt sich ein »Übergang« vom Absurden zum Grotesken im Theater Brechts. Weder absurde Welt (d. h. die vermeintlich sinnlose, dem Verständnis völlig entzogene) noch groteske Welt (d. h. die vom Menschen produzierte Absurdität) sollen unmittelbar nachgebildet werden, *Furcht und Elend* wurde als Ausnahme genannt. Das Groteske in Brechts Stücken ist eine bestimmte Erscheinungsform des Komischen, nicht das von diesem getrennte, ganz neue und ganz andere ästhetische Phänomen.

Das Groteske als eine der Gestaltungsmöglichkeiten des Komischen ist seit je bekannt, die Zunahme gerade dieses Darstellungsmittels in der »modernen« Literatur ist gleichwohl nicht zufällig. In dem Maße, wie — abstrakt gesprochen — der Begriff des Individuums und die Verbindlichkeit des Gesellschaftsganzen in der bürgerlichen Welt immer fragwürdiger werden mußten, verloren traditionelle Mittel wie Charakterkomik oder bloße Sprachkomik an Bedeutung. Das Groteske hat demgegenüber die Tendenz, die Darstellung auf den körperlichen Ausdruck zu konzentrieren: so schrumpft was ehemals dramatis persona hieß auf etwas zusammen, das mehr als Sache denn als Mensch zu fungieren scheint und statt aus Aktionen aus mechanischen Gesten, Bewegungen, Zuckungen besteht. Nun ist für Brechts Stücke aber von entscheidender Wichtigkeit, daß derart groteske Gestaltung nicht den Anspruch erhebt, die condition humaine abzubilden. Dies schiene ihm, wie er zur surrealistischen Kunst einmal anmerkte, »eine primitive Verwertung des V-Effekts«, bei der die Kunst keine Funktion mehr hätte, sondern »was die Wirkung betrifft, in einem Amüsement durch den besagten Schock« enden würde (GW 16, 612). Wo »erhöhtes Verständnis« das Ziel sein müßte, kämen die dargestellten Gegenstände, Personen, Verhältnisse »aus der Verfremdung nicht wieder zurück« (GW 15, 364). Die zum Grotesken gesteigerte Komik in Brechts Stücken bemüht sich um den Schock nur, um ihn für die weitere Handlung zu verwerten — sie tritt folglich als Nummer und Zwischenspiel aus dem Stückganzen deutlich heraus.

An dieser Stelle wäre die Differenz zu skizzieren, die zwischen der am Beispiel Brechts definierten Komödie und dem besteht, was bei Dürrenmatt ebenfalls »Komödie« heißt. Dürrenmatt nennt Stücke wie z. B. seine *Physiker* vermutlich deshalb »Komödie« und nicht »Groteske«, weil ihn sprachliche Sensibilität zu Recht daran hindert, das Groteske als dramatische Großform anzuerkennen und als eigenständige Gattungsbezeichnung hinter den Titel zu setzen. Auch ist es ja keineswegs so, daß die spezifischen Darstellungsmittel des Grotesken bei Dürrenmatt überwiegen würden. Die Darbietungsweise seiner Stücke ist im Gegenteil »normal« zu nennen und entspricht dem eines traditionellen, realistischen Kabaretts, das sich um literarisches Niveau bemüht. Aber die Gesamtintention, der ideologische Gehalt eines Stückes wie *Die Physiker* fällt so aus, daß es, wenn nicht als »Groteske«, so jedenfalls als eine charakteristische Form der *Verkürzung der Komödie* angesehen werden muß. Was Dürrenmatt vorlegt, ist eine dezidiert antitragische Dramenkonzeption, die sich als eminent »kritisch« versteht, und die ihren archimedischen Punkt (d. h. den Standort, von dem die »Kritik« ihre Maßstäbe herleitet) als den einer unabhängigen, »über« allen Ideologien stehenden Vernunft ausgibt. Der so entstehende Dramentypus ist um das verkürzt, was ein essentielles Kriterium der Komödie ist, nämlich die in die Zukunft gerichtete, optimistische gesellschaftliche Perspektive.

Da wird in den *Physikern* die Welt als Irrenhaus »entlarvt«, dem ehrwürdigen Topos von der »verkehrten Welt« ein aktuelles Mäntelchen umgehängt, geht es doch um die physikalische »Weltformel« und deren drohende Verwendung durch einen »Trust«. Die eigentlich Vernünftigen, die Physiker, treibt es aus ihrer Verantwortung um das Erdenheil buchstäblich ins Irrenhaus, während die eigentlich Wahnsinnigen, hier vertreten durch die Irrenhausärztin, die sich selbst »eine alte, bucklige Jungfrau« nennt, diejenigen sind, die nach »der Macht« streben müssen, um ihre körperlichen und psychischen Defekte zu kompensieren. Damit dürfte nun das Einverständnis des alles durchschauenden Kleinbürgers glücklich getroffen sein, hatte der sich doch schon immer gedacht, daß die Welt gar schrecklich ist und lächerlich dazu, da werde sich wohl auch ändern nichts in dem, und was einem übrig bleibe, sei eben die Haltung, »das alles« grotesk zu finden. Genau dieser Haltung kommt Dürrenmatt mit Irrenwitzen und sog. schwarzem Humor entgegen, und er untermauert sie auch »theoretisch«, in der Notiz *21 Punkte zu den »Physikern«*. Da heißt es, eine Geschichte sei »dann zu Ende gedacht, wenn sie ihre schlimmst-mögliche Wendung genommen hat« — eine Begründung dieser Prämisse hält Dürrenmatt für unnötig —, die schlimmst-mögliche Wenddung, also im Stück *Die Physiker* die, daß die Welt in die Hände einer verrückten Irrenärztin gefallen ist, trete durch Zufall ein, so daß »eine solche Geschichte [...] zwar grotesk, aber nicht absurd [sinnwidrig]« sei: »Sie ist paradox.« [98] Was ist das für eine Position? Das vermeintlich radikale Denken rechnet stets mit dem schlimmen Ende, das allerdings nicht tragisch bejammert, sondern mit sozusagen permanentem Grinsen ertragen werden soll: wo das Paradoxe allmächtig scheint, muß das gute Ende der Komödie als irgendwie unerlaubt, leichtfertig und illusionär gelten. Dies ist ein voreiliger Schluß, und er wird den Möglichkeiten der Komödie nicht gerecht.

Es gibt, vergröbert dargestellt, zwei große Typen von Komödie mit gesellschaftlicher Intention: in der sog. Charakter- oder Typenkomödie ist die bestehende Gesellschaft die positive Norm, an der die negative Abweichung des einzelnen lächerlich gemacht wird. Komödie bei Brecht setzt die zukünftige sozialistische Gesellschaft als antizipierbaren Maßstab, an dem das objektiv Komische der bestehenden bürgerlichen Gesellschaft sichtbar gemacht werden kann. Was bei Dürrenmatt »Komödie« heißt, beruht darauf, daß die bestehende bürgerliche Gesellschaft, meist gar »die Welt«, in toto kritisiert und als grotesk hingestellt wird, wobei als positiver Bezugspunkt allerdings nichts als das scheinbar ideologiefreie Erkenntnissubjekt Dürrenmatt zur Verfügung steht. Dieses Einzelsubjekt stellt natürlich keine gesellschaftliche Alternative dar, es übt individuelle Kritik an einem vorgefundenen Zustand, der auf unabsehbare Zeit so bleiben wird: Resignation tarnt sich als permanenter Aufweis des Grotesken.

Dagegen hat die unverkürzte Komödie stets das »glückliche Ende« im Visier, doch ist hier zu differenzieren. Was in der Unterhaltungsindustrie als Komödie gilt, und was direkt für die Geringschätzung der gesamten Gattung verantwortlich ist, zeichnet sich dadurch aus, daß der Status quo bzw. das happy ending derart primär ist, daß die vorausgehenden Konflikte als Scheinschwierigkeiten, harmlose Verwirrungen usw. erscheinen, so daß der Punkt, an dem die »Handlung« abgebrochen wird und alle Komplikationen gelöst, zufällig ist und die »Kunst« nur darin besteht, ihn eine gewisse Zeit lang zu verzögern. Das glückliche Ende im Stück selbst ist aber *nicht* das Kriterium! Eine Komödie von literarischem Rang verschweigt keineswegs den Ernst der von ihr behandelten Konflikte und Widersprüche, und sie beschränkt sich keineswegs auf solche, die leicht entwirrbar sind. Entscheidend ist vielmehr ihre Intention, die gesellschaftlichen Widersprüchen so zu zeigen, daß deren prinzipielle Lösbarkeit erweisbar wird, auch wenn im Stücke selbst die »Lösung« fehlt.

Wo Dürrenmatt die Wirklichkeit als groteske festschreibt und dadurch, daß das gute Ende fehlt, bedeuten will, ein solches sei generell nicht möglich, liegt entgegen dem Sprachgebrauch dieses Autors keine Komödie vor. Diese braucht neben der »Kritik«, für die sie satirische, groteske, parodistische u. a. Mittel in sich integriert, die »Utopie«, d. h. jene optimistische, gesellschaftliche Perspektive, die nicht zum bloßen »Ideal« aufgebläht ist. [99]

II. Zum Problem des Tragikomischen

So wenig es das Komische als abstrakte Wesenheit anders als in der Gegenüberstellung zu dem anderen Abstraktum Tragisches gibt, sondern nur in seinen qualitativ abgestuften Erscheinungsformen — und die »Erscheinung« ist, um Lenin zu zitieren, stets »*reicher* als das Gesetz« [100] — so wenig ist es auch auf eine bestimmte Gattung, wie etwa die Komödie, beschränkt. Überhaupt besteht keine kausale Verbindung zwischen Komik und Komödie in dem ausgeprägten Maße, in dem Tragödie nach tragischer Struktur verlangt. [101] Das Darstellungsmittel Komik kann der Komödie *dienen,* ist aber für diese nicht konstitutiv und an sie nicht gebunden. Und Komödie andererseits ist die, nach dem Roman, gefräßigste aller literarischen Gattungen: sie schluckt das Komische in seinen mannigfachen Ausprägungen, aber auch das Häßliche, Banale, Kitschige, Obszöne usw., ohne ihren Charakter zu verlieren oder zum bloßen Schauspiel aufzuschwemmen, sofern ihre Intention, der »Abschied« von schlechter Vergangenheit, sichtbar bleibt. Vor allem aber wird Komödie nicht dann, wenn ernste und traurige Begebenheiten in ihr erscheinen und die Fabel nicht zur Heiterkeit sich rundet, zur Tragikomödie, aus der ein selbständiger Begriff »tragikomisch« entwickelt werden könnte. Der Versuch, dies zu tun, ist spürbar der Geringschätzung des Komischen verpflichtet, die ja eine lange Tradition hat und nicht zuletzt auf die elitäre »Ständeklausel« der Feudalzeit zurückgeht. Anstatt Funktion und Leistung des Komischen in seiner geschichtlichen Entwicklung präzise zu beschreiben oder wenigstens zu vermerken, daß das Komische den gesellschaftlichen Bereich seiner Gegenstände ständig erweitert hat, meint man, ihm sozusagen aufhelfen zu müssen, ihm durch die Kopplung mit dem angeblich wertvolleren Tragischen eine höhere Weihe zu geben. Das Bemühen, das sog. Tragikomische auf jeden Fall vom Komischen abheben zu müssen, führt zu erstaunlichen Wortklaubereien, ähnlich denen, die in der Theorie des Grotesken auftreten, sofern es mit jenem nicht einfach identisch gesehen wird. [102]

Was soll überhaupt das Kriterium für Tragikomödie bzw. für das Tragikomische abgeben können? Ist hier an eine selbständige Intention zu denken, ist die Charakterzeichnung ausschlaggebend, ist es das dargestellte Problem oder nur ein ambivalenter Schluß? Wie dem auch sei — denn eine klare Entscheidung wird hier nicht getroffen — die Konsequenz kann dann nur lauten, daß Tragikomödien weit häufiger als Komödien auftreten. Und diese Konsequenz wird tatsächlich gezogen, weil der Begriff des Tragischen auf irgendein ernstes bzw. subjektiv unlösbar scheinendes Problem eingeschränkt wird und der des Komischen nur noch ein irgend Lächerliches bedeutet, und weil die Faszination, ein »neues« Phänomen entdeckt zu haben, so gewaltig ist, daß nicht einmal erörtert wird, ob »Tragikomödie« nicht immer noch eine bestimmte Form von Komödie bleibt.

Der eifrigste Verfechter einer Theorie der Tragikomödie, Karl S. Guthke, behauptet, Komik und Tragik würden sich in der Tragikomödie jeweils eines unter dem anderen Aspekt präsentieren können, ohne dabei ihre Identität zu verlieren. Als Gewährsmann wird sogar Ionesco als der neben Dürrenmatt »führende Theoretiker« (!) der modernen Tragikomödie zitiert, weil auch er »den Unterschied, den man zwischen Komischem und Tragischem mache, nie begriffen« habe. Wer solchen Unterschied nicht begreifen will, der sieht dann allerdings mit Guthke überall nur noch Tragikomödien und scheut sich nicht, dafür ein seit der Romantik tradiertes »Weltbild« verantwortlich zu machen. [103] Das heißt also, Tragikomödie sei ein selbständiger Dramentypus, der sich einer von allen geschichtlichen und gesellschaftlichen Entwicklungen unabhängigen Weltanschauung verdanke, während Komödie angeblich starren Schemata von Individuum und Gesellschaft unterliege.

Nun sollen aber auch für einen marxistischen Literaturwissenschaftler wie Hans Kaufmann Brechts Stücke, von denen *Der gute Mensch von Sezuan, Mutter Courage, Puntila, Arturo Ui* und *Schweyk* genannt werden, alle, wenn auch »in unterschiedlichem Maß«, einen »tragikomischen Zug« aufweisen, denn: »In der Periode vor der Zerschlagung des Faschismus vermag Brecht noch nicht, wie es die Komödie fordert, ›heiter von der Vergangenheit zu scheiden‹.« [104] Wann immer in der Komödie ein Gegenstand »unsere positive moralische Teilnahme« fordere, bleibe »das ästhetische Urteil in der Schwebe«:

> [. . .] es neigt sich bald zu der vom Komischen erzeugten Distanzierung, bald zu der vom Tragischen geforderten Identifizierung. Es kommt zum »Tragikomischen«, wenn man darunter nicht einen formalen Typus, sondern eine solche Vermischung von Tragischem und Komischem versteht, in der keines von beiden zum bestimmenden Element zu werden vermag. [105]

Kaufmann geht also weder von einem »Weltbild« noch von einem besonderen Formtypus aus, aber seine Vorstellungen sehen schließlich der bürgerlichen Theorie der Tragikomödie erstaunlich ähnlich, wenn da von der unentwirrbaren »Vermischung« die Rede ist. *Was* vermischt sich eigentlich, d. h. zunächst, was ist z. B. »tragisch«? Kaufmann erinnert an die Szene im *Arturo Ui,* in der eine schwer verletzte Frau, um Hilfe rufend, durch Maschinengewehrfeuer getötet wird, und er kommentiert: »Eine Hitler-Komödie des Jahres 1941 konnte schlechterdings keinen heiteren Schluß haben.« [106] Hier sollte stärker differenziert werden: der *Arturo Ui* hat in der Tat keinen übermäßigen heiteren Schluß, welche Szene auch immer als letzte stehen möge [107], doch hat das mit dem Entstehungsjahr nicht direkt zu tun. Komödie stellt sich als Komödie ja nicht dann erst her, wenn ihr Gegenstand auch realiter vergangen ist, sie *macht* ihn zur Vergangenheit der besseren Kenntlichkeit wegen und warnt vor voreiligem Triumph: »Daß keiner uns zu früh da triumphiert — / Der Schoß ist fruchtbar noch, aus dem das kroch!« (GW 4, 1835)

Und wenn Intention und Perspektive ein Stück zur Komödie machen, ist das einzelne Furchtbare und Schreckliche in ihr noch lange nicht das Tragische. Geradezu ein Hohn auf die Opfer des Faschismus wäre es, ihren Tod »tragisch« nennen zu wollen. Die sterbende Frau im *Arturo Ui* ist doch nicht ein »Charakter«, dessen »Ehre« — mit Hegel zu reden — es ist, »schuldig zu sein«. [108] Hier ist doch nicht »Schuld« und nicht »Versöhnung«, und der Tod hat keinen irgend höheren Sinn; hier handelt es sich um Mord, angesichts dessen niemand kann behaupten wollen, er sei wie bei der tragischen Katastrophe »erschüttert durch das Los der Helden, versöhnt in der Sache«. [109] Tragisches, so ließe sich behaupten, ist ohne Charaktere und Handlung kaum darstellbar, es tendiert zur sog. geschlossenen Form des Dramas und kann in einzelner, isolierter Szene schwer, wenn überhaupt, verwirklicht werden.

Bleibt Kaufmanns These, das Tragische (bzw. was er alles dafür hält, also das Nicht-Komische, das als Furchtbares, Schreckliches, Erschütterndes erscheint) verlange nach einer Identifikation, die der vom Komischen intendierten Distanz zu den gezeigten Vorgängen derart konträr sei, daß die Komödie »in die Brüche« gehe. [110] Dem liegt wieder die irrige Auffassung zugrunde, Komödie entstehe aus einer Folge komischer Szenen und könne anderes nicht dulden, und die »Einbeziehung eines Stoffs«, der — wie Kaufmann, Schiller zitierend, sagt — »nicht ›moralisch gleichgültig‹« sei, würde den Charakter des Ganzen verändern. Nun hat aber Schiller lediglich geschrieben, daß die »spottende Satire [...] nur einen moralisch gleichgültigen Stoff behandeln« dürfe, während die »pathetische Satire [...] schon durch ihren ernsten Gegenstand vor der Frivolität gesichert« sei. [111] Also Schiller, auf den sich Kaufmann beruft, argumentiert weit weniger eng und sieht hier nicht gleich eine Intention »in die Brüche gehn«, wo die Darstellungsweise je nach dem Gegenstand differenziert werden muß. Und dann wäre doch, wenn man schon Schiller zitiert, der Begriff »Stoff« zu klären. Den »Stoff« des *Arturo Ui* liefert der deutsche Faschismus — aber, sagt Brecht, der Kreis sei »absichtlich eng gezogen«, und sein Stück wolle »keinen allgemeinen, gründlichen Aufriß der historischen Lage der dreißiger Jahre geben«, sondern beschränke sich auf »den Zug des Ausschnitthaften, Panoptikumhaften«. (GW 17, 1179) Brecht behandelt im *Arturo Ui* also gar nicht das Thema Leben unter dem Faschismus, das in der Tat kein moralisch gleichgültiger Stoff ist. Anders als in der grotesken Szenenfolge *Furcht und Elend* zeigt die Komödie in Parabelform, wie so ein Aufstieg — keineswegs unaufhaltsam — vonstatten ging. Szenen wie die mit der sterbenden Frau sind realistische Erinnerungsstützen: die Auswirkungen des Aufstiegs werden nicht verschwiegen. Nicht aber macht sich Schreckliches selbständig, nicht verschmelzen »Einfühlungs«- und »Distanz«-Szenen zu einem Kompositum, an dem die Komödien-Intention zu Bruche ginge. Zudem gilt allgemein, daß jede literarische Darstellung des Faschismus an dessen Opfern freveln würde, wollte sie die Überlebenden zur »Identifikation« mit den Toten einladen. Und daß Brecht die Möglichkeiten der Identifikation und die Auswirkungen des unmittelbar Schrecklichen auf das Bewußtsein der Rezipienten stets wenig schätzte, ist schon bei oberflächlicher Kenntnis seines Werkes einsichtig. [112] Eine Wirkung »tragikomisch« wäre ihm, in ihrer pfäffischen Vielfalt des »Sowohl-Als auch«, wie man annehmen darf, vollends zuwider gewesen.

Die Intention der Tragödie geht auf die Wiederherstellung des Entzweiten im Tode: das »wahrhaft Substantielle« ist nicht die Kollision der »einseitigen Besonderheiten«, sondern als »Versöhnung« deren Aufhebung, auf daß sich wieder Harmonie ergebe. [113] Die Intention der Komödie stellt keinen metaphysischen Anspruch und weist auf das gesellschaftlich Bedingte und Änderbare des Dargestellten hin, indem sie das Schlechte komisch diskreditiert, um den Weg zum konkret Besseren ebnen zu helfen. Aus so konträren Intentionen eine Mischung »Tragikomödie« zusammenbrauen zu wollen, wäre als Versuch schon weit schwieriger, als das die Apologeten annehmen. Brechts Stücke jedenfalls weisen keinen »tragikomischen Zug« auf, wenn damit anderes gemeint sein soll, als daß in ihnen ernste und schreckliche Szenen auch dann vorkommen, wenn das Stück im Ganzen als Komödie angelegt ist.

Nun hat Hans Kaufmann in seinem Aufsatz *Zum Tragikomischen bei Brecht und anderen* (1970) unter Brechts Notizen zur »Dialektik auf dem Theater« eine Stelle gefunden, die ihm als Stütze seiner These vom Tragikomischen hochwillkommen ist.

Brecht bezeichnet dort das Theater als ein »Kollektiv von Erzählern«, deren Absicht es sei, dem Zuschauer »Spaß« zu bereiten, wobei dieser Spaß als die Fähigkeit definiert wird, »menschliches Verhalten und seine Folgen kritisch, das heißt produktiv zu betrachten«. Soweit die Prämisse. Eine der Folgerungen lautet:

> Bei dieser Einstellung besteht für die scharfe Trennung der Genres kein Grund mehr — es sei denn, daß ein solcher gefunden wird. Die Vorgänge nehmen jeweils den tragischen oder komischen Aspekt an, es wird ihre komische oder tragische Seite herausgearbeitet. (GW 16, 924)

Brecht führt weiter aus, daß solche dialektische Verfahrensweise nicht damit identisch sei, daß — z. B. bei Shakespeare, — der Tragödie komische Szenen eingebaut sind. Vielmehr könnten »die ernsten [!] Szenen selbst [...] diesen komischen Aspekt annehmen«. Die Formulierung macht klar, daß hier »tragisch« und »ernst«, dem alltäglichen Wortgebrauch entsprechend, synonym gebraucht werden. Eben in den *ernsten* Szenen trete »der komische Aspekt im Tragischen oder der tragische im Komischen als Gegensatz kräftig hervor«.

Was heißt das? Ist hier etwa der Gedanke einer Tragikomödie theoretisch untermauert, wie Hans Kaufmann das anzunehmen bereit ist? Der Akzent liegt auf etwas anderem: auf der Dialektik, der ja die Notizen insgesamt gelten. Den Vorgängen soll das Eindeutige und Einlinige genommen werden, damit »das Publikum im Geist andere Verhaltungsweisen und Situationen hinzu[dichten]« könne. Die Dialektik in der Darstellung des einzelnen Vorgangs oder der einzelnen Person hervorkehren meint doch aber nicht, daß dadurch die Intention des ganzen Stückes festgelegt wäre bzw. in einen unentschiedenen Gesamteindruck münden würde! Und es heißt bei Brecht doch wörtlich, die Trennung der Genres erübrige sich nur dort, wo für sie kein »Grund« gefunden werden könne!

An dieser Stelle sollte vielleicht an die von Brecht geschätzte Schrift Mao Tsetungs *Über den Widerspruch* erinnert werden, d. h. es sollte die Frage nach dem

»Hauptwiderspruch« in der Weise gestellt werden, wie Brecht selbst das bei dramaturgischen Problemen oftmals tat (vgl. GW 16, 883). Also: die Widersprüche der einzelnen Vorgänge wahrzunehmen ist nötig, um dem Zuschauer die Dialektik zum »Genuß« werden zu lassen, die »Zuschaukunst« zu entwickeln. Diese *Art der Darstellung* besagt indessen gar nichts über die Intention der Brechtschen Komödie und vermag keineswegs, diese zu relativieren. In der Brechtschen Komödie wird vielmehr stets der »Hauptwiderspruch« thematisiert, indem die bürgerlich-kapitalistische Welt in ihren mannigfachen Erscheinungsformen aus der antizipierten Perspektive einer sozialistischen Gesellschaft als etwas geschichtlich Überholtes und Falsches dekuvriert wird. Dies ist der »Grund«, der »gefunden wird«, um die alten Probleme von heute aus heiter zu betrachten. Aus dieser sozialen Überlegenheit des Neuen über das Alte entsteht die Intention Komödie — und keine beliebige Mischform der Genres. Daß in einer solchen Komödie »nicht alles darin komisch« sein könne (GW 16, 805), schien Brecht selbstverständlich. Von »Tragikomödie« kann dabei keine Rede sein.

III. Notizen zu einzelnen Problemen

Es gibt Äußerungen von Brecht, die auf einen Zusammenhang von Komik und Komödie mit der sog. *Verfremdung* hindeuten:

Allgemein angewendet wird der V-Effekt in der Komödie, besonders der niedrigen. (GW 15, 366)

Der V-Effekt ist ein altes Kunstmittel, bekannt aus der Komödie, gewissen Zweigen der Volkskunst und der Praxis des asiatischen Theaters. (GW 16, 652)

Diese Äußerungen sind recht allgemein gehalten. Ebenso allgemein, d. h. eine rein formale bzw. »technische« Verwandtschaft von Komik und Verfremdung ausdrückend, ist auch die folgende Stelle im Gespräch zwischen Brecht und Giorgio Strehler am 25. 10. 1955 über eine Neuinszenierung der *Dreigroschenoper*, die Hans-Joachim Bunge notiert hat:

Brecht beruhigt Strehler, daß auch bei uns nur zum Teil episch gespielt wird. Am ehesten geht das immer noch in Komödien, weil dort sowieso verfremdet wird. Die epische Darstellungsweise ist doch leichter zu erlangen, und es ist deshalb vorzuschlagen, Stücke überhaupt auf die Komödie hin zu inszenieren. (*Brechts Dreigroschenbuch*, S. 134)

Solche Äußerungen müssen es gewesen sein, die die Literaturwissenschaft, wenn sie einmal auf das Komische bei Brecht einging, veranlaßten, dies allein unter dem Aspekt der Verfremdung zu tun. Es kommt somit zu einem Kreisschluß: hatte Brecht mitunter Verfremdung aus der Komödie ableiten wollen, und wurde ihm daher auch die Darstellung des Komikers für die praktische Theaterarbeit wichtig [114], so sollen nun bestimmte Ausdrucksformen der Verfremdung ihrerseits komischen Effekt machen. Wovon Brecht ausging, da soll er wieder ankommen: an die Stelle einer Differenzierung tritt eine ungenaue Identifizierung von Komik und Verfremdung, und wo dann nur noch »Stilmittel« betrachtet werden, wird der Blick auf den spezifischen *Inhalt* des Komischen verstellt.

Es kann hier nicht die Entwicklung der Verfremdungstheorie bei Brecht nachgezeichnet werden. Tatsache aber ist, daß Brecht unter Verfremdung mehr als nur ein ästhetisches Technikum verstanden sehen will, daß er sich hier im Besitz einer *Methode* glaubt, welche dazu dient, die Dialektik von Wesen und Erscheinung sichtbar zu machen, die »Vorgänge hinter den Vorgängen« aufzuzeigen. [115] Daher schien Brecht auch später der Begriff »episches Theater« zu formal, und er ersetzte ihn durch »dialektisches Theater«.

Für das Verhältnis, das das Komische mit der Verfremdung eingeht, ließe sich die These aufstellen: wo die verfremdende Darstellung komisch ist, liegt das im dargestellten Objekt, Verfremdung dient dann der Sichtbarmachung des objektiv

Komischen. So etwa im *Arturo Ui:* durch die Verfremdung von Schauplatz und Handlungsführung wird das Komische an Hitler und seinen Kumpanen *freigelegt,* nicht aber wird das Komische *als* Verfremdung erst von außen herangebracht. Als objektiv komisch sieht Brecht z. B. auch die faschistische Rassenideologie an; in den *Flüchtlingsgesprächen* heißt es dazu:

Die Idee von den Rassen ist der Versuch von einem Kleinbürger, ein Adeliger zu werden. Er kriegt mit einem Schlag Vorfahren und kann auf was zurück- und auf was herabsehen. Wir Deutschen kriegen dadurch sogar eine Art Geschichte. Wenn wir schon keine Nation waren, können wir wenigstens eine Rasse gewesen sein. (GW 14, 1490)

Die verfremdende Darstellung in den *Rundköpfen und Spitzköpfen* (ein Land Jahoo, ein Statthalter Iberin usw.) macht diese objektive Komik sichtbar und kenntlich.

Vielleicht kann das Verhältnis von Komik und Verfremdung an einem weiteren Text aus den *Flüchtlingsgesprächen* noch genauer expliziert werden:

Die Wissenschaft nimmt heute an, daß der Übergang eines Zeitalters in ein anderes ruckartig, Sie können auch schlagartig sagen, stattfindet. Lange Zeit hindurch gibt es winzige Veränderungen, Unstimmigkeiten und Verunstaltungen, welche den Umschlag vorbereiten. Aber der Umschlag selber tritt mit dramatischer Plötzlichkeit ein. Die Saurier bewegen sich sozusagen noch eine geraume Zeit in der besten Gesellschaft, wenn sie auch schon etwas ins Hintertreffen geraten sind. Im Adelskalender der Tierwelt nehmen sie schon ihres Alters wegen noch einen geachteten Platz ein. Es gilt noch durchaus als gute Kinderstube, Gras zu fressen, wenngleich die besseren Tiere schon Fleisch bevorzugen. Es ist noch keine Schande, 20 Meter von Kopf bis zum Schwanz zu messen, wenn es auch schon kein Verdienst mehr darstellt. Das geht so und so lang, und dann kommt plötzlich der totale Umschwung. (GW 14, 1399 f.)

Der Text sei seines Modellcharakters wegen kommentiert und nicht gleich auf eine allegorische Bedeutung festgelegt, als stünden die Saurier für eine bestimmte, historisch überholte Klasse. Das Modell zeigt folgendes: da lebt noch etwas, wenngleich seine Tage gezählt sind. Die lächerliche Unangepaßtheit ist objektiv vorhanden, sie braucht nicht erst durch die Methode der Verfremdung konstruiert zu werden. Das Komische also ist im Dargestellten selbst und entsteht nicht erst *durch* die Darstellung. Daß das Komische objektiv vorhanden und sichtbar ist, bedeutet aber noch nicht, daß es auch als solches wahrgenommen wird: Gewöhnung verleiht ihm den Anschein des Normalen. Aufgabe der Verfremdung ist, diesen Schein zu durchbrechen, um damit in den Dienst der komischen Darstellung zu treten. Komische Darstellung ist »realistisch«, was nichts weiter bedeutet, als die Realität gegen deren ideologische Verkleidungen auszuspielen. Die Sicht des Komikers ergibt sich vom Standpunkt dessen, der den historischen Blick besitzt, der mit dem Umschlag rechnet, und zwar in einer Weise, als dränge alles auf ihn hin.

Die »Saurier« sind der neuen Situation nicht angepaßt, ohne daß diese Tatsache allgemein bewußt wäre — was ist hieran komisch? Nicht, daß gegen das Ungemäße, Unbeholfene usw. jetzt abstrakt der Standpunkt des Normalen, Maßvollen usw. geltend gemacht werden müßte, wie das in vielen allgemeinen Theorien zum Komischen so zu geschehen pflegt. Entscheidend ist der historische Faktor, entscheidend ist die Tatsache, daß die Komik erst aus einer Entwicklung entsteht, daß sie Prozeßcharakter hat. Die volle Erkenntnis des Komischen gelingt auch nicht allgemein, sondern eben den Mitgliedern der neuen historischen Formation, denen, die sich verändert haben und die weitere Veränderung ins Werk setzen: die Erkenntnis des Komischen ist parteilich. Sie *muß* aber deshalb nicht satirisch sein. Der Satiriker rechnet mit der Lebendigkeit und ungebrochenen (oft, uneingestanden: mit der unbrechbaren) Lebenskraft des Gegners, der Komödienschreiber zitiert die alte Gestalt in ihre lächerliche Erscheinung. Er entblößt sie, um sie recht kenntlich zu machen, und hält sich dabei nicht an einzelne schwache Stellen, versucht vielmehr, die ganze Gestalt als komisch gewordene hinzustellen. Zum Gelingen dieses Versuchs bedarf es dann mitunter der *Methode* der Verfremdung, insofern bestimmte Denkgewohnheiten unterlaufen werden müssen. [116]

Die Brechtsche Komödie wird zur Komödie durch ihren Inhalt sowohl wie durch die spezifische Darbietungsweise als »Spiel«, das diesen Inhalt hervorkehrt; was im Kleinen, bei der einzelnen Szene und dem einzelnen Motiv als »komisches Exempel« bezeichnet werden darf, ist im Großen die Parabelform, die für viele Brecht-Komödien verbindlich ist. Nicht aber entstehen das Komische und die Komödie aus der Anwendung eines bestimmten Mittels oder Kunstgriffs, um zum Beispiel *Illusionsdurchbrechung* zu gewährleisten. Dazu sei hier ein kurzer Hinweis gegeben.

Für eine Aufführung des *Baal* hatte sich Brecht im Jahre 1920 notiert:

Wenn ich ein Theater in die Klauen kriege, engagiere ich zwei Clowns. Sie treten im Zwischenakt auf und machen Publikum. Sie tauschen ihre Ansichten über das Stück und die Zuschauer aus. Schließen Wetten ab über den Ausgang. [...] Dadurch sollen die Dinge auf der Bühne wieder real werden. Zum Teufel, die *Dinge* sollen kritisiert werden, die Handlung, die Worte, die Gesten, nicht die Ausführung. (GW 15, 50 f.)

Eine Illusionsdurchbrechung in diesem angedeuteten Sinn hat Brecht dann auch in der Berliner Aufführung von 1926 zu realisieren versucht. [117] Das erinnert noch stark an die Tiecksche Dramaturgie bzw. an die Aristophanische Komödie mit ihren Parabasen, wo ein Spielfeld aufgebaut wird, das dann punktuell durchbrochen werden kann, um komische Kontraste zu erzielen. Dem Bühnenspiel wird ein Fremdes hinzugefügt, das erst die vorgetäuschte Wirklichkeit als Schein entlarvt, um danach auf den realen Sinn desto stärker hinweisen zu können.

Würde dieses Darstellungsprinzip den Charakter der Brechtschen Stücke bestimmen, so müßte jeder Song, jeder Beleuchtungswechsel auf der Bühne, jede Wendung zum Publikum eine potentiell komische Wirkung implizieren. Das ist aber nicht der Fall, denn Brechts Stücke — und zumal die Komödien — weisen sich von vornherein als Spiel aus. [118] Die Szenentitel lenken die Aufmerksamkeit immer wieder auf bestimmte Nummern und deren Inhalt hin. Wirklichkeit wird somit gar nicht erst fingiert, soll nicht unmittelbar abgebildet werden, sondern das Bühnengeschehen will ein Beispiel sein, ein Vorschlag an den Zuschauer, im Spiel ein Modell bestimmter Vorgänge und Zustände der Wirklichkeit zu sehen, die hier zur besseren Erkenntnis zubereitet worden sind. Denn, um mit Hegel zu reden:

Das Bekannte überhaupt ist darum, weil es *bekannt* ist, nicht erkannt. Es ist die gewöhnlichste Selbsttäuschung wie Täuschung anderer, beim Erkennen etwas als bekannt voraus zu setzen, und es sich ebenso gefallen zu lassen; mit allem Hin- und Herreden kommt solches Wissen, ohne zu wissen wie ihm geschieht, nicht von der Stelle. [119]

Dieser Hegel-Stelle korrespondiert aufs genaueste Brechts Einsicht, »die Kunst soll[e] die Dinge weder als selbstverständlich (gefühlsmäßig Anklang findend) noch als unbegreiflich darstellen, sondern als begreiflich, aber noch nicht begriffen«. (GW 18, 22) Sein Komödien-Spiel will den Zuschauer durchaus »von der Stelle« führen und rechnet auf die aktive Rolle des Bewußtseins im Erkenntnisprozeß. [120] Es setzt eine Entdeckung über die gesellschaftliche Realität in Szene, geht dabei oft exemplarisch vor, benutzt z. B. die dafür besonders günstige Parabelform, darf auf diese indes ebenso wenig eingeschränkt werden wie auf bestimmte verweisende Mittel.

In einer Notiz »Zur Ästhetik des Dramas« aus den zwanziger Jahren stellte Brecht die rhetorische Frage: »Aber wo ist die politische Komödie großen Ausmaßes?«, und er fügte die Feststellung hinzu, daß noch »kaum die Grundlagen des Bürgertums [...] untersucht« worden seien, da es bislang »nur zwei Arten der Betrachtung bürgerlicher Probleme: eine satirische und eine pathetische« gebe. (GW 15, 55 f.) Eine pathetische Betrachtung der bürgerlichen Welt schied für Brecht sowieso aus, eine satirische im Sinne des »épater le bourgeois« schien ihm abgenutzt und steril, bliebe diese doch in der Provokation noch an den Standort derer gebunden, die provoziert werden sollten. Für Brecht wird die Darstellung der bürgerlich-kapitalistischen Gesellschaft durch *Historisierung* zur »politischen Komödie großen Ausmaßes«, wobei sie »politisch« nicht nur dann ist, wenn politisch-geschichtliche Vorgänge (wie in den Faschismus-Stücken) thematisiert werden. Politisch ist sie auch und gerade da, wo die Komödie die »Grundlagen des Bürgertums« zum Gegenstand macht, wobei Brecht z. B. bis auf die Familie oder die Form der Ehe zurückgeht. Brecht betrachtet die bürgerliche Gesellschaft seiner Zeit als die »letzte Phase einer weltgeschichtlichen Gestalt«, wie es bei Marx hieß. Walter Benjamin hat dieses Vorgehen am Beispiel *Mann ist Mann* wie folgt beschrieben:

Anstatt [...] von außen her unsre Zustände einzurennen, hat Brecht vermittelt, dialektisch sie sich kritisieren, ihre verschiedenen Elemente logisch gegeneinander sich ausspielen lassen, sein Packer Galy Gay in »*Mann ist Mann*« ist nichts als ein Schauplatz von Widersprüchen unsrer Gesellschaftsordnung. [121]

Dieser Beschreibung wäre u. a. wiederum zu entnehmen, daß Brecht keine direkten Satiren geschrieben hat. Die Kritik an den Vorgängen ist in diesen selbst schon vermittelt enthalten, die Komödie stellt solche Vorgänge aus. Indem die Komödie derart dialektische Struktur aufweist, braucht es auch keine »Illusionsdurchbrechung« mehr in der Weise, daß zwischen Bühne und Zuschauer die Figur eines Mittlers eingeschaltet wird, der auf die eigentliche Relevanz des Spiels extra hinweist.

Die Erkenntnis, zu der Brechts Komödien ihrem Publikum verhelfen wollen, ist die, daß es sich um eine absterbende, »saurierhafte« Ordnung handelt, deren Prinzipien allerdings auch von ihren Gegnern weitgehend verinnerlicht sind. Erkenntnis des alten und bisherigen Gesellschaftssystems ist gleichbedeutend mit Kritik an ihm, die aber zu einer positiven Kraft nur dann werden kann, wenn sie tatsächlich vom Standpunkt des neuen, sozialistischen Gesellschaftssystems aus erfolgt. Diese qualitative Dimension, d. h. das Praktischwerden der Kritik, kann die Komödie, wie Brecht stets wußte, nicht aus sich selbst heraus erschaffen. Wo der Satiriker sich in direktem Schlagabtausch mit dem gesellschaftlichen Gegner wähnt, stellt Brechts Komödie eine bescheidenere, »vermitteltere« Kampfform dar. Ihre Intention zielt nicht darauf, die bürgerlich-kapitalistische Welt »mit Kritik bekämpfen« zu wollen. Brecht hat keine idealistische Vorstellung von der Literatur, als ob diese dem System irgend schädlich werden könnte, wenn sie nur recht radikal sich gebärdet. Er schätzte da die Möglichkeiten sehr nüchtern ein: »Das gegen ihn gespritzte Gift verwandelt der Kapitalismus sogleich und laufend in Rauschgift und genießt dieses.« (GW 20, 37) Aber, um im Bilde zu bleiben, darum muß ja nicht die Produktion von Gegengift eingestellt werden, das gebraucht wird, um zunächst einmal gegen die herrschende Ideologie immun zu machen. Es geht darum, wie Lukács in *Geschichte und Klassenbewußtsein* schrieb:

[...] den Staat der kapitalistischen Gesellschaft *schon während seines Bestehens als historische Erscheinung zu betrachten und zu bewerten.* [122]

Dabei fällt dann, wie leicht zu ergänzen ist, gerade der komischen Destruktion der bürgerlichen Ideologie eine wichtige Rolle zu, denn:

Die Ideologie ist in diesem Falle nicht bloß eine Folge des wirtschaftlichen Aufbaus der Gesellschaft, sondern zugleich die Voraussetzung ihres ruhigen Funktionierens. [122]

Brechts Komödie zielt also nicht auf moralische Kritik nach dem Schema: »Kapitalisten sind böse, Kapitalisten müssen weg.« Weder Pierpont Mauler noch Puntila noch die Götter in Sezuan werden direkt »angegriffen« bzw. auf gleicher intellektueller Ebene in Rede und Gegenrede »widerlegt«, sondern die Komödie stellt die Unvereinbarkeit der Ideologie mit den realen Verhältnissen exemplarisch zur Schau, und zwar in der Form des komischen Spiels. »Der Anblick der Ideologien untergehender Klassen ist jammervoll« (GW 20, 44) — dies ist der aufsteigenden Klasse, die aus diesem Jammertal sich verabschiedet, bewußt zu machen.

An dieser Stelle sollte kurz auf das Problem der *Parodie* eingegangen werden. Daß das Brechtsche Werk reich an parodistischen Elementen ist, dürfte bekannt sein und bedarf keiner ausführlichen Belege. Parodiert werden traditionelle Theaterformen wie der deus ex machina-Schluß (*Dreigroschenoper, Guter Mensch von Sezuan*), ganze Szenen wie z. B. das Marthe-Mephisto-Gespräch, Shakespeares Antoniusrede oder die Werbung Richards III im *Arturo Ui,* Hymnen und Chöre von Goethe, Schiller, Hölderlin in der *Heiligen Johanna,* aber auch einzelne, Zitat gewordene Wendungen (wie z. B. »Von Zeit zu Zeit les ich die Zeitung gern« (GW 3, 914) in Variation des bekannten Mephisto-Verses).

Ist Brecht aber deshalb *als* Parodist zu bezeichnen, geht etwa die Intention einiger seiner Komödien auf Parodie aus? Die *Dreigroschenoper* wurde mitunter als Opernparodie verstanden — und damit im Grunde falsch verstanden. Denn Parodie als eine Form der Kritik am Vorhandenen setzt dessen Lebendigkeit und anhaltende Aktualität voraus: dies ist der Widerstand, der durch Lächerlichkeit gebrochen werden soll. Dagegen hatte bereits im Jahre 1929 Adorno in seinem Aufsatz *Zur Musik der Dreigroschenoper* den Begriff Parodie bewußt vermieden und hatte behauptet:

In der Opern- und Operettenform seiner kompositorischen Oberfläche faßt das Werk die kleinen Gespenster jener Bürgerwelt und läßt sie zu Asche werden, indem es sie dem grellen Licht der Erinnerung aussetzt. (*Brechts Dreigroschenbuch* S. 185)

Eben dies ist wichtig und gilt nicht allein für die Musik der *Dreigroschenoper,* sondern für die Brechtsche Komödie allgemein: evoziert wird die wache Erinnerung, der Blick, der auf Vergangenes und Vergehendes sich richtet. Das historische Zurücksehen sieht vor allem Komisches, und dies wird *zitiert* als etwas Befremdliches — der Anstrengung der Parodie bedarf es dazu nicht, oder wenigstens ist sie sekundär.

In Brechts *Heiliger Johanna* z. B. wird ja gar nicht so sehr Schiller parodiert als vielmehr die Schillersche Sprache und Gedankenführung in der Weise zur Erscheinung gebracht, in der sie für den kulturellen Überbau der herrschenden Klasse charakteristisch ist, die sie als ihren »Besitz« verwaltet. Die Brechtsche Komödie »historisiert« die spätbürgerliche Gesellschaft, indem sie bestimmte historische Literaturformen des frühen Bürgertums mitzitiert. Oder anders gesagt: die Parodie ist ein Phänomen, das auf die literarische Geschichte in demselben Maße bezogen ist, wie die Komödie auf die reale Geschichte. [123] Eine literarische Form, Ausdrucksweise, Stilhaltung usw., die sich überlebt hat, schlägt in Komik um und erliegt folglich, soweit sie weiterbestehen will, dem Zugriff des Parodisten. Eine Gesellschaft, die hinter dem Stand des geschichtlich Möglichen zurückbleibt, wird zur Komödie reif. Brecht ist aber in erster Linie Komödienschreiber und nicht Parodist, weil er sich nicht als Literat nur mit Literatur auseinandersetzen will. Vielleicht kann sogar behauptet werden, daß die Parodie vor allem in einer bestimmten Form spätbürgerlicher Literatur — und besonders im Roman — ihren adäquaten Platz finden und ausfüllen mußte. [124] Parodie ist etwas für Eingeweihte — die Kundigen, die einige »Bildung« angesammelt haben, erfreuen sich an dieser noch, wenn Parodie ihnen die Gelegenheit bietet, sich in wissender Überlegenheit distanziert zu ihr verhalten zu können. Wenn diese These stimmt, dann müßte — wie Peter Hacks meint — der sozialistische Autor vor Parodie sich hüten:

Parodie ist Schwäche. Einer, der von einem Alten, das er überwunden zu haben meint, nicht loskommt, kritisiert es durch Nachahmung, und er bezieht alle Kraft von dem, was er, oberflächlich, kritisiert. [125]

Die parodistischen Elemente in Brechts Komödien sind aber sozusagen nur ein »Extra«. Sie erfreuen nicht allein den »Kenner«, sondern lassen auch dem, der die jeweilige Vorlage in seinem Bildungsfundus nicht präsent hat, die Diskrepanz zwischen Sprache und Handlung bzw. zwischen Ideologie und tatsächlichem Verhalten als komische offenbar werden. Der »hohe Stil« soll als geborgte Sprache kenntlich werden: man sehe etwa die Schauspieler-Szene im *Arturo Ui,* wo Ui zunächst in normaler Prosa spricht und erst, als er seine Posen im Spiegel kontrolliert (d. h. sich selbst mit den Augen seines Publikums betrachtet), in den für seine öffentlichen Auftritte angenommenen »hohen Stil«, den fünffüßigen Jambus, übergeht. Ein weiteres Beispiel: Im Vorspruch zur *Heiligen Johanna* hatte Brecht vermerkt, diese Komödie solle die »heutige Entwicklungsstufe des faustischen Menschen zeigen«. (GW 2, Anm. S. 4*) Parodiert soll also nicht werden, was der deutschen Klassik Humanität bedeutete, sondern *zitiert* wird, wie diese Humanität bei denen aussieht, die sie stets im Munde führen, und gezeigt wird dazu das Verhalten derer, die in das alte sprachliche Gewand wie in einen normalen Mantel schlüpfen, der ihnen eben »paßt«.

Travestie wird gewöhnlich definiert als eine ästhetische Verfahrensweise, die — ähnlich der Parodie — ebenfalls aus der Diskrepanz von Form und Inhalt komisches Kapital zu schlagen versucht. Doch im Unterschied zur Parodie setze die Travestie nicht bei der Form, sondern beim Inhalt an, um ihm unter Verwendung eines anderen Rahmens, Situationsgefüges oder einer Personenkonstellation etc. auf den Leib rücken zu können.

Gesetzt den Fall, solch abstrakte Definition sei wirklich notwendig und praktikabel (denn zumindest im normalen Wortgebrauch hat sich Parodie als der übergreifende Begriff erwiesen, der das von Travestie bezeichnete Vorgehen »mitbedeutet«), so bestünde wiederum, wie bei der Parodie, die Gefahr, daß ein womöglich satirischer und aufklärerischer Anspruch in die bloße Selbstgenügsamkeit reiner Heiterkeit umschlagen könnte. Das wäre dann am Beispiel Brecht zu erörtern und abzuwägen, in welcher Weise sich Travestie zur grundlegenden Intention des »Gesellschaftlich-Komischen« im einzelnen Motiv bzw. zur Komödie im ganzen verhält, ob sie diese illustriert und akzentuiert oder aber überlagert und abschwächt.

Darauf sei hier verzichtet, da nicht zu erwarten ist, daß die Erörterung dieses abstrakt-formalen Travestie-Begriffs (z. B. im Falle der *Heiligen Johanna*) zu anderen Folgerungen führen kann, als sie schon zum Verhältnis Parodie/Komödie skizziert wurden. Erwähnt sei lediglich, daß das Problem anders aussähe, wenn man von einer stärker inhaltlich-konkretisierten Travestie-Bestimmung ausginge, die sich als ein Erkenntnisbegriff, der sich auf Historisches bezieht, fassen ließe — und dann allerdings von dem hier verwendeten Begriff des »Gesellschaftlich-Komischen« fast kaum mehr unterscheidbar wäre. [125a]

Auch zum Problem des *Humors* in Brechts Komödien sollte wenigstens ein kurzer Hinweis gegeben werden. Thomas Mann hat den Humor einmal als das »bittere Sich-ins-Einvernehmen-Setzen mit der gemeinen Wirklichkeit« definiert [126] und damit wohl zutreffend das Moment des reaktiven Verhaltens umschrieben, auf das der Begriff in der bürgerlichen Ästhetik reduziert wird. Die ideologische Bedeutung dessen, daß hier eine ausgesprochen individualistische Defensivhaltung sich höchster Wertschätzung erfreut, liegt offen zutage: wer alles übersieht, der kann von manchem absehen, vor allem von den gesellschaftlichen Verhältnissen, die zu solch vermeintlich tiefer und weltüberlegener Haltung erst zwingen. [127]

Humor ist im wesentlichen das, was die Unternehmer von den Unternommenen erwarten — oder, in den Worten Puntilas an Matti:

Mir gefallt's nicht, wenn einer keine Lust am Leben hat. Ich schau mir meine Leute immer darauf an, ob sie lustig sein können. (GW 4, 1695)

Im Werke Brechts, der stets davor warnte, Harmosigkeit mit Güte zu verwechseln (GW 12, 478), wird man Humor als heitere Selbstbescheidung, als Darüberstehen usw. vergeblich suchen. [128] Unmißverständlich heißt es dazu in den *Flüchtlingsgesprächen:*

Ziffel In einem Land leben, wo es keinen Humor gibt, ist unerträglich, aber noch unerträglicher ist es in einem Land, wo man Humor braucht.
Kalle Wenn meine Mutter nichts gehabt hat, keine Butter, hat sie uns Humor aufs Brot gestrichen. Er schmeckt nicht schlecht, sättigt aber nicht. (GW 14, 1459)

Diese Art Humor, die die tatsächliche Misere in individueller Haltung auffangen und erträglich machen soll, war also Brecht durchaus verdächtig. Dennoch gibt es in seinen Stücken »positive« Figuren, die als humoristische bezeichnet werden können, so den Azdak, Schweyk, den »Papa« (in den *Tagen der Commune*) und andere. Sie sind Repräsentanten dessen, was Brecht für den unverfälschten und unverwüstlichen Charakter des »Volkes« hielt, und dabei kommt es nun allerdings im sprachlichen Gestus zu jener »Volkstümlichkeit«, die oft zu zwiespältigen Ergebnissen führt. [129] Fatal ist im Grunde die ganze Komödie *Schweyk im Zweiten Weltkrieg* — das Verhalten Schweyks suggeriert eben doch, wie immer Brecht das hellsichtig zu relativieren suchte [130], eine Strategie, mit der man durch schlechte Zeiten schon hindurchkommt. Wenn man boshaft formulieren will: Brecht, der dargelegt hat, wie die Vertreter der historisch überholten Ordnung nur mehr in Zitaten sich ausdrücken können, die sie aus einer früheren Geschichtsphase ihrer Klasse mechanisch übernehmen, greift selbst zu einer archaischen Sprachform vermeintlicher Natürlichkeit, wenn er die positiv-humoristischen Repräsentanten des »Volkes« gestalten will. [131]

Der Begriff des Humors ist durch seine Verwendung in der bürgerlichen Ästhetik derart korrumpiert worden, daß er sich kaum noch blicken lassen darf. Dabei ist ja gar nicht erwiesen, daß er tatsächlich nur immer durch die Assoziation an abgeklärte Kenntnis und stille Weisheit, an eine »gegen« die Welt sich verwahrende individuelle Überlegenheit« definiert werden kann oder muß. In Brechts später Lyrik z. B. könnte ein Humor entdeckt werden, dessen »Zufriedenheit« nichts mit Biedermeier zu tun hat, sondern die aktive, weltoffene Bewußtheit dessen umschreibt, der innerhalb »seiner« Gesellschaft mit ihr auf dem richtigen Wege sich weiß. Also nicht Abendsonne, sondern heller Vormittag, nicht Kontemplation, sondern Tätigkeit. Nur scheint es eben auch kein Zufall, daß ein solcher Humor gleichwohl bestimmte literarische Ausdrucksformen braucht und für die Bühne immer noch spröder bleibt als etwa für die Lyrik.

Nochmals sei auf das Problem der *Satire* zurückgekommen. Brechts Komödien sind insofern satirisch zu nennen, als damit die Differenz zu einem in purer Lustigkeit selbstgenügsam abschnurrenden Spiel angesprochen ist, doch wurde bereits betont, daß Brechts Komödien deshalb nicht *als* Satiren betrachtet werden sollten. Es gibt dafür mehrere Gründe. Der erste wäre als antithetische Replik zu folgender Behauptung zu formulieren:

Ich glaube, daß das Adjektiv »politisch« und das Substantiv »Komödie« nicht zusammenpassen, keine ästhetische Einheit ergeben, sondern sich zueinander heterogen verhalten. [...] Ich bin folglich der Meinung, daß wir Brecht nur gerecht werden können, wenn wir sagen, daß es sich hier um politisch-satirische Stücke handelt und nicht um Komödien. [132]

Diese Ansicht ist terminologische Willkür: »politische Satire« und »Komödie« passen durchaus zusammen, und an Beispielen fehlt es da nicht: Beaumarchais, Gay, Sternheim, Majakowski, um einige zu nennen. Das politisch-satrische Moment tritt stets in den Dienst der betreffenden lyrischen, epischen oder dramatischen Literaturform, ohne deshalb eine eigene Gattung zu begründen. Satirische Romane wie z. B. die Heinrich Manns bleiben eben primär Romane, und das Adjektiv »satirisch« ist in dieser Bezeichnung der qualitativ charakterisierende Zusatz, und dasselbe gilt analog für die Komödie. Als ästhetische Regel wäre demnach festzuhalten, daß das Satirische gleich dem Grotesken eine spezifische Relation der Darstellungsweise zum dargestellten Gegenstand beschreibt und nicht mehr. Doch ist dieses Argument nicht ausreichend, denn Regeln lassen Ausnahmen zu und sind dazu geschaffen, durchbrochen zu werden.

Wichtiger ist ein zweites Moment. Ungleich dem Grotesken ist die satirische Darstellungsweise primär sprachlicher Natur, d. h. schaut ihrem »Gegner« aufs Wort, um ihn für ihre Zwecke herzurichten. Daher scheinen epigrammatische Kurzformen der Literatur sowie die erzählerischen Gattungen der Literatur für Satire günstigere Voraussetzungen zu bieten: so ist etwa Brechts *Dreigroschenroman* ohne Zweifel »satirischer« als die *Dreigroschenoper*. [133] Wo hingegen wie auf der Bühne in wörtlichem Sinne »vorgestellt« wird, und wo ein Autor wie Brecht die Darstellung vorrangig aus dem »Gestus« zu entwickeln sucht, ist eine sinnliche Anschaulichkeit das Ziel, deren Mittel nicht allein sprachliche sein können. Das genuin Satirische wird dadurch in seinem Umfang begrenzt.

Vielleicht ist auch dieses Argument nicht stichhaltig genug bzw. zu abstrakt. Darum sei ein anderes Vorgehen erörtert, nämlich *die* Satire nach ihrer Intention zu befragen und, falls diese Intention in einer literarischen Form bestimmend sein sollte, diese Form dann eben »Satire« zu nennen, unabhängig davon, ob das nun terminologisch üblich ist oder nicht. Die Intention Satire wäre also am Beispiel Brechts der Intention Komödie zu konfrontieren. Auszugehen ist von der klassischen Definition Schillers:

In der Satire wird die Wirklichkeit als Mangel dem Ideal als der höchsten Realität gegenübergestellt. Es ist übrigens gar nicht nötig, daß das letztere ausgesprochen werde, wenn der Dichter es nur im Gemüt zu erwecken weiß. [134]

Wie immer Satire in ihrer Anwendung — im Demaskieren, Entlarven usw. — »materialistisch« zu sein scheint —, ihre Intention bzw. ihre grundlegende Perspektive ist es nicht: die Rede vom »Ideal als der höchsten Realität« weist genau in entgegengesetzte Richtung. Nun mag sich gleich der Einwand erheben, ein Autor wie Schiller sei natürlich hier keine Instanz, sei er doch idealistisch vorbelastet, und da könnten auch andere Definitionen von Satire denkbar sein. Darum sei an dieser Stelle die Definition des sowjetischen Literaturwissenschaftlers Jurij Borew zitiert, der mit Sicherheit unverdächtig ist, von idealistischen Voraussetzungen her zu argumentieren. Da heißt es:

Die Satire ist eine brandmarkende Entlarvung alles dessen, was den fortschrittlichen politischen, ästhetischen und sittlichen Idealen nicht entspricht, ist die zornige Verspottung alles dessen, was ihnen bei ihrer vollen Verwirklichung im Wege steht. Die Satire verneint die verspottete Erscheinung vollständig und stellt ihr ein außerhalb der gegebenen Erscheinung existierendes Ideal gegenüber. [135]

Die Satire sei »durch den *besonderen* emotionalen Charakter ihrer Kritik«, der sie von der einfachen Aufdeckung des Komischen unterscheide, »unmittelbar gegenwartsbezogen und aktuell und daher intensiver«. Durch sie werde »der Zuschauer oder Leser irgendwie ganz natürlich [!] zu einer selbständigen aktiven Gegenüberstellung der gegebenen Erscheinung mit den ästhetischen Idealen [!] hingeführt«. [136] Borews Definition steht nicht einen Millimeter über dem Schillerschen Idealismus: hier wie dort die starre Gegenüberstellung von schlechter Wirklichkeit und dem »Ideal« als dem ganz anderen, wobei im Begriff des Ideals tief uneingestanden das Unerreichbare mitschwingt: etwas, das — um zu sein, was es sein will — nie eigentlich real werden kann. Wie, wenn die vielgerühmte »Schärfe« der Satire eben daraus entsteht, aus der schmerzlichen Einsicht, daß man trotz ewigen Strebens und Bemühens doch immer auf die Nase fallen wird, weil die Wirklichkeit selbst sich ebenso ewig gegen das Ideal sperrt?

Das moralische und das emotionale Moment sind für die Satire wesentlich. [136a] Hier liegt das unterscheidende Kriterium zu Brechts Komödien. Auch sie stellen schlechte Wirklichkeit zur Besichtigung aus, doch wird diese nicht moralisch bewertet, wird nicht an einem »Ideal« gemessen, hat mit dem »Gemüt« des Zuschauers überhaupt nichts im Sinn. Die Intention der Brechtschen Komödie, als »Kritik« und »Utopie« gefaßt, ist nur scheinbar der Intention Satire, als Relation von »Mangel« und »Ideal« beschrieben, verwandt. Denn »Utopie« meint dabei jenes konkrete Moment der realen Antizipation, das dem Begriff durch Ernst Bloch wiedergewonnen wurde, und das insofern mit dem »Ideal« als einem immer nur Verheißenem nicht übereinstimmt. Wenn der Marxist Brecht in der Komödie die Kritik an der bürgerlichen Gesellschaft an der Utopie einer sozialistischen Gesellschaft orientiert, wobei zugleich diese Utopie durch die Kritik je aufs neue als konkrete Negation erschaffen wird, so kann er sich dafür durchaus auf entsprechende Ausführungen der marxistischen Klassiker berufen. [137] Wo die Kritik der Satire ihre Maßstäbe von einem unerreichbaren und eben deshalb absoluten Ideal bezieht, gilt die Kritik der Komödie nicht allein dem gesellschaftlichen »Mangel«, sondern zugleich dem »Ideal« als dessen Komplement, und der Bezugspunkt ist hier der des konkret Erreichbaren, aber noch nicht Erreichten.

Vor allem ist es die Perspektive auf die gesellschaftliche Wirklichkeit, die Brechts Komödie zur Komödie, zum Spiel macht und nicht zur Satire. Satire ist, wie Borew zutreffend formulierte, stets *unmittelbar* gegenwartsbezogen. Sie ist in dem Maße aktuell, wie sie die Gegenwart immer als den letzten Kulminationspunkt negativer Entwicklung sichtet, und sie begibt sich in ihrer anklagenden Reaktion auf dieselbe zeitliche Ebene ihres Gegenstands.

Die bürgerlich-kapitalistische Welt, deren Komödie Brecht schreibt, indem er sie zu einem Anachronismus stilisiert, war für Karl Kraus schon im Jahre 1912 »eine sinnlose Übertreibung aller Details, welche die Satire vor fünfzig Jahren hinterlassen hat«. [138] Die Richtigkeit dieser Behauptung unterstellt, lautet die Konsequenz: der immer erneute »Angriff« auf solche Gegenwart würde zwar zeigen, daß hier einer ist, der »weiß, was gespielt wird« —, Satire wäre aber dann nur eine Form, in die Ohnmacht und Resignation sich hüllen, wäre ein permanentes Defensivgefecht. Übrig bliebe allein die *Haltung* des Satirikers, die moralische Integrität eines Autors, der sich nicht encanaillieren läßt, der den Sisyphus-Kampf gegen seine Zeit führt, indem er deren »Geist« als Phrase attackiert — die Position von Karl Kraus ist hier exemplarisch. »Die bürgerlich-kapitalistischen Zustände zu einer Verfassung zurückzuentwickeln, in welcher sie sich nie befunden haben, ist sein Programm« — so heißt es einmal bei Benjamin über Kraus. [139] Satire will sich der Gegenwart erwehren, ihr Einhalt gebieten, doch in ihre Aggressivität mischt sich die Melancholie, die aus der Einsicht in die Vergeblichkeit des Unterfangens entsteht. Wo die Komödie, die Gegenwart historisierend, eine der Erkenntnis förderliche Distanz zu ihr einnimmt und, insofern sie in der Verabschiedung des Alten mit dem Neuen sich verbindet, eine gesellschaftlich optimistische Tendenz gewinnt, kommt die Satire von der Gegenwart nicht los. Sie läuft ihr immer mit dem Spiegel in der Hand hinterher und will entrüstet sie zwingen, in ihn zu blicken. Das aber heißt, eine *moralische* Instanz errichten, ein Gericht, vor dem die schlechte Wirklichkeit sich zu verantworten habe. Dazu pflegte Brecht zu sagen:

> Wie mir das Moralisieren zuwider ist! Den Mächtigen wird der Spiegel vorgehalten! Als ob sie sich nicht durchaus gefielen darin! Und als ob, wie schon ein Physiker des siebzehnten Jahrhunderts gesagt hat, die Mörder, Diebe und Wucherer nur deshalb morden, stehlen und wuchern, weil sie nicht wissen, wie häßlich das ist. (GW 16, 523)

Die Intention der Brechtschen Komödie geht nicht darauf aus, Entrüstung und moralische Verurteilung zu organisieren. Sie führt, am Maßstab des geschichtlich Möglichen, Gegenwart als anachronistisch gewordene vor, auf daß sie voll erkannt werden könne. Metaphorisch gesagt: es ist Hegels Eule der Minerva, die Brechts Komödie ihre heraldische Prägung gibt. Bei Hegel hieß das:

> Wenn die Philosophie ihr Grau in Grau malt, dann ist eine Gestalt des Lebens alt geworden, und mit Grau in Grau läßt sie sich nicht verjüngen, sondern nur erkennen; die Eule der Minerva beginnt erst mit der einbrechenden Dämmerung ihren Flug. [140]

Die Stelle scheint zu besagen, daß Erkenntnis überhaupt nur immer postum möglich sei, daß die »Gestalten des Lebens« ihr An-sich nur im nachhinein enthüllen.

Ob dies so ist und ob damit auch nur Hegels eigene Philosophie wirklich richtig getroffen ist, soll hier nicht erörtert werden. Die Stelle wurde zitiert, damit sich Brechts Versuch, sie zu konkretisieren und zu korrigieren, desto deutlicher abhebt:

In den Zeiten der Umwälzung, den furchtbaren und fruchtbaren, fallen die Abende der untergehenden Klassen mit den Frühen der aufsteigenden zusammen. Dies sind die Dämmerungen, in denen die Eule der Minerva ihre Flüge beginnt. (GW 16, 702)

Es geht also nicht um die objektive Erkenntnis der alten Gestalt, wie sie an sich gewesen ist, nicht darum, die Vergangenheit »als solche« zu begreifen. Es geht darum, um Marxens Wort hier wiederholend einzubringen, daß die »letzte Phase einer weltgeschichtlichen Gestalt ihre Komödie« sei. Nicht daß da ein Abend gekommen ist, führt schon zur Erkenntnis, sondern daß da zugleich eine Frühe ist, die ihr Licht zurückwirft; allein der »aufsteigenden Klasse« gelingt der heiter-erkennende Abschied von der Vergangenheit. Die Eule der Minerva mag ja mit einbrechender Dämmerung erst ihren Flug beginnen, als Wappenvogel der Komödie aber fliegt sie nach vorn, ins Helle — um die Lichtmetapher der Aufklärungszeit hier bewußt für Brechts Komödienintention zu übernehmen — und sie entfliegt dem komisch gewordenen Schattenreich.

Anders als die Satire, die die Gegenwart *als* Gegenwart von absoluten, idealen Maßstäben her bekämpft, sieht die Komödie die Gegenwart noch während ihres Bestehens als historisch, vergehende — ja, »macht« sie zur Vergangenheit, um nicht allen und jedem, aber der »aufsteigenden Klasse« zur heiteren Erkenntnis zu verhelfen.

Hinzugefügt muß aber werden, daß mit der bloßen Erkenntnis allein noch nicht sehr viel erreicht ist: sie muß auch Folgen haben. Die Kunst erreicht sie nur indirekt, aber sie erreicht sie überhaupt nur dann, wenn sie die Erkenntnis mit ihren spezifischen Mitteln zu befördern sucht. In einer Äußerung aus dem Jahr 1951 spricht Brecht eben dies aus:

Kunst realisiert sich im Genuß. Erkenntnis allein sagt noch nichts, sie kann auf vielerlei Art vermittelt werden. Erkenntnis wird zum Kunstmittel, wenn sie Genuß vermittelt. [141]

Das ist allerdings eine Formel, die gerade für die Komödie geschaffen scheint, deren Intention sowohl wie ihre Realisierung ihr optimal entsprechen.

Bleibt die Frage, ob man nicht doch bei der Darstellung des Komischen zwischen *Komödie* und *Lustspiel* unterscheiden könnte oder sollte. Die Frage sei am Beispiel von *Trommeln in der Nacht* (von Brecht *Komödie* genannt) und von *Mann ist Mann* (von Brecht *Lustspiel* genannt) gestellt.

Trommeln in der Nacht war zunächst als ein Individualdrama geplant, das sich polemisch gegen literarische Konvention absetzt. Im Zuschauerraum sollten Plakate mit Anschriften wie »Glotzt nicht so romantisch« (GW 1, 70) aufgehängt werden. Der »Held« Kragler sollte sich gezielt unheldisch benehmen, d. h. er sollte — den Erwartungen des bürgerlichen Publikums zum Trotz, das im Theater gerne nachempfindet, wie einer für die reine Idee seine Liebe und sein Leben einbüßt —

sich als bürgerlicher Realist erweisen. Die Einstellung Brechts zu diesem Werk hat sich später mehrmals gewandelt. [142] Gleichwohl ist ihm beizupflichten, wenn er behauptet, daß ohne seine ursprüngliche Absicht »am End doch so etwas wie ein Abbild der ersten deutschen Revolution herauskam und vor allem ein Abbild dieses Revolutionärs«. (GW 17, 965 f.)

Zu sehen ist dies: die Balickes und Murks halten den Heimkehrer Kragler für einen Revolutionär (bei seinen Auftritten taucht jeweils der »rote Mond« auf), weil sie davon ausgehen, so einer hätte eben Grund dazu. Doch Kragler merkt davon gar nichts, denkt nur an sein kleines Glück, um das er betrogen wurde. Nachdem Kragler der Bourgeoisie, für die er in den Krieg gezogen war, seine ehemalige Braut entrissen hat, hält die Braut nun an ihm fest, damit er sich nicht der Revolution anschließe. Die Vermutung liegt nahe, daß Brecht der Komödie der deutschen Revolution eine allegorische Gestaltung verlieh: dann wäre in der »Braut«, die Kragler (zurück)gewinnen will, Deutschland zu sehen — ein Land, das sich den Kraglers nur schenkt, wenn diese auf eine grundlegende Veränderung der gesellschaftlichen Verhältnisse verzichten. Die »Braut« Deutschland muß aber in beschädigter Form übernommen werden, sie ist bereits wieder von den alten, restaurativen Kräften geschwängert: Anna erwartet ein Kind von Murk. Die potentiellen Revolutionäre können es gar nicht erwarten, selbst zu Bourgeois zu werden. In dem Typus Kragler hat Brecht, wie er später erkennt, »jenen fatalen Typus des Sozialdemokraten« (GW 17, 967) getroffen, der in dem Moment, als die Revolution reale Möglichkeit geworden war, eben nach Hause ging. Die Komödie in Form eines traditionellen Individualdramas hat also durchaus demonstrativ-paradigmatischen Charakter.

Mann ist Mann, das sogenannte *Lustspiel,* ist das erste von Brechts Parabelstükken, in dessen Zentrum hier das bürgerliche Individuum bzw. das »Identitätsproblem« steht. [143] Der Zwischenspruch der Witwe Begbick, der in vielen Aufführungen dem ganzen Stück vorangestellt wird, gibt dessen Inhalt an und kehrt den Spielcharakter des Ganzen deutlich hervor:

> Herr Bertolt Brecht behauptet: Mann ist Mann.
> Und das ist etwas, was jeder behaupten kann.
> Aber Herr Bertolt Brecht beweist auch dann
> Daß man mit einem Menschen beliebig viel machen kann.
> Hier wird heute abend ein Mensch wie ein Auto ummontiert
> Ohne daß er irgend etwas dabei verliert.
> Dem Mann wird menschlich nähergetreten
> Er wird mit Nachdruck, ohne Verdruß gebeten
> Sich dem Lauf der Welt schon anzupassen
> Und seinen Privatfisch schwimmen zu lassen.
> Und wozu auch immer er umgebaut wird
> In ihm hat man sich nicht geirrt.
> Man kann, wenn wir nicht über ihn wachen
> Ihn uns über Nacht auch zum Schlächter machen. (GW 1, 336)

Erst die These, die Programmankündigung, darauf der komische Beweis, vorgeführt in ruckartigen Szenen, einzelnen Nummern, in fast durchweg körperlich-gestischen Aktionen und einer von aller Psychologie gereinigten Sprache. Das Exempel verwirklicht sich im komischen Spiel.

In der Literaturwissenschaft hat sich so etwas wie eine communis opinio darüber gebildet, daß Brecht zuerst die »Ummontierung« Galy Gays uneingeschränkt positiv gewertet und erst später den negativ-kritischen Aspekt berücksichtigt habe. Diese Meinung ist trotz der verschiedenen Fassungen und der entsprechenden Selbstäußerungen Brechts ungenau. Ob die eine Fassung das Wachstum ins Verbrecherische betont, während die andere den Eintritt des Individuums ins Kollektiv eher beifällig zu registrieren scheint, ist natürlich je für sich eine einschneidend wichtige Akzentuierung. Der übergreifende Charakter des »Gesellschaftlich-Komischen« bleibt davon unberührt! In allen Fassungen geht es vorab darum, »den oberflächlichen Firnis des Individualismus in unserer Zeit« (GW 17, 974) in seiner tatsächlichen Schwäche zu entdecken. Ad oculos wird demonstriert, wie die sog. freie, autonome Persönlichkeit gar nicht mehr existiert und beim ersten Anstoß von außen, wenn ihr »menschlich nähergetreten« wird, ihr kostbares Selbst einbüßt. Der sog. freie Wille — so wird am Beispiel des harmlosen, geschäftslüsternen Kleinbürgers enthüllt — besteht nur darin, den Verhältnissen so fugenlos sich einzupassen, daß kurzfristig ein persönlicher Vorteil dabei herausspringt. »Es ist eine lustige Sache. Denn dieser Galy Gay nimmt eben keinen Schaden, sondern er gewinnt.« (GW 17, 978) Der komische Beweis liegt hier — wie ähnlich in der *Dreigroschenoper* und im *Guten Menschen von Sezuan* — darin, daß es gerade die negativen Eigenschaften, der Verzicht auf Gewissen und Verantwortung, sind, die in *dieser* Gesellschaft einen voranbringen. Das Brechtsche Motiv der »Doppelrolle« (auf das noch eingehend zurückgekommen wird) ist in *Mann ist Mann* derart gestaltet, daß Galy Gay nicht als gespaltener lebt, sondern seine Privatrolle völlig in der ihm oktroyierten öffentlichen Rolle verschwinden läßt: dadurch »gewinnt« er, er handelt nur noch, insofern er gehandelt wird.

Die didaktische Tendenz tritt im Spiel hervor, das zugleich ein nach Art eines bösen Märchens [144] konstruiertes Beispiel sein will, das vom Zuschauer auf reale Vorgänge übertragen werden kann. Die Konkretisierung der Parabel auf faschistische Verhältnisse, die Brecht im Jahre 1936 erwog (GW 17, 987 f.), war von Anfang an latent enthalten.

Welches wäre nun das Kriterium, das die jeweilige Klassifizierung *Komödie* oder *Lustspiel* rechtfertigen könnte? In *Trommeln in der Nacht* wie in *Mann ist Mann* steht der sog. kleine Mann im Mittelpunkt, und zwar als sozial negativer Held. Es ist derselbe Typ, dieselbe deutsche Konstante kleinbürgerlichen Verhaltens, an der die Revolution scheiterte, die dem Faschismus aber überaus entgegenkam. Dieser Typ ist objektiv komisch, nicht der geschichtliche Augenblick, in dem er steht. Aus seinem Nicht-Handeln bzw. Gehandelt-Werden entstand nun aber die Fehlentwicklung in Deutschland, und die schäbige Bewußtlosigkeit dessen, der sich allem einpaßt, wird bekanntlich am Ende die Entschuldigung parat haben, »das« doch nicht gewollt und nicht gewußt zu haben. Das Komische dieses Typs besteht nicht für sich, sondern wird im Rückblick, vom Standpunkt einer Gesellschaft, die solchen Typ nicht mehr kennt und kennen will, sichtbar — und *Trommeln in der Nacht* wie

Mann ist Mann gewinnen das »Gesellschaftlich-Komische« dadurch, daß sie diesen Standpunkt antizipieren.

Der qualitative Unterschied beider Stücke beruht darauf, daß das erste ein traditionell aufgebautes Drama in fünf Akten ist, das zweite ein abstrakter angelegtes Parabelstück. Das betrifft die Atmosphäre der Darstellung von Handlung und Personen, über den Charakter der von Brecht gewählten Bezeichnungen *Komödie* und *Lustspiel* besagt das nichts. Keineswegs ist *Mann ist Mann* irgend »lustiger« ausgefallen. Vielmehr gilt für *beide* Stücke, daß jener Mann nicht nach den Erwartungen bedient wird, die ihn Brecht in seinem fiktiven Dialog zu *Mann ist Mann* folgendermaßen aussprechen läßt:

Der Witz dieses Stückes macht mich nicht lachen und sein Ernst nicht weinen. Ich aber liebe Stücke, in welchen die Raketen des Witzes prasseln oder ein trauriges Geschehen mein Herz zum Mitleid bewegt. (GW 17, 979)

Der Witz eines als Lustspiel deklarierten Stückes ist also von anderer Art als die, die gemeinhin mit prasselnden Lachsalven und dergleichen identifiziert wird. Indirekt ist damit gesagt, daß ein komisches Spiel durchaus Ernst aufweisen kann — aber auch, daß die traditionelle Unterscheidung zwischen Lustspiel und Komödie hinfällig ist. Diese Unterscheidung überhaupt ist eine jener Erfindungen der Germanistik, die sich als wenig brauchbar erwiesen hat. Zunächst einmal bedeutet das Wort Lustspiel nichts anderes als die Eindeutschung von Comedia bzw. comédie, ohne daß damit eine qualitative Differenz zur Komödie gemeint wäre: in diesem Sinne nannte z. B. Lessing die *Minna von Barnhelm* ein *Lustspiel.*

Erst literaturwissenschaftliche Akribie glaubte feststellen zu können, daß es ein »Wesen« der Komödie gebe, die in satirischer Komik den spezifisch »dramatischen« Anforderungen gerecht werde, von dem das des Lustspiels zu scheiden sei, da dieses mehr auf das »Spiel« selbst und auf die »Haltung« von Heiterkeit und Humor gründe. Ist dieses Schema, wenn schon künstlich, so doch wenigstens diskutabel, so wurde es durch die ideologischen Voreingenommenheiten der Germanisten rettungslos kompliziert: diese schätzten nämlich die satirisch-gesellschaftsbezogene Komödie weit weniger als den dem Lustspiel zugeschriebenen sog. überlegen lächelnden Humor. Sie wollten andererseits aber auch nicht das »primitive« Lustspiel, die »grobe Farce« usw. zum Ideal postulieren, so daß ein »eigentliches«, »reines« Lustspiel als höchstes Ziel konstruiert wurde, wo sozusagen über die ewig menschliche Unzulänglichkeit heiter gehandelt wird — ein Ziel, an das stets nur Annäherungen möglich sind. [145] Wie die »hohe Literatur« angeblich überhaupt alle politisch tendenziösen Inhalte aus sich fernhalten müsse, so habe das »Reich des Komischen« alle »bloß« didaktischen Impulse zu verbannen.

Klar ist, daß mit solchen Unterscheidungen für das Verständnis der Brechtschen Komödien und ihrer Intention rein nichts gewonnen ist. Komödie bei Brecht entsteht durch die besondere Art, wie sie gesellschaftliche Probleme vorführt. Sie ist aber auch stets »Spiel«, nur eben nicht notwendig ein »Lustspiel«, das in das berüchtigte »befreite Lachen« mündet, wiewohl Brecht oft gerade die »groben« komischen Effekte nicht verschmäht. Brecht ging es immer darum, wie er am 25. 10. 1955 gegenüber Giorgio Strehler formulierte, »gleichzeitig Amüsement und Schärfe zu geben statt nur gemütliche Lächerlichkeit«. (*Brechts Dreigroschenbuch,* S. 132) Für Komödie wesentlich ist ihre Intention, die potentielle Lösbarkeit der von ihr gezeigten Probleme erkennbar zu machen. Denkbar wäre, den Begriff »Lustspiel« dann so zu verwenden, daß er jene Spezies von Komödie meint, die sich mit dem Aufweis der Lösbarkeit nicht begnügt, sondern die Lösung selbst schon immer explizit in sich enthält. Wie gesagt: »Lustspiel« als eine besondere Form der Realisierung der Intention Komödie — das wäre denkbar, aber viel wäre damit nicht erreicht. Im Gegenteil, allzu viele »Lustspiel« genannte Komödien würden dieser Formel nicht entsprechen, so auch nicht Brechts *Mann ist Mann.*

Als Brechtsche Komödien könnten folgende Stücke bezeichnet werden: *Trommeln in der Nacht, Mann ist Mann, Die Dreigroschenoper, Aufstieg und Fall der Stadt Mahagonny, Die heilige Johanna der Schlachthöfe, Die Rundköpfe und die Spitzköpfe, Der aufhaltsame Aufstieg des Arturo Ui, Schweyk im Zweiten Weltkrieg, Der gute Mensch von Sezuan, Herr Puntila und sein Knecht Matti, Der kaukasische Kreidekreis, Turandot und der Kongreß der Weißwäscher*; die Bearbeitungen *Pauken und Trompeten, Don Juan, Der Hofmeister.* Hinzu kämen kleinere Werke: neben den erwähnten frühen Einaktern noch *Dansen, Was kostet das Eisen?, Die sieben Todsünden der Kleinbürger,* Fragmente wie *Das wirkliche Leben des Jakob Geherda* u. a.

Die Übersicht macht deutlich, wie umfangreich der Versuch ausfallen müßte, eine Interpretationssammlung sämtlicher Komödien vorzulegen. Unbefriedigend wäre aber auch, hier eine Auswahl zu treffen, da diese schwer zu begründen wäre. Statt dessen scheint es günstiger, dem »Gesellschaftlich-Komischen« in Motiv und einzelner Szene nachzugehen (zumal diese nicht nur in ausgesprochenen Komödien begegnen), um dessen Vielfalt bei Brecht aufzuzeigen. Einige dieser Motive und Szenen konzentrieren in sich derart den Gehalt des ganzen Stücks, daß ihre Analyse fast die des Stückes »ersetzen« kann.

I. AUTONOMIE UND FUNKTION EINER KOMISCHEN SZENE: DIE FAMILIENFEIER (VERLOBUNG UND HOCHZEIT)

Anzuknüpfen ist an jenes Motiv, dessen komische Funktion bereits in den frühen Einaktern sichtbar wurde: das der Geschlechterbeziehung und insbesondere das der Hochzeits- und Familienszene. »Das bürgerliche Dasein [sei] das Regime der Privatangelegenheiten«, heißt es einmal bei Walter Benjamin, und:

Politisches Bekenntnis, Finanzlage, Religion — das alles will sich verkriechen, und die Familie ist der morsche, finstere Bau, in dessen Verschlägen und Winkeln die schäbigsten Instinkte sich festgesetzt haben. [146]

In diesen Bau leuchtet Brecht hinein, doch ist er keineswegs über das überrascht, was dort sich zeigt. Er nimmt es als ein Modell, das historisch bedeutsam ist.

Noch keine Hochzeit, aber eine Verlobung wird gefeiert im ersten Akt von *Trommeln in der Nacht*, jener Komödie, die im selben Jahr wie die *Kleinbürgerhochzeit* (1919) entstand. Die Szenenanweisung lautet: »Bei Balicke. Dunkle Stube mit Mullgardinen. Es ist Abend.« (GW 1, 71) Versammelt sind Balicke, seine Frau, die Tochter Anna, der »Zukünftige« Murk. Die Innigkeit des Liebesdialogs klingt so:

Murk Ah, jetzt wird es hier bald andere Töne geben!
Anna Das glaube nur.
Murk Ich halte ja an!
Anna Ist das deine Liebeserklärung?
Murk Nein, sie kommt noch.
Anna Schließlich ist es eine Korbfabrik. (GW 1, 75)

Gemeint ist die Korbfabrik von Vater Balicke. Und wann wird die Hochzeit sein?

Balicke In drei Wochen meinetwegen! Die zwei Betten sind in Ordnung. Mutter, Abendbrot! (GW 1, 76)

Die Szenenanweisung vermerkt darauf: »Fressen«. Das Grammophon spielt abwechselnd »Ich bete an die Macht der Liebe« und »Deutschland, Deutschland über alles«. Da kommt Babusch herein, berichtet vom Spartakus-Aufstand in den Straßen, um jedoch sogleich hinzuzufügen:

Laßt euch nicht abhalten! Hierher kommt nichts! Hier ist'n stiller Herd! Die Familie! Die deutsche Familie! My home is my castle. (GW 1, 79)

Wiederum also, wie in der *Kleinbürgerhochzeit*, handelt es sich um Menschen, die — so hieß es schon in Goethes Idylle — »zur schwankenden Zeit« keineswegs »schwankend gesinnt« sein wollen, wiederum soll Familie auf wundersame Weise

Halt verleihen. Wiederum ist es dasselbe kleinbürgerliche Geschwätz wie in dem frühen Einakter, das zu Sentenzen der unterschiedlichsten Art zusammenrinnt, die dennoch einen gemeinsamen Ton haben: »Jeder Mann wiegt Gold«, »Unverhofft kommt oft!«, »Die aufgepeitschten Massen sind ohne Ideale«, »Was unzufrieden ist, an die Wand«, »Was ein Mann ist, kommt durch«, »Des Menschen Wille ist sein Himmelreich«, »Ich bin der beste Mensch, wenn man mich machen läßt«, »Lerne leiden, ohne zu klagen!« usw. (GW 1, 71—83) Hier wird also wieder kleinbürgerliches Bewußtsein in charakteristischen Äußerungen zitiert, deren Spannweite von bösartiger Selbstgerechtigkeit bis Selbstmitleid reicht, doch was hier halten und dauern, sich selbst wie der schönen Güter Besitztum wahren will, ist als sozialer Typus weit präziser als in der *Kleinbürgerhochzeit*. Mit den schönen Gütern der Balicke-Fabrik hat es folgende Bewandtnis:

Balicke Der Krieg hat mich auf den berühmten grünen Zweig gebracht! Es lag ja auf der Straße, warum's nicht nehmen, wäre zu irrsinnig. Nähm's eben ein anderer. Der Sau Ende ist der Wurst Anfang! Richtig betrachtet, war der Krieg ein Glück für uns! Wir haben das Unsere in Sicherheit, rund, voll, behaglich. Wir können in aller Ruhe Kinderwägen machen. Ohne Hast! Einverstanden?
Murk Völlig, Papa! Prost!
Balicke So wie ihr in aller Ruhe Kinder machen könnt. Ahahahaha. (GW 1, 78)

Der Krieg ist vorbei, die Revolution wird schon nichts werden, die Forderung der Stunde lautet: Heim ins Privatleben, das Bräutigam Murk auf die Formel bringt:

Schluß! Sicherheit! Wärme! Kittel ausziehen! Ein Bett, das weiß ist, breit, weich!
(GW 1, 81)

Natürlich ist die Braut bereits schwanger, doch wird das Kragler, ihren »Verflossenen«, der aus dem Krieg heimkehrt, nicht hindern, sie wieder zu übernehmen. Die Beteiligung an der Revolution hat ihm zu vage Erfolgsaussichten, da zieht er das bürgerliche Familienleben vor: »ich bin ein Schwein, und das Schwein geht heim.« Und zu seiner Anna sagt er, nun auch dieselbe Formel wie Murk gebrauchend: »Jetzt kommt das Bett, das große, weiße, breite Bett, komm!« (GW 1, 123) Die allegorische Bedeutung des Vorgangs, d. h. daß die potentiellen Revolutionäre sich dem restaurativen Deutschland vermählen, wurde bereits erwähnt. In dieser übertragenen Bedeutung wird zugleich das »Gesellschaftlich-Komische« besonders klar: die für anderer Leute Interessen in den Krieg ziehen mußten, helfen den status quo stabilisieren in der Hoffnung, er werde auch ihnen zugute kommen, und so machen sie das Ruhebedürfnis der Bourgeoisie zu ihrem eigenen Programm.

Die Verlobungs- und Familienszene in *Trommeln in der Nacht* differiert (wie auch die der späteren Stücke) in dem Maße von dem Modell *Kleinbürgerhochzeit*, wie die betreffende Grundsituation nur mehr eine unter anderen sein kann und mit dem übrigen Geschehen verknüpft ist. In dem fünfaktigen Drama setzt das komische Motiv einen Maßstab, an dem nicht allein die Bürgerlichen, die Balickes und Murks gemessen werden (Akte I, II), sondern an dem der Kontrast zu dem, was sich in den Straßen tut (IV, V), so recht erst deutlich wird. Die Verlobungsszene, in der präsent wird, was zum bürgerlichen Ehevertrag in unruhiger Zeit verlockt, nämlich »Sicherheit«, das breite Bett und natürlich die Korbfabrik, ist die Exposition einer Handlung, die am Ende des fünften Akts in den Worten Kraglers ihre Pointe findet:

Das Geschrei ist alles vorbei, morgen früh, aber ich liege im Bett morgen früh und vervielfältige mich, daß ich nicht aussterbe. (GW 1, 123)

Damit ist die Ausgangsposition wieder erreicht, die Vater Balicke in der Verlobungsszene mit den Worten skizziert hatte: »in aller Ruhe Kinder machen« — und, was die Revolution betrifft: »Ja, zum Teufel, sind die Kerls denn nicht zufrieden?« (GW 1, 78) Wie gesagt, die Pointe ist die, daß die Kraglers sich dann tatsächlich als zufrieden erklären. Das Komische der Verlobungsszene ist also nicht danach zu beurteilen, was in ihr lachen macht, und auch nicht danach, wie treffend die satirische Entblößung der Kriegsgewinnler gelang. Auch ist die Szene dem Stück nicht als »Nummer« eingesetzt, die von der übrigen Handlung in der Weise abgehoben wäre, daß ihr ein Spielcharakter zukäme, der das Interesse auf die einzelnen Details eigens hinlenkt. Die Verlobungsszene ist im Gegenteil rein funktional zu verstehen; sie ist der programmatische Eingang, um in konzentrierter Weise anzudeuten, was das Drama insgesamt ausführt. Sie benennt das, was für Brecht der Grund ist, der in Deutschland noch je die geschichtlich notwendige Entwicklung verhindert hat: Ruhe und Ordnung, der »stille Herd« und das weiße Bett, Kinder machen, die die Kontinuität des jetzigen Zustands schon erhalten werden. Denn, wie es bei Goethe hieß: »Nicht dem Deutschen geziemt es, die fürchterliche Bewegung/Fortzuleiten und auch zu wanken hierhin und dorthin.« Die einfache Komik der ersten Szene, z. B. das Geschäftsgespräch zwischen Schwiegervater und neuem Kompagnon, während die Macht der Liebe vom Grammophon angebetet wird, wird von den folgenden Akten her je aufs neue akzentuiert. So besonders in Akt II, der die Verlobungsfeier in die Picadilly-Bar verlegt — ein dramaturgisch notwendiger Ortswechsel, um mehr Personen und mehr Handlung zeigen zu können. Hier wird direkt ausgespielt, wie dem bürgerlichen Selbsterhaltungstrieb alles, und eben auch die eigene Tochter, zur Ware wird. Es geht darum, ihren »Unterleib [zu] verfeilschen wie ein Pfund Kaffee«. (GW 1, 98) In dieser Hinsicht illustriert die Familiendarstellung in *Trommeln in der Nacht* auf das Genaueste jenen Satz des *Kommunistischen Manifests*, der über sämtliche Familienszenen bei Brecht als Motto gesetzt werden könnte:

Die Bourgeoisie hat dem Familienverhältnis seinen rührend-sentimentalen Schleier abgerissen und es auf ein reines Geldverhältnis zurückgeführt. [147]

Die Verlobungsszene des ersten Aktes präsentiert Familienleben als Insel im Strom der Zeit, eine Insel, auf der die Finanzlage in Ordnung ist. Das Stück macht dann deutlich, daß auch die fast Ertrunkenen, die Kraglers, die potentiellen Revolutionäre, alle die gleiche Insel anrudern. So zeigen sich plötzlich immer mehr »Inseln«, der Strom versickert, die Bourgeoisie behält festen Boden unter den Füßen. So etwa ist Brechts Sicht auf die deutsche Revolution, und die Funktion der Verlobungsszene besteht darin, den Komödiencharakter des ganzen Stückes kenntlich zu machen.

Die Verlobungsszene des Films *Kuhle Wampe* (1932) hatte Brecht schon in seinen ersten Skizzen als »eine überaus witzige und lustige Feier« geplant. [148] Das Mädchen Anna ist schwanger, »und es kommt unter dem Druck der in der Siedlung herrschenden lumpenkleinbürgerlichen Verhältnisse (eine Art ›Besitztum‹ an Grund und Boden sowie der Bezug einer kleinen Rente schaffen eigentümliche Gesellschaftsformen) zu einer Verlobung des jungen Paares«. [149] Die Kamera verfolgt pedantisch genau die verschiedenen Eßvorgänge, immer neue Bierkästen werden hereingereicht usw. Die jüngeren Gäste machen sich aneinander zu schaffen, die älteren schunkeln, grölen der »Gemütlichkeit« ein Prosit zu, lauschen dem »schönen Gigolo«, der von der Platte tönt, und der eigentliche Matador der Szene ist Onkel Otto — ein Auftritt, der artistische Fähigkeiten verlangt. [150]

Hier ist also, verglichen mit der in *Trommeln in der Nacht*, die Verlobungsszene ein deutlich herausgehobenes Schaustück, das übrigens der Zensurbehörde geeignet schien, »auf den Beschauer entsittlichend zu wirken«. [151] Der Bildtitel »Im Leben Kuhle Wampes spielen kleinbürgerliche Probleme noch eine große Rolle« wurde von den Produzenten selbst vorsorglich gestrichen, bevor sie den Film zur dritten Zensurprüfung einreichten. In der Verlobungsszene wird eben bewußt kleinbürgerliches Verhalten zitiert, doch sind die Verlobten selbst nicht eigentlich mit eingeschlossen, sie bleiben am Rande, haben mit der Feier wenig zu tun. Am Schluß der Szene wird die Verlobung gelöst, und zwar auf Initiative des Mädchens. Verlobung ist hier als negatives Kontrastbild ausgemalt, während die Intention des Ganzen der kommunistischen »Sexpol«-Bewegung verpflichtet scheint, der es um ein neues Modell der menschlichen Beziehungen geht. Die Zensurbehörde hat gut verstanden, wie der Begriff der bürgerlichen Ehe und Familie dabei hatte zuschanden werden müssen, und die Begründung, mit der in den dreißiger Jahren die Familie als Mikrokosmos der bürgerlichen Gesellschaft verteidigt wurde, ist dieselbe, die noch Jahrzehnte später im CDU-Staat Bundesrepublik die unverändert offizielle Leitlinie war. [152]

Hochzeit wird auch gefeiert in dem Stück *Im Dickicht der Städte* (1921/24), mit der einzigen Funktion, den bürgerlichen Ehebegriff komisch zu destruieren.

Wieder sind — wie in der *Kleinbürgerhochzeit* — neue Möbel angeschleppt worden. Garga hat in seinem seltsamen Kampf mit Shlink einen Teilsieg errungen, den er sofort zur Eheschließung mit der Prostituierten Jane nutzt. Bei Steaks und Whisky und beim Anblick des neuen Klaviers sagt Garga:

> Es ist angenehm, ich wünsche meine Abende in dieser meiner Familie zu verbringen. Ich bin in ein neues Lebensalter eingetreten. (GW 1, 169)

Es liegt an der Hektik des Stückes, daß das Komische des Motivs nur aufscheinen und nicht sich entfalten kann. Nicht wird daher die *ganze* Szene zu trügerischem Gegengewicht zum sog. feindlichen Leben ausgebaut, sondern die vermeintliche Sicherheit am stillen Herd ist kurz nur skizziert, um sogleich dem Eindringen der Außenwelt zu erliegen: dem »Kampf« kann nicht durch Rückzug ins Privatleben ausgewichen werden.

In Brechts Text für das Programmheft der Heidelberger Aufführung von 1928 findet sich eine aufschlußreiche Erläuterung:

Als Kampfzonen werden [...] gewisse Vorstellungskomplexe verwendet wie zum Beispiel diejenigen, welche ein junger Mann von der Art des George Garga von der Familie, von der Ehe oder von seiner Ehre hat. Diese Vorstellungskomplexe benutzt sein Gegner, um ihn zu schädigen. (GW 17, 971)

Dies ist gleichzeitig eine Begründung dafür, daß die Szene nicht eigens ausgearbeitet wird: der komische Gegenstand ist eben der »Vorstellungskomplex«, und dessen ideologiekritische Behandlung verzichtet auf die in anderen Familienszenen erstrebte Ausführlichkeit und Anschaulichkeit. Wo dort der Kontrast ausgemalt wird, daß ein Paar »neuen Anfang« setzen will und sich in den versammelten Feiergästen gleichwohl der eigenen Zukunft gegenübersieht, ist in dem *Dickicht*-Stück die Unangemessenheit der Situation nur im Umriß skizziert, da die hektische Handlungsfolge sie sogleich dekuvriert und aufhebt.

So beginnt die Hochzeit: »Der Raum ist mit neuen Möbeln angefüllt. John Garga, Mae, George, Jane, Manky, alle frisch eingekleidet, zum Hochzeitsessen.« (GW 1, 168) Und so endet sie, in der Erkenntnis des alten Garga: »Das ist die Liquidierung unserer Familie.« (GW 1, 175) Es läßt sich indessen nachweisen, daß zumindest der erste Teil der Szene als eine weitere Variation der komischen Familienszene in Brechts Theater anzusehen ist [153], insofern er zeigt, wie Sicherheit, Ordnung, Gemütlichkeit, Familie, Ehe, Liebe als »allgemein-menschliche« Kategorien verinnerlicht sind, deren gesellschaftliche Bedingtheit verkannt wird.

Die Hochzeitsszene in der *Dreigroschenoper* (1928) ist von einer Komik, die auch die Ideologen des »befreiten Lachens« auf ihre Kosten kommen läßt. Waren die bisher erwähnten Hochzeits- und Familienszenen statisch gebaut: die Familie sitzt am Tisch, ißt und trinkt, hält schöne Reden, einer gibt ein Lied zum besten (bzw. das wird vom Grammophon erledigt) —, war also die Situation, die »Stimmung« vorgegeben, um allmählich zu zerbröckeln bzw. zerstört zu werden, so fügt sich in der *Dreigroschenoper* das typische Hochzeitsbild erst allmählich zusammen. Der Text ist choreographisch gegliedert in einzelne Kabinettstückchen, die der Szene eine Bewegung geben, die in absteigender Linie verläuft. Das sieht ungefähr so aus:

1) Der Pferdestall wird in Besitz genommen. Erst macht der Späher die Runde (Requisiten: Taschenlampe und Revolver), dann kommt Macheath, dann Polly. Der Raum wird auf seine Eignung geprüft. 2) Der Raum wird verwandelt, die Bande baut ihn mit den geklauten Möbeln in ein »übertrieben feines Lokal« um. Bewegungsregie: »Die Herren stellen links die Geschenke nieder, gratulieren der Braut, referieren dem Bräutigam.« 3) Die Geschenke werden je einzeln präsentiert, z. T. verändert: einem Cembalo werden die Beine abgesägt, unter Gesang. 4) Die Gangster ziehen sich um, neuer Auftritt im eleganten Abendanzug. Es wird gratuliert. 5) Das Hochzeitsessen. 6) Auftritt des Pfarrers. 7)

Lieder zur Hebung der Stimmung. 8) Auftritt des Polizeichefs und »Kanonensong«. 9) Enthüllung des Betts und allgemeiner Aufbruch. 10) »Und jetzt muß das Gefühl auf seine Rechnung kommen.« Liebesduett Polly-Macheath. (GW 2, 405—422)

Die einzelnen Momente, aus denen die Szene sich zusammenbaut, können hier nicht näher analysiert werden. Allein das Grundarrangement ist zu beleuchten. In den früheren Hochzeitsszenen wurde kleinbürgerliches Verhalten in der Weise zitiert, daß die aufgeputzte Würde nicht durchgehalten werden kann und der vermeinte häusliche Frieden gar sehr auseinander gerät. Hier nun liegen die einer schönen Feier widrigen Umstände am Anfang, doch richtet man sich so gut ein, daß sie schließlich völlig überwunden werden. Das eminent Komische der Szene liegt in dieser Negation, in der Tatsache, daß Verbrecher — angeblich die Anti-Bürger par excellence — sich strikt an bürgerliche Werte und Gewohnheiten halten und daß es gerade ihnen, den Gangstern, gelingt, »Innigkeit« und Harmonie des bürgerlichen Festes herzustellen.

Und nun zum »befreiten Lachen«; die skizzierte Nummernfolge der Szene bietet dafür viele Anlässe, doch lautet die wichtige Frage, *wer* denn hier über wen und was lacht. Brecht und Weill wußten recht genau, welches Publikum ihr Theater besuchen würde, doch lieferten sie eine Komödie, die gerade *nicht* auf direkte »Provokation« dieses Publikums aus war, und die auch mit den Begriffen Satire und Parodie nur fälschlich konnte verbunden werden. Die Intention wurde von Brecht folgendermaßen erläutert:

Die Dreigroschenoper befaßt sich mit den bürgerlichen Vorstellungen nicht nur als Inhalt, indem sie diese darstellt, sondern auch durch die Art, wie sie sie darstellt. Sie ist eine Art Referat über das, was der Zuschauer im Theater vom Leben zu sehen wünscht.
(GW 17, 991)

Da sehen die Bürger im Parkett nun auf der Bühne Verbrecher, die bürgerliches Verhalten beim Anlaß einer Hochzeit darstellen. Insofern dieses Verhalten selbst in sich komisch ist, werden die Bürger im Parkett verführt, über sich selbst zu lachen. Die Gaunertruppe auf der Bühne lädt sie ein, die Tugend-Imperative fahren zu lassen und an den Zoten sich zu ergötzen: Anstand und Unanständigkeit verschmelzen auf merkwürdige Weise. Doch ist die angebliche Unanständigkeit nichts anderes als die des bürgerlichen Ehevertrags selbst. Da heißt es z. B. im »Hochzeitslied für ärmere Leute«:

Billy Lawgen sagte neulich mir:
Mir genügt ein kleiner Teil von ihr!
Das Schwein.
Hoch! (GW 2, 414)

Das ist indessen lediglich eine populäre Kurzfassung der Kantschen Formulierung des Eherechts:

Es ist aber der Erwerb eines Gliedmaßen am Menschen zugleich Erwerbung der ganzen Person — weil diese eine absolute Einheit ist —; folglich ist die Hingebung und Annehmung eines Geschlechts zum Genuß des andern nicht allein unter der Bedingung der Ehe zulässig, sondern auch *allein* unter derselben möglich. [154]

Kants Definition der Ehe war für Brecht unmittelbar komisch. Sie lag bereits indirekt der *Kleinbürgerhochzeit* zugrunde, ihr widmete Brecht ein ironisches Sonett (GW 9, 609), und auf sie kommt er in der *Hofmeister*-Bearbeitung ausdrücklich zu sprechen [155]; sie muß zu sämtlichen Ehe- und Familie-Szenen als Negativ-Folie hinzugedacht werden, insofern das Moment des Reglementierten, des »Vertrags«, für Brecht stets typisch-bürgerlich schien und das eigentliche komische Zentrum des entsprechenden Motivs.

Das spezifisch Komische der Hochzeitsszene in der *Dreigroschenoper* liegt nur vordergründig darin, daß hier ein verpflichtendes Verhaltensschema nicht durchweg eingehalten werden kann, hauptsächlich ist es in der Anstrengung gegeben, mit der der Oberverbrecher Macheath eine Hochzeit comme il faut erzwingt. Brecht notiert dazu in den »Winken für Schauspieler«:

> Es ist zu zeigen, welche brutale Energie ein Mann aufwenden muß, um einen Zustand zu schaffen, in dem eine menschenwürdige Haltung (die eines Bräutigams) möglich ist.
> (GW 2, 488)

Nur der größte Verbrecher, einer, der mit dem Polizeichef auf vertrautem Fuße steht, einer, dem seine Bande aufs Wort gehorcht und zu dem der Pfarrer sogar in den okkupierten Pferdestall kommt — nur ein solcher Mann ist noch der »vollendete Bürger«, und nur er ist noch dem Ereignis Hochzeit würdevoll gewachsen. Bei ihm allein wird alles so, wie es zu sein hat, da können die andern nur lernen.

Am Schluß der Szene ist daher der Zustand hergestellt, der in den früheren Hochzeitsszenen am Anfang stand, dieses »Wo du hingehst, da will auch ich hingehen«, dieses »Und wo du bleibst, da will auch ich sein« (GW 2, 422). Daß es hier so falsch klingt wie dort, braucht nicht extra betont zu werden. Spontane Gefühlsäußerung wird höhnisch als Zitat vermeldet, wobei die Musik das noch zusätzlich unterstreicht.

Eine kurze Bemerkung sei noch den gestischen Elementen bzw. der körperlich-mimisch ausgedrückten Komik gewidmet. Der *Gestus* ist geradezu ein Schlüsselbegriff der Brechtschen Dramaturgie; ihn wollte der Autor neben der Textvorlage festhalten, daher die vielen Anmerkungen, Beschreibungen, Skizzen, Fotos, Modellbücher bei Brecht. Der Gestus des Hochzeitsessens wurde z. B. so bestimmt:

> Zu zeigen ist die Ausstellung der Braut, ihrer Fleischlichkeit, im Augenblick der endgültigen Reservierung. Zu dem Zeitpunkt nämlich, wo das Angebot aufzuhören hat, muß die Nachfrage noch einmal auf die Spitze getrieben werden. Die Braut wird allgemein begehrt, der Bräutigam »macht dann das Rennen«. (GW 2, 488)

Gestus ist also nicht die Untermalung oder Illustration einer Sache, sondern diese selbst. Die Frau ist die Beute, die bei der Hochzeit dem Jäger zufällt. Diejenigen, die mitgejagt haben bzw. deren Jagdtrieb plötzlich erwacht, müssen sich am Sprachleib schadlos halten: zwanghaft müssen sie bekunden, daß sie von »der Sache« auch etwas verstehen, und so entstehen dann die Zoten und Anspielungen auf Geschlechtliches.

Der Gestus liegt nicht allein in der Sprache, d. h. in dem, was sie inhaltlich vermittelt, sondern wird im Sprechen vorgeführt und in den körperlichen Aktionen und Reaktionen, die der Sprache vorausgehen, sie begleiten oder gar ersetzen. Der Gestus ist nicht irgendein Allgemein-Menschliches, das der Person sozusagen einen Streich spielt, indem es ihr entgleitet. [156] Gemeint ist von Brecht »der für die Gesellschaft relevante Gestus«, derjenige, der »auf die gesellschaftlichen Zustände Schlüsse zuläßt.« (GW 15, 484) Brechts Versuch, »das Menschliche darstellen [zu] können, ohne es als Ewigmenschliches zu behandeln« (GW 16, 834), führt zu einer Differenzierung des Mimischen. Das Interesse gilt dem »Verhalten der Menschen zueinander, *wo es sozialhistorisch bedeutend (typisch) ist*« (GW 15, 474), und daher wird der mimische Ausdruck des Menschen überhaupt ersetzt durch den Gestus der jeweiligen sozialen Rolle, die dem einzelnen diktiert ist, und die er weitgehend wohl auch verinnerlicht hat.

Bürgerliche Hochzeit als Beginn der bürgerlichen Ehe verlangt in der Sicht Brechts folgenden Grundgestus: da ist ein System der »freien Marktwirtschaft«, in dem die Frau als Ware vorkommt, deren Wert genau taxiert ist, und die schließlich als Privateigentum erworben werden kann. Nur muß sich der neue Besitzer mit den Ersteigentümern, also z. B. den Eltern, vorher arrangieren, den Tauschwert festsetzen. In *Trommeln in der Nacht* hatten Vater und Bräutigam sich rasch verständigt, da herrschte Konvergenz der Interessen. Polly aber ist die einzige Tochter des Bettlerkönigs Peachum, und der denkt nicht daran, ihre Hochzeit so einfach hinzunehmen — zumal der Tauschwert Pollys noch nicht wie der der Korbfabrikantentochter Anna durch Schwangerschaft gemindert ist. Frau Peachum kann ihrem Mann nur beipflichten:

Erst behängt man sie hinten und vorn mit Kleidern und Hüten und Handschuhen und Sonnenschirmen, und wenn sie soviel gekostet hat wie ein Segelschiff, dann wirft sie sich selber auf den Mist wie eine faule Gurke. Hast du wirklich geheiratet? (GW 2, 423)

Die erste Szene hatte bereits deutlich gemacht, welchen Wert Peachum seiner Tochter zuerkennt:

Celia, du schmeißt mit deiner Tochter um dich, als ob ich Millionär wäre! Sie soll wohl heiraten? Glaubst du denn, daß unser Dreckladen noch eine Woche lang geht, wenn dieses Geschmeiß von Kundschaft nur *unsere* Beine zu Gesicht bekommt. Ein Bräutigam? Der hätte uns doch sofort in den Klauen! (GW 2, 402)

Soweit Szene 1. Dann landet Macheath seinen Coup, um durch die Heirat sich ins Peachum-Unternehmen einzuschleichen (Szene 2). In Szene 3 eröffnet Polly ihren Eltern, daß sie geheiratet hat, und Peachum bereitet den Gegenschlag vor. Der Kampf der beiden Unternehmer reicht also — anders als im *Dickicht der Städte* — nicht in die Hochzeitsszene hinein. Denn diese gehört hier ganz zur Exposition, ist deren Mittelstück: sie wird sehr breit ausgespielt, um gerade an dem Ereignis Hochzeit darzulegen, wie eng verwandt der Bürger Macheath dem Bürger Peachum ist. Geschäftsinteressen, wissen beide, sollen herrschen, jedoch die lieblichen Gefühle auch. Über die Reihenfolge sind sich beide einig, und eben darum werden sie zu Gegnern.

Interessant ist, daß nach Brechts eigener Angabe die gestische Spielweise »viel dem stummen Film [verdankt]«, und daß es »Chaplin, der frühere Clown« war, nach dessen Vorbild er den Gestus wieder in die Schauspielkunst des Theaters hineingenommen habe. (GW 15, 238) *Der kaukasische Kreidekreis,* meint Brecht, nehme überdies »gewisse Elemente des älteren amerikanischen Theaters auf, das in der Burleske und der Show exzelliert hat«. (GW 17, 1204) Die Hochzeitsszene in dieser Komödie ist eine der turbulentesten Szenen des Brechtschen Bühnenwerks, sie ist vielleicht auch nach einem berühmten filmischen Vorbild der Marx-Brothers gearbeitet. [157] Ließ das Komische der bisher erörterten Hochzeitsszenen sich als Darstellung und Kritik der bürgerlichen Ehe und Familie bestimmen, so kann dies für die Szene im *Kaukasischen Kreidekreis* nur mit erheblichen Einschränkungen noch behauptet werden. Hier ist ein artistisches Furioso von Bewegungs- und Sprachfolgen vorgelegt, dem der Text nur mehr die Partitur zu liefern scheint. [158] Die Ausgangssituation ist am besten durch die Rede des Mönchs wiederzugeben, der für kargen Lohn die Formalitäten erledigen muß:

Liebe Hochzeits- und Trauergäste! In Rührung stehen wir an einem Toten- und einem Brautbett, denn die Frau kommt unter die Haube und der Mann unter den Boden. Der Bräutigam ist schon gewaschen, und die Braut ist schon scharf. Denn im Brautbett liegt ein Letzter Wille, und der macht sinnlich. Wie verschieden, ihr Lieben, sind doch die Geschicke der Menschen, ach! Der eine stirbt dahin, daß er ein Dach über den Kopf bekommt, und der andere verehelicht sich, damit das Fleisch zu Staub werde, aus dem er gemacht ist, Amen. (GW 5, 2054)

Natürlich wird das Paradoxe der Situation zu obszönen Gesängen genutzt, natürlich kommen die Gäste zum feierlichen Anlaß, sei es der »Todesfall« oder die Hochzeit, nur, um sich an Speis und Trank zu halten. Natürlich denkt die kupplerische Mutter nicht an Trauer über den »sterbenden« Sohn, sondern an das Geld, das die Braut ihr für die Hochzeit hat bezahlen müssen usw. usf. Es handelt sich durchweg um Einzelheiten, die aus der Schwank- und Farcenliteratur geläufig sind. Auch ist das Motiv des Sich-tot-Stellens aus vielen Beispielen der Commedia dell'arte bekannt, es begegnet z. B. auch bei Molière in der Form, daß einer mit anhört und beobachtet, was seine Freunde während seiner Abgeschiedenheit treiben. Der Totgeglaubte kehrt ins Leben zurück, um Hochzeit zu feiern — das ist darüber hinaus ein allgemeines Motiv der Volkspoesie. [159]

Dies alles, die traditionellen Motive und die gegenüber der Hochzeitsszene in der *Dreigroschenoper* noch intensivierten, choreographisch gegliederten Bewegungsabläufe, würde die Möglichkeit nicht ausschließen, hier wiederum bürgerliche Ehe und Familie im Zentrum der komischen Darstellung zu erblicken. Was die Hochzeitsszene im *Kaukasischen Kreidekreis* indes von allen übrigen des Brechtschen Werks unterscheidet, ist die Ausgangsposition des Paares. Die einander heiraten, haben beide keine Illusionen über sich oder die Ehe, sie kennen sich nicht einmal flüchtig, der Ehestifter ist der Krieg. Der »Bräutigam« hat seine Sterbenummer nämlich nicht wie in der Schwanktradition vorgespielt, um auf hinterlistige Weise zu einer Frau zu kommen, sondern er macht hier den sterbenden Mann, um dem Wehrdienst zu entgehen. Und auch Grusche denkt bei der Eheschließung nicht an einen etwaigen persönlichen Vorteil, sie will einzig dem in ihre Obhut geratenen Kind zu einem »Papier mit Stempeln« (GW 5, 2050) verhelfen.

Nun bietet die Szene eine vollendet komische Dialektik, und zwar im vordergründigsten Sinne: kommt die Hochzeit nur durch den Krieg zustande, so wird plötzlich für Grusche der Frieden zur größeren Gefahr. Der Frieden, der den geliebten Simon heil zurückbringen sollte, hat ihr jetzt einen nicht gewünschten Ehemann beschert. Ist das Kind gerettet, so droht der Geliebte verloren zu werden, indem nun Grusche in eine Ehe gefesselt ist. Die während des Krieges nur an andere dachte, für andere agierte, handelndes Subjekt war, ist durch den Frieden zum passiven Objekt geworden, auf das der »Ehemann« handfeste Ansprüche anmeldet.

Trotzdem darf gesagt werden, daß es sich hier wieder einmal nicht um die sog. »reine« Komik handelt, nicht um ein bloßes »Spiel«. Deutlich genug tritt der gesellschaftliche Gestus hervor, z. B. in der Figur des Mönchs, in der die merkwürdige Funktion der Kirche in der Gesellschaft beleuchtet wird. Auch ist der Warencharakter, der Braut und Bräutigam objektiv anhaftet, klar herausgestellt. Allerdings spielt es eine große Rolle, daß die Personen des *Kaukasischen Kreidekreis* grusinische Bauern sind, deren Verhaltensweise auch im Privaten einer spezifisch ländlichen Tradition verhaftet ist. Der Bauer als sozialer Typus hat »aufgrund seiner Klassensituation einen Charakter entwickelt, in dem der vorherrschende Zug die maximale Ausnutzung aller ihm zur Verfügung stehenden Menschen und Güter ist und in dem Liebe, das Streben nach dem Glück der geliebten Person um ihrer selbst willen, ein kaum entwickelter Zug ist«. [160] Der Familienbegriff bzw. die geltende Regelung der Ehebeziehung (»Die Frau jätet das Feld und macht die Beine auf, so heißt es im Kalender bei uns«. GW 5, 2059) kann über den historisch gewachsenen, spezifisch bürgerlichen Charakter von Ehe und Familie nicht einmal in vermittelter Form Auskunft geben. Gleichwohl braucht es nicht interpretatorischer Willkür, um zu erkennen, wie hier im Modell der Hochzeit als komischem Vorgang ein negatives Kontrastbild erstellt ist, von dem sich die qualitativ neue Humanität menschlicher Beziehungen positiv abhebt, um deren Darstellung das ganze Stück sich dreht.

Grusches Mütterlichkeit wird von Brecht in kühner Weise als soziale »Produktivität« gedeutet, die einer bloßen Gefühlsbindung Muttertrieb überlegen sei. Die Liebe, die Grusche und Simon verbindet — beide, die sich nie körperlich nahegekommen sind, sehen den kleinen Michel als ihr »Kind der Liebe« (GW 5, 2105) — ist die poetischste Gestaltung, die Brecht gefunden hat, um die positiv-konkrete Utopie eines besseren menschlichen Zusammenlebens auszumalen. [161] Die Bauernhochzeit ist insofern Ausstellung einer historisch überholten Form der Geschlechterbeziehung, als sie eine gesellschaftlich bedingte Unfreiheit der Frau dokumentiert [162], die bereits für die »junge Traktoristin« und die »Agronomin«, die im Vorspiel auftreten, Vergangenheit ist.

Die Hochzeitsszene des *Guten Menschen von Sezuan h*at folgendes Grundarrangement:

Nebenzimmer eines billigen Restaurants in der Vorstadt. Ein Kellner schenkt der Hochzeitsgesellschaft Wein ein. Bei Shen Te stehen der Großvater, die Schwägerin, die Nichte, die Shin und der Arbeitslose. In der Ecke steht allein ein Bonze. Vorn spricht Sun mit seiner Mutter, Frau Yang. Er trägt einen Smoking. (GW 4, 1554)

Getrennt und je für sich stehen die Personen, die die Feier zu *einer* Gruppe verbinden soll, dazwischen, als zusätzlicher Fremdkörper, der Kellner — nur daran interessiert, genügend Wein verkaufen zu können — und der Bonze, ein stummer Teilnehmer, angeheuert, die Zeremonie vorzunehmen. Wo die Liebenden sich am nächsten gekommen sind, wo sie dies auch offiziell, »vor aller Welt« kundtun wollen, da nun zeigen sie sich am weitesten voneinander entfernt. Wurde die Komik der bürgerlichen »Liebesheirat« in den bisher erörterten Szenen meist im Verlauf der Feier sichtbar gemacht, so gruppieren sich hier die Personen zu einem statischen Bild, das in Bewegung kommen will, dies aber nicht kann. Alle Personen warten auf Shui Ta, den Vetter, dessen Geld die Basis schaffen soll, auf der für Sun die Ehe mit Shen Te erst sinnvoll wird. Am Schluß der Szene, die Gäste sind schon aufgebrochen, warten immer noch Shen Te, Sun, seine Mutter: »Die drei sitzen, und zwei von ihnen schauen nach der Tür.« (GW 4, 1563) Nicht nur Shen Te, auch der Zuschauer weiß, daß nicht kommen *kann,* wer hier erwartet wird. Dadurch kann der Zuschauer seine ganze Aufmerksamkeit auf den einzelnen Gestus der Personen konzentrieren, und er kann die komische Diskrepanz zwischen deren gespieltem Verhalten und ihren eigentlichen Absichten voll genießen. [163]

Der gute Mensch von Sezuan ist die Prostituierte Shen Te. Von den Göttern für ihre Güte belohnt, kann sie den Beruf aufgeben und ein Geschäft aufmachen. Doch kommt ihre Güte sie dann derart teuer zu stehen, daß sie sich in den bösen Vetter Shui Ta verwandeln muß. Prostitution ist schlecht, Liebesheirat ist gut — soweit das offizielle Credo, wie es leichthin verkündet wird, so vom Polizisten im Gespräch mit Shui Ta, der indessen, auf Shen Tes wirtschaftliche Schwierigkeiten hingewiesen, nichts dabei findet, den Vorschlag zu machen, dann eben »ein wenig Geld« zu heiraten (GW 4, 1519 f.) Vorgeschlagen wird also jene Konvenienzehe, in der nach den Worten Friedrich Engels' die Frau »sich von der gewöhnlichen Kurtisane nur dadurch unterscheidet, daß sie ihren Leib nicht als Lohnarbeiterin zur Stückarbeit vermietet, sondern ihn ein für allemal in die Sklaverei verkauft«. [164] Solche Ehe schlägt Shen Te aus.

Derart ist nun die komische Dialektik, die in der Hochzeitsszene konzentriert ist: die als Shui Ta ihre Angehörigen hat vertreiben müssen, ruft sie als Shen Te zurück, denn für die Hochzeit wird Familienhintergrund gebraucht. (Die Verwandten bleiben aber nur, solange sie Hoffnung auf ein Festmahl haben). Die einstige Prostituierte Shen Te hat die vorteilhafte Prostitution einer Ehe mit dem reichen Barbier Shu Fu ausgeschlagen, um nun zu erleben, daß der Mann, den sie liebt, sie nur als Ware betrachtet. Die nur mehr Shen Te sein will, interessiert Sun nur indirekt, insofern ihr Vetter Shui Ta dreihundert Silberdollar besorgen kann. Ohne Shui Ta keine Hochzeit mit Shen Te: die ganz Liebende sein will, erfährt, wie sie gerade dadurch für den Geliebten »unkomplett« geworden ist. Die ungespaltene Identität hatte wiederfinden wollen, ist gezwungen, mit den anderen auf ihr Alter ego zu warten. Warum dieses nicht erscheinen kann, darf sie indessen nicht verraten. Sie muß sich den Anschein geben, zur Hochzeit noch bereit zu sein, als sie deren Unmöglichkeit schon weiß.

Scheinbar sitzt hier nur eine unglückliche Frau, die nicht geheiratet wird. Doch, wie gesagt, es handelt sich um *komische* Dialektik, denn: die Hochzeit, wäre sie zustande gekommen, hätte Shen Te in seelisches *und* wirtschaftliches Unglück gestürzt, Sun wäre dann allein nach Peking gereist, und sie wäre auf einen Schlag ihre Liebe und ihren Laden los. Die auf Liebe und nicht auf geschäftlichen Vorteil bauen wollte, ist daran gescheitert. Doch gerade dadurch hat der, der auf seinen Vorteil nur und nicht auf Liebe sah, seinen Coup nicht landen können. Suns scheinbare Überlegenheit wandelt sich in Malaise, während Shen Tes Malaise sie zur Erkenntnis führt (und den Zuschauer führen soll), daß in dieser Gesellschaft die Spaltung der Person nicht durch bloße Willenskraft revidiert werden kann.

In keiner anderen seiner Hochzeitsszenen hat Brecht das für ihn objektiv Komische der bürgerlichen Ehe (das Individuum vermeint, in einer Art Freiraum innerhalb der unmenschlichen Gesellschaft eine menschliche Privatrolle spielen zu können), derart klar herausgearbeitet wie in dieser Szene des *Guten Menschen von Sezuan,* wo es zu einer Hochzeit schließlich gar nicht kommt. Keine andere seiner Hochzeitsszenen fügt sich auch derart in die Komödienstruktur des ganzen Stückes ein. Hier ist das Ereignis Hochzeit nicht *das* Exempel, das die gesellschaftlichen Verhältnisse im Verhalten der Personen vermittelt, sondern nur *ein* Punkt der Parabel, welche die Entfremdung des Menschen in kapitalistischer Gesellschaft zum Thema hat.

Die neunte Szene in *Herr Puntila und sein Knecht Matti* (1940) trägt den Titel »Puntila verlobt seine Tochter einem Menschen«. (GW 4, 1676) Solche Szenentitel, meinte Brecht, »versetzen im Theater das Publikum in leichte Spannung und veranlassen es, etwas ganz Bestimmtes in der folgenden Szene zu suchen«. Im nächsten Satz fährt er aber fort: »In der Aufführung des Berliner Ensembles wurde anstelle der Szenentitel das Puntila-Lied gesungen.« (GW 17, 1173) Das macht nun allerdings einen gewissen Unterschied.

Der Szenentitel mit seiner sperrigen Formulierung würde, so ist zu vermuten, die Aufmerksamkeit des Zuschauers treffen: »einem Menschen«, so würde verstanden werden, kann hier keine bloße Gattungsbezeichnung meinen, die selbstverständlich ist, sondern soll die Vorstellung »wirklicher, wahrer Mensch« wecken. Wenn darauf der designierte Verlobte auftaucht, der von Puntila als »befrackte Heuschrecke« bezeichnete Attaché, wüßte der Zuschauer sofort, daß es dieser nicht sein kann, dem Puntila seine Tochter — und d. h. auch und vor allem für ihn: einen Wald als stattliche Mitgift — wird geben wollen. Bei dem »Menschen« kann es sich also nur um den Matti handeln, würde sich der Zuschauer sagen, falls er es nicht von Anfang an vermutet hat. Der Zuschauer würde sich demnach auf eine Zweiteilung der Szene einstellen und in gespannter Überlegenheit verfolgen, durch welche Provokation die »Heuschrecke« zum Abgang gezwungen werden könnte, was — wie seit der Badehaus-Szene bekannt — nicht so ohne weiteres möglich ist.

Dann aber, würde der Zuschauer annehmen, würde Puntila tatsächlich seine Eva dem Matti verloben.

Die Einstellung des Zuschauers auf die kommende Szene wird aber verändert, wenn zuvor die entsprechende Strophe des Puntila-Lieds gesungen worden ist. Sie lautet:

Herr Puntila hat auf den Tisch geschlagn
Da war's ein Hochzeitstisch:
Ich verlob mein Kind nicht sozusagn
Mit einem kalten Fisch.
Da wollt er sie geben seinem Knecht
Doch als er den Knecht dann frug
Da sprach der Knecht: Ich nehm sie nicht
Denn sie ist mir nicht gut genug. (GW 4, 1712)

Dies hörend, wüßte der Zuschauer den genauen Inhalt der folgenden Szene: es werden nacheinander zwei potentielle Verlobte auftreten, doch die Verlobung selbst wird nicht stattfinden. Der Eva haben will, den will Puntila nicht, doch wen Puntila für seine Tochter haben will, der will die Eva nicht. Diese Parallelität, die zugleich ein Kontrast ist, macht den Zuschauer nicht auf den Gang der Handlung gespannt, sondern macht ihn zum entspannten Beobachter des *Spiels*. Nun ist aber auffällig, daß der zweite Teil der Liedstrophe nicht völlig übereinstimmt mit dem zweiten Teil der Szene, den er ankündigt!

Die Szene sei im groben Umriß analysiert. Sie beginnt mit dem Gespräch zwischen Propst, Richter und Advokat: alle drei (wie auch Puntila, die später auftretende Pröpstin und der Attaché) tragen Masken und bewegen sich in einer Weise, die den gesellschaftlichen Gestus hervorkehrt. [165] Beabsichtigt ist ja ein Darstellungsstil, »der zugleich artistisch und natürlich ist« und sowohl »Elemente der alten commedia dell'arte« wie auch solche »des realistischen Sittenstücks enthält«. (GW 17, 1164, 1168) Im jeweiligen Charakter wird der Standestyp enthüllt: ihr parasitärer Glanz funkelt im Licht der Komik und beleuchtet ihre Bewegungen, den Sprachduktus wie auch das, *was* sie sprechen. Dann tritt der Attaché auf, der keine Witze versteht, dessen »Humor« aber wegen seiner Schulden so groß geworden ist, daß er erst durch Puntilas Fußtritt sich beleidigt fühlen kann. Der erste Teil der Szene gipfelt in der Vertreibung des Attachés als turbulentem Höhepunkt, um dann in eine Ruhepause umzuschlagen.

Neue Personen treten auf: Eva, Matti, die Mägde Laina und Fina. Puntila resümiert in längerer Suada das Geschehen, und danach beginnt der zweite Teil der Szene, als »Spiel im Spiel« von Puntila inszeniert:

Stellts die Tisch zusammen, baut eine Festtafel auf. Wir feiern. Fina, setz dich neben mich! *Er setzt sich in die Saalmitte, und die andern bauen vor ihm aus den kleinen Tischchen einen langen Eßtisch auf. Eva und Matti holen zusammen Stühle.* (GW 4, 1683)

Der Gutsherr also bietet der Magd den Platz an seiner Seite, und stattfinden soll nun die Verlobung Evas mit Matti: die Klassengegensätze sollen unter dem Schirm des Natürlichen und Allgemein-Menschlichen überspielt werden. Wie die Pröpstin und Laina ein ihre unterschiedliche Bildung überbrückendes Gesprächsthema gefunden haben (sie unterhalten sich über das Einlegen von Pilzen), so soll die geschlechtliche Attraktion, die Eva und Matti aneinander bindet, sie ihre verschiedene Herkunft vergessen machen. Das ist die Intention des von Puntila geplanten Spiels. Innerhalb dieses Spiels, und um es zu negieren, führt nun aber Matti sein Gegenspiel auf, die »Eheprobe«. [166] Diese verläuft wiederum in einzelnen Nummern, die von Matti arrangiert und kommentiert und von den Zuschauern auf der Bühne mit anfeuernden oder skeptischen Zurufen an Eva begleitet werden. [167]

Nun aber — und hiermit wird der Punkt berührt, daß die Strophe des Puntila-Lieds nur sehr ungenau den Vorgang beschreibt — nun aber verwickelt sich Matti selbst in das Spiel, das er als überlegener Inszenator angezettelt hatte. Zuerst weicht im Verlauf des Spiels die ihm der Gutsbesitzertochter gegenüber angemessene »Sie«-Anrede dem vertraulichen »Du«, dann unterläuft ihm gar jene spontane Geste, mit der er Eva scherzhaft auf den Hintern schlägt. Nicht daß diese Geste ausdrücken sollte, daß Matti mit der Verlobung plötzlich einverstanden wäre, was er mit solch drastisch-plumper Gebärde der Anerkennung unterstreichen würde. Matti hat sich aber derart im Spiel verfangen, daß er den Klassengegensatz selbst in diesem Moment vergessen hat, den als unüberbrückbaren aufzuzeigen er doch das Exempel mit Eva inszeniert hatte. Eva reagiert »erst sprachlos, dann zornig«, dann fängt sie sich wieder und sagt lachend: »Papa, ich zweifel doch, ob's geht.« (GW 4, 1691) Ihr ist an der Geste *sofort* die bestehende Kluft zwischen ihr und Matti aufgegangen [168], Matti braucht dazu längere Zeit und gesteht dann dem Puntila ein: »das hat nicht zur Prüfung gehört, sondern war als Aufmunterung beabsichtigt«. (GW 4, 1693)

So ist der, der Eva über den Klassengegensatz, der bis in die »allermenschlichsten« Beziehungen reicht, durch das Spiel hatte belehren wollen, gerade in dem Moment, in dem er selbst sich ins Spiel verlor, aus diesem von Eva gerissen worden. Dadurch tritt der Ernst des Klassengegensatzes schärfer hervor, indem er da sich meldet, wo Matti ihn nicht vermutet hatte — dadurch wird aber gleichzeitig das »Gesellschaftlich-Komische« des Exempels vertieft. Denn der als Lehrer auftrat, wird nun durch die Schülerin seinerseits belehrt. Die »Eheprobe« verläuft also viel differenzierter und eindringlicher, als die Puntila-Strophe das angedeutet hatte mit ihren Versen: »Da sprach der Knecht: Ich nehm sie nicht / Denn sie ist mir nicht gut genug.« Am Schluß der Szene ist ein anderes Lied zu hören, dessen letzte Strophe lautet:

> Es war eine Lieb zwischen Füchsin und Hahn
> »Oh, Goldener, liebst du mich auch?«
> Und fein war der Abend, doch dann kam die Früh
> Kam die Früh, kam die Früh:
> All seine Federn, sie hängen im Strauch. (GW 4, 1694)

Dieses Lied, das die von Puntila geplante Beziehung zwischen Eva und Matti so nüchtern wie anschaulich kommentiert, wird aber nicht von Matti, sondern vom »roten Surkkala« gesungen! Surkkala, ständig mit der Aussicht konfrontiert, von

Puntilas Hof gejagt zu werden, hätte — darf man vermuten — nicht so wie Matti in jenes Spiel sich verloren, und sei es auch nur für einen Augenblick.

Als Verlobungs- und Familienszene in dem bisher erörterten Sinn, also als Darstellung und Kritik des bürgerlichen Ehebegriffs bzw. als Anlaß, eine geschichtlich überholte Form der Geschlechterbeziehungen komisch auszustellen, scheint die Szene im *Puntila* von den anderen ziemlich abzuweichen. Fast nur die »Versatzstücke« (das sich selbst komisch dekuvrierende Personal, der Warencharakter der Frau) scheinen noch gegeben, und zwar vorwiegend im ersten Teil der Szene, während im zweiten der Akzent sich ganz auf das Exempel des grundsätzlichen Klassengegensatzes verlagert. Gleichwohl handelt es sich doch immer noch darum, daß in der antagonistischen Klassengesellschaft nicht einfach »Mensch zu Mensch« finden kann. Puntila *kann* seine Tochter gar nicht »einem Menschen« verloben, weil dies ein »natürliches« Wesen voraussetzt, das aber als von sozialer Herkunft und Erziehung unabhängig einfach nicht existiert. Daß es nur Illusion ist, wenn das in kapitalistischer Umwelt lebende Individuum in der Ehe eine »nur-menschliche« Bindung eingehen will, hatte die Szene des *Guten Menschen von Sezuan* gezeigt. Zu zeigen, wie vollends unmöglich das ist, wenn die Partner gar verschiedenen Klassen angehören, macht die Verlobungsszene des *Puntila* zu einer Variation desselben Themas.

Es ist wahrscheinlich falsch zu glauben, daß bürgerliche Ehe und Familie für Brecht etwas *besonders* Komisches an sich hätten. Nur schien ihm die Familie der repräsentative Ort, an dem das Komische der bürgerlichen Gesellschaft sichtbar gemacht werden konnte. Das Motiv der Feier bot eine hervorragend günstige Ausgangskonstellation, die leicht überschaubar ist; und das Motiv der Hochzeit, dessen Idealität schon eh auf schwankenden Füßen steht, ist vortrefflich geeignet, mit der gesellschaftlichen Realität konfrontiert zu werden. Stets sind es die voraussehbaren, die typischen Konflikte, die hier auftauchen, und Brecht hilft nur in vergröbernder Weise nach, kehrt die unedlen materiellen Aspekte überdeutlich hervor.

II. Komik und »Materialismus«

Die Hochzeitsszenen sind nur eine bestimmte Ausprägung, die das allgemeinere Motiv der Geschlechterbeziehung in Brechts Stücken einnimmt. Insoweit dieses Motiv mit Sexualität identisch ist, verlangt es als »materialistisches« geradezu nach komischer Darstellung — wenigstens nach dem Verständnis Brechts. Der Stellenwert des Komischen verschiebt sich nun in dem Maße, wie das Geschlechtliche als Möglichkeit, naiven Materialismus bzw. sogenannte Sinnenfreude darzustellen, direkt gestaltet wird oder aber zugleich noch mit dem Phänomen »Entfremdung« verknüpft ist. Diesen Zusammenhang aufzuhellen, ist äußerst schwierig, weil verschiedene Momente einander durchdringen.

In Brechts Anmerkungen zur *Dreigroschenoper* finden sich folgende Sätze:

> Überall aber, wo es Materialismus gibt, entstehen epische Formen in der Dramatik, im Komischen, das immer materialistischer, »niedriger« eingestellt ist, am meisten und öftesten. Heute, wo das menschliche Wesen als »das Ensemble aller gesellschaftlichen Verhältnisse« aufgefaßt werden muß, ist die epische Form die einzige, die jene Prozesse fassen kann, welche einer Dramatik als Stoff eines umfassenden Weltbildes dienen. Auch der Mensch, und zwar der fleischliche Mensch, ist nur mehr aus den Prozessen, in denen er und durch die er steht, erfaßbar. (GW 17, 999)

Auf das Verhältnis von Materialismus zum Formtypus »Episches Theater« soll nicht weiter eingegangen werden. Hier interessiert die Tatsache, daß Brecht gesehen hat, wie der »fleischliche Mensch«, d. h. der Mensch in seinem sinnlichen Wesen, auf die Gesellschaft bezogen ist, und daß dies zumal im Komischen deutlich gemacht werden kann.

Noch aufschlußreicher ist Brechts Kommentar zu der »Zuhälterballade« in der *Dreigroschenoper*. Als Wink an die Darsteller des Macheath, die beim Singen der dritten Strophe gehemmt seien, aber »selbstverständlich eine tragische Formulierung des Geschlechtlichen nicht zurückweisen« würden, schreibt Brecht:

> Aber das Geschlechtliche in unserer Zeit gehört unzweifelhaft in den Bezirk des Komischen, denn das Geschlechtsleben steht in einem Widerspruch zu dem gesellschaftlichen Leben, und dieser Widerspruch ist komisch, weil er historisch, d. h. durch eine andere Gesellschaftsordnung lösbar ist. Der Schauspieler muß also eine solche Ballade komisch bringen. Die Darstellung des Geschlechtslebens auf der Bühne ist sehr wichtig, schon weil dabei immer ein primitiver Materialismus auftritt. Das Künstliche und Vergängliche aller gesellschaftlichen Überbauten wird sichtbar. (GW 2, 489)

Dies ist eine Schlüsselstelle, die die Qualität eines Mottos besitzt: *komisch, weil historisch lösbar*. Gesagt ist weiter, daß der jeweilige Widerspruch ein gesellschaftlicher ist, daß er in der Perspektive einer anderen Gesellschaftsordnung erst zu einem komischen wird. Zudem ist auch die Funktion der komischen Darstellung bei Brecht deutlich engesprochen: es ist eine primär ideologiekritische, die das Vergängliche und Falsche des Überbaus betrifft. Und schließlich ist das Geschlechtliche als ein Paradigma des gegen ideologische Normen, Verträge usw. gerichteten »primitiven Materialismus« genannt.

Was aber ist das, »primitiver Materialismus«? Es kann kaum bestritten werden, daß der frühe Brecht eine ausgesprochen undialektische Vorstellung von ihm hat. Die anarchisch-hedonistische Position, von der aus bürgerliche Ideologie komisch denunziert werden soll, ist dieser nämlich nur zu sehr komplementär. Erinnert sei in diesem Zusammenhang an die bekannte Definition Friedrich Engels':

> Der Philister versteht unter Materialismus Fressen, Saufen, Augenlust, Fleischeslust und hoffärtiges Wesen, Geldgier, Geiz, Habsucht, Profitmacherei und Börsenschwindel, kurz, alle die schmierigen Laster, denen er selbst im stillen frönt; und unter Idealismus den Glauben an Tugend, allgemeine Menschenliebe und überhaupt eine »bessere Welt«, womit er vor andern renommiert, woran er selbst aber höchstens glaubt, solange er den auf seine gewohnheitsmäßigen »materialistischen« Exzesse notwendig folgenden Katzenjammer oder Bankerott durchzumachen pflegt und dazu sein Lieblingslied singt: Was ist der Mensch — halb Tier, halb Engel. [169]

Die Wahrheit dieser ironischen Definition erschließt sich leicht in Hinblick auf die Rezeption der *Dreigroschenoper.* Fressen, Saufen, Augenlust, Fleischeslust — das hat der Bürger sehen wollen, und das hat Brecht ihm auch gezeigt: es sei an Brechts Wort erinnert, das Stück sei »eine Art Referat über das, was der Zuschauer im Theater vom Leben zu sehen wünscht«. (GW 17, 991) Eingängige Formeln wie »Erst kommt das Fressen, dann kommt die Moral« (GW 2, 457) haben dem Bürger, tönen sie von der Bühne ins Parkett hinein, noch allemal eingeleuchtet.

Mit ihnen war indessen keine direkte Provokation beabsichtigt, oder doch jedenfalls nicht in erster Linie, mochte trotzdem doch sich aufregen, wer wollte. Vielmehr wurde der, dessen Tugend-Imperative so streng sind, daß er im Leben nicht »dürfen darf«, was er gern möchte, verleitet, jetzt im Theater aus der ihm lästigen Rolle zu schlüpfen und mit dem sich zu identifizieren, was er seiner Ideologie folgend verdammen müßte. Die Heiterkeit, zu der der Bürger sich »befreit« — die hat Brechts Komödie ihm listig abverlangt. Die Reaktion des bürgerlichen Publikums trägt dazu bei, das objektiv Komische seines gesellschaftlichen »Überbaus« hervortreten zu lassen. Denn das Ziel von Brecht war ja nicht, das fröhliche Einverständnis *dieses* Publikums mit anarchischer Selbstverwirklichung zu erreichen. Im Gegenteil: statt ungebundener »freier Liebe« der Verbrecher und vermeintlichen Antibourgeois wird der Bürger nur zur Identifikation mit Macheath' Gewohnheitsgang ins Bordell eingeladen, statt schaurig-schöner Umsturzgesänge vom romantischen outcasts ist der von Mackie und dem Polizeichef vorgetragene »Kanonen-Song« zu hören, der dem bierseligen Eingedenken an die immer »trotz allem schöne Soldatenzeit« doch recht ähnlich klingt usw. An primitivem Materialismus wird demnach etwas präsentiert, dem der Bürger selbst im Stillen frönt bzw. dem seine geheimen Wünsche gelten. Das heißt, grob gesagt, daß Brecht in der *Drei-*

groschenoper den von ihm so genannten primitiven Materialismus zwar mit gewisser Sympathie gegen bürgerliche Ideologie ausspielt, in ihm aber zugleich spezifisch bürgerliche Züge aufdecken will. Das ist eine komplizierte Verfahrensweise, die zu einem ambivalenten Gesamteindruck führen muß.

Die Ausdrucksformen des primitiven Materialismus — Fressen, Saufen, Lieben — schienen dem frühen Brecht noch ein gegenüber *dem* Gesellschaftlichen uneingeschränkt Positives zu sein. Diese undialektische Vorstellung liegt vor allem dem *Baal* zugrunde. In einem Brief an Caspar Neher vom 31. 5. 1918 teilt Brecht mit, was ihm mit seinem Stück vorschwebte:

Ich schreibe an einer Komödie: »Baal frißt! Baal tanzt!! Baal verklärt sich!!!« Da kommt ein Hamster drin vor, ein ungeheurer Genüßling, ein Kloß, der am Himmel Fettflecken hinterläßt, ein maitoller Bursche mit unsterblichen Gedärmen! [170]

Dies ist die Richtung auf einen Typus der traditionellen Komödie, in dem das Komische eine sog. Entlastungsfunktion besitzt, d. h. in dem das Lustprinzip über alle gesellschaftliche Domestizierung die Oberhand behält. Insoweit ist Baal der alten »komischen Figur« nicht unähnlich [171]; außerhalb des sozialen Rollenschemas existiert hier einer, der frißt und säuft, die Mädchen reihenweise sich übers Sofa biegt, durch die Wälder streift und durch die Kneipen, dessen Vitalität durchaus ansteckend wirken soll:

Seid nur nicht so faul und so verweicht
Denn Genießen ist bei Gott nicht leicht!
Starke Glieder braucht man und Erfahrung auch:
Und mitunter stört ein dicker Bauch. (GW 1, 4)

Die entschiedene Bejahung der Triebsphäre impliziert immer einen komischen Kontrast zu den gesellschaftlichen Mechanismen, die dem einzelnen eine Beherrschung und Verdrängung seiner vitalen Bedürfnisse auferlegen. (Nur ist dieser Kontrast zugleich von äußerst abstrakter Art: er besteht im Grunde immer zwischen der »Natur« und *der* Gesellschaft.) Der naive Materialismus dieses Typus von Komödie schockiert den Zuschauer ebenso, wie er ihn an seine wahren Lebensinteressen erinnert, an seinen Anspruch auf Glück und Triebbefriedigung.

Der hedonistische Impetus ist im ganzen Werke Brechts zu finden. Vom »Papa« in den *Tagen der Commune* wird er einmal so formuliert:

Mein Sohn, man lebt für das Extra. Es muß her, und wenn man Kanonen dazu benötigt. Denn wofür leistet man etwas? Dafür, daß man sich etwas leistet! (GW 5, 2148)

Das ist ein Leitmotiv bei Brecht, diese Insistenz auf den tatsächlichen, »materiellen« Freuden und Genüssen, mit der er sich gegen den Materialismus als bloße Philosophie oder gar »Idee« verwahrt.

Zwanzig Jahre nach der Arbeit an *Baal* will Brecht dessen Grundgedanken in einer Oper wieder aufgreifen. Sie handelt von einem kleinen dicken Glücksgott, der nach einem großen Krieg in die zerstörten Städte kommt und deren Bewohner dazu bewegen will, für ihr persönliches Glück und Wohlbefinden zu kämpfen:

Er wird verhaftet und zum Tode verurteilt. Und nun probieren die Henker ihre Künste an dem kleinen Glücksgott aus. Aber die Gifte, die man ihm reicht, schmecken ihm nur, der Kopf, den man ihm abhaut, wächst sofort nach, am Galgen vollführt er einen mit seiner Lustigkeit ansteckenden Tanz und so weiter und so weiter. *Es ist unmöglich, das Glücksverlangen der Menschen ganz zu töten.* (GW 17, 947 f.)

Das hedonistische Prinzip, das der Betonung des primitiven Materialismus bei Brecht zugrunde liegt, hat seine Wahrheit darin, daß es gegen die herrschende Ordnung revoltiert und den Gedanken der Selbstentfaltung und Befriedigung des Menschen in schlechter Umwelt festhält. Gleichzeitig unterliegt aber, was als nur Privates in der Klassengesellschaft gegen diese sich abschirmen will, deren eigenen Gesetzen: indem nämlich »Glück« als ein dem Subjekt jederzeit Erreichbares hingestellt wird, bleibt es in falscher Allgemeinheit stecken, und sein Individuelles ist nichts anderes als das der in je vermeintlicher Autonomie miteinander konkurrierenden Individuen der antagonistischen Gesellschaft. [172] Was scheinbar dem Lustprinzip dient, rekapituliert in Wahrheit den Leistungszwang und den Konkurrenzgedanken: so lebt Baal ja keineswegs einfach für sich außerhalb der Gesellschaft, sondern seine anarchische Vitalität verwirklicht sich dadurch, daß sie gegen andere gerichtet ist, die als Opfer auf der Strecke bleiben. Das ist auch nicht einfach Asozialität in dem romantischen Sinn, der gerade in der bürgerlichen Literatur so häufig ist, vielmehr ist es die genaue Kopie der in ihren Fundamenten asozialen bürgerlich-kapitalistischen Gesellschaft. So sah es Brecht erst im Jahre 1954, »bei Durchsicht seiner ersten Stücke«.

Hier begegnet also ein dialektisches Motiv. Das Geschlechtliche, wie jedes »primitiv-materialistische« Bedürfnis überhaupt, tritt in einen komischen, weil historischen und aufhebbaren Widerspruch zum gesellschaftlichen Leben. In dieser abstrakten Gegenüberstellung ist das Geschlechtliche *positiver* Wert, Residuum des noch nicht völlig abgedankten Humanen. Der so gegebene komische Widerspruch kann in unterschiedlicher Weise dargestellt werden: erstens, indem das sinnenhafte Leben auf der Bühne mit der Tendenz hervortritt, sich über den Gegensatz zu den gesellschaftlichen Normen souverän hinwegzusetzen (*Baal*). Zweitens, indem deutlich wird, wie das Geschlechtliche von dem negiert werden muß, der seinen bestimmten Platz in der Gesellschaft halten bzw. erringen will (so die Sergeant Fairchild-Episode in *Mann ist Mann* und das *Hofmeister*-Motiv in der Bearbeitung). [173] In der *Dreigroschenoper* durchdringen sich beide Aspekte dieses komischen Widerspruchs von Sexualität und Gesellschaft.

Das Geschlechtliche bzw. allgemein die »materialistischen« und »niedrigen« Freuden erscheinen bei Brecht aber auch als *negativ*-komisches Motiv. Nicht daß plötzlich von Moralinsäure zersetzt wäre, was ehedem vom frühen Brecht heiter bejaht wurde. Komisch werden jene materialistischen Freuden, wenn das Individuum seine *ganze* Triebenergie auf sie konzentriert, nicht aber sieht, wie ihm diese sozusagen gesellschaftlich »bewilligt« und zuerteilt werden, z. B. in der institutionalisierten Ehe als dem Ort, wo die Sexualität legalisiert wird. Komisch wird, daß unverzagt dem persönlichen »Glück« zugestrebt wird und dann immer wieder die »neue« Erfahrung gemacht wird, daß es mit dem, was eigentlich erhofft war, nicht übereinstimmt. Brechts Hochzeitsszenen ziehen häufig ihre Komik aus dieser desillusionierenden Wirkung, d. h. der Autor setzt gleich an den Beginn der Ehe, was bei bürgerlichen Autoren wie z. B. Strindberg, als qualvolles Resultat vieler Ehejahre präsentiert wird.

Der Glücksgott in Brechts geplanter Oper kommt nach dem Krieg in die zerstörten Städte, um die Menschen zu überzeugen, daß sie für ihre wahren Bedürfnisse kämpfen müssen. Nur ist nicht sicher, ob die Menschen in der Klassengesellschaft ihre »wahren Bedürfnisse« auch immer kennen. Die Bedürfnisse sind eben nicht ein schlechthin anthropologisch Gegebenes, das nur einfach reaktiviert zu werden brauchte, auf daß dann die Massen jede triebfeindliche Ordnung schon abschaffen würden. Vielmehr die Bedürfnisse selbst sind noch keineswegs den geschichtlich erreichten Genußmöglichkeiten angepaßt, sondern existieren in verstümmelter Form und sind bereits in sich verfälscht. [174] Jene »materialistischen«, »niedrigen« Freuden, die nicht allgemeine Freiheit erfordern, in denen das unfreie Individuum gleichwohl seine persönliche Freiheit glaubt finden und realisieren zu können, werden in dem Maße komisch, wie der Rekurs auf sie die Möglichkeit versperrt, die ihnen selbst doch nur günstige allgemeine Freiheit herzustellen.

Dieser Sachverhalt tritt deutlich hervor in dem Fragment *Untergang des Egoisten Johann Fatzer* (1927/30). Vier Soldaten verlassen vor Kriegsende die Front, um in der Heimat den Krieg liquidieren zu helfen — dem liegt, wie man sieht, ein ähnlicher Gedanke wie der Oper über den Glücksgott zugrunde. Die Soldaten scheitern aber mit ihrem Vorhaben, da die Bevölkerung in der Heimat sich mit dem Krieg arrangiert und abgefunden hat. Hier wird die Ambivalenz des primitiven Materialismus sehr klar: die je einzeln verwirklichen wollen, was sie der Misere abgerungen haben, nämlich persönliches »Glück«, geben mit dem kleinsten Zipfel von ihm sich schon zufrieden und konsolidieren damit im Ganzen jenen Zustand, der ihnen volle Freiheit verweigert und noch im privaten Glücke selbst ihnen als Fremdes entgegentreten wird. Komisch an solcher Art Glück ist, daß es von denen, die es suchen und verteidigen, schon als Maximum des Erreichbaren gewertet wird. Im *Untergang des Egoisten Johann Fatzer* wird dies mit drastischem Zynismus ausgesprochen [175], allerdings auch nur ausgesprochen und nicht in einer komischen Nummer exemplarisch vorgeführt. Brecht als dem »Historiker« des Bürgertums geht zwar dessen objektive Komik auf — aus dieser Sicht folgt aber nicht immer eine direkt komisch-anschauliche Darstellung. Dazu bedarf es eines konkreten Modells. Ein für die bürgerliche Gesellschaft repräsentatives Modell ist die Familie. Ein anderes Modell ist die Prostitution, konkretisiert in der Figur der Prostituierten. Prostitution ist der Gegensatz der bürgerlich-monogamen Ehe, ist dialektisch auf diese bezogen. Beide sind nach dem Wort von Friedrich Engels »Pole desselben Gesellschaftszustandes« [176], und dieser Gesellschaftszustand hat seine Signatur in dem Phänomen »Entfremdung«.

III. »Entfremdung« als komisches Motiv. Die Doppelrolle

Wenn hier der Begriff »Entfremdung« verwendet wird, so kann das nur in äußerst skizzenhafter Weise geschehen — und mit all der Zurückhaltung, zu der der mittlerweile inflatorische Gebrauch des Begriffs zwingt. Weder kann »Entfremdung« hier in ihrer Entstehung (Funktion des Arbeiters im Produktionsprozeß) noch in ihren verschiedenen Ausprägungen verfolgt werden. Auch nur die »Entfremdung« im Werke Brechts zu untersuchen, würde den Rahmen dieser Arbeit sprengen. Es soll lediglich angedeutet werden, wie die »Selbstentfremdung« des Menschen die Bedeutung des sog. primitiven Materialismus bei Brecht erhellt und inwieweit von hier aus gerade der komische Aspekt der Geschlechterbeziehungen verdeutlicht werden kann. In diesen Zusammenhang sei die folgende Stelle aus Marxens *Ökonomisch-philosophischen Manuskripten* gerückt:

Es kömmt daher zu dem Resultat, daß der Mensch (der Arbeiter) nur mehr in seinen tierischen Funktionen, Essen, Trinken und Zeugen, höchstens noch Wohnung, Schmuck etc., sich als freitätig fühlt und in seinen menschlichen Funktionen nur mehr als Tier. Das Tierische wird das Menschliche und das Menschliche das Tierische. Essen, Trinken und Zeugen etc. sind zwar auch echt menschliche Funktionen. In der Abstraktion aber, die sie von dem übrigen Umkreis menschlicher Tätigkeit trennt und zu letzten und alleinigen Endzwecken macht, sind sie tierisch. [177]

Das Leben in einer Gesellschaft, die ihren Mitgliedern keine Selbstverwirklichung in produktiver Aneignung und Veränderung ihrer Umwelt gestattet, zwingt dazu, menschliches Glück einzig in der Befriedigung der physischen Bedürfnisse zu suchen. Da Arbeit und Genuß völlig auseinanderfallen, vermeint der einzelne, sein Selbst in der Sphäre der Konsumtion wiederfinden zu können, die ihm unabhängig vom Produktionsprozeß zu sein scheint. Nun prägt aber seine Rolle im Produktionsprozeß auch seine Bedürfnisse und deren Befriedigung. Insbesondere das Verhältnis von Mann und Frau nimmt Warencharakter an. [178] Betrachtet man unter diesem Gesichtspunkt den sog. primitiven Materialismus in *Baal,* so erweist sich, daß die hedonistische Energie Baals zwar gegen die bürgerliche Gesellschaft gerichtet ist, daß sie aber nicht nur an deren Leistungs- und Konkurrenzgesetzen festhält, sondern daß Baal letztlich nur die durchaus typische Konsumentenhaltung seiner Umwelt übernimmt: »Gibt ein Weib, sagt Baal, euch alles her / Laßt es fahren, denn sie hat nicht mehr!« (GW 1, 4) Der sich gegen die »Entfremdung« wehren will, tut dies durch eine Summierung verdinglichter Beziehungen, und so gerät der Heros der Genußsucht in einen Sisyphus-Kampf. Der große Fluchtweg Baals durch die Kneipen und die Wälder mündet stets an den Punkt, von dem aus es ihn wegzog.

Die Situation Familienfeier bei Brecht baute, wie gezeigt, auf dem Vorgang des Essens und Trinkens beim »Festmahl« auf, und das Geschlechtliche wurde in Zoten und Anspielungen präsent. Diejenigen, denen in der Gesellschaft ständig Triebverzicht auferlegt wird, hoffen auf die »Lustprämie« (W. Reich), die ihnen in der Ehe zugestanden wird. Diese Prämie können sie aber insofern nicht einstreichen, als die gesellschaftlich produzierte Entfremdung auch die Geschlechterbeziehung ereilt. Die endlich »Glück« rezipieren wollen, werden sich gegenseitig zur Ware, und die verliert nach mehrmaligem Gebrauch an Ansehen und Wert.

In dem Maße, wie die Produktionsbedingungen und Verkehrsformen der kapitalistischen Gesellschaft jeden zwingen, sich zu verkaufen, um persönliches »Glück« als Lohn zu erlangen, ist die Prostituierte das vollkommene Symbol dieser Gesellschaft. Die inhaltliche Qualität dieses Symbols aber hat sich gewandelt: Walter Benjamin hatte bei Baudelaire, dem »Lyriker im Zeitalter des Hochkapitalismus«, entziffert, wie in dessen Gedichten die Frau als Massenartikel zum bestimmenden Motiv wurde, wie er von der »Hure, die Verkäuferin und Ware in einem ist«, sich faszinieren ließ. Baudelaire notierte eine im 19. Jahrhundert neue Erfahrung: die Hure ist nicht bloß mehr Ware, sondern erscheint »im prägnanten Sinne als Massenartikel. Durch die artifizielle Verkleidung des individuellen Ausdrucks zugunsten eines professionellen, wie er als Werk der Schminke zustande kommt, wird das angedeutet«. [179]

Bei Brecht ist die Prostituierte nicht mehr das Faszinosum, das sie für Baudelaire war, wie das Benjamin so überzeugend skizzierte. Ihr fehlt bei Brecht der haut goût des Verruchten, und sie paßt auch nicht in das in bürgerlicher Literatur so häufige Cliché des gefallenen Mädchens, das im Grunde hochanständig sei und lediglich durch eine Verkettung unglücklicher Umstände vom Pfade der Tugend habe abweichen können. Bei Brecht ist sie einzig Repräsentantin des Warencharakters, der die menschlichen Beziehungen in der kapitalistischen Gesellschaft beherrscht: da ist keine »Abweichung«, nicht mehr die von Baudelaire hellsichtig registrierte bloße Tendenz der gesellschaftlichen Entwicklung — bei Brecht ist die Prostituierte in der Weise symbolisch, in der sie zum »Normalfall« geworden ist.

Die Prostituierte bietet ihre Liebesfertigkeit wie der Arbeiter seine Arbeitskraft, nur insoweit zählen sie auf dem Markt, nur dafür werden sie entlohnt. Genau besehen, »verkaufen« sich weder die Prostituierte noch der Arbeiter. Beide werden vielmehr gemietet, d. h. ein Teil von ihnen, der nutzbar ist, wird gemietet, und es liegt nicht in ihrer Macht, den Preis alleine festzusetzen — der wird vom Markt nach Angebot und Nachfrage reguliert. Und die zur Vermietung angebotene Ware verliert ständig an Wert.

Nun ist die »Entfremdung« in dieser symbolisch-vermittelten Gestalt nicht schon per se zum komischen Motiv prädestiniert. Daher soll auch nicht versucht werden, sämtliche Entfremdungsphänomene oder sämtliche Prostituierten-Figuren in Brechts Stücken — und das sind nicht wenige — als spezifisch komische Exempla zu betrachten. Doch seien einige Beispiele erwähnt, zunächst eines, in dem Prostitution und bürgerliche Ehe dialektisch aufeinander bezogen sind. Die fünfte Szene der *Dreigroschenoper* zeigt nach der Szenenanweisung folgendes Bild:

Hurenhaus in Turnbridge. Gewöhnlicher Nachmittag; die Huren, meist im Hemd, bügeln Wäsche, spielen Mühle, waschen sich: ein bürgerliches Idyll. (GW 2, 440)

Komisch ist der Nachweis, daß das vermeintliche Lasterhaus bürgerliche Geborgenheit ausstrahlt, ein richtiges »Heim« und »stiller Herd« ist, zu dem immer wieder zurückstrebt, wer im sog. wirklichen Leben »draußen« mit Schwierigkeiten zu kämpfen hat:

Auftritt Macheath, hängt den Hut an einen Nagel, setzt sich auf das Sofa hinter dem Tisch.
Mac: »Meinen Kaffee! [...] Heute ist mein Donnerstag. Ich kann mich doch von meinen Gewohnheiten nicht durch solche Lappalien abhalten lassen (GW 2, 441)

In wie böswillig-verzerrter Form auch immer soll hier bürgerlich-normales Eheleben kenntlich werden. Gewohnheit läßt an etwas festhalten, obwohl die schöne Zeit des ersten Glücks schon längst vergangen ist:

In einer Zeit, die längst vergangen ist
Lebten wir schon zusammen, sie und ich
Und zwar von meinem Kopf und ihrem Bauch.
Ich schützte sie und sie ernährte mich.
Es geht auch anders, doch so geht es auch. (GW 2, 443)

Das »Gesellschaftlich-Komische« des bürgerlich trauten Heims, das sich gegen die Außenwelt vergeblich abzuschirmen sucht, ist nur insofern *indirekt* vermittelt, als hier der Warencharakter in den menschlichen Beziehungen (wenn natürlich auch in einer »Variante«) völlig unverhüllt hervortritt, offen eingestanden wird und nicht erst durch ideologische Drapierung bzw. aufgesetzte Sentimentalität hindurchschlagen muß.

Ebenso deutlich der Auftritt Nannas in den *Rundköpfen und Spitzköpfen:* die Prostitution wird demonstrativ als etwas ganz und gar Normales behandelt. [180] Gerade auf der »Normalität« der Prostitution beruht deren komischer Charakter: die Hure erscheint weder als lasziv-dämonisches Wesen noch als leidendes Mädchen, das bessere Tage gesehen hat. Nanna tritt als Ware unter Waren auf; die Kopenhagner Aufführung hat diesen Aspekt szenisch verstärkt:

[...] eine goldene Bäckerbrezel, ein silberner Zylinderhut, eine schwarze Zigarre, ein goldenes Barbierbecken, ein roter Kinderstiefel, ein roter Handschuh — diese Enbleme des Kleinhandels wurden heruntergelassen, wenn Nanna zu ihrem Auftrittslied darunter trat. (GW 17, 1093)

Die Prostituierte erscheint also weder als besondere noch überhaupt als ungewöhnliche Ware, sie ist nur eine unter anderen, es handelt sich um Kleingewerbe. Um in kapitalistischer Gesellschaft leben zu können, muß man sich in irgendeiner Weise anbieten und verkaufen — man kann dies zwar akzeptieren, nur wird dabei, wie es in Nannas Lied heißt, »das Gefühl erstaunlich kühl« (GW 3, 932). Nicht nur die Arbeitskraft, auch die Liebesfähigkeit wird, indem sie verdinglicht, rasch abgenutzt. Mit dem erzielten Lohn, z. B. mit der nach außen dokumentierten bürgerlichen Ehrbarkeit, kann dann keine eigentliche Befriedigung mehr verbunden sein bzw. diese kommt nur mehr als Parodie ihrer selbst zustande. Ein sinnfällig komisches Beispiel dafür ist der Auftritt der zur Obristin gewordenen ehemaligen Lagerhure Yvette in der achten Szene der *Mutter Courage* (GW 4, 1416 ff.) Das Komische des gesellschaftlichen Gestus liegt wiederum nicht so sehr im Text als in der szenischen Vorführung. [181]

Die Prostituierte ist, um es zu wiederholen, für Brecht nicht als exotischer Sonderfall interessant, sondern nur als Verkörperung des entfremdeten Menschen in der Klassengesellschaft. Da diese Entfremdung nicht naturgegeben ist, *kann* sie von dem, der vom Standpunkt eines qualitativ anderen Gesellschaftssystems aus Rückschau hält (auch wenn dieses noch nicht erreicht ist, und wenn überdies Entfremdung auch in der sozialistischen Gesellschaft nicht so ohne weiteres verschwinden wird), als komisch dargestellt werden. [182] Allerdings sind hierfür die Darstellungs*möglichkeiten* nicht so leicht wie bei dem Beispiel Familienfeier gegeben. Das Komische scheint nur auf, etwa indem der Prostituierten ein Gestus verliehen wird, in dem ganz normales Geschäftsgebaren sich ausdrückt.

Entfremdung als objektiv Komisches tritt entweder einzeln hervor oder aber wird für das ganze Stück thematisch. Das ist der Fall beim *Guten Menschen von Sezuan*, das ursprünglich den Titel *Die Ware Liebe* tragen sollte. [183] Der Gleichklang mit dem Begriff »die wahre Liebe« ist natürlich nicht zufällig, soll doch gerade demonstriert werden, wie der Mensch — als Ware wie als Verkäufer dieser Ware — zu »wahrer« Menschlichkeit nicht finden kann. Gleiches gilt für das Ballett *Die sieben Todsünden der Kleinbürger:* Anna I ist die Handelsagentin und Anna II die zu handelnde Ware. Selbstlose Liebe, hier als fünfte der »Todsünden« dargestellt, muß in der kapitalistischen Gesellschaft unbedingt vermeiden, wer auf sein Fortkommen bedacht ist.

Ein prägnantes Modell für die Entfremdung der menschlichen Beziehungen hat Brecht in der *Mahagonny*-Oper errichtet. Seine Absicht hat er so formuliert:

> Was den Inhalt dieser Oper betrifft —, *ihr Inhalt ist der Genuß*. Spaß also nicht nur als Form, sondern auch als Gegenstand. Das Vergnügen sollte wenigstens Gegenstand der Untersuchung sein, wenn schon die Untersuchung Gegenstand des Vergnügens sein sollte. Es tritt hier in seiner gegenwärtigen historischen Gestalt auf: als Ware. (GW 17, 1008)

Deutlich liegt der Akzent wieder auf der Ideologiekritik. Mahagonny ist gar nicht als reale Stadt konzipiert, und das Ziel ist daher nicht, den Entstehungsprozeß der Entfremdung in den anarchischen Produktionsverhältnissen aufzuzeigen — was für einen Marxisten eigentlich das interessantere, wenn auch schwieriger darzustellende Thema sein müßte. Bei Mahagonny handelt es sich um einen allegorischen Ort, wo man alles dürfen darf, wo entfremdete Menschen ihr Glück in der Konsumtion suchen, dieses nur in Warengestalt finden können und dafür in doppeltem Sinne bezahlen müssen. Auswahl und Gestaltung der vier Groteskknummern Fressen, Lieben, Boxen, Saufen dokumentieren, daß nicht erst die Befriedigung, sondern schon die Bedürfnisse selbst verkümmert sind. [184] In der Nummer »Lieben« stehen sämtliche Männer der Stadt Mahagonny zum Liebesakt an — die Verdinglichung der menschlichen Beziehungen ist wiederum ganz ins Bild der Prostitution geschlagen. Der Realität der Liebe als Ware wird in dem von Paul und

Jenny gesungenen Sonett von den Kranichen und den Wolken »die Utopie der in sich selbst seligen Liebe kontrastiert, das eine am andern verschärft und zugleich denunziert«. [185] Die nur arbeiten, um sich persönliches Glück leisten zu können, werden um dieses gerade betrogen. Sie können nicht erkennen, daß sie diesen Betrug immer wieder erdulden werden und daß die Konsumsphäre — keineswegs von der Produktionssphäre völlig geschieden — ihnen nie »Freiheit« und »Glück« schenken wird. Dieser Erkenntnismangel ist objektiv komisch.

Das Individuum in der Klassengesellschaft existiert als ein gespaltenes. Insofern es die Ursache dieser Spaltung nicht erkennt, sondern unbeirrt an der Möglichkeit festhält, im Privaten seine Identität wiederzuerlangen, ohne doch an den Mitmenschen sich »entäußern« zu können, entsteht ein automatisch ablaufender Prozeß, der — und das ist voraussehbar — in Katzenjammer oder ungenaue Utopie münden muß. Zum *komischen* Phänomen wird dieser Vorgang dem, der nicht als Verhängnis betrachtet, was gesellschaftlich bedingt ist und darum nicht auf alle Ewigkeit so bleiben muß. Wie immer man überhaupt zu der oft abstrakten und clichéhaften Entfremdungskonzeption stehen mag — eben dies, daß sie bei Brecht nicht dazu dient, die angebliche condition humaine zu bejammern bzw., wie es so schön heißt, sie »schonungslos« darzustellen, bestimmt die graduelle Differenz des Motivs bei Brecht gegenüber der bürgerlichen Kulturkritik. Statt gebannt auf die sog. Identitätsproblematik zu starren (wie etwa der Schweizer Schriftsteller Max Frisch), ist dies für Brecht lediglich *ein* komisch-repräsentatives Motiv für die Überholtheit der bürgerlich-kapitalistischen Gesellschaft.

Das läßt sich am leichtesten an der *Doppelrolle* in vielen seiner Stücke belegen, zumal wenn man sie mit ihrer traditionellen Erscheinungsform in der Literatur vergleicht.

Die Komödienliteratur bietet viele Beispiele von Doppelrollen, wo dann jeweils die Diskrepanz zwischen Sein und Schein, zwischen Wesen und Erscheinung einer Person komisch demonstriert wird. Erinnert sei nur an den Pantalone der Commedia dell'arte, den Miles gloriosus bzw. seinen Nachfahren, den Capitano, das Bauer-als-Edelmann-Motiv usw. Oft gewinnt die Doppelrolle verstärkte Publikumswirksamkeit aus dem optischen Eindruck, der durch die Verkleidung der Figur entsteht, so daß der Zuschauer in das Spiel eingeweiht ist, mehr weiß als die Mitspieler. Eine besonders häufige Variante ist die sog. Hosenrolle, wie sie z. B. in der spanischen Komödie, bei Shakespeare, Marivaux und in vielen Opern sich findet: das Mädchen verkleidet sich als Mann, um dem Geliebten unerkannt sich nähern zu können und seine Gefühle für sie zu erforschen. Dabei kommt es zu den typischen Verwicklungen, das verkleidete Mädchen gerät in Situationen, wo sie sich ausziehen müßte, dies natürlich nicht tun kann, wo sie trinken, rauchen, derbe Witze (z. T. über sich selbst) hören und erzählen muß usw. usf.

Die Doppelrolle bei Brecht hat mit diesem vorgegebenen Schema nur sehr bedingt zu tun. Man sehe etwa die Hosenrolle im *Guten Menschen von Sezuan.* Shen Te verkleidet sich nicht in Shui Ta, um ihren Sun auf die Probe zu stellen, sondern hierfür sind handfeste wirtschaftliche Gründe maßgebend. Die komische Diskrepanz weist überhaupt keine primär geschlechtsspezifischen Züge auf, derart etwa, daß es die Weiblichkeit Shen Tes wäre, die die Einhaltung der Rolle Shui Ta ständig gefährden würde. Die Doppelrolle ist eindeutig gesellschaftlich motiviert, wobei hinzukommt, daß es ja nicht einmal Shen Tes eigene Erfindung war, sich in Shui Ta zu verwandeln. Vielmehr ist ihr die Existenz dieses Vetters von ihren neuen Angehörigen »souffliert« worden (GW 4, 1505), deren Lebensklugheit Shen Te übernimmt. Shen Te kann, um zu existieren und gar noch Gutes für andere zu tun, nicht einfach sein, was sie ist und sein möchte. Gerade um noch Shen Te sein zu können, muß sie Shui Ta werden, doch mehr und mehr überlagert die öffentliche Rolle die private und ändert diese selbst.

Die Doppelrolle ist bei Brecht immer Ausdruck der Existenzspaltung des Menschen in kapitalistischer Gesellschaft. Zwar wird Entfremdung als Spiel vorgeführt, mit Kostümwechsel auf offener Bühne und Wendung zum Publikum, nie aber entsteht so eine Komik, die in »befreitem Lachen« ausgekostet werden könnte. Entfremdung wie deren sichtbares Resultat Existenzspaltung ist für sich ein durchaus ernstes Motiv — erst in einer dezidiert optimistischen Perspektive, was die gesellschaftliche Fortschrittsfähigkeit betrifft, kann es zu einem komischen werden. Daher bedeutet der Versuch, im *Guten Menschen von Sezuan* jene »Tragik« sehen zu wollen, die »erst das 20. Jahrhundert [freigelegt]« habe [186], daß der Interpret die fingierte Ratlosigkeit des Epilogs ernst nimmt und tatsächlich für ewig und ausweglos hält, was die Komödie in Parabelform doch gerade als änderbar und änderungsbedürftig ausgestellt hat. Die Doppelrolle ist der sinnlich-konkrete Beweis, die je erneut vorgespielte Nummer, daß es unter kapitalistischen Verhältnissen gerade die Tugenden sind, die dem einzelnen gefährlich werden. Das Ernste wird in einer Weise vorgespielt, die die Distanz der sozialen Erkenntnis ermöglicht, und es ist insofern komisch, als es enthüllt, wie vornehmlich die moralischen Grundwerte, die doch die bürgerliche Gesellschaft legitimieren sollen, als Postulat nur aufrechterhalten werden, weil sie in der bürgerlichen Realität verkehrt werden müssen.

Eine Doppelrolle, in der das Ich in ego und Alter ego gespalten ist, diese aber gleichzeitig und nebeneinander ihr Bühnenleben führen, bestimmt die Struktur der *Sieben Todsünden der Kleinbürger*. Im Vorspruch heißt es:

Die eine der beiden Annas ist die Managerin, die andere die Künstlerin; die eine (Anna I) ist die Verkäuferin, die andere (Anna II) die Ware. [...] Auf der Bühne ist auch der immer wechselnde Markt, auf den Anna II von ihrer Schwester geschickt wird. Am Schluß von jedem der Bilder, die zeigen, wie die sieben Todsünden vermieden werden können, kehrt Anna II zu Anna I zurück. (GW 7, 2859)

Anna II gerät ständig in Gefahr, eine der Todsünden zu begehen, d. h. tugendhaft und anständig zu bleiben. Doch immer rechtzeitig meldet sich ihr Gewissen (nämlich Anna I), das sie auf den richtigen Weg weist, und der richtige Weg ist der, der zum Erfolg führt. Daß es sich auch hier um eine Doppelrolle handelt, wenn auch in verschleierter Form, wird jeweils am Schluß der einzelnen Szenen deutlich, wenn die beiden Annas wieder zusammenkommen, d. h. zu einer Person verschmelzen.

Für Brechts Theater ist auch besonders die *indirekte Doppelrolle* wichtig: Bürger Peachum ist Verbrecher und Verbrecher Macheath ein Bürger, Bürgertum und Verbrechen durchdringen einander. Es gibt kaum mehr als graduelle Unterschiede, Brechts Maxime lautet: »Der Gangster verletzt die geschriebene Moral der oberen Klassen und folgt ihrer tatsächlichen Unmoral.« (GW 19, 448) Der Komödienbeweis der *Dreigroschenoper* liegt in der Sichtbarmachung der Identität des scheinbar Getrennten. Die Spaltung der Person bzw. ihrer Interessen ist ein Exempel, auf das Brecht immer wieder zurückkommt und das er zudem, damit es ja beachtet werde, noch extra kommentiert. So schreibt er zum Polizeipräsidenten Brown:

Der Polizeipräsident Brown ist eine sehr moderne Erscheinung. Er birgt in sich zwei Persönlichkeiten: als Privatmann ist er ganz anders als als Beamter. Und dies ist nicht ein Zwiespalt, trotz dem er lebt, sondern einer, durch den er lebt. Und mit ihm lebt die ganze Gesellschaft durch diesen seinen Zwiespalt. (GW 17, 996)

Das Motiv von den zwei Seelen in einer Brust, von der Persönlichkeitsspaltung in private und öffentliche Rolle, ist in dem Maße, wie es von Brecht zum »Gesellschaftlich-Komischen« gemacht wird, zugleich klischéehaft und banal. Gerade dies ist aber auch beabsichtigt! Man vergleiche dazu die literarischen Gestaltungen um die erste Hälfte des 19. Jahrhunderts, wo die unreflektierte Erkenntnis von den zwei verschiedenen »Ichs« zu etwas Schauerlichem und Bedrohlichem stilisiert wird, etwa in der sog. Schauerromantik bzw. in den gothic novels, bei E. T. A. Hoffmann, in *Dr. Jekyll and Mr. Hyde usw.* Das Entfremdungsmotiv im beginnenden Hochkapitalismus wird kaum je auf eine reale Grundlage zurückgeführt, sondern die Autoren kleiden es in eine sowohl kriminalistische wie gespenstische Fabel, in der überirdische Mächte die tatsächliche Bedrohung, der die Menschen sich ausgesetzt fühlen, symbolisieren müssen.

Demgegenüber ist es keine Verharmlosung, wohl aber eine demonstrativ banale Behandlung des Motivs bei Brecht, wenn er die Doppelrolle als komisches pars pro toto-Exempel der gesellschaftlich produzierten Entfremdung gestaltet. Eine Variante der mit dem Identitätsproblem verknüpften Doppelrolle liegt z. B. in *Mann ist Mann* vor. Das Schauerliche und scheinbar Unbegreifliche des Persönlichkeitswandels wird von der didaktischen Intention absorbiert. Der brave Kleinbürger Galy Gay wird plötzlich zur gehorsam funktionierenden menschlichen Kampfmaschine, d. h. er übernimmt eine Rolle, die bereits latent in ihm vorhanden war und jetzt zur Kenntlichkeit heraustritt. Der Akzent liegt nicht auf der »Umfunktionierung«, auf der Brechung eines vermeintlich freien Willens, nicht auf dem »fremden« Ich — sondern auf dem Nachweis der »Umfunktionierbarkeit« des gesellschaftlichen Typus Galy Gay. So banal die Gründe hierfür sind, so komisch werden sie in der Perspektive des Rückblicks. Oder anders gesagt: gerade dadurch, daß das Unheimliche und Bedrohliche als das im Grunde Normale und Typische erkennbar wird, wird es zum Komischen.

Die komödiantisch ergiebigste Ausprägung des Motivs Doppelrolle ist in der Figur des Puntila gegeben. »Der nüchterne Puntila ist — von seinem Klasseninteresse aus gesehen — vernünftig und unmenschlich. Der betrunkene Puntila ist dagegen menschlich und unvernünftig. Der eine Zustand — immer wieder mit dem anderen konfrontiert und ihn verfremdend — macht deutlich, daß Puntila auf sein Klasseninteresse verzichten müßte — was er nicht kann —, um ein Mensch zu sein.« [187] Wiederum ist die Doppelrolle das konkrete Sinnbild der Selbstentfremdung des Menschen in der Klassengesellschaft. Es ist daher verfehlt, die zwei »Teile« Puntilas so zu betrachten, als sei »der nüchterne Puntila eine satirische Gestalt und der betrunkene Puntila eine humoristische Gestalt«. [188] Das objektiv Komische an Puntila ist doch gerade, daß er nur als gespaltener leben *kann:* der zur besitzenden Klasse gehört, unterliegt derselben Selbstentfremdung, die den Nichtbesitzenden eignet. Allerdings muß hier sofort an den von Marx formulierten qualitativen Unterschied erinnert werden, der für die Selbstentfremdung der besitzenden Klasse gilt. Diese Klasse nämlich »fühlt sich in dieser Selbstentfremdung wohl und bestätigt, weiß die Entfremdung als *ihre eigne Macht* und besitzt in ihr den *Schein* einer menschlichen Existenz«. [189] Puntila gebietet denn auch souverän über seine Rollen. Er kehrt seine »Menschlichkeit« heraus, wann gerade es ihm paßt (der Griff zur Schnapsflasche), er bricht diese Rolle aber sofort ab, sobald die eigene »Menschlichkeit« seinen Geschäftsinteressen in die Quere kommen könnte (der Gang in die Sauna bringt ihm dann die erforderliche Nüchternheit schnell zurück).

Die Doppelrolle als Ausdruck der Entfremdung bestimmt auch die Struktur des Komödienfragments *Das wirkliche Leben des Jakob Geherda.* Der arme Jakob mit dem sprechenden Namen ist Kellner in einem kleinen Wochenendgasthaus. In dem Lied »Von uns gehen eben dreizehn auf ein Dutzend« wird deutlich, wie der Entfremdung wieder das Prostitutionsmotiv unterlegt ist:

> Von uns gehen eben dreizehn auf ein Dutzend
> Einer ist ja immer dreingegeben
> Und dann stehn wir, schimpfend, buckelnd, Schuhe putzend
> Zum Vermieten
> Und wir bitten sie, zu bieten
> Denn wir müssen — leider — leben.
> [...]
> Ach, die zarteren Gemüter
> Unter uns sind schnell erledigt.
> Und so sind als Menschen wir jetzt Ladenhüter
> Billig abzugeben, weil beschädigt. (GW 7, 2985 f.)

Der Kellner Jakob hilft sich aus seiner Misere, immer mal hergehen zu müssen, wenn andere befehlen, dadurch, daß er — wie es im Lied »Der neue Don Quichote« heißt — »eigentlich daneben / noch ein zweites besseres Leben« führt (GW 7, 2985). Sein »wirkliches Leben« kann er nur im Traum leben, in dem er seine Ideen von Ritterlichkeit und Nächstenliebe »verwirklicht«.

Realität und Traum sind deutlich gegeneinander abgesetzt, die Szenenanweisung lautet jeweils: »Lichtwechsel. Eine Musik setzt ein, die dem Vorgang Unwirklichkeit verleiht.« Auf einer Projektionsfläche wird dann der Inhalt des folgenden Traums angekündigt (vgl. GW 7, 2969, 2973) Ist der Traum ausgeträumt, bricht die Musik ab, und auf das »Wird's bald!« seines Herrn geht der Jakob Geherda mit einem »Sehr wohl, Herr Friedrich!« gleich wieder eifrig daher. Komisch ist hier nicht die Diskrepanz zwischen Traum und Wirklichkeit allein. Vielmehr ist das Wunschbild des Traums bereits in sich selbst komisch, insofern es sich dabei um keine Leistung der unverstellten Psyche handelt, um keinen Tagtraum mit konkreter Utopie. Das Wunschbild des Traumes erweist sich als eines der von Kulturindustrie dem einzelnen aufgezwungenen Identifikationsangebote, es ist ein Bild der Vergangenheit ohne Zukunftsperspektive. Jakob Geherda verwandelt sich im Traum nämlich in den »Schwarzen Ritter«, der für die Ehre der Damen ins Turnier reitet usw., er wird wohl gerade einen *Ivanhoe*-Film gesehen haben. Das ist die Illustration dessen, was bereits Walter Benjamin glaubte konstatieren zu können: der Traum habe den Richtweg ins Banale genommen, der Träumer stoße auf den Kitsch. [190]

In jedem der erwähnten Beispiele von Doppelrolle wird der Mensch nicht als abstraktes Individuum betrachtet, sondern als ein Wesen, an dem die gesellschaftlichen Verhältnisse sichtbar gemacht werden können. Brecht orientiert sich hierbei an der sechsten *Feuerbach-These*, die er mitunter expressis verbis übernimmt (GW 16, 593/GW 17, 999). Die Spaltung der Figur ist nicht die eines bestimmten Charakter- oder Standestyps, so daß eine Rückführung der Brechtschen Doppelrolle auf die in der Komödientradition bekannten Modelle wenig zum Verständnis beiträgt. Dennoch bleibt der Vorgang, wie einer um seine Identität sich bemüht und gerade dadurch ein anderer werden muß, völlig im Bereich des Komischen, wenn auch das Komische hier wieder einmal kaum mit dem »befreiten Lachen« konvergiert. [190a]

IV. Das komische Exempel

Das Komische hat, so ließe sich verallgemeinernd behaupten, bei Brecht meist den Charakter des Exempels, d. h. es beruht auf einer didaktischen Intention. Es zielt aber nicht auf eine *moralische* Belehrung ab! Nicht also wird ein »Lasterhaftes«, wie es in der Sprache des 18. Jahrhunderts hieße, zu dem Zwecke demonstriert, daß das Publikum so rechte »Tugend« lernen könnte bzw. diese durch das negativ-warnende Beispiel bestätigt fände. Weder geht es in Brechts komischen Exempla darum, daß der Zuschauer *mit* einer Figur, noch geht es darum, daß er *über* eine Figur lacht. Beides ist zwar nicht ausgeschlossen, im Gegenteil, das Brechtsche Theater ist nach Benjamins Wort geradezu »üppig« in Anlässen des Gelächters, aber der Akzent liegt darauf, gesellschaftliche Zusammenhänge einsichtig zu machen. Die Funktion des komischen Exempels wäre mit den Worten zu beschreiben, die Lessing für die Komödie überhaupt dekretierte:

Übung unserer Fähigkeit, das Lächerliche zu bemerken; es unter allen Bemäntelungen der Leidenschaft und der Mode, es in allen Vermischungen mit noch schlimmern oder mit guten Eigenschaften, sogar in den Runzeln des feierlichen Ernstes, leicht und geschwind zu bemerken. [191]

Das Exempel wird als komisches hergerichtet bzw. auch grotesk zugespitzt, damit es der sozialen Erkenntnis diene. Die Lessingsche Definition muß in diesem Sinne qualitativ erweitert werden: an die Stelle unverbindlichen *brain trainings* bzw. des »Sich nichts Vormachen-Lassens« tritt bei Brecht das Primat des gesellschaftlichen *Inhalts* des Komischen, und dieser soll erkennbar werden, damit er endgültig beseitigt werden kann.

Das komische Exempel tritt entweder als Kontrastnummer aus der Handlung heraus, diese somit relativierend — oder es konzentriert in sich, wenn es in eine Komödie eingebettet ist, oft deren Grundintention. Das komische Exempel stützt sich auf ein bestimmtes Motiv, das mitunter für eine ganze Szene konstitutiv ist. Es kann aber auch nur punktueller Art sein, als Witz, Pointe, unerwartete sprachliche Wendung auftreten, so besonders in den »volkstümlichen« Stücken wie *Courage, Schweyk, Kreidekreis, Puntila.* [192] Diese Kleinformen des komischen Exempels können hier nicht weiter untersucht werden, wiewohl es sich bei ihnen um wichtige Strukturelemente handelt. Statt dessen seien die für das Brecht-Theater typischen und immer wiederkehrenden Exempla hervorgehoben, die neben den bereits skizzierten Hochzeitsszenen, Doppelrollen usw. auffallen.

Als ein bei Brecht besonders häufiges komisches Motiv ist die Darstellung der angeblich unabhängigen bürgerlichen Justiz zu nennen; das Exempel benutzt dabei oft, nicht immer, das Modell der Gerichtsszene. Da wird im »Namen des Volkes« ein Recht gesprochen, das relativ leicht als Recht der herrschenden Klasse aufzeigbar ist. (Vgl. GW 20, 40 f.) Die Szene »Rechtsfindung« in *Furcht und Elend des Dritten Reiches* zeigt einen Amtsrichter, der sich auf eine Verhandlung vorbereitet: er möchte schon gern »Recht« sprechen, so wie es gewünscht ist, nur weiß er leider nicht genau, *wie* es denn gerade gewünscht wird. Auch der Konformismus muß stets neu gelernt werden.

In grotesker Überspitzung das Urteil in *Mahagonny*: der Mörder wird freigesprochen, zum Tode verurteilt wird der, der sich gegen die Konsumvorschrift dadurch vergeht, daß er kein Geld mehr hat, zu kaufen. Im *Guten Menschen von Sezuan* sitzen diejenigen zu Gericht, die sich »in das Wirtschaftliche [...] nicht mischen« wollen (GW 4, 1498), damit sie an der Fiktion des abstrakt-moralischen Individuums festhalten können. Eigentlich müßten sie Shen Te verurteilen, was allerdings auch hieße, die bestehende »Gerechtigkeit« zu verurteilen. Dies können sie nicht und befinden nach wie vor alles in Ordnung (GW 4, 1605).

Das komische Exempel macht jeweils deutlich, daß die allgemeine »Ordnung«, die von der sog. dritten Gewalt im Staate aufrechterhalten wird, stets nur die spezifische Unordnung des kapitalistischen Systems ist. Die Produktionsbedingungen schaffen eine reale Ungleichheit, die »vor dem Gesetz« in der abstrakten Gleichheit aller Menschen verschwinden soll. Wahre Gerechtigkeit ist nur möglich, wenn diese »Ordnung« nicht mehr besteht bzw. durch außergewöhnliche Umstände vorübergehend durchbrochen ist. Dies ist der Fall des Richters Azdak, den das Volk Grusiniens nicht vergessen wird und noch »lange seiner Richterzeit als einer kurzen goldenen Zeit beinah der Gerechtigkeit« gedenkt. (GW 5, 2105) Azdak ist die Verkörperung nicht der vorweggenommenen positiven Utopie, aber doch eine Art »Zwischengestalt« auf dem Wege dorthin. Utopie ist das *Verhör des Lukullus*: das sog. Urteil der Geschichte wird endlich einmal von denen gesprochen, die für die Handlungen der großen, die Geschichte angeblich »machenden« Persönlichkeiten nur immer als notwendige Staffage benötigt wurden.

Der komische Charakter der »positiven« Gerichtsszenen im *Kreidekreis* und im *Lukullus* hat gegenüber den anderen Justiz-Exempla seine Besonderheit darin, daß die Richter eben nicht in der für die bestehende Ordnung »normalen« Weise richten, wie das zuvor vermutet werden mußte. Zwar läßt sich auch der Azdak von den Anwälten der Gouverneursfrau Bestechungsgeld zahlen [193], wahrt aber eine wirkliche Unabhängigkeit, inszeniert die Kreidekreisprobe (wieder ein »Spiel im Spiel«-Modell des Brechtschen Theaters) und formuliert nach deren Ausgang erst das Urteil.

Lukullus tritt vor das Gericht der Toten und rechnet damit, daß seine Taten die Richter zu günstigem Urteil bewegen werden, doch denen ist der große Feldherr nur ein Herr Lakalles, dessen Rechtfertigungsversuche leicht zu widerlegen sind. Was er vorgibt, zum Nutzen der Allgemeinheit getan zu haben, hat nach dem Urteil der Richter nur den Interessen der herrschenden Klasse genützt, und die Einführung des Kirschbaums nach Rom wäre schließlich auch ohne Eroberungskrieg möglich gewesen.

Das komische Exempel der Gerichtsszene im *Lukullus* entspricht recht genau der Lessingschen Definition: die aufscheinende Diskrepanz zwischen den Ansichten der großen Persönlichkeiten über ihre Taten und dem, was diese Taten die Bevölkerung gekostet haben, dient der »Übung unserer Fähigkeit, das Lächerliche zu bemerken«. Von Lessingschem Geist ist auch die folgende Anmerkung Brechts zum *Lukullus*:

die Kunst erwartet sich etwas davon, daß der Zuschauer die Aktualität selber entdecken darf und sie so um so heftiger und tiefer empfindet. Überhaupt wird ja der Kunstgenuß (und der Genuß, den die Kunst an Erkenntnissen und Impulsen verschafft) dadurch gesteigert, daß das Publikum selber zum geistigen Produzieren, Entdecken, Erfahren gebracht wird. (GW 17, 1151)

Die »positive« Rechtsprechung im *Kreidekreis* und im *Lukullus* ist eine Ausnahme in den Brechtschen Justiz-Exempla. Der komische Charakter liegt hier in dem Auftreten hochgestellter Angeklagter, die sich mit gutem Grund auf »ihre« Justiz glauben verlassen zu können und darin gerade enttäuscht werden, worin Brecht eine Verkehrung der Realität vergnüglich ausstellt. Generell beruht das komische Justiz-Exempel auf der Intention, die unabhängige Justiz als durchaus abhängige zu desavouieren. Dabei macht es nur einen graduellen Unterschied, ob die Richter als die direkten Urheber der Gesetze erscheinen (so im *Guten Menschen von Sezuan* und in *Turandot*) oder ob sie lediglich als die Agenten der herrschenden Klasse präsentiert werden (so in den *Rundköpfen und Spitzköpfen*, im *Arturo Ui*). Es geht darum, welchen Interessen sie objektiv dienen, ob dies mittelbar oder unmittelbar ist, ist für das komische Exempel nicht entscheidend. Für jedes der komischen Justiz-Exempla gilt, daß es sich nicht bloß um eine Art Ständesatire handelt, um die bloße Karikatur eines Paragraphenritters oder um die Enthüllung einer spezifischen »Berufskrankheit« (wie das etwa in der Typenkomödie des 18. Jahrhunderts die Regel war).

Unter dem Titel »Komisches« hat Brecht, im Zusammenhang seiner Arbeit am *Tui-Roman* und an der *Turandot*-Komödie, zweiunddreißig Pointen notiert, die zumeist aus bekannten literarischen Werken stammen, die Brecht aber zum explizit politisch-gesellschaftlichen Exempel hin formuliert. Drei von ihnen scheinen geeignet, den komischen Charakter der Justiz-Exempla zu erhellen:

Im *Michael Kohlhaas* gäbe es einen Fall, für den ein Tui fehlt. So entsteht nur Chaos aus dem Gerechtigkeitssinn des Viehhändlers, sonst wäre es beim einfachen Unrecht geblieben. (GW 19, 459)
Im *Zerbrochenen Krug* muß ein Richter ein Verbrechen entdecken, das er selbst begangen hat. (GW 19, 462)
In *Turandot* (meine Version) verspricht der Kaiser jedem die Hand seiner Tochter, der das Rätsel lösen kann, was an dem Elend des Landes schuld ist. Wer es nicht kann, es aber versucht, wird enthauptet. Der Kaiser selbst ist schuldig, was die Lösung der Aufgabe schwierig macht. (GW 19, 463)

Die drei zitierten Beispiele machen indirekt deutlich, daß Brechts Augenmerk stets darauf gerichtet ist, in den herrschenden Gesetzen die Gesetze der Herrschenden zu entlarven. Er zeigt, wie dies unbedingt verschwiegen und vertuscht werden muß, würden doch sonst die Herrschenden selbst auf die Anklagebank zitiert werden müssen. Im Licht des Komischen wird der Schleier der Legalität zerrissen, der über dem tatsächlichen Unrecht liegt. Das Komische hat wieder eindeutig ideologiekritische Funktion, und sein Darstellungsmodus beruht wieder auf dem Nachweis der Verkehrung aller Werte und Verhältnisse in der bürgerlich-kapitalistischen Gesellschaft. Wie die geschriebene Moral die tatsächliche Unmoral ist, der private locus amoenus der Familie der Schauplatz der gesellschaftlichen Widersprüche, der Bürger der Verbrecher und der Verbrecher der Bürger, so deckt eben die Rechtsordnung die ungerechte wirtschaftliche Ordnung: das komische Justiz-Exempel reiht sich folgerichtig in die Gesamtintention der komischen Motive und Szenen bei Brecht ein.

Die *Turandot*-Komödie, deren Grundgedanken Brecht in der zitierten Pointenfolge »Komisches« notierte, hat er noch vollenden können, das *Kohlhaas*-Motiv hatte er bereits in den *Rundköpfen und Spitzköpfen* in der Figur des Pächters Callas aufgegriffen. Der dem *Zerbrochenen Krug* gewidmete Satz ließe sich dahingehend verallgemeinern, daß Brecht weniger den spezifischen Fall des Dorfrichters Adam umschreibt als — von diesem abstrahiert — ihm ein Exempel dafür abgewinnt, wie die Justiz der Klassengesellschaft im Grunde ständig den Verbrechen konfrontiert ist, die aus ihrer Ordnung erst entstehen. Die »Verbrechen«, über die in den komischen Justiz-Exempla bei Brecht verhandelt wird, sind denn auch allemal wirtschaftlich motiviert.

Ein weiteres, bei Brecht häufig begegnendes komisches Motiv ist allgemein der *Konformismus*, nicht der der höheren Chargen, der sich — wie in den Justiz-Exempla — sozusagen von selbst versteht, sondern auch der der sog. kleinen Leute, z. B. des Galy Gay in *Mann ist Mann*. Hier seien nur zwei Beispiele eines in sich abgeschlossenen Exempels des Konformismus bzw. der Anpassung an die gegebenen Verhältnisse oder an eine neue Situation erwähnt.

Zunächst ist das kurze szenische Bild zu Beginn des dritten Aktes von *Trommeln in der Nacht* zu zitieren. Im Zeitungsviertel wird geschossen, als es zu folgender Begegnung kommt:

Wind
Zwei Männer in gleicher Richtung
Der eine Ich glaube, wir machen es hier.
Der andere Niemand weiß, ob wir drunten noch könnten . . .
Sie lassen ihr Wasser.
Der eine Feine Sache, wenn sie mit ihrem steifen Hut heimkommen.
Der andere Sie haben auch einen steifen Hut!
Der eine Aber mit einer Dulle, mein Lieber.
Der andere Die kann ich mir einhauen.
Der eine Ihr steifer Kragen ist schlimmer als ein geseifter Strick.
Der andere Ich schwitze ihn durch, aber sie haben Knopfstiefel!
Der eine Und Ihr Bauch!
Der andere Ihre Stimme!
Der eine Ihr Blick! Ihre Gangart! Ihr Auftreten!
Der andere Ja, das bringt mich an die Laterne, aber Sie haben ein Gesicht mit Mittelschulbildung!

Der eine Ich habe ein verkrüppeltes Ohr mit einem Schußkanal, mein lieber Herr!
Der andere Teufel!
Beide ab. Wind (GW 1, 103)

Die Angst vor Spartakus ist den beiden Bürgern gar mächtig in die Gedärme geschlagen. Doch die Angst verrinnt zusehends in dem Maße, wie beide — konfrontiert mit der neuen Situation — ein jeder dem anderen schon wieder glauben etwas voraus zu haben. Das bislang positive Merkmal, das in Physiognomie und Kleidung ihre Klassenzugehörigkeit unterstrich, wird plötzlich zum Schandmal, und das vordem störende und unerfreuliche Gezeichnetsein wird plötzlich zur Auszeichnung. Diese beiden sind schon bereit, sich mit der neuen Ordnung zu arrangieren, noch ehe diese Gestalt gewonnen hat, und als Denunzianten von ihresgleichen würden sie sich unfehlbar noch bewähren. Das Exempel ist völlig in sich abgeschlossen, die beiden namenlosen Personen sind für die Stückhandlung unwichtig, treten nicht noch einmal auf — gezeigt wird allein die sozialhistorisch typische Verhaltensweise des deutschen Bürgertums, die im Rückblick komisch erscheint.

Das zweite komische Exempel für Konformismus und Anpassung, das hier hervorgehoben werden soll, ist die vierte Szene in *Mutter Courage und ihre Kinder*. Was in dem »Lied von der großen Kapitulation« seinen präzisen Ausdruck findet, ist im Grunde eine Wiederaufnahme und Variation des Kragler-Themas: »Ich bin ein Schwein, und das Schwein geht heim.« (GW 1, 123) Auch er hatte bloß eine »kurze Wut«.

Mutter Courage wartet vor einem Offizierszelt, um sich zu beschweren. Der Offizier ist nicht da, ein Schreiber versucht, sie von der Nutzlosigkeit ihrer Beschwerde zu überzeugen, Mutter Courage aber bleibt und wartet. Da kommt ein junger Soldat herangepoltert [194], den es ebenfalls nach Beschwerde drängt. Die Courage nimmt nun ihm gegenüber eine ähnliche Rolle ein, wie der Schreiber ihr gegenüber. Sie verwickelt den Soldaten in ein Gespräch [195], das dann zu einem Exempel im Exempel wird. Insofern die Courage dem Soldaten beweist, daß seine Wut zu seinem Vorhaben doch nicht ausreicht, schafft sie sich schon selbst die Rechtfertigung dafür, daß auch sie von ihrer Beschwerde ablassen wird. Doch die sich dem Soldaten zunächst überlegen dünkte, da sie dessen »zu kurze Wut« in seinem polternden Gebaren herausspürte, muß zugleich auch erkennen, wie sehr sie ihm gleicht. Sie gehören eben beide zu denen, die — wie es im Lied heißt — »im Gleichschritt langsam oder schnell« in der Kapelle mitmarschieren und dann ihren »kleinen Ton« blasen. Sie gehören beide zu denen, die sich eben hinsetzen, wenn man ihnen sagt »Hinsetzen!« [196] Ihre Maxime ist: »Man muß sich stelln mit den Leuten, eine Hand wäscht die andre, mit dem Kopf kann man nicht durch die Wand.« (GW 4, 1395) Hier ist kein heiteres Sich-Abfinden, kein Humor zu erblicken [197], sondern am Schluß der Szene steht Resignation. In deutlichem Kontrast stehen die Auftritte und Abgänge: der erste Satz des Soldaten begann mit dem angriffslustigen Fluch »Bouque la Madonne!«, sein letztes Wort ist der resignative Fluch »Leck mich am Arsch!«, mit dem er die Aufforderung der Courage beantwortet, doch nur zu bleiben, wenn sein Zorn noch groß genug sei. Der Anfangsdialog zwischen Schreiber und Courage: »Beschweren Sie sich lieber nicht.«

— »Doch beschwer ich mich.« hat seine Entsprechung in den Schlußworten der Szene: »Jetzt können Sie sich beschweren.« — »Ich habs mir anders überlegt. Ich beschwer mich nicht.«

Das komische Exempel des Konformismus, das hier in einer kunstvoll in sich abgerundeten Szene vorgeführt ist, erhält seine volle Bedeutung im Verlauf des Stükkes, das aufzeigt, wie die Courage aus dieser Haltung gerade keinen großen Nutzen ziehen kann. Die in der völligen Anpassung an die gegebene Situation die Chance sieht, »ihren Schnitt zu machen« (GW 4, 1437), schneidet sich im Grunde nur ins eigene Fleisch. Die Konformistin trägt schließlich im übertragenen Sinn eine Wunde nach der anderen davon, ohne daß ihr die Erkenntnis gelänge, daß sie sich diese selbst hat zugefügt. Unbeirrt hält die Kleingewerbetreibende an der Illusion fest, sie könne in gleichem Umfang wie die Großunternehmer vom Krieg profitieren.

An dieser Stelle sollte auf die spezifische Qualität des »Gesellschaftlich-Komischen« im Exempel hingewiesen werden. Das Exempel hat zwar stets eine didaktische Intention, doch besteht diese nicht in der Alternative gut-böse, richtig-falsch, die am Verhalten der exemplarisch vorgestellten Figuren sichtbar gemacht würde. Würden die konformistischen Bürger in der Szene aus *Trommeln in der Nacht* anders handeln, etwa aktiv für die Revolution Partei ergreifen, würde Mutter Courage sich anders verhalten, z. B. in der zitierten Szene sich wirklich beschweren — so wäre damit kaum viel erreicht. Das Exempel führt nicht individuelles Fehlverhalten vor, damit dies als individuell korrigierbares erscheint, sondern das Exempel erlangt seine komische Qualität dadurch, daß es das einzelne Fehlverhalten als ein sozialhistorisch typisches zeigt, als ein für die bürgerlich-kapitalistische Welt charakteristisches, das in sozialistischer Perspektive zu etwas erstarrt, das »schon gar nicht mehr wahr« ist.

Der Stückeschreiber Brecht hat auch die Funktion des Künstlers und des Intellektuellen in der bürgerlichen Gesellschaft in komischen Exempla dargestellt. Wieder seien zwei Beispiele erwähnt.

Das erste Bild des *Baal* zeigt eine illustre Gästeschar, die im Speisezimmer des Großkaufmanns und Verlegers Mech zu einem opulenten Mahl zusammengekommen ist. Baal, der in diesem Kreis als sog. Lyriker mit Zukunft gilt, ist mit Essen und Trinken beschäftigt, dieweil die kulturbewußten Anwesenden sich alle als Lyrik-Kenner gerieren. Der Kunstkritiker Dr. Piller (»Ich habe die Zeitungen hinter mir«) stellt einen Essay über Baal in Aussicht, es wird über Walt Whitman und Verlaine gesprochen, eine junge Dame trägt aus der Zeitschrift »Revolution« zwei expressionistisch-steile Gedichte vor (sie sind von J. R. Becher und Georg Heym), die großen Anklang finden:

Ruf Genial. — Dämonisch und doch geschmackvoll. — Einfach himmlisch.
Die junge Dame Meiner Meinung nach kommt das dem baalischen Weltgefühl am nächsten.
Mech Sie müßten reisen. Die abessinischen Gebirge. Das ist was für sie.

(GW 1, 8)

Dann spielt Emilie auf dem Harmonium (Mech: »Ich esse gern mit Harmonium«), doch als Baal beginnt, an Mechs Frau herumzutatschen, endet die Szene mit einem Skandal. Und der Dr. Piller merkt im Abgehen noch an: »Sie sind Luft für mich! Für die Literatur sind Sie Luft.« (GW 1, 10)

Die von Rimbaud schwärmen (»abessinische Berge«), geraten in Empörung, wenn in ihrem Haus sich einer wie Rimbaud benimmt. Grobianisch-sinnenhaft soll die Literatur sein, und um so »radikaler«, desto besser (Zeitschrift »Revolution«), doch ist eben nur in der Kunst erlaubt, was im normalen bürgerlichen Leben als Unzucht und Umsturz gilt. Eben dies ist das eminent Komische des der kabarettähnlichen Szene zugrunde liegenden Motivs: in der Gesellschaft soll alles beim alten bleiben, doch in der Kunst hat gefälligst ständig Neues offeriert zu werden. »Revolutionen« sind also durchaus erwünscht, nur eben in dem eigens dafür vorgesehenen Freiraum der Kunst. Der Bürger läßt die Kunst sich etwas kosten und zahlt oft für die anarchische, »unbürgerliche« Kunst am meisten, damit er sich und seinesgleichen beweisen kann, daß er beileibe kein »Spießer« sei. Das Motiv der ersten Szene zeichnet das Verhältnis Bürger—Künstler aber insofern noch etwas ungenau, als es hier zu einem Eklat kommt, der die Tafelgesellschaft aufsprengt, während das Bürgertum sich seine Künstler doch vor allem zu dem Zweck mietet, *daß* es zu Skandalen kommt, die neuen Gesprächsstoff bieten. Dies tritt aber in einer weiteren Szene des *Baal* hervor, die in »einem kleinen schweinischen Café« spielt (GW 1, 30 ff.). Baal singt zur Laute ein Lied, das immer »schamlosere« Strophen bringt und deshalb zu einem rauschenden Erfolg wird. Das Publikum ruft in Sprechchören noch nach Baal, als dieser länsgt verschwunden ist, weil ihm der kontraktlich zugesicherte Schnaps nicht sofort gegeben wurde.

Aus beiden komischen Exempla wird indirekt ersichtlich, wie eine Komödie *Baal* hätte aussehen können, die den Künstler Baal in den Mittelpunkt stellt. Der Inhalt solcher Komödie dürfte dann allerdings nicht allein die komische Dekuvrierung dessen sein, was der Bürger vom Kunstgenuß erwartet. Vielmehr müßte der individualistische Künstler selbst als komische Figur in der bürgerlichen Gesellschaft präsentiert werden! Seine vermeintlich außerhalb der Gesellschaft und gegen sie verwirklichte »Freiheit« erschiene dann als die ihm zugewiesene Funktion, und das scheinbar ganz Besondere und Individuelle des Künstlers würde dann als sein spezifischer Marktwert enthüllt. Jedes seiner schockierenden Werke und jede seiner Handlungen erwiese sich lediglich als Antwort auf die schon gesellschaftlich produzierte künstliche Nachfolge. Eine solche Künstlerkomödie wäre das Paradigma einer Komödie über die »freie Persönlichkeit« — sie ist aber nicht geschrieben worden, weil der frühe Brecht den anarchischen Individualismus des Künstlers Baal noch fast uneingeschränkt als unmittelbaren Ausdruck von »Natur« ernst nahm.

Die Komödie *Turandot oder Der Kongreß der Weißwäscher* bietet eine Reihe von komischen Exempla, in denen die Existenz und Funktion der Intellektuellen (der »Tuis«) in der bürgerlichen Gesellschaft beleuchtet wird. Brechts Definition der Tuis: »Der Tui ist der Intellektuelle dieser Zeit der Märkte und Waren. Der Vermieter des Intellekts.« (GW 12, 611) Eines der Exempla kann hier im Ganzen zitiert werden:

Gasse
Tuis auf dem Strich

Tui	Eine Meinung über die politische Lage gefällig, Alter?
Sen	Ich brauche keine. Entschuldigen Sie.
Tui	Es kostet nur drei Yen und geht im Stehen, Alter.
Sen	Wie kannst du mich ansprechen, mit dem Kind dabei?
Tui	Sei nicht so zimperlich. Eine Meinung haben, ist ein natürliches Bedürfnis.
Sen	Wenn du nicht gehst, rufe ich die Polizei. Schämst du dich nicht? Was machst du aus dem Denken. Das ist das Edelste, was der Mensch tun kann und du machst es zu einem schmutzigen Geschäft. [...]
Tui	*weglaufend* Dreckiger Spießer!
Eh Feh	Laß ihn, Großvater, vielleicht ist er zu arm.
Sen	Das entschuldigt beinahe alles, aber nicht das. (GW 5, 2217)

Die Intellektuellen sind die Prostituierten des Systems. Ihr Beruf ist das Denken, dessen Ergebnisse aber als Ware verkauft werden müssen. Die Existenz der Intellektuellen garantiert ein sog. breites Meinungsspektrum, und die Existenz dieses breiten Meinungsspektrums bzw. die ausgegebene Parole von der »pluralistischen Gesellschaft« garantiert wiederum die Existenz der Intellektuellen. Die das System kritisieren, leben von diesem System: gerade insofern dieses stets neuen Anlaß zur Kritik bietet, sind die Kritiker an der Erhaltung dieses Systems interessiert. »Unsere Intellektuellen, die nur weiterkommen, indem sie sich, jeder für sich, von der Masse trennen, erzielen keinen Fortschritt, sondern leben nur vom Vorsprung.« (GW 18, 179) Die Intellektuellen in der bürgerlichen Gesellschaft sind die Matadoren des folgenlosen Denkens, sie verkaufen je verschiedene Meinungen, die von vornherein auf das falsche Bewußtsein der Käufer von Meinungen abgestimmt sind. Damit die Meinungen zum Erwerb anreizen, werden sie als verbotene Sünde (des Geistes) präsentiert. Wie die »wahre Liebe« als Ware Liebe auf den Markt kommt, so nun auch die »wahre Meinung« als die Ware Meinung. Eine Meinung haben, sei ein Bedürfnis — sagen diejenigen, die das Bedürfnis nach Wahrheit wachhalten müssen, um ihre vielen Wahrheiten, Halbwahrheiten und Unwahrheiten, die sich gegenseitig neutralisieren, immer wieder verkaufen zu können. Das komische Exempel der Tuis auf dem Strich ist geradezu eine satirische Kurzkomödie über die sog. öffentliche Meinung in der bürgerlichen Gesellschaft. (Man denke etwa an die nach Parteienproporz von den Massenmedien gemieteten Intellektuellen, die ihren »Kommentar« zu Tagesereignissen liefern usw.)

Zum Tui-Komplex wäre noch viel zu sagen, was dann den Rahmen des hier zu skizzierenden komischen Exempels sprengen würde: es gibt ja ein ausgesprochenes Intellektuellenthema bei Brecht. [198] Häufig ist der Bezug zur elften *Feuerbach-These* impliziert, und das biographische Argument, Brecht habe bei den Tuis vor allem an die sog. »Frankfurter Schule« gedacht, ist von Hanns Eisler und anderen glaubhaft überliefert. Richtig ist aber auch, daß Brecht keineswegs an dem kleinbürgerlich-faschistischen Haß auf die Kopfarbeiter partizipieren wollte und konnte. Richtig ist weiter, daß er sich selbst mitunter durchaus mit den Tuis in jenem pejorativen Sinn hat identifizieren müssen. Man denke an das im amerikanischen Exil entstandene Gedicht *Hollywood:*

Jeden Morgen, mein Brot zu verdienen
Gehe ich auf den Markt, wo Lügen gekauft werden.
Hoffnungsvoll
Reihe ich mich ein zwischen die Verkäufer. (GW 10, 848)

In einer Gesellschaft, die alles, Ideelles wie Materielles, zur Ware macht, kann der Intellektuelle nicht durch einen voluntaristischen Akt plötzlich für die »richtige Seite« produktiv werden. Aber eben an diesem Punkt enthüllt sich wieder der Charakter des »Gesellschaftlich-Komischen« des Exempels: der in der bürgerlich-kapitalistischen Gesellschaft lebende Intellektuelle ist, unabhängig von seinem eigenen Bewußtsein, d. h. davon, ob er freiwillig oder nicht zur Affirmation des bestehenden Zustandes beiträgt, objektiv komisch. Diese Komik entsteht aus der Überholtheit jener Gesellschaftsordnung, in der die Intellektuellen eben nur als Prostituierte des Systems existieren können. In diesem Sinne ist Brechts Anmerkung zu seiner *Turandot*-Komödie höchst aufschlußreich:

Besonders als ich das *Leben des Galilei* geschrieben hatte, in dem ich den heraufdämmernden Morgen der Vernunft geschildert hatte, bekam ich Lust, ihren Abend zu schildern, den Abend eben jener Art von Vernunft, die gegen Ende des sechzehnten Jahrhunderts das kapitalistische Zeitalter eröffnet hatte. (GW 5, Anm. S. 3*)

Aufschlußreich ist die Metapher von Morgen und Abend, die an die zitierte »Eule der Minerva«-Paraphrase (GW 16, 702) erinnert. Wenn da ein »Abend« gekommen ist bzw., in den Worten von Marx: »die letzte Phase einer weltgeschichtlichen Gestalt«, dann ist das die Zeit der Bestandsaufnahme, der Komödie. Pathetisch gesagt: in sozialistischer Morgendämmerung wirft die alte bürgerliche Gesellschaft komische Schatten. Das komische Exempel der »Tuis« führt in diesem Lichte vor, wie die einst mächtige und produktive Kraft der unabhängigen weltlichen Vernunft zu einem bloßen Konsumgut heruntergekommen ist, das mit allen möglichen »Reizen« und Versprechungen feilgeboten wird.

Es ist hier nicht möglich, einen annähernd vollständigen Überblick über die komischen Exempla bei Brecht zu geben, doch seien wenigstens einige noch erwähnt.

Der Ingwertopf ist ein Exempel, das als selbständige szenische Skizze hervortritt. Wenn man so will, ist diese von Kindern zu spielende Nummer eine amüsante Abwandlung des »Erst kommt das Fressen, dann kommt die Moral«. Die komisch erhärtete These, daß die Tugendhaften immer zu kurz kommen werden, wird am Schluß der kleinen Szene in den Spruch zusammengefaßt:

Zu wenig Ingwer
Zu wenig Anstand!
Würde ist etwas Schönes
Ingwer ist etwas Süßes. (GW 7, 2991)

Man wird die kleine vergnügliche Szene, die für ein Stück mit dem Titel *Leben des Konfutse* geplant war, nicht interpretatorisch belasten, wenn man feststellt, daß hier auf leichte und lockere Art der »primitive Materialismus« gegen verbale Tugendforderungen überzeugend ausgespielt wird.

Die politischen Einakter *Dansen* und *Was kostet das Eisen?*, die »im Knockaboutstil« (GW 7, 2850) gespielt werden sollten, wären ebenfalls als komische Exempla aufzufassen, allerdings nach Art des politischen Kabaretts ganz auf einen bestimmten Anlaß hin geschrieben. Beide Einakter sind parallel konstruiert. Im ersten wird Dansen (Dänemark) vom Fremden (Hitler) zum »Freundschaftsbund« veranlaßt. Im zweiten geschieht dasselbe mit Svendson (Schweden). Es treten auch Herr Britt (England), Frau Gall (Frankreich) und andere Personen mit derart sprechenden Namen auf. Das komische Exempel tritt jeweils in Form der Parabel hervor (»Und den Sinn der Parabel begreift jedermann / Der ein wenig Verstand hat. Und jetzt fangen wir an.« GW 7, 2835), die mit den Mitteln des Kasperle-Theaters das Komische des Liberalismus (hier: der neutralen Länder) anschaulich machen will.

Auch die *Übungsstücke für Schauspieler* (GW 7, 3003 ff.) wären als komische Exempla zu bezeichnen bzw. interpretierbar.

Mehrmals ist schon betont worden, daß das komische Exempel nicht allein in Brechts Komödien seinen Platz hat, es begegnet z. B. auch in den *Tagen der Commune*, und zwar als *Spiel im Spiel* (GW 5, 2151 f.), in dem die Kommunarden »Papa« und Jean einen Dialog zwischen Bismarck und Thiers mimen, oder als Kabarettnummer, in der die politischen Charaktermasken sich sozusagen selbst karikieren (GW 5, 2171 ff.)

Eine einzige Aneinanderreihung komischer Exempla wäre schließlich Brechts *Eulenspiegel* geworden, dessen Formtypus dem nahe gekommen wäre, was Brecht als »literarische Revue« so charakterisierte:

> In bezug auf die Fabel gibt die literarische Revue einige wertvolle Winke. Wie erwähnt, verzichtet sie auf die einheitliche und durchgehende Fabel und bringt »Nummern«, das heißt lose miteinander verknüpfte Sketche. In dieser Form leben die »Streiche und Abenteuer« der alten Volksepen wieder auf, freilich schwer erkennbar. (GW 17, 1163)

Geplant war ein *Eulenspiegel-Film,* der als Theaterstück fortgesetzt werden sollte. In den einzelnen »Nummern« und Sketchen sollte Eulenspiegel z. B. als reiche Äbtissin, als großer Arzt auftreten (»man würde eine hochartistische Sache machen können«), doch wollte Brecht »natürlich politische Streiche erfinden«, Eulenspiegel sollte »ein völlig politischer Valentin« sein. (*Texte für Filme* II, 632 bis 635) [199]

Komisches Motiv und komische Szene bei Brecht sind hier recht ausführlich behandelt worden. Vor allem sollte deutlich werden, daß das Komische bereits im Dargestellten liegt und nicht nur ein besonderes Darstellungsmittel bzw. eine bestimmte Form von »Verfremdung« ist. Damit das objektiv Komische aber auch als solches wahrgenommen werden kann, bedarf es einer spezifischen Darbietungsweise: es wird präsentiert in einer in sich abgeschlossenen Szene, einer heraustretenden »Nummer« bzw. gar als »Spiel im Spiel«. Es handelt sich um komische Exempla, die manchmal mehr abstrakt-parabolisch, manchmal »volkstümlich«-direkt und »realistisch« gehalten sind. Die formal gewichtigen und interessanten Unterschiede, die dabei zu beobachten sind, wurden hier vernachlässigt. Das inhaltliche Moment des Komischen bzw. seine Tendenz waren vorrangig herauszuarbeiten. In der Darstellung des Komischen bei Brecht handelt es sich um ein didaktisches Verfahren, das dem Zuschauer weder zu einer moralischen Bewertung des Vorgespielten noch zu bloßer Belustigung darüber, sondern zu sozialer Erkenntnis verhelfen soll.

Das »Gesellschaftlich-Komische« ist ein Phänomen, in dem der Standort des Menschen in seiner jeweiligen gesellschaftlichen Ordnung vermittelt ist, und zwar auf eine Weise, in der das Individuelle das sozial Typische hervorkehrt: den »Gestus«. Dieser wird nicht nur als auffallend und befremdlich dargeboten — d. h. nicht nur »verfremdet«, um erkennbar zu werden — sondern er bekommt seine spezifisch komische Qualität dadurch, daß er als anachronistischer kenntlich wird. Das heißt: für das »Gesellschaftlich-Komische« in der einzelnen Szene ist wie für die Komödie als ganze die Perspektive entscheidend, der Blick, der um der Gegenwart und Zukunft willen zurückgerichtet wird. Brecht ist der »Historiker« der bürgerlich-kapitalistischen Gesellschaft, und es erweist sich nun, daß die Summe der hier behandelten komischen Motive und Szenen ein recht komplettes Bild von ihr gibt. Allerdings zeigt dieses Bild ausschließlich »Überbau«-Phänomene, es hat einen ideologiekritischen Rahmen. Die Vorstellungen von Ehe und Familie, von Liebe, Glück, Arbeit, Kunst, Religion hat Brecht mit den tatsächlichen Verhältnissen konfrontiert, soweit sich diese in den Verhaltensweisen ausdrücken. Er hat gezeigt, wie der historisch besondere Konflikt von privater und öffentlicher Rolle das Individuum komisch destruiert, wie die »natürlichen« Beziehungen der Menschen zueinander von Entfremdung geprägt sind, die ein »wirkliches Leben« nur mehr im Traum gestattet. Brecht hat weiter gezeigt, wie diese Träume und sonstigen Ausweichmanöver kläglich scheitern und von der allgemeinen Misere ereilt werden.

Die einzelnen Motive, die oft als exemplarisches »Spiel« vorgeführten Szenen, fügen sich zu dem Gesamtbild eines erstarrten Zustands zusammen, der sozusagen der nachfolgenden Gesellschaft (und diese gleichzeitig antizipierend) zur Besichtigung freigegeben wird. Um eine Formel anzubieten: Wenn Hegel, der Theoretiker der bürgerlichen Gesellschaft und ihres Staates, in seinen späten Jahren die latente Bereitschaft zeigte, diese zum »an und für sich Vernünftigen« zu stilisieren und *deshalb* als Gegenstand der Komödie auch jeweils nur punktuelle Abweichungen von ihr gestatten wollte [199a], so ist für den Sozialisten Brecht, den »Historiker« der bürgerlichen Gesellschaft, diese in toto zum Anachronismus geworden und deshalb als zentraler Gegenstand der Komödie ausgewiesen.

An dieser Stelle wäre es möglich, Interpretationen einiger »großer« Komödien Brechts anzufügen. [200] Da aber die Gefahr besteht, daß die Interpretation eines Stücks, von dem hier bereits das »Gesellschaftlich-Komische« der einzelnen Szene vorgestellt wurde, mehr quantitativ als eigentlich qualitativ über das schon Skizzierte hinausginge, wird darauf verzichtet. Statt dessen scheint es vorteilhafter, auf Brechts Komödienbearbeitungen einzugehen. Dabei sollen sowohl die Originalkomödien in Analogie zu der für Brecht verfolgten These (Komödie aus einer konkreten gesellschaftlichen Intention entstehend, auf einem geschichtsphilosophisch gedeuteten Verhältnis von »alt« und »neu«, »Abend« und »Morgen« usw. basierend) für sich interpretiert als dann der spezifisch Brechtschen Komödie konfrontiert werden.

Molière — Lenz — Brecht. Komödie, Bearbeitung, Brecht-Komödie

I. Komödie und Bearbeitung

Die These lautete: mehrere Stücke Brechts ließen dann als Komödien sich bestimmen, wenn durch »Historisierung« bzw. Perspektive die Intention erkennbar wird, etwas geschichtlich Überholtes derart zu zeigen, daß dessen falsche Lebendigkeit als solche erscheint. Die Komödie verarbeitet die schlechte Vergangenheit, die noch in die Gegenwart hineinreicht, mit dem Anspruch, den »Abschied« von ihr zu erleichtern. Erstrebtes Resultat ist eine »Heiterkeit« des Betrachters, deren Voraussetzung mehr als distanzierte soziale Erkenntnis denn als Lachen meßbar ist.

Nun müßte das »Gesellschaftlich-Komische« bzw. der spezifische Charakter der Brechtschen Komödie besonders klar dort hervortreten, wo Brecht auf überlieferte »fertige« Komödien als Quellen und Vorlage zurückgegriffen hat. Dabei wäre chronologisch vorzugehen, und zwar am besten den Daten der Originale, nicht denen der Bearbeitungen folgend. So ließe sich nämlich eine historische »Linie« einhalten, die in etwa derjenigen entspricht, die Brecht selbst in einer Notiz zum *Messingkauf* folgendermaßen skizzierte:

> Die Linie der Versuche, bessere Abbildungen des menschlichen Zusammenlebens zustande zu bringen, läuft von der englischen Restaurationskomödie über Beaumarchais zu Lenz. Der Naturalismus [...] markiert die Einflußnahme der europäischen Arbeiterbewegung auf die Bühne. Die Komödie verwandelt sich in die Tragödie (weil der point of view klassenmäßig nicht geändert wurde?) (GW 16, Anm. S. 1*)

Daß die Komödie »realistischer« sei als andere dramatische Gattungen, ist eine Überzeugung, die sich seit der Aufklärung fast allgemein durchgesetzt hat. Daß ihr Charakter einem bestimmten, parteilichen Blickwinkel verpflichtet ist, ist eine Überzeugung, die ruhig mit einem Ausrufungszeichen versehen werden kann. Der zitierte Passus läßt sich durchaus auf Brechts Stücke in der Weise anwenden, daß er eben wegen seiner entschieden proletarisch-sozialistischen Perspektive keine Tragödien, sondern Komödien schreibt. In diesem Sinn formulierte Brecht selbst seine ideologische Differenz zur naturalistischen Dramatik etwa Gerhart Hauptmanns: er nannte Hauptmanns Arbeitertragödien den »Appell an das Mitleid des Bürgertums, ein ganz und gar vergeblicher Appell«, der uneingestanden stets voraussetze, daß die Proletarier in ihrem Kampfe unterliegen würden (GW 19, 364 u. 366). Bei Brecht, wie gesagt, entsteht Komödie gerade durch den konsequent eingehaltenen »point of view« in der Darstellung der bürgerlichen Gesellschaft. Das Problem ist aber nun: wie macht sich der »point of view« in Brechts Bearbeitungen geltend, wenn er in der entsprechenden Komödienvorlage doch schon als deren konstitutiver Bestandteil enthalten ist? Wird er lediglich verstärkt, untermalt, d. h. nutzt der Bearbeiter seine historische Erfahrung, um das ursprünglich

Vorhandene schärfer zu akzentuieren? Oder aber wird der »point of view« selbst verändert bzw. gegen einen anderen ausgewechselt? Diese Fragen wären anhand folgender Komödienbearbeitungen zu erörtern: Brechts *Don Juan* nach dem von Molière (1665), *Pauken und Trompeten* nach Farquhars *Recruiting officer* (1706), die *Dreigroschenoper* nach der *Beggar's Opera* von John Gay (1728), der *Hofmeister* nach Lenz (1774) sowie die Brechtsche Zusammenfassung von Hauptmanns *Biberpelz* (1893) und *Rotem Hahn* (1901) —, doch empfiehlt es sich, die Analyse auf zwei Beispiele, den *Don Juan* und den *Hofmeister*, zu beschränken. [201]

Zuvor muß aber das Faktum Bearbeitung selbst reflektiert werden. Wenn Komödie die Intention hat, die Vergangenheit zu »verabschieden«, dann gehört zunächst einmal die literarische Überlieferung zu dieser Vergangenheit mit hinzu. Es läge nahe, anzunehmen, daß Brechts Bearbeitungen vor allem ideologiekritisch-parodistische *Gegenentwürfe* zu ihren jeweiligen Vorlagen wären. Das ist aber nicht der Fall. Vielmehr will die Bearbeitung auf die zu nutzende kritische Produktivität eines Werkes hinweisen, tut dies paradoxerweise aber dadurch, daß sie es verändert: Vertrauen und Mißtrauen in das Original halten sich so die Waage. Eine Tradition soll sowohl beschworen wie gegen den bisherigen Tradierungsprozeß verteidigt werden, und für Brecht ist insbesondere sein Verhältnis zur bürgerlichen deutschen Klassik höchst ambivalent. Im folgenden soll in großen Zügen angedeutet werden, wie eng sich das Problem der Bearbeitung als das der Tradition mit dem der Komödie überschneidet.

Wie will Brecht selbst seine Bearbeitungen verstanden wissen? Anläßlich seiner *Antigone*-Fassung versuchte er, das Normale seines Vorgehens mit folgender Begründung zu betonen:

> Bearbeitungen dieser Art sind in der Literatur nichts Ungewohntes. Goethe bearbeitete die *Iphigenie* des Euripides, Kleist den *Amphitryon* des Molière. Diese Bearbeitungen verhindern nicht den Genuß an den Originalwerken. In nicht allzu ferner Zukunft wird dieser infolge der Schulung des historischen Sinns und des ästhetischen Geschmacks auch den breiten Massen der Bevölkerung möglich sein. (*Antigone/Materialien*, S. 121)

An dieser Argumentation fällt auf, daß sie die Bearbeitung als *etwas Vorläufiges* betrachtet, den »Genuß an den Originalwerken« nicht schmälern will und somit nach wie vor für möglich hält, wenn auch nicht zu jeder Zeit und noch nicht für jedes Publikum. »Historischer Sinn« und »ästhetischer Geschmack« müßten erst weiter entwickelt sein — impliziert ist geradezu, daß die Bearbeitung eine Hilfe in diesem Prozeß darstellt. Diese sozusagen kulturpädagogische Intention sollte sich aber nicht auf Goethe und Kleist berufen, deren Absicht eine völlig andere war. [202] Wo deren nach überkommenen Stoffen und Motiven gefertigte Werke den Anspruch auf selbständige Existenz *neben* dem Original anmelden, gibt Brecht ja vor, daß seine Bearbeitungen mit den Vorlagen nicht in Konkurrenz treten wollen, wenigstens nicht in erster Linie. Der Bearbeiter Brecht sieht sein »Mehrwissen« nicht als persönliches Verdienst, meint nur, es müsse dem Text zugute kommen. Seine Bearbeitung will den »Gebrauchswert« der Vorlage ermitteln, d. h. Brecht bemüht sich, das herauszuarbeiten, was noch brauchbar ist, insofern es den heutigen

Zuschauer noch interessieren und unterhalten könnte. Das Originalwerk soll auch denen verfügbar gemacht werden, deren historischer Sinn und ästhetischer Geschmack ihnen nach Brechts Ansicht sonst keinen Zugang zu ihm ermöglichen würde. Was dem alten Text hinzugefügt wird, soll ihn weniger »verbessern« als zu solcher Brauchbarkeit ihm »helfen«. Die Titel der Brechtschen Bearbeitungen, die nach dem Werk den Namen des Autors nennen, deuten darüber hinaus an, daß der Autor dem Theater erhalten bleiben soll und nicht als bloßer Stofflieferant hinter dem Bearbeiter zu verschwinden hat; der Anteil des Dramaturgen und Regisseurs Brecht, der für sein Theater und von der Aufführung her denkt, ist dem des Stückschreibers durchaus gleichwertig.

Somit stellt sich die Bearbeitung ein paradoxes Ziel: dem bearbeiteten Autor soll eine Treue gewahrt bleiben, die seinem Text gegenüber aufgekündigt wird. Wenn Brecht z. B. den *Don Juan* bearbeitet, so ist das Ergebnis noch immer mit dem Namen Molière verbunden, und Brecht hätte sich vermutlich gegen den Vorwurf verwahrt, seine Bearbeitung führe von Molière weg. Nicht allerdings ist damit schon gesagt, wo sie denn hinführt. Die Frage, so gestellt, ist nicht identisch mit der puristischen, ob Brecht überhaupt »durfte«, was er da gemacht hat. Sie lautet vielmehr: *warum* wird auf *diesen* alten Text zurückgegriffen und *wozu* geschieht das? Das heißt: die Bearbeitung muß nicht allein gegenüber der Vorlage ihre eigene Notwendigkeit nachweisen, sie muß überdies noch Gründe für die Wahl jeweils gerade *der* Vorlage nennen, die sie sich vornimmt.

Der Brechtsche Bearbeitungstypus ist in dem Maße provokativ [203], wie er, den normalen Rezeptionsprozeß durch einen gewaltsamen Eingriff unterbrechend, die Möglichkeiten einer »Verlebendigung« des Vergangenen zu negieren scheint. Das Problem der Tradition zu beleuchten, heißt nicht nur, Brechts persönliches Verhältnis zur literarischen Vergangenheit zu beachten, sondern berücksichtigt muß auch werden, daß die Stellung zu einem tradierten Werk eine zu dessen Entstehungszeit sein muß, aber auch zu dem Tradierungsprozeß, dem jenes ausgesetzt ist.

Ein wichtiger Aspekt ist dieser: der »aggressiven« Haltung, die die Bearbeitung gegenüber dem Text des Originals einnimmt, entspricht eine »defensive« Haltung des Bearbeiters Brecht, die sich in rechtfertigenden Erklärungen äußert. Dabei wird klar, daß das Problem der Bearbeitung dem Problem von Brechts eigenen »historisierenden« Stücken — und zumal dem der Komödien — sehr nahe kommt. Will nämlich die Bearbeitung ihre Aktualität erweisen, so bleibt ihr doch der Makel, daß sie es nur indirekt tut, Texte aus weit entfernten Epochen verwendend. Und die Komödie hat zwar eine gesellschaftlich optimistische Intention, die aber gerade immer durch ihre spezifische zurückgerichtete Perspektive vermittelt wird.

In dem kurzen Artikel »Ist ein Stück wie *Herr Puntila und sein Knecht Matti* nach der Vertreibung der Gutsbesitzer bei uns noch aktuell?« gibt Brecht eine Rechtfertigung des eigenen Werks, die zugleich als Beschreibung der Brechtschen Komödienintention zu lesen ist und insofern auch zum Verständnis seiner Bearbeitungen beitragen kann:

Es gibt eine liebenswerte Ungeduld, die auf dem Theater jeweils nur den letzten Stand der Dinge in der Wirklichkeit gestaltet haben will. [...] Die Ungeduld ist liebenswert, aber es ist falsch, ihr nachzugeben. Daß es neben den Kunstwerken, die man organisieren muß, noch Kunstwerke gibt, die man erbt, ist kein Argument, solange man nicht die Nützlichkeit der letzteren nachweisen kann, selbst nicht, wenn das Organisieren Zeit nimmt. Warum kann *Herr Puntila und sein Knecht Matti* noch als aktuell angesehen werden? Weil man nicht nur aus dem Kampf lernt, sondern auch aus der Geschichte der Kämpfe. Weil die Ablagerungen überwundener Epochen in den Seelen der Menschen noch lange liegenbleiben. (GW 17, 1174 f.)

Es geht also um die Aktualität des Vergangenen bzw. um die im Vergangenen (wobei Brecht auch sein eigenes Werk historisch sieht), sowie allgemein um den Nutzen der überkommenen Werke, der indirekt zu ermitteln sei. Das entscheidende Argument lautet, daß auch nach einer substantiellen Veränderung der Gesellschaft bestimmte »Ablagerungen« noch ideologisch virulent bleiben. Sie gilt es zu überwinden — in diesem Sinne ist es aktuelle Aufgabe, sich mit dem Vergangenen einzulassen. So aber wäre zugleich die Aufgabe der Komödie definiert, die das schlechte Alte noch einmal zitiert, um den heiteren Abschied von ihm ermöglichen zu helfen. In derselben Richtung läge auch eine denkbare Definition der Bearbeitung, die das alte Stück zwar übernimmt, aber seinen Gebrauchswert unter einem aktuellen und parteilichen Blickwinkel neu bestimmt. Wenn erst einmal ausgemacht ist, daß man, wie Brecht recht allgemein formuliert, »aus der Geschichte der Kämpfe lernt«, dann ließe sich die Aktualität auch der ältesten Werke noch behaupten.

Allein, über die konkrete Berechtigung der Bearbeitung ist damit wenig gesagt. Es ist darauf zurückzukommen, daß Brecht auch seine eigenen Stücke historisch sieht. In dem für die Buchausgabe 1954 geschriebenen Essay *»Bei Durchsicht meiner ersten Stücke«* ist zu lesen:

Wozu darauf zurückzukommen? Warum nicht da reinen Tisch machen? Warum nicht von heute reden? Aber der den großen Sprung machen will, muß einige Schritte zurückgehen. Das Heute geht gespeist durch das Gestern in das Morgen. Die Geschichte macht vielleicht einen reinen Tisch, aber sie scheut den leeren. (GW 17, 952)

Es ist derselbe Ton der Rechtfertigung — nur daß von hier aus gerade *kein* Absprung zur Bearbeitung gefunden werden kann! Die alten Stücke werden als Dokumente eines geschichtlichen Prozesses gewertet und sollen daher weder verleugnet, übergangen noch geändert werden. Wäre Brecht dieser Logik gefolgt, hätte er eigentlich auch andere Stücke unbearbeitet lassen müssen. Denn wenn der Nutzen älterer Werke per se immer nur ein indirekter, vermittelter ist, so ist schwer einzusehen, weshalb Komödien wie *Don Juan* oder *Der Hofmeister* nicht ebenfalls auch unbearbeitet diesen Nutzen erzielen würden, weshalb etwa ein guter Regisseur nicht leisten könnte, was der Bearbeiter Brecht für sich allein beansprucht, nämlich im scheinbar Überholten das Aktuelle freizulegen.

Goethes *Urfaust* wenigstens (darauf wird bei der *Hofmeister*-Analyse noch einzugehen sein) bedurfte keiner Bearbeitung, um in den Spielplan des Berliner Ensembles zu gelangen. Der Text blieb also unangetastet, und dennoch fiel die Reaktion auf die Aufführung in gewissen Kreisen so aus, daß Brecht spöttisch notierte: »Unsere Publikumsschulmeister fühlen sich unterschätzt, wenn man ihnen erlaubt, sich zu amüsieren.« [204] Das Berliner Ensemble hatte nämlich, die gesellschaftliche Potenz des Werkes hervorhebend, die komödischen Züge in einer Weise betont, die einem traditionellen Klassikerverständnis zu weit ging. Brechts Essay *Humor und Würde* beschreibt, dieses Vorgehen rechtfertigend, die auch für seine eigenen Stücke verbindliche Art des Komischen:

> [...] alle seine [= des Theaters] Scherze sind so lange erlaubt, als die die Kritik enthalten. Vielleicht betrachtet ihr einmal die Scherze in der Schülerszene und der Szene in Auerbachs Keller daraufhin, auf die gesellschaftliche Kritik hin und nicht einfach als Scherze um der Scherze willen, als gehaltlose Clownerien. (GW 17, 1279)

Wiederum also, hier bei der Rechtfertigung einer Inszenierung, begegnet das Problem von Komik und Komödie! Geht es hier nur um die Art der Wiedergabe, so formuliert Brecht zum *Urfaust* noch einen darüber hinausgehenden Satz: »Die Dialektik der sich jung fühlenden bürgerlichen Klasse gibt sich als Humor.« (GW 17, 1281) Die Richtigkeit der Behauptung unterstellt, bleibt die Frage, warum der *Urfaust,* nicht aber auch der *Hofmeister,* ohne Bearbeitung spielbar sein soll, obwohl beide Werke demselben Zeitraum (Mitte der siebziger Jahre des 18. Jahrhunderts) entstammen und demnach denselben »Frischegrad« aufweisen müßten: bei *beiden* Werken handelt es sich ja eben nicht um jenes »schlecht konservierte Fleisch«, das »sozusagen nur durch scharfe Gewürze und Saucen wieder schmackhaft gemacht« (GW 17, 1276) werden kann.

Brechts Kommentare zum *Urfaust* sind nun nicht anders zu verstehen, als daß hier die ursprünglichen Qualitäten des Textes *restituiert* werden sollen, daß an jene Momente anzuknüpfen ist, in denen die »sich jung fühlende Klasse« sich eine kämpferische und fortschrittliche Literatur geschaffen hat. Da Brecht aber neben dem *Urfaust* auch den *Hofmeister* als eines der wichtigsten Zeugnisse dieser Literatur schätzte, hier indessen bei der spezifisch bürgerlichen Sicht des Autors Lenz nicht stehenbleiben will und diese nicht einmal als irgendwie »aufgehobene« für übernehmenswert hält, entsteht durch solch unterschiedliche Behandlung der beiden Sturm und Drang-Werke ein Widerspruch, der kaum aufzulösen ist. Der Widerspruch, in die Frage gefaßt, ob zu den klassischen und vorklassischen Werken der deutschen Literatur ein »normal-rezeptiver« Zugang möglich ist oder nicht, scheint auch in dem Essay *Humor und Würde* durch. Denn auf die Behauptung, es sei »zweifellos die berüchtigte deutsche Misere, die uns die Lustspiele gekostet hat, die Goethe hätte schreiben können«, folgt nur fünf Sätze später jene andere, daß »in den großen Zeiten vom Olymp herab Gelächter [erschallte]« (GW 17, 1279 f.), die mit der ersten nicht recht übereinstimmt. Wie kann denn die vermeintliche klassische Heiterkeit auf den »Humor« der jungen bürgerlichen Klasse sich stützen, wenn doch andererseits die »deutsche Misere« das Entstehen von Lustspielen verhindert — und was ist dann die Größe der »großen Zeiten«?

Zwar gehören weder *Urfaust* noch *Hofmeister* zu den im engeren Sinne klassischen Werken, unverkennbar ist aber der Versuch Brechts, an ihnen sein Verhältnis zur deutschen Klassik zu bestimmen. Das zentrale Problem lautet: inwieweit muß bei dem erstrebten »Abschied« von der bürgerlichen Gesellschaft die klassische bürgerliche Literatur selbst ideologiekritisch »mitverabschiedet« werden, inwieweit sind die literarischen Zeugnisse vor dem Zugriff spätbürgerlicher Rezeption zu

»retten«? Das ist eine Frage der Akzentuierung, die Brecht im Laufe seines Lebens verschieden beantwortet hat — und die es so schwer macht, das Problem der Bearbeitung auf einen einheitlichen Begriff zu bringen. Im Essay *Humor und Würde* verfolgt Brecht die Tendenz, das alte Werk von jener »Einschüchterung durch die Klassizität« zu befreien, für die er den spätbürgerlichen Kulturbetrieb verantwortlich macht. Dabei scheint Brecht bei einem Begriff von Klassik zu landen, der noch von anerkennender *Erinnerung* durchsetzt ist, die in Widersprüche gerät bei der Erläuterung dessen, *was* da anerkennenswert sei. Bisweilen definiert Brecht allerdings Klassik als den »Versuch einer Klasse, sich Dauer und ihren Vorschlägen den Anschein von Endgültigkeit zu geben«. (GW 20, 160) Solche Definition wäre nun geradezu eine Aufforderung zur Bearbeitung, denn natürlich will Brecht diesen ideologischen Schein zerstören, wobei er dann voraussetzt, daß dieser Schein dem Werk schon in seinem Ursprung beigegeben ist und ihm nicht erst von denen verliehen wurde, die das kulturelle Erbe als ihren Besitz verwalten. In strenger Konsequenz hieße das: was als Überlieferung vorliegt, ist so, wie es ist, nicht mehr oder noch nicht wieder brauchbar, da auch der historische Sinn, der es trotzdem angemessen verstehen ließe, mangelhaft entwickelt ist. Der Entschluß, den *Urfaust* unbearbeitet aufzuführen, beweist, daß Brecht diese strenge Konsequenz nicht hat ziehen wollen.

Die Sache selbst, Tradition, ist aporetisch:

> Hier taucht die Frage des *Erbes* auf; es kommt zur Auseinandersetzung mit überkommenen Kulturzeugnissen, Zeugnissen einer von einer andern, feindlichen Klasse beherrschten Kultur, in der aber doch eben alles steckt, was überhaupt erzeugt wurde; man hat hier vor sich die letzte Etappe, die unter der bürgerlichen Herrschaft und Kontrolle erreicht wurde, aber doch auch die letzte Etappe darstellt, die die Menschheit überhaupt erreicht hat. (GW 19, 378 f.)

Wie aber ist das »Erbe« anzunehmen«? Wenn es möglich war, dem *Urfaust* in einer Inszenierung zu geben, die — wie die Reaktion zeigte — *einer Bearbeitung gleichkam*, indem sie das »Allgemein-Menschliche« durch die Betonung des gesellschaftskritischen Moments verschwinden ließ, wird damit die theoretische Begründung der Bearbeitung generell desavouiert. Und in besonderem Maße gilt das für den *Hofmeister*, der nicht nur eine viel direktere und radikalere Kritik als das Goethesche Fragment aufweist, sondern überdies gegen keine verfälschende Rezeption verteidigt werden mußte, war hier doch so gut wie überhaupt keine Rezeption mehr vorhanden.

Aus der Zeit der sog. *Faustus-Diskussion* [205] stammt ein interessanter Brief Brechts, in dem es heißt:

> Über dem berechtigten Wunsch nach positiven Helden (Vorbildern) darf man schließlich nicht die Gestaltung von großen Figuren wie des Faustus verwerfen, deren Wirkung ebenfalls positiv im gesellschaftlichen Sinne sein kann. Die Literatur zeigt, daß auch die Tragödie einige Funktionen der Komödie besorgen kann, ich meine eine gewisse soziale Entschlackung. [206]

Hier begegnet nun ein weiteres Motiv für die Beschäftigung mit vergangener Literatur: die Tradition wird nach positiven Helden abgesucht. Brecht hielt die

Suche für berechtigt, nahm an ihr allerdings weder in seinen Bearbeitungen noch in seinen eigenen Stücken teil. An der zitierten Briefstelle ist aber etwas anderes interessant: Brecht scheint Faust als tragische Figur bzw. als zentrale Figur einer Tragödie aufzufassen (was keineswegs selbstverständlich ist!) und *deshalb* einen gewissen Vorbehalt zu haben. Aus der Art, wie die Begriffe Tragödie und Komödie verwendet werden, geht indirekt — aber deutlich — hervor, daß es die Komödie ist, die der Intention des Brecht-Theaters entspricht oder sie darstellt. Zwar will Brecht auch der Tragödie noch eine »im gesellschaftlichen Sinne« positive Wirkung einräumen, aber nur dann, wenn diese sozusagen bei der Komödie borgt. Somit wird in Brechts eigenen Worten noch einmal bestätigt, daß die Komödie und das »Gesellschaftlich-Komische« überall dort in die Diskussion kommen, wo es um die kritische Verarbeitung der Vergangenheit geht.

Schon in den zwanziger Jahren hatte Brecht vermerkt:

[...] was für ein Stoff und Ideenreservoir für Lustspiele ist die Produktion der deutschen Klassiker von *Faust* bis *Nibelungen*! Aber welche Fülle des Stoffes bietet überhaupt die Bearbeitung, ermöglicht durch die neuen Gesichtspunkte! (GW 15, 70)

Die Äußerung ist nicht ironisch gegen die deutschen Klassiker gewendet, als sei das, was sie zumeist in Tragödienform behandelten, viel eher ein Komödiensujet bzw. sei dazu geworden. Bearbeitungen, die so völlig gegen den Strich gefertigt sind wie etwa Dürrenmatts *Play Strindberg* nach Strindbergs *Totentanz*, hat Brecht eben nicht geschrieben. Brecht anerkennt die Stoffülle, die in den klassischen Werken enthalten ist, und die ein heutiger Bearbeiter des Stoffes (nicht des Werkes!) zur Produktion von Lustspielen nutzen könnte. Solche Anerkennung des Stoffs ist nicht identisch mit einer Wertschätzung der Werke, die ihn enthalten; im Gegenteil wählt Brecht in diesen Jahren ziemlich rabiate Formulierungen, in denen er sich despektierlich über den »Materialwert« gewisser klassischer Stücke ausspricht. [207] Die einseitig polemische Sicht auf die überlieferten Werke hat Brecht später revidiert, hat aber am Gedanken des Materialwerts festgehalten und ihn weiter ausgeführt. [208] Sowohl in seinen eigenen Stücken wie vor allem in seinen Bearbeitungen ging es Brecht nach einer guten Bemerkung Werner Hechts »im Grunde weniger um das Auffinden neuer Stoffe, als vielmehr um das Auffinden neuer Betrachtungsweisen für alte Stoffe«. [209] Dabei wird vorausgesetzt, daß der *Stoff* mehr noch enthält, als ihm bislang abgewonnen wurde — womöglich ist dieses »Mehr« aber schon im alten *Text* latent enthalten! Und das führt eben wieder zur Frage: Bearbeitung, ja oder nein.

Hier ist eine Zwischenbemerkung angebracht. Die weitere Erörterung des durch das Faktum Bearbeitung gestellten Problems der Lebendigkeit der literarischen Tradition entfernt sich scheinbar immer mehr vom Thema Komik und Komödie bei Brecht. Andererseits ist der Zusammenhang zwischen beiden überdeutlich: gerade in den Jahren nach der Zerschlagung des Faschismus kommt Brecht immer wieder auf das Problem der literarischen Tradition zurück, wird der Spielplan seines Theaters am Schiffbauerdamm wesentlich von Komödien bestimmt, entstehen seine Bearbeitungen, die ihrerseits überwiegend Komödienbearbeitungen sind, löst Brecht mit diesen Werken große kulturpolitische Kontroversen aus, bei denen es dann wieder hauptsächlich um die »Aneignung des kulturellen Erbes« geht. Im Problem der Tradition überschneiden sich die Phänomene Bearbeitung und Komödie auf mittelbare Weise, und dies muß dargestellt werden, um der Analyse der *Don Juan-* und *Hofmeister*-Bearbeitungen erst den richtigen Hintergrund zu geben.

Zu seiner *Antigone*-Fassung gab Brecht u. a. folgenden Hinweis:

> Im übrigen handelt es sich in keiner Weise darum, etwa durch das Antigonedrama oder für dasselbe den »Geist der Antike« zu beschwören, philologische Interessen konnten nicht bedient werden. Selbst wenn man sich verpflichtet fühlte, für ein Werk wie die *Antigone* etwas zu tun, könnten wir das nur so tun, indem wir es etwas für uns tun lassen.
> (GW 17, 1213 f.)

Will man den zitierten Sätzen etwas Allgemeines entnehmen, das für Brechts Bearbeitungen insgesamt verbindlich wäre, so wäre es dies: die Bearbeitung schert sich nicht um den »Geist« der jeweiligen Epoche, wie immer auch die Buchstaben der Vorlage von ihm diktiert sein mögen. Solcher Verzicht erscheint als Vorzug, wenn man sich an eine gewisse geisteswissenschaftliche Methode erinnert, die den »Geist« einer Epoche anhand der Überlieferung bestimmt bzw. als bestimmten geerbt hat, das einzeln Überlieferte seinerseits aber wieder auf den »Geist« zurückführt; der so entstehende Zirkel ist mitnichten immer so fruchtbar, wie von der Hermeneutik behauptet. Philologische Interessen, meint Brecht daher, könnten übergangen werden, er wird sie zudem grundsätzlich für übergehenswert gehalten haben. Trotzdem ist es interessant zu sehen, wie Brechts These (»das Werk etwas für uns tun lassen«) mit dem sich berührt, was Walter Benjamin einmal als Aufgabe der Literaturgeschichte beschrieb:

> Denn es handelt sich ja nicht darum, die Werke des Schrifttums im Zusammenhang ihrer Zeit darzustellen, sondern in der Zeit, da sie entstanden, die Zeit, die sie erkennt — das ist die unsere — zur Darstellung zu bringen. Damit wird die Literatur ein Organon der Geschichte und sie dazu — nicht das Schrifttum zum Stoffgebiet der Historie — zu machen ist die Aufgabe der Literaturgeschichte. [210]

Brecht wie Benjamin wollen demnach den alten Text etwas »für uns tun« lassen, nur scheint Benjamin ein Vertrauen in ihn zu setzen, das auf jene Hinzufügungen und »Konkretisierungen« verzichtet, die gerade die Bearbeitung erst ausmachen. Diese Differenz erklärt sich auch daher, daß beide Autoren pro domo sprechen und ihre eigene Funktion rechtfertigen wollen: was Benjamin dem Text entnimmt, teilt er in Essay oder Kommentar mit. Er gibt so eine Interpretation, die Brecht in den Text, der über die Bühne gehen muß, *direkt* einbaut, wobei er behauptet, er handele, eine »neue Fragestellung« aufgreifend, gewissermaßen stellvertretend für den ehemaligen Autor. [211] Benjamin spricht von »unserer Zeit« im Sinne des Erkenntnisstandes, den es zu ermessen und darzustellen gelte, und den er als ein zur Geschichtlichkeit des Textes gehörendes Moment begreift. Brecht dagegen scheint sich in höchst unglücklicher Weise auf die Abstraktion »Zeitgeist« zu berufen [211] —, doch gibt es wieder andere Äußerungen Brechts, die dem widersprechen. So existiert zum *Don Juan* eine Notiz, die offenbar *vor* der Bearbeitung dieser Komödie geschrieben sein muß:

Wie soll man Molière spielen? Wie den *Don Juan*? Ich denke, die Antwort muß sein: So, wie er nach möglichst genauer Prüfung des Textes unter Berücksichtigung der Dokumente von Molières Zeit und seiner Stellung zu dieser Zeit gespielt werden muß. Das heißt, man darf ihn nicht verdrehen, verfälschen, schlau ausdeuten; man darf nicht spätere Gesichtspunkte über die seinen stellen usw. Die marxistische Betrachtungsweise, zu der wir uns bekennen, führt bei den großen Dichtwerken nicht zu einer Feststellung ihrer Schwächen, sondern ihrer Stärken. Diese Betrachtungsweise räumt mit den Restaurierungen, Verfälschungen und Entstellungen auf, die in Verfallsepochen durch das Eingehen auf schlechteren Geschmack oder durch (bewußte oder unbewußte) Versuche der herrschenden Klasse, sich durch eine selbstgefällige und selbstherrliche »Interpretierung« von Meisterwerken zu vergnügen, diese beschädigt haben (GW 17, 1257)

Dies ist ein Bekenntnis zur uneingeschränkten Werktreue, die gegen die Interpretationskunststücke des bürgerlichen Kulturbetriebs verteidigt wird. Das Vertrauen auf die unmittelbare Kraft des Originals stellt zugleich eine Polemik gegen *jede* Art von Bearbeitung dar. Auf den »Geist« der Epoche wird nun wieder großes Gewicht gelegt, desgleichen auf die »Stellung« des Autors zu seiner Zeit. Das steht in klarem Gegensatz zu der vorher zitierten *Antigone*-Anmerkung, in klarem Gegensatz zu Brechts sonstiger These, die Vorfälle, Motive, Themen etc. seien allemal wichtiger als das sog. heilige Dichterwort (vgl. GW 16, 533) — und in klarem Gegensatz natürlich auch zu der von Brecht dann vorgenommenen Bearbeitung des *Don Juan*.

Was an der Notiz zudem verblüfft, ist ihre unerwartete Naivität: als sei es möglich herauszubekommen, wie denn Molière gespielt werden *muß*, als gäbe es dann nur mehr die eine, »richtige« Möglichkeit. Weit entfernt von einer »marxistischen Betrachtungsweise« (die natürlich *auch* und in nicht geringem Maße zu einer »Feststellung der Schwächen« führt), scheint Brecht hier auf die Position des primitiven Historismus zu rücken, der sich die Erkenntnis zutraut, »wie es denn eigentlich gewesen ist«. Gesetzt selbst den Fall, diese Erkenntnis gelänge — wofür wenig spricht, denn die verschiedenen Interpretationen zum Werk Molières sind doch nicht damit erklärbar, daß die Interpreten nicht ebenfalls die »Dokumente« genau geprüft hätten — gesetzt aber den Fall, die Erkenntnis gelänge, wäre mit ihr wenig erreicht. Die »großen Dichtwerke« sind nämlich keineswegs so unmittelbar für sich »groß«, sondern müssen ihre »Größe« im Prozeß ihrer geschichtlichen Wirkung behaupten. Zu ihrer Eigenart gehört, ihre Zeit nicht nur in sich zu enthalten, sondern damit zugleich noch »etwas«, das spätere Zeiten je neu in ihnen zu »entdecken« glauben. (vgl. GW 19, 522) Aber ist dieses »Etwas« immer dasselbe? Wie läßt es sich bestimmen und herausarbeiten? Diese Frage stellen heißt das Problem aufgreifen, das Marx in seiner — fast schon berüchtigten — Einleitung in die *Grundrisse* skizziert hatte. [212 Exkurs] Brecht hat die Stelle mehrfach direkt oder indirekt kommentiert:

Marx weist auf die erstaunliche Fähigkeit des Menschen hin, auch sehr alte Kunstwerke noch auf sich wirken zu lassen. Er zeigt sich mit Recht darüber erstaunt, denn die billige Formel von der Ewigkeit der Kunst befriedigt ihn nicht. Seine Bemerkung, die Menschheit erinnere sich gerne ihrer Kindheit, erscheint mir beiläufig. Eher schon kann man sich denken, daß sie gerne die Erinnerung an ihre Kämpfe und Siege pflegt und durchschauert wird, wenn sie sich der immer neuen Bemühungen, Erfindungen, Entdeckungen entsinnt. (GW 19, 549 f.)

Ein anderes Mal heißt es bei Brecht, ohne den direkten Bezug auf Marx:

Wenn wir die Emotionen anderer Menschen, der Menschen vergangener Zeitalter, anderer Klassen usw. in den überkommenen Kunstwerken zu teilen vermögen, so müssen wir annehmen, daß wir hierbei an Interessen teilnehmen, die tatsächlich allgemein menschlich waren. Diese gestorbenen Menschen haben die Interessen von Klassen vertreten, die den Fortschritt führten. (GW 15, 243)

An anderer Stelle modifiziert Brecht denselben Gedanken in dem Maße, wie er ihn als konkrete Aufgabe formuliert:

Die sozialistisch-realistische Wiedergabe alter klassischer Werke geht von der Auffassung aus, daß die Menschheit solche Werke aufgehoben hat, die ihre Fortschritte in der Richtung auf immer kräftigere, zartere und kühnere Humanität künstlerisch gestalteten. Die Wiedergabe betont also die fortschrittlichen Ideen der klassischen Werke. (GW 16, 936)

Bevor diese Äußerungen interpretiert werden sollen, ist noch ein weiteres Zitat anzufügen, das genauer auf dramatische Werke zielt und dazu den Gedanken der Bearbeitung impliziert:

Auch sind wir die Väter neuer, aber die Söhne alter Zeit und verstehen vieles weit zurück und sind imstande, die Gefühle noch zu teilen, welche einmal überwältigend waren und groß erweckt wurden. Ist doch auch die Gesellschaft, in der wir leben, eine so sehr komplexe. Der Mensch ist, wie die Klassiker sagen, das Ensemble aller gesellschaftlichen Verhältnisse aller Zeiten. Jedoch ist auch viel Totes in diesen Werken, Schiefes und Leeres. Es kann in den Büchern stehenbleiben, da man nicht weiß, ob es nicht nur scheintot ist, und da es andere Erscheinungen dieser vergangenen Zeit erklären mag. Ich möchte euer Augenmerk beinahe mehr noch auf das mannigfache Lebendige lenken, das in diesen Werken enthalten ist an scheinbar toten Stellen. Ein Weniges hinzugetan, und es lebt auf, gerade jetzt, gerade erst jetzt. Die Hauptsache ist eben, diese alten Werke historisch zu spielen, und das heißt, sie in kräftigen Gegensatz zu unserer Zeit setzen. Denn nur auf dem Hintergrund unserer Zeit erscheint ihre Gestalt als alte Gestalt, und ich bezweifle, ob sie ohne diesen Hintergrund überhaupt als Gestalt erschiene. (GW 16, 593)

Das Verhältnis von Werk und Rezeption muß als historisches dialektisiert werden, muß verstanden werden als der qualitative Wandel eines Subjekts-Objekt-Verhältnisses. Oder anders gesagt: bestimmt man Werk und Rezeption als sog. Frage-Antwort-Relation, muß auch damit gerechnet werden, daß das Werk nicht zu jeder Zeit etwas zu »sagen« hat, keine Antwort geben kann, weil es niemanden zu einer Frage provoziert hat. Ob diese Stummheit eine geschichtlich besondere oder endgültig erreichte ist, ist schwer zu entscheiden. Einerseits spricht viel für die Annahme, daß die Zahl der abgestorbenen Werke die der lebendigen bei weitem übertrifft und ständig anwächst, andererseits ist die Möglichkeit einer Wiederbelebung selten generell ausgeschlossen. Abzulehnen ist aber die Vorstellung, ein vergangener Text gewinne irgendwie aus sich selbst die Kraft, der Nachwelt als unmittelbare »Frage« präsent zu sein. [213] Auch der Hinweis, die alten Kunstwerke seien »aufgehoben«, bleibt ungenau, da er nicht zwischen aktiver und passiver Rezeption unterscheidet. Die Idee eines Erbes, das als Besitz den Nachfahren zufällt, gehört mehr in bürgerliche Eigentumsideologie als in die Reflexion über die andauernde Wirkung einzelner Werke, und Brecht hat das auch so gesehen (vgl. GW 19, 317).

Sein Kommentar zu der Marx-Stelle aber weist, besonders in den ersten beiden ausgewählten Zitaten, ein ungenügendes Verständnis von Rezeption auf: »die Menschheit« versichere sich angeblich der Wirkung alter Werke als »Erinnerung« an längst vergangene Kämpfe und Siege und werde darüber gar »durchschauert«. Damit beschreibt Brecht die Passivität eines »Kunstgenusses«, den er in Theorie und Praxis seines Theaters doch gerade hatte durchschlagen wollen! Und die »Emotionen« vergangener Zeiten zu teilen — wie anders soll das möglich sein, als mit Hilfe der sog. »Einfühlung«. Dieser Methode, an der Benjamin den reaktionären Charakter des Historismus nachwies [214], galt ansonsten auch Brechts entschiedene Kritik. Wenn es schon seltsam ist, daß Brecht im Kunstwerk die »Interessen« vergangener Menschen unmittelbar glaubt teilen zu können, so ist merkwürdiger noch die Annahme, diese seien »tatsächlich allgemein menschlich« gewesen. Das waren sie zwar dem ideologischen Selbstverständnis der Interessenträger nach [215], doch bleibt unerfindlich, warum die Rezeption der alten Werke sich ausgerechnet als Teilnahme an vergangenen Ideologien lebendig fühlen soll. Außerdem müssen die überkommenen Werke keineswegs immer in Einklang mit dem »Fortschritt« gestanden haben, um den nachfolgenden Epochen noch von Wert zu sein. [216] Eine inventarisierende Reihung alter Werke, die im nachhinein schulterklopfend beurteilt, wie weit die Vorfahren schon gedacht haben, wird die Lebendigkeit der Werke mit Sicherheit auch dann nicht verbürgen können, wenn die Wiedergabe die »fortschrittlichen Ideen« eigens hervorhebt.

Erst in dem vierten der hier zusammengestellten Brecht-Äußerungen zeigt sich der entscheidende Ansatz, das Lebendige auch an scheinbar toten Stellen freizulegen: »Ein Weniges hinzugetan, und es lebt auf, gerade jetzt, gerade erst jetzt.« Weder ist das heutige Subjekt (des Lesers, Kritikers, Bearbeiters) ein bloß anschauendes, das seine Objektivität durch den zeitlichen Abstand schon hinreichend gewährleistet sehen kann — noch ist das vergangene Werk ein starr unbewegliches Objekt, das seine Immergleichheit trotzdem irgendwie durch die Zeit transportiert. »Ein Weniges hinzutun« meint dann nicht, dem Werk Gewalt antun, meint keinen willkürlichen Eingriff, beschreibt nur die Tätigkeit des Subjekts in diesem erkenntnistheoretischen Zusammenhang. »Gerade erst jetzt« heißt es immer dann, wenn die »Jetztzeit« im überlieferten Werk erkannt wird [217], was nicht identisch ist mit den fatalen, auf Aktualität getrimmten Stilisierungen des Genres »Hamlet im Frack«. [218] Um das alte Werk zum Sprechen zu bringen, braucht es keine Verwischung des historischen Abstands, sondern dieser ist im Gegenteil zu akzentuieren. Nur so kann das noch »Unerledigte« des Werkes, das jetzt »für uns« erscheint, kenntlich heraustreten. Dieses »Hinzutun« begründet aber noch nicht die Notwendigkeit einer Bearbeitung! Es ist eher geeignet, diese zu negieren.

Noch eine weitere Stelle sei zitiert:

> Der Genuß an alten Stücken wird um so größer, je mehr wir uns der neuen, uns gemäßen Art der Vergnügungen hingeben können. Dazu müssen wir den historischen Sinn — den wir auch den neuen Stücken gegenüber benötigen — zu einer wahren Sinnlichkeit ausbilden. [...] Unsere Theater pflegen, Stücke aus anderen Epochen aufführend, das Trennende zu verwischen, den Abstand aufzufüllen, die Unterschiede zu verkleben. Aber wo bleibt

dann die Lust an der Übersicht, am Entfernten, am Verschiedenen? Welche Lust zugleich die Lust am Nahen und Eigenen ist. (GW 16, 702)

Das Vergnügen an alten Stücken zählt also für Brecht nur insoweit, als der »historische Sinn« dabei auf seine Kosten kommt: es geht um die Fähigkeit, zu unterscheiden. Die Brechtsche Komödie bringt den »historischen Sinn« auf äußerst parteiliche Weise zur Geltung, sie unterscheidet zwischen Altem und Neuem, indem sie gegen das Alte Stellung bezieht. Die Brechtsche Bearbeitung einer Komödie ist eine Reverenz vor der »fortschrittlichsten« literarischen Gattung, das alte Werk als ein kritisches vorstellend. Wo sie über das Werk hinausgeht, tut sie es in der Überzeugung, der »historische Sinn«, der noch nicht genügend entwickelt sei, könne durch solche Eingriffe gefördert werden.

Brechts eigenen Stücken wie seinem grundsätzlichen Verständnis der Tradition wie schließlich seinen Bearbeitungen als einem Eingriff in diese Tradition liegt ein und dieselbe Tendenz gegen die bürgerliche Ideologie zugrunde. Brecht kritisiert die falsche Geschichtsbetrachtung (»Der armselige Spießbürger findet in der Geschichte immer nur die gleichen Triebfedern vor, die seinen«. (GW 16, 575) am Beispiel der bürgerlichen Theaterpraxis, die immer nur das vermeintlich »Zeitlose« an den alten Stücken herausarbeitet, und für die alle Vorgänge lediglich das Stichwort liefern, auf das dann die »ewige« Antwort, »die unvermeidliche, gewohnte, natürliche, eben menschliche Antwort« (GW 16, 628) erteilt wird. Aus dieser Kritik entwickelte Brecht Theorie und Methode der historisierenden Verfremdung für seine eigenen Stücke, so daß die Phänomene Aufführung und Bearbeitung eines alten Stücks für das Brecht-Theater eine Bedeutung gewinnen, die ihnen nicht an sich zukommt. Das heißt: ein Autor, der wie Brecht darauf abzielt, gegenwärtige Probleme in einem geschichtlich besonderen Modell zu vermitteln, vermag auch bei Stücken der Tradition die Aktualität zu entnehmen, ohne dabei in aktuelle Stilisierung zu verfallen. Der Versuch der Bearbeitung ist bei Brecht derart eng mit den Prinzipien seiner eigenen Produktion verbunden, daß sich aus dieser Nähe vermutlich auch die flüchtige und unzureichende theoretische Durchdringung des Phänomens Bearbeitung erklärt. [219]

Das Problem, um das es dauernd geht, heißt Tradition. Die Bearbeitung ist nicht dessen Lösung, will aber als eine bestimmte Stellungnahme zu jener verstanden werden, ohne daß ihr dieser Nachweis voll gelänge. Ist Tradition, nur recht beim Wort genommen (tradere = weitergeben), nicht einfach Kontinuität, sondern Prozeß, in dem einer dem andern etwas anbietet, was der auch zurückweisen kann, so gliedert sie sich in mehrere Momente. Distanzlose citation à l'ordre du jour ist die eine Seite des Extrems, dessen andere völlige Ablehnung: die eine verkennt die Geschichtlichkeit des tradierten Wertes, die andere verkennt den geschichtlichen Wert selbst. Das wichtigere Moment ist Kritik, graduell unterschieden je nach dem, ob sie mehr an dem Werk selbst oder mehr an dessen bisheriger Rezeption geübt wird. Kritik, in den Begriff »Umfunktionierung« gefaßt, kann sowohl eine »positive« Haltung dem Werk gegenüber betonen und sich dann als »Rettung« oder Wiedergewinnung verstehen — als auch eine »negative« Haltung einnehmen, die sich z. B. als Ironie oder Parodie äußert.

Das Phänomen Bearbeitung könnte nur dann auf den Begriff gebracht werden, wenn es klar erkennen ließe, zu welchem der skizzierten Momente es sich vorrangig bekennt. Das ist nicht der Fall. Zudem führt der mögliche Einwand, die Bearbeitung sei ein in erster Linie von der Theaterpraxis herleitbarer Vorgang und brauche sich deshalb nicht in strenger Begrifflichkeit zu legitimieren, sofort zu der Merkwürdigkeit, daß die Bearbeitung ja den *Text* betrifft, nicht lediglich die Art und Weise seiner Darstellung. Dabei wäre es doch gerade für Brecht plausibel gewesen, in der verfremdenden *Spielweise* schon die Gewähr zu haben, das literarisch Überkommene lebendig zu halten. [220] Paradox wenigstens bleibt, daß in der Bearbeitung der Theaterpraktiker Brecht neben den Autor der Vorlage tritt, doch nur, um sogleich den Stückeschreiber Brecht auf den Plan zu rufen, der eigenen Text beisteuert. Dieser »eigene Text« aber muß sozusagen maskiert auftreten, da er sich der Sprache der Vorlage einzupassen hat, um nicht als Fremdkörper herauszufallen. So ist Brecht auch da von dem ursprünglichen Autor noch abhängig, wo er ihn ergänzt, »konkretisiert«, ändert. Daher sei die These gewagt, daß die Eigenexistenz der Bearbeitung nur eine, allerdings wichtige, Etappe in der Überlieferungsgeschichte des tradierten Werks darstellt, nicht aber selbst eine eigene, neue Überlieferungsgeschichte einleitet. [221] Bearbeitungen wie die des *Don Juan* und des *Hofmeister* erheben denn auch gar nicht den Anspruch, an die Stelle des Originals zu treten, sondern wollen der notwendige Umweg zu diesem hin sein.

Das Verhältnis, in dem Brechts Bearbeitungen zu ihren Vorlagen stehen, fügt sich keinem generellen Begriff. (Der Gedanke des notwendigen Umwegs zum Original wegen des mangelhaft entwickelten »historischen Sinns« ist nur eine Rechtfertigung, die man zur Kenntnis nehmen muß — ist aber keine stichhaltige Begründung, geschweige ein Begriff). Wohl aber läßt sich das Verhältnis von Brechts Bearbeitungen zu seinen eigenen Stücken bestimmen, insofern am Phänomen der Brechtschen Komödie die übereinstimmende Intention sichtbar wird: es geht darum, die Vergangenheit *noch einmal* zu zitieren, dem Hegelschen Wort entsprechend, daß das Bekannte, weil bekannt, darum noch nicht *erkannt* sei. Die historische Faktur der Vorlage erfüllt für die Bearbeitung eine ähnliche Funktion wie die »Historisierung« in Brechts Komödien: das Vergangene soll erkannt werden, damit auch die Gegenwart erkannt werden kann. Die Komödie zeichnet sich durch ihre besondere Stellung gegen das Vergangene aus, denn sie will dieses als überholtes zeigen, und sie tut es in einer besonderen Darbietungsweise, die danach strebt, die Erkenntnis zu einer vergnüglichen zu machen.

»Der bürgerliche Mensch löst den Adeligen, der proletarische den bürgerlichen nicht nur ab, sondern er enthält ihn auch.« (GW 20, 155) Sätze wie dieser tragen der Tatsache Rechnung, daß die sozial niedriger stehende Klasse bestimmte Werthaltungen der sozial höher stehenden übernimmt und verinnerlicht, ja sogar dann noch an ihnen festhält, wenn sie in einer neuen Gesellschaftsordnung keine irgend angemessene Funktion mehr haben. In diesem merkwürdigen Prozeß falschen Bewußtseins sind sogar Elemente feudaler Ideologie tradiert worden, so daß es durchaus nicht abwegig ist, wenn Brecht im *Don Juan* Molières Komödie der feudalen Lebensart repetiert.

Noch dringlicher war natürlich die Aufgabe für Brecht, beim »Aufbau des Sozialismus« insofern mitzuhelfen, als dazu bestimmten Elementen der bürgerlichen Ideologie ihr Lebensrecht bestritten werden mußte:

Große Teile der Bevölkerung sind noch tief in kapitalistischen Vorstellungen befangen. Dies trifft sogar für Teile der Arbeiterschaft zu. Bei der Zertrümmerung dieser Vorstellungen muß auch die Kunst mithelfen. Wir haben allzufrüh der unmittelbaren Vergangenheit den Rücken zugekehrt, begierig, uns der Zukunft zuzuwenden. Die Zukunft wird aber abhängen von der Erledigung der Vergangenheit. (GW 19, 543)

Diese und ähnliche Äußerungen in der Reihe der vielen Rechtfertigungen Brechts dafür, daß er keine »Zeitstücke« mit »positiven Helden«, sondern historisierende Komödien und Bearbeitungen vorlegte, formulieren exakt die ideologiekritische Aufgabe, die er sich stellte. Brechts Komödien wie seinen Bearbeitungen ist das Interesse an der Vergangenheit gemeinsam, wobei die Bearbeitungen durch die Wahl ihrer Vorlagen zeigen, wie weit zurück dieses Interesse reicht — bis ins 17. Jahrhundert. Besonderes Gewicht kommt aber bei Brechts ideologiekritischer Aufarbeitung der Vergangenheit jenen Werken zu, in denen das spezifische Thema »deutsche Misere« im Mittelpunkt steht, und hier überschneiden sich, wie zu zeigen sein wird, nicht nur die Intentionen von Komödie und Bearbeitung, sondern hier ist auch der Punkt, in dem die Angriffe gegen den Bearbeitungstypus mit denen gegen Brecht selbst zusammenlaufen.

Als vorläufiges Résumé zum Verhältnis Komödie/Bearbeitung wäre zu formulieren: vor anderen zwei Momente, Kritik und Utopie, sind für Komödie konstitutiv. Kritik an der Gegenwart ist nicht standpunktlos, Standpunkt ist die Utopie einer besseren Gesellschaft. Durch solche Antizipation erst wird es der Komödie möglich, ihre Kritik auf das in der Gegenwart zu richten, was an ihr schlechte Vergangenheit ist. Bleibt zu fragen, ob die Utopie, die in die Zukunft will, auch dort ankommen kann und sich nicht auf rückwärtsgerichtete Ideale stützt. Ist die Utopie von schlechter (ungenauer, abstrakter) Art, bleibt die Kritik an der zur Vergangenheit stilisierten Gegenwart unvollständig, schwächlich. Hier setzt die Bearbeitung überkommener Komödie ein, die Kenntnis der historischen Entwicklung ergibt die Gesichtspunkte. Wird dabei die Kritik der ursprünglichen Komödie präzisiert und verschärft, muß sich auch die Utopie dadurch verschieben. Will die Bearbeitung aber gleich die Utopie der ursprünglichen Komödie desavouieren, kann sie nicht lediglich die in der Vorlage enthaltene Kritik unterstreichend verstärken, sondern muß deren Charakter bzw. Stoßrichtung selbst ändern.

Somit wären immerhin zwei Ansatzpunkte skizziert, an denen die Bearbeitung einer Komödie zur spezifischen Brecht-Komödie wird. Sie lassen sich allerdings nur idealtypisch klar voneinander trennen.

II. Molières »Dom Juan« und Brechts Bearbeitung

Der Vergleich der Brechtschen Bearbeitung mit ihrer Vorlage geht von der ursprünglichen Komödie aus. Wichtiger als die eigentliche Individualität des Textes ist hier dessen »Allgemeines«, der Komödiencharakter, der für den Autor und seine Zeit kennzeichnend ist und den gesellschaftlichen Gehalt des Werkes bestimmt.

Dom Juan gilt heute als eines der Hauptwerke Molières, ist allerdings in geringerem Maße als andere Stücke geeignet, die Intention einer sog. comédie de caractère herauszuarbeiten. [222] Die Titelfigur scheint nämlich wegen ihres mythischen Erbes nicht ganz auf derselben Linie wie Tartuffe, Alceste oder Harpagon zu stehen. Zwar hat gerade Molières »Verführer« wenig Mythisches an sich, die Figur selbst aber war im Jahre 1665 hinreichend bekannt, Umriß und dénouement der Fabel somit vorgegeben. [223] Mehr noch jede spätere Rezeption der Komödie hat die Kenntnis anderer Deutungen des Themas vorauszusetzen und muß dieses Vorverständnis reflektieren. Für Brechts Bearbeitung soll die These verfolgt werden, daß die Änderungen an der Figur (im Sinne einer Kritik an ihrer Faszinationskraft) weniger den Gehalt der Molièreschen Komödie als die spätere Exegese des Don Juanismus treffen.

Kaum zweifelhaft ist, daß das zeitgenössische Frankreich den historisch-gesellschaftlichen Hintergrund der Komödie Molières bildet, auch wenn die Spielwelt nicht deren getreues Abbild zeigt. [224] Das Konstruktionsprinzip ist eine Reihung von Stationen, deren jede alles Licht auf den Charakter wirft, der sie durcheilt. Diese »offene« Dramaturgie führt dazu, daß die soziale Gruppierung der Personen eine beträchtliche Spannweite gewinnt. Da ist zum einen die Welt des Adels, genauer die Welt der alten noblesse d'épée, repräsentiert durch die »Spanier« des Stücks. Dom Juan könnte darüber hinaus als ein Vertreter der sog. »Grands« angesehen werden. [225] Den Adligen sind valets und laquais zu Diensten. Monsieur Dimanche (marchand) repräsentiert das Bürgertum, und zwar das zu jener Zeit von »la cour et la ville« gemeinsam verachtete Berufsbürgertum. Hinzu kommen die Dialekt sprechenden Bauern sowie am Rande des sozialen Gefüges der Pauvre.

Dem Spectre und der Statue du Commandeur scheint auf den ersten Blick keine gesellschaftliche Realität zu entsprechen. Doch ist zu beachten, daß während der ganzen Komödie religiöse bzw. kirchliche Doktrinen indirekt präsent sind, soweit sie von den Personen verinnerlicht sind. Auch Dom Juan selbst bleibt in der Negation noch auf sie bezogen. In seiner Figur verschränkt sich ja das sozial Schädliche mit dem moralisch Verwerflichen. Molière betont diese Kongruenz dadurch, daß er seinen Protagonisten nicht allein das »Verbrechen« der Verführung begehen läßt, sondern erwähnt, daß dieser am laufenden Band Ehen schließt:

Un mariage ne lui coûte rien à contracter; il ne se sert point d'autres pièges pour attraper les belles, et c'est un épouseur à toutes mains. (I, 1/717)*

Somit ist der »grand seigneur méchant homme« (I, 1/717) zugleich »l'épouseur du genre humain« (II, 4/741), den der Vorwurf treffen muß, er wolle »se jouer ainsi d'un mystère sacré« (I, 2/720). Die Unwirklichkeit des von der Legende geforderten strafenden Schlusses und damit die Unwirklichkeit von Spectre und Statue ist dann ein — indirekt — realistisches Element. Denn Realität des zeitgenössischen Frankreich ist, daß sich für die soziale Schädlichkeit eines »Grand« kaum ein Richter findet, daß es zum anderen der Kirche immer schwerer fällt, ihre Interessen als mit denen des Staates unmittelbar identische auszugeben. [226] Also wird nur das »moralische« Vergehen, die Hybris des Gottlosen, bestraft und dem direkten Eingriff der überirdischen Mächte überantwortet. Dem pointierten Kommentar Brechts ist durchaus zuzustimmen:

In einer Gesellschaftsordnung wie dieser gibt es keine Instanz, die dem Parasiten Einhalt gebieten könnte, als — allenfalls — der Himmel, das heißt die Theatermaschinerie.
(GW 17, 1262)

Die Übernahme des Legendenschlusses ist die für Molière einfachste und naheliegendste Lösung, die ihm ein formales Alibi schafft und zugleich den Vorzug hat, nicht ganz ernst genommen werden zu müssen. [227] Deshalb besteht keine Notwendigkeit, *Dom Juan* als metaphysische Komödie zu verstehen, derzufolge — vom Ende her gesehen — als komische Anmaßung und Unvernunft erscheint, daß einer ein Leben führt, als gäbe es keinen Gott. [228]

Dom Juan ist dem Muster seiner sog. *comédie de caractère* verpflichtet. Der Begriff ist keineswegs besonders eindeutig. Die gewöhnlich mit ihm verbundene Abgrenzung zur Situations- oder Intrigenkomödie trifft ephemere Unterschiede, nicht Gegensätze, die unvereinbar wären. Dennoch muß wohl an dem Begriff festgehalten werden, da er geschichtlich gewirkt hat, indem er sich zumal den »großen« Komödien Molières geradezu als Gütezeichen angeheftet hat, das bestimmte Vorstellungen evoziert. Nach idealtypischem Schema hat solche Komödie in ihrem Zentrum einen Charakter, der aus der »normalen« Gesellschaft durch irgendeine monomanisch verfestigte Eigenschaft sich absondert, wobei die Isolierung selbst das komische Gefälle garantiert. Eine ideologiekritische Betrachtung wird diesen Komödientyp als Apologie des Status quo deuten, da dem Individuum von vornherein Unrecht gegeben wird und es die Abweichungen vom Üblichen und allgemein Verbindlichen nicht selten mit dem Gelächter der Angepaßten bezahlen muß. In dieser Richtung findet die Molière-Kritik Rousseaus einen Teil ihrer Berechtigung: jetzt, im Jahre 1758 der *Lettre à d'Alembert*, werden vor allem die Rechte des Individuums gegen die Gesellschaft verteidigt. Jetzt erscheint als Makel, was Molières Komödien das Ziel war, nämlich der Pakt mit dem vermeintlich gesunden Menschenverstand, um dem »plus grand nombre« zu gefallen. [229]

Die veränderte Beurteilung der Gattung Charakterkomödie ist abhängig von der

* Der Text wird zitiert nach Akt, Szene und Seitenzahl der im Literaturverzeichnis genannten Molière-Ausgabe von Jouanny, Tome I, p. 707—776.

Sozialgeschichte des Bürgertums und sei wenigstens im groben Umriß angedeutet. Die comédie de caractère des 17. Jahrhunderts nimmt die Perspektive *der* Gesellschaft ein, »unvernünftig« und deshalb komisch erscheint dieser verbindlichen Abstraktion gegenüber der einzelne Charakter, d. h. er zählt nicht zu den »honnêtes gens«. Auch die Komödie der Aufklärung geht zunächst noch davon aus, daß »das Ganze« vernünftig sei: die sog. satirische Typenkomödie zeigt mehr oder weniger exzentrische »Lastertypen«, die indes kaum ernstlich eine Bedrohung für den Fortschritt der Gesellschaft darstellen; vielmehr versucht die Intrigenhandlung oft, sie »zurückzuholen«. In dem Maße, wie angesichts der tatsächlichen Entwicklung der bürgerlichen Gesellschaft der absolute Vernunfts- und Humanitätsoptimismus eingeschränkt werden mußte, vollzog sich an der Charakterkomödie — und an ihrer Wertschätzung durch die Zeitgenossen — ein Perspektivwechsel. »Die Gesellschaft« blieb zwar das maßgebende Abstraktum, nur wurde jetzt mehr und mehr auf den einzelnen Charakter emphatisches Gewicht gelegt. Er wurde je nach der Art seiner »Schwächen« zum humoristischen Sonderling oder zum »tragisch« Vereinzelten stilisiert. Die zunehmende Skepsis gegen die als »Widerstand« empfundene Gesellschaft führte dann zu einer ästhetischen Geringschätzung der komischen Genres überhaupt. Molières Leistung wurde auf einen Teil seines Werkes begrenzt und gegen die Aufklärung »verteidigt«, insofern er Charaktere und nicht »bloße Typen« geschaffen habe. Diese sollen dann mehr als »nur komisch« sein, sie werden — wie etwa von Goethe — als »groß und im hohen Sinne tragisch« umgedeutet. [230] Gerade das Ausmaß der Exzentrität des Charakters (in genauer Wortbedeutung: das Ausmaß seiner Entfernung von dem Zentrum der Gesellschaft und ihren Normen), an dem die Molièresche comédie de caractère erst zur Komödie wurde, verbürgt nun den Ausweis einer Individualität, die sich nicht hat nivellieren lassen.

Diese andeutende Übersicht schien notwendig, damit verstanden werden kann, wie genau an der Stelle des *Dom Juan*, an der die »tragische« Interpretation ihren Ansatz sucht (ewig unbefriedigter Sucher des Absoluten, der für sich keine Normen akzeptiert usw.), bei Molière die Intention Komödie sichtbar wird. Gemeint ist die längere Rede Dom Juans bei seinem ersten Auftritt, die deutlich als adresse au public gehalten ist. An deren Schluß heißt es:

j'ai [...] l'ambition des conquérants, qui volent perpétuellement de victoire en victoire, et ne peuvent se résoudre à borner leurs souhaits. Il n'est rien qui puisse arrêter l'impétuosité de mes désirs: je me sens un coeur à aimer toute la terre; et comme Alexandre, je souhaiterois qu'il y eût d'autres mondes pour y pouvoir étendre mes conquêtes amoureuses.

Zum richtigen Verständnis der Stelle muß die direkt folgende Dialogpassage hinzugenommen werden:

Sganarelle Vertu de ma vie, comme vous débitez! Il semble que vous avez appris cela par coeur, et vous parlez tout comme un livre.
Dom Juan Qu'as-tu à dire là-dessus? (I, 2/720)

Das spöttische Wort débiter weist darauf hin, daß als eingelernte und heruntergeleierte Nummer klingt, was Dom Juan zur Charakterisierung seines Wesens äußert. Er hat sich ein Bild gemacht, dem er entsprechen will und das er selbstgefällig zur Besichtigung ausstellt. Auch die Entrüstung (oder vielmehr: gerade sie) empfindet er als schmeichelhaft, der Selbststilisierung ist es stets um das »Qu'en dira-t-on?« zu tun. Weder die Eitelkeit noch die Formelhaftigkeit der Eigenprojektion allein machen Dom Juan zur Komödienfigur, auch nicht der traditionelle Vergleich des Liebhabers mit dem Eroberer, eher schon die exzessive Maßlosigkeit dessen, der auf seinem Gebiet es Alexander gleich tun will. [231] Denn so zeichnet sich die Ruhelosigkeit eines erotischen Sisyphus ab, der sein Ziel, den sinnlich erfüllten Augenblick, nie ganz erreichen kann. Es ist kein durch Vernunft gesteuerter Trieb, der zu dem Leben eines roué bei Hofe führen würde, das sich mit raffinement in zeitlichen und räumlichen Grenzen einzurichten versteht. [232] Dieser Adlige ist ein Abenteurer, immer unterwegs, die ganze Welt möchte gar als Eroberungsfeld nicht reichen, und er zieht einen Schweif von »Verwandten« und Gläubigern nach sich. Komisch ist solcher Charakter, insoweit den honnêtes gens sein Scheitern vorhersehbar dünkt: hier ist offensichtlich einer, der sich übernimmt, der sich nicht an bon sens und mesure zu orientieren versteht.

Soweit das Grundmuster des *Dom Juan* als Charakterkomödie. Dem widerspricht nur scheinbar, daß der Protagonist in keine Situationen verstrickt wird, in denen über ihn gelacht werden könnte. Die zentrale Komödienfigur einer comédie de caractère ist nicht die, die am lautesten lachen macht. Sie ist oft stark problematisiert, wie z. B. Alceste oder eben Dom Juan, doch ist das kein Anzeichen von Tragik. Der Versuch mancher Interpreten, bei solcher Konstellation den Komödiencharakter vor allem durch jene Szenen gewahrt zu sehen, in denen das traditionelle Typenpersonal (Sganarelle, Pierrot, M. Dimanche) dominiert, ist eine Verlegenheit, die dann entsteht, wenn dem Lachen zu große Bedeutung zugemessen wird.

Wesentlich ist dies: die Zentralfigur, die einer Charakterkomödie ihren Namen aufprägt, veranschaulicht eine je besondere Gefährdung des juste milieu; was an ihr komisch ist, ist in erster Linie ihre spezifische Relation zur Gesellschaft. Ein Stück wird zur *Charakter*-Komödie, insofern es den exponierten einzelnen zum Demonstrationsobjekt der Kritik macht — zur Charakter-*Komödie* wird es, insofern das Geschehen den Konflikt zwischen dem einzelnen und der Gesellschaft nur zeigt, um dessen Lösbarkeit zu erweisen. Der Standpunkt Molières ist nie strittig, er ist der der Allgemeinheit gegen den Asozialen. *Daß* die Lösung des Konfikts im Sinne der Allgemeinheit erfolgt, ist die grundlegende Prämisse der comédie de caractère. Wenn dabei die Komödienhandlung nur gewaltsam ihr Ende erreicht, und zwar im einfachen wie übertragenen Wortsinn, ist das kein Zweifel an der Möglichkeit der Lösung, wohl aber ein verstärkter Hinweis auf ihre Notwendigkeit.

Die Interpretation des *Dom Juan* bietet Schwierigkeiten, was die Einheitlichkeit der realisierten Intention Charakterkomödie betrifft. Die Schwierigkeiten liegen vor allem in der Zeichnung Dom Juans als eines gesellschaftlichen Typus'. Das hat mit der üblichen Unterscheidung von Charakter- und Typenkomödie wenig zu tun: auch der Protagonist einer Charakterkomödie ist ein Typus [233], in dem bestimmte, vom Autor für aktuell gehaltene, gesellschaftliche Negativeigenschaften modellhaft konzentriert sind. Gerade die Interpreten, denen der mythische Don Juan teuer ist, haben daher Molières Komödie stets einen Mangel an »Tiefe« bescheinigt. Autoren wie Musset, Stendhal, Baudelaire, zu deren Zeit Don Juan als Symbol des sog. »satanisme« geschätzt wurde, haben immer hervorgehoben, daß Molières Figur ganz nach dem Bild eines Höflings unter Louis XIV entworfen ist. [234] Die Beurteilung trifft zu, drückt aber im Grunde nur etwas Naheliegendes aus. Gesehen werden muß, daß die Abweichung Dom Juans vom juste milieu gegenüber der in anderen Charakterkomödien Molières gestalteten hier sich dadurch unterscheidet, daß sie durch den hohen gesellschaftlichen Standort des Protagonisten erst ermöglicht wird. Molière hätte, um die Schädlichkeit und Gefährlichkeit eines mit derartigen Lizenzen und Privilegien ausgestatteten Lebens wie das Dom Juans zu manifestieren, eigentlich eine Komödienkritik an der feudalen Oberschicht überhaupt schreiben müssen. Der *heutigen* Lektüre will scheinen, als seien dem »Realismus« des Autors auch Ansätze einer solchen Kritik »von unten« gelungen: in einer Gesellschaftsordnung wie der gegebenen muß eben der Diener seinem Herrn auch da behilflich sein, wo das gegen sein Gewissen ist (I, 1/717), muß der Arme den Himmel um den Wohlstand der Reichen anflehen, damit er durch diesen »Umweg« wenigstens zu einem Almosen kommen kann (III, 2/747) [235], und muß ohnmächtiger Vorwurf bleiben, daß die Herren, eben weil sie Herren sind, den Unteren die Frauen wegnehmen (II, 3/735). Diese Momente einer umfassenden Kritik also sind vorhanden, sie bestimmen aber nicht die Tendenz der Komödie.

Eine Kritik an der Aristokratie als Klasse, etwa aus »bürgerlicher« Perspektive, wäre für eine Komödie des Jahres 1665, die auf der Bühne des Théâtre de la Salle du Palais-Royal aufgeführt wird, eine wunderliche Tollkühnheit gewesen. Doch nicht lediglich Opportunismus bzw. verständliche Einsicht in die Gegebenheiten hinderte Molière an einer Komödie aus bürgerlicher Perspektive, sondern diese (deren objektive Voraussetzungen überdies fehlten) war auch nicht die seine. Das utopische Moment der Komödie, von dem aus ihre Kritik erfolgt, richtet sich bei Molière stets auf das wiederhergestellte Gleichgewicht der Welt, so wie sie ist. An keiner Stelle seines Werkes findet sich ein Hinweis dafür, daß Molière einen Standpunkt jenseits der kunstvollen und komplizierten Balance, in der die absolutistische Monarchie die Gesellschaftsklassen hält, eingenommen, für möglich oder gar wünschbar gehalten hätte. Die Kritik der Molièreschen Komödie geht so weit wie die der zeitgenössischen Maximenliteratur, so weit also, wie sie als reformerische Selbstkritik innerhalb der bestehenden Ordnung verstanden werden kann. Im nachhinein allerdings stellt sich heraus, daß die immer wiederkehrenden Themen der Molièreschen Komödien wie der Maximen oder réflexions morales (z. B. amour propre, vanité, hypocrisie) nur vordergründig einzelne Schwächen der condition humaine betreffen, sondern — zusammengefaßt in die Einsicht, sogar die Tugenden seien noch verkleidete Laster [236] — zumindest indirekt das Unbehagen der herrschenden Klasse an ihrer eigenen Lebensführung reflektieren. Die für ihre

Emanzipation kämpfende Bourgeoisie hat sich daher später nicht zu unrecht auch auf Molière berufen können. [237]

Für die *Dom-Juan*-Komödie also gilt, daß in der zentralen Komödienfigur nicht die gesamte noblesse kritisch getroffen werden durfte, daß vielmehr aus der Perspektive von »la cour et la ville« nur eine bestimmte Fraktion kritisiert wird, nämlich die der libertins à la mode und auch die der (faux) dévots. Damit wäre die Intention Charakterkomödie zwar konkretisiert, nicht aber die Ambivalenz ihrer Realisierung geklärt. Diese scheint folgenden Grund zu haben: auch wenn nicht der Adlige überhaupt, sondern nur der oberflächliche libertin der Komödienkritik ausgesetzt wird, so konnten die Träger dieser Kritik trotzdem nicht Diener, Bauern oder Berufsbürger sein. Daher ist Dom Juan in seinen Begegnungen mit den Unteren stets der Überlegene, und die zynische Souveränität des Mannes von Welt wird in vielen Zügen das Einverständnis des »guten« Publikums getroffen haben, wodurch das Grundmuster Charakterkomödie modifiziert wird. Die standestypische Lächerlichkeit der Bourgeois, die alleweil ans Geld denken, ist der europäischen Komödie des 17. Jahrhunderts ohnehin eine derart feststehende Voraussetzung [238], daß Dom Juan als der eigentlich negative Modellcharakter in diesen Szenen zum positiven Identifikationsobjekt werden muß. Nicht einmal die Szene mit dem Pauvre ist unbedingt geeignet, die genügende Distanz zwischen Dom Juan und dem Publikum herzustellen: sie zeigt, daß der »Grand« einfacher Menschlichkeit dann fähig ist, wenn sie in einem »acte gratuit«, der ihn keinen Bindungen und Verpflichtungen aussetzt, bekundet werden kann.

Substantielle Kritik an Dom Juan könnte folglich innerhalb der Komödie nur von seinesgleichen geübt werden, was auch der Fall ist, bzw. im Vergleich zu ihnen aufscheinen — doch hier erweist sich, daß die Faszinationskraft des negativen Helden diesen Vergleich aushält. Amour, honneur, dignité als »spanisch«-absolute Moralbegriffe (personifiziert durch Elvire, ihre Brüder, den Vater), denen das Publikum ideologisch verpflichtet ist, erlauben Dom Juan gleichwohl eine souveräne Replik, die auf die uneingestandene Zustimmung desselben Publikums rechnen darf.

Gegen die Unbedingtheit der Liebenden setzt der verfeinerte Geschmack des Höflings die Bemerkung, Elvire habe nicht ganz die passende Reisekleidung gewählt (I, 2/722). Und der Ehrbegriff etwa des Dom Alonse (»l'honneur est infiniment plus précieux que la vie« III, 4/751) ist schon ein wenig »vieux jeu« und kann zudem die furchtlose Reaktion des »Ehrverletzers« par excellence nicht beeinträchtigen. Dem Vater schließlich, der ihm in einer sentenzenreichen, von corneilianischem Pathos getragenen Rede Vorhaltungen macht (Kernsatz der Alexandriner: »la naissance n'est rien où la vertu n'est pas«), empfiehlt Dom Juan: »Monsieur, si vous étiez assis, vous en seriez mieux pour parler.« (IV, 5/763) Jede dieser Reaktionen hat jene zynische Brillanz, die das höfische Publikum durchaus zu schätzen weiß.

Die Tirade des Dom Louis ist ohne Zweifel die schärfste und radikalste Anklage, welche die Komödie gegen Dom Juan entbietet. Es wäre indessen verfehlt, in ihr eine »Vorwegnahme« des Figaro-Monologs bei Beaumarchais sehen zu wollen. [239] Denn die Berechtigung der Anklage verliert in dem Maße an Gewicht, wie ihr Ausgangspunkt, die Vorstellung vom gentilhomme, anachronistisch geworden ist. Dom Louis' Beschwörung der »gloire des ancêtres«, die Rede vom »éclat de leurs actions« gelten eben jener noblesse d'épée, die noch nicht zu einer noblesse de cour domestiziert worden ist. Seit dem Scheitern der Fronde ist dem alten aristokratischen Idealbild jede Realität ausgetrieben, die Nostalgie der guten alten Zeit ist daher eine schwache Basis für die Verurteilung Dom Juans.

An diesem Punkt lassen sich die Schwierigkeiten genauer definieren, die zur Ambivalenz des *Dom Juan* als Charakterkomödie beitragen. Die honnêtes gens sind zwar gehalten, den Höfling Dom Juan, der vom Hofe wegstrebt, zu verdammen — nichtsdestoweniger gilt ihr geheimes Einverständnis dem subversiven Element des grand seigneur [240], der vita activa, die sich nicht nur in eroticis der Langeweile entzieht. Das Programm des Epikuräers (»songeons seulement à ce qui nous peut donner du plaisir« I, 2/722) kann nun aber nicht darüber hinwegtäuschen, daß solche »Freiheit« — da die politische verloren ist — eine höchst begrenzte ist. Die absolutistische Monarchie wird die Revolte der Dom Juans noch allemal ertragen können: der beste Zuschauer solcher Komödie ist der König selbst, der mit mehr Recht noch als Henri IV sagen könnte: »Encore faut-il leur [= den Adligen] laisser le pain et les putains: on leur a osté tant d'autres choses.« [241] Die Erkenntnis, daß es nicht zuletzt die Maßlosigkeit des Hedonisten ist, die Dom Juan zur komischen Gestalt werden läßt, ist insoweit auch dazu angetan, das höfische Publikum zu frustrieren, weil diese Erkenntnis von der anderen begleitet wird, daß kaum andere Möglichkeiten mehr existieren, der Anpassung an das höfische Zeremoniell zu entgehen.

Dom Juan ist eine beeindruckende Bestandsaufnahme dessen, was höfische Gesellschaft unter Louis XIV bedeutet, so daß die primäre Intention Charakterkomödie davon fast überlagert wird. Sie sei darum noch einmal präzisiert.

Dom Juan ist als Höfling gekennzeichnet (II, 1/728), ist aber kein gewöhnlicher courtisan, sondern eher ein »Grand«, der sich mit der eingeschränkten Rolle der noblesse bei Hofe nicht abgefunden hat. [242] Indem er seine »Größe« ausschließlich im erotisch-privaten Bereich sich zu bestätigen trachtet, wird er durch diese Monomanie auch denen als komischer Charakter kenntlich, die mit seiner diffusen Rebellion teilweise übereinstimmen.

Die Komödie übernimmt die Perspektive von »la cour et la ville«. Ihre Kritik richtet sich auf den Repräsentanten einer bestimmten Fraktion seiner Klasse, die von der goldenen Mitte, wie Molière sie versteht und als Maßstab akzeptiert, sich entfernt. Zwei ideologische Extrempositionen der zeitgenössischen »güten« Gesellschaft werden auf der einen Seite durch die libertins, auf der anderen durch die (faux) dévots bzw. hypocrites vertreten. Beide Positionen, die einander auszuschließen scheinen, vereint die Komödie in ihrer Zentralfigur, und zwar in einer Weise, die weder die libertinistisch-skeptische Philosophie selbst noch die »wahre«, vom Aberglauben gereinigte, Religion in Frage stellt.

Sganarelle spricht von den libertins, die einer bloßen Mode folgen. Zu ihnen, fügt er ironisch hinzu, gehöre sein Herr aber nicht:

Vous savez ce que vous faites, vous; et si vous ne croyez rien, vous avez vos raisons; mais il y a de certains petits impertinents dans le monde, qui sont libertins sans savoir pourquoi, qui font les esprits forts, parce qu'ils croient que cela leur sied bien. (I, 2/721)

Tatsächlich aber ist auch Dom Juan kein überzeugender libertin. Er ist es nur insoweit, wie der Begriff seinen erotischen Lebensstil ideologisch erhöht und rechtfertigt: es handelt sich um »libertinage« in der engen Wortbedeutung, die der Begriff im heutigen Französisch hat. [243] »Je crois que deux et deux sont quatre, Sganarelle, et que quatre et quatre sont huit.« (III, 1/745) Dieses Bekenntnis des »esprit fort« [244] ist als intellektuelle Position ebenso dürftig wie die des an »loup-garou« (I, 1/716) und »moine bourru« (III, 1/745) glaubenden Sganarelle, der mit seinem traditionellen Gottes-»beweis« buchstäblich auf die Nase fällt. (III, 1/746)

Gegen Ende der Komödie häufen sich die Szenen, die Dom Juan als hypocrite zeigen. Dem Vater macht er weis, er sei »revenu de toutes [s]es erreurs« (V, 1/769), darauf folgt der große monologische Entwurf der Heuchelei als eines »vice à la mode« (V, 2/771 ss.) sowie die anaphorischen Repliken gegenüber dem Bruder Elvires, es sei der Himmel, der sich der Verbindung entgegenstelle (V, 3/773 s.). Die Entlarvung des stolzen libertin als eines berechnenden Frömmlers ist durchaus kein überraschendes Element, das der Komödie hinzugefügt wäre, um in die seit einem Jahr dauernde »Querelle du *Tartuffe*« einzugreifen. [245] Vielmehr ist die Heuchelei Dom Juans in der Komödienstruktur von Anfang an latent vorfindbar. Schon in der ersten Begegnung mit Elvire hatte sich Dom Juan in fingierter Reue auf den himmlischen Zorn berufen (I, 3/725). Außerdem gehört die gespielte Aufrichtigkeit ja zum notwendigen Repertoire des Verführers, dem der Satz »c'est du fond du coeur que je vous parle« (II, 2/732) leicht von den Lippen geht.

Der Vergleich des *Dom Juan* mit dem *Tartuffe* ist nicht nur von biographischem Interesse, er bestätigt vielmehr das Konstruktionsprinzip Charakterkomödie. Wenn in jenem Stück unter der Maske des faux dévot plötzlich die Sinnlichkeit hervorlugt, so setzt in diesem der libertin, dessen Sinnlichkeit kein Geheimnis ist, die Maske des dévot auf, sobald es die Situation erfordert. Jeweils ist es der asoziale einzelne, der die Welt der honnêtes gens in einer Weise stört, die ihre Abwehrkräfte überfordert, so daß der König bzw. der Himmel selbst der Komödie zum guten Ende verhelfen muß. Beide Komödien behaupten die dialektische Identität der scheinbar nur kontradiktorischen Positionen von libertin und dévot und nehmen darin das gleichlautende résumé vorweg, das La Bruyère zwei Jahrzehnte später formuliert. [246]

Der Ansatz der Molièreschen comédie de caractère ist zwar konservativ: indem sie am einzelnen demonstriert, was doch in der Gesellschaft nicht nur vereinzelt virulent ist, gibt sie rein quantitativ schon zu erkennen, daß der Status quo stets wiederherstellbar ist und keiner qualitativen Veränderung bedarf. Molières programmatisches Verständnis dieses Komödientyps zielt auf die »Korrektur« innerhalb des Bestehenden. [247] Durch die Präzision in der Ausführung dessen, was da zu korrigieren ist, wächst aber die Möglichkeit, hier die paradigmatischen Züge einer Gesellschaft zu sehen, die schon selbst das Problem geworden ist, das die Charakterkomödie am einzelnen Extremfall als lösbar aufzeigen wollte. Das heißt aber auch: eine Komödie, deren letzte Worte immerhin vom Diener gesprochen werden und »Mes gages! Mes gages!« (V, 6/766) lauten, wäre als Komödie der Feudalität spielbar. Der Text gibt das her — wenn nicht dem Philologen, so doch dem geschickt akzentuierenden Regisseur. [248]

Das heißt nun aber auch: wozu noch eine Bearbeitung? Brechts Notizen zum *Don Juan* verweisen erneut auf die grundsätzliche Problematik des Bearbeitungstypus, denn einerseits argumentiert Brecht »mit« Molière gegen eine bestimmte Molière-Deutung, andererseits will er Molière selbst verändern. Wieder einmal bleibt in der Schwebe, ob etwas schon Vorhandenes unterstrichen werden soll oder ob gegen den Strich in den Text einzugreifen ist. Zunächst formulierte Brecht seine Kritik an der Don-Juan-Figur als Kritik an ihrem Verfasser:

Don Juan ist kein Atheist im fortschrittlichen Sinn. Sein Unglaube ist nicht kämpferisch, indem er menschliche Aktionen fordert. Er ist einfach ein Mangel an Glauben. Da ist nicht eine andere Überzeugung, sondern keine Überzeugung. [...] Wir befinden uns nicht auf der Seite Molières. Dieser votiert für Don Juan: der Epikuräer (und Gassendischüler) für den Epikuräer. [...] Wir sind gegen parasitäre Lebensfreude. Leider haben wir als Lebenskünstler nur den Tiger vorzuweisen. (GW 17, 1258)

Der Standpunkt ist klar. Nur geht er von der Voraussetzung aus, Molière votiere für den Atheismus und das Epikuräertum und damit für Don Juan überhaupt. Diese Voraussetzung wird aber durch den Text Molières nicht bestätigt. Vermutlich hat sich Brecht dem *Dom Juan* in der Weise genähert, daß er, um die eigene Interpretation des Gehalts zu formulieren, sie einer gegensätzlichen Interpretation gegenüberstellte und diese dann mit der Molières identifizierte. In Brechts Notizen zum *Don Juan* zeichnet sich aber auch eine zweite Verständnisstufe ab:

Wir haben von der (Molière näheren) Satire mehr als von der halbtragischen Charakterstudie. Der Glanz des Parasiten interessiert uns weniger als das Parasitäre seines Glanzes. (GW 17, 1260)

Das ist nun schon eine Sicht, die Molière gegen seine Interpreten verteidigen will. Dieser habe eben beides, den Glanz des Parasiten sowohl wie das Parasitäre seines Glanzes hervorgehoben, die eine Seite, die satirische, die »uns« mehr interessiere, sei sogar die Molière nähere. Jetzt ist nicht mehr die Rede davon, daß der Autor die Partei seines Helden ergriffen habe — vielmehr sei fälschlich bewundert worden, was Molière ursprünglich dezidiert kritisch gestaltete:

Der Atheismus des großen Parasiten täuscht viele; sie fallen darauf herein, bewundern ihn, rühmen ihn als fortschrittlich. Aber Molière war weit entfernt davon, seinen Don Juan wegen seines Atheismus als einen vorurteilsfreien Mann zu empfehlen; er verurteilt ihn dafür — entzieht er sich, wie der ganze Hofadel der Zeit, durch seinen zynischen Unglauben lediglich den elementaren sittlichen Anforderungen. (GW 17, 1261)

Demnach würde sich als Generallinie der Bearbeitung abzeichnen, daß sich Brecht in der Kritik an Dom Juan mit Molière teilweise einig weiß, aber — über ihn hinausgehend — die Kritik nicht auf den atheistischen oder epikuräischen Aspekt beschränkt, sondern auf deren gemeinsame Basis, die feudale Lebensweise, ausdehnt.

Im Zentrum der Komödie soll der Parasit stehen — heißt das aber nicht, die gegen die Unproduktivität des Adels gerichtete ideologische Position des frühen Bürgertums zu übernehmen? Welchen Erkenntniswert kann solche, selbst historisch gewordene, Position für eine Bearbeitung Mitte des 20. Jahrhunderts haben? Der Hinweis Brechts zur Aktualität des Themas fällt wenig überzeugend aus:

> Leipziger Philosophiestudenten, welche die Aufführung Bessons diskutierten, fanden die Satire auf die feudale Auffassung der Liebe als einer Jagd noch so aktuell, daß sie mit viel Gelächter über die heutigen Herzensbrecher berichteten. Ich bin überzeugt und hoffe, daß etwa dämonische Seelentöter sie weit weniger interessiert hätten.
>
> (GW 17, 1260)

In dieser oberflächlichen Deutung rückt nicht das historisch Besondere (der Adlige, der nicht um seinen Lebensunterhalt besorgt sein muß und deshalb seine ganze Zeit amoureusen Abenteuern widmen kann) in den Mittelpunkt, sondern der ewige Typ des »Herzensbrechers«. Der nicht auf Monogamie fixierte Mann folge angeblich dadurch einer »feudalen« Auffassung der Liebe als Jagd. Diese vermeintliche Aktualität des »ewigen« Don Juan ist zugleich die Aktualität eines ebenso ewigen Muckertums. Wer solche Äußerungen zustimmend zitiert, rückt in bedenkliche Nähe jenes Ressentiments, das dem homme à femmes den Erfolg auf einem Gebiet neidet, auf dem man selbst nur mit insgeheimen Wünschen zugegen ist. Der Begriff »feudal«, als Vorwurf beibehalten, verhüllte dann nur, daß die gesellschaftliche Beurteilung Don Juans — und die erfordert nun einmal historische Konkretion — durch eine allgemein-»moralische« ersetzt zu werden droht. Was als Beweis für die Aktualität der Bearbeitungskonzeption gelten soll, ist fast geeignet, sie in Frage zu stellen. Allerdings versucht Brecht, das Problem in eine umfassendere Perspektive zu stellen, als die zitierte Anmerkung befürchten läßt. Brecht versucht, der Figur Don Juan in dem Maße aktuellen Gehalt zu entlocken, wie sie als Modell für alles noch bestehende Parasitäre dienen kann.

Die Darstellung dessen, was Brechts *Don Juan* von der Vorlage unterscheidet, sei hier auf einige wesentliche Aspekte begrenzt. [249] Sie betreffen den veränderten Charakter der Zentralfigur, die Relation Don Juans zu seinen Standesgefährten, zu den unteren Standesklassen und, darin eingeschlossen, die Beziehung zu Sganarelle als Herr-Knecht-Verhältnis. Zu erörtern ist ein weiterer Aspekt, der sich für Brecht merkwürdigerweise gar nicht gestellt zu haben scheint: ob nämlich nicht auch positive Momente in der Figur Don Juan entdeckt werden könnten, und zwar gerade dann, wenn eine »marxistische Betrachtungsweise« (GW 17, 1257) reklamiert wird.

Zur Charakterisierung Don Juans:

Neben dem sprachlichen Umriß der Person ist ihr Gestus zu beachten, der die szenische Gestaltung präzisierend festlegt. In Brechts »Notizen zur Inszenierung« heißt es dazu:

Der große Verführer läßt sich nicht zu besonderen erotischen Kunstgriffen herab. Er verführt durch sein Kostüm (und diese Art, es zu tragen), seine Stellung (und die Unverschämtheit, sie zu mißbrauchen), seinen Reichtum (oder seinen Kredit) und seinen Ruf (oder die Sicherheit, die ihm seine Berühmtheit bei sich selbst gewährt). Er tritt auf als sexuelle Großmacht. (GW 17, 1257 f.)

Diese Personenbeschreibung wäre auf den Molièreschen Dom Juan durchaus übertragbar, doch wird, was bei Molière schon angelegt ist, von Brecht theatralisch verstärkt. Als ein Beispiel sei der große Eingangsmonolog des Verführers genannt: er wird von Brecht gekürzt (wie überhaupt das Bestreben festzustellen ist, die längeren Passagen Molières straffend aufzulockern), aber szenisch derart ausstaffiert, daß Don Juan erst einmal nach einem Stuhl verlangt, um mit größerer Bequemlichkeit seinen Alexander-Vergleich anstimmen zu können. Auch wartet Don Juan in Brechts Bearbeitung nicht erst die Replik Sganarelles ab, sondern stellt ohne Übergang die Frage nach dessen Urteil zur eben gehörten Vortragsleistung (GW 6, 2553).

Die eitle Selbstdarstellung verliert hier den Rest von Spontaneität, den sie durch ihre Einbettung in den Dialog bei Molière noch hatte, wird ganz zur reflektierten Arie. Sie ist als solche aus dem Text herausgehoben und verstärkt die negative Charakterisierung: die Möglichkeit, hier einen feurigen Liebhaber zu bewundern, der vom Schwung der eigenen Worte berauscht sich forttragen ließe, ist bei Brecht nicht mehr gegeben. Um das zu unterstreichen, fügt Brecht an späterer Stelle dem Text eine kleine amüsante Szene ein, in der Don Juan mit Hilfe eines gemieteten Orchesters in Gegenwart Sganarelles die Generalprobe einer Verführung abhält (GW 6, 2611 ff.). Daß die Werbung der Tochter des von ihm getöteten Komturs gilt (Angelika, einer gleichfalls von Brecht hinzugefügten Figur), setzt einen weiteren perfiden Akzent, der bei Molière fehlte.

Die Skrupellosigkeit des Erotomanen schert sich wenig um die Mittel, mit denen der Zweck erreicht werden soll. Das wird schon in Molières Komödie deutlich, denn um eine Frau zu erobern, die mit ihrem Geliebten eine Kahnpartie unternimmt, trifft Dom Juan folgende Vorkehrungen:

[...] j'ai une petite barque et des gens, avec quoi fort facilement je prétends enlever la belle. [...] Prépare-toi donc à venir avec moi, et prends soin toi-même d'apporter toutes mes armes, afin que ... (I, 2/722)

Der offen gelassene Satz (Dom Juan wird in diesem Augenblick durch die Ankunft Elvires überrascht) deutet an, daß Dom Juan mit Widerstand rechnet, dem *er selbst* dann mit Waffengewalt begegnen würde; Ruderer und Waffenträger Sganarelle schaffen für *seine* Aktion lediglich die Voraussetzungen. Das heißt: ein Verbrechen wird vorbereitet, doch der davon die Beute einstreichen will, ist immerhin der Hauptakteur. Ganz anders bei Brecht: die sexuelle Großmacht schickt ihre Truppen ins Feld. Drei Ruderer werden angeheuert, wobei die Unterweisung, die ihnen Sganarelle im Gebrauch der Ruderer erteilt, keine Zweifel über die ihnen von Don Juan zugedachte Verwendung läßt.

Die erwähnten Beispiele belegen, wie Brecht die gefährlichen und schädlichen

Züge Don Juans vertieft — gegenüber Molière ist dies allerdings mehr eine graduelle Verschiebung denn substantielle Änderung der Figur.

Die beiden gelungensten szenischen Erfindungen indessen, die die Bearbeitung um Szenen mit stärkerer Handlung und Bühnenwirksamkeit bereichern, nämlich das Ruderer-Motiv sowie der Kleidertausch mit Sganarelle, haben einschneidende Auswirkungen auf die Charakterzeichnung Don Juans. Die Ruderer setzen einen starken optischen und belebenden Akzent. Es wird ausgespielt, wie ihre Fertigkeit im Umgang mit den Waffen in dem Maße wächst, in dem die Honorarvorschläge sich erhöhen (GW 6, 2560 f.). Sie sind im Hintergrund mit ihren Exerzitien beschäftigt, während Don Juan sich der Vorwürfe seines Vaters zu erwehren hat (GW 6, 2562 f.). Ihre spätere Wut über den geprellten Lohn wird dann zur Motivation des Kleidertauschs, denn die Gefahr für Don Juan wird folgendermaßen angekündigt:

Drei Ruderer, die sich mit knapper Not aus dem heutigen Sturm gerettet haben, Sie schreien frech in der Gegend herum, ein edler Herr schulde ihnen 54 Dukaten! Und schwenken in blinder Wut ihre Ruder und verkünden, man habe ihnen beigebracht, mit Rudern umzugehen. (GW 6, 2580)

Die komische Konsequenz, daß Don Juan vor den Geistern, die er selbst gerufen, nun selbst fliehen muß, zeigt Brechts Geschick, die erfundenen Einschübe mit der Handlung zu verknüpfen. So sind bei ihm die Räuber, die bei Molière Don Carlos überfallen, auch niemand anders als die Ruderer. Zum Vergleich sei Molières Komödie betrachtet, wo Dom Juan ebenfalls fliehen muß, doch macht es einen wesentlichen Unterschied, ob die Gefahr von einer Überzahl zur Rache entschlossener Adliger droht (»Douze hommes à cheval vous cherchent« II, 5/741) oder ob sie von drei nur mit Rudern bewaffneten Männern ausgeht. Auch Molière hatte an dieser Stelle erwogen, Dom Juan und Sganarelle die Kleider tauschen zu lassen (II, 5/742), den Gedanken aber nicht ausgeführt. [250]

In Brechts Komödie findet der Kleidertausch statt und unterstreicht in optisch sinnfälliger Weise die Intention, Don Juans Verführungskunst vor allem auf das Kostüm des Adligen zurückzuführen: sobald ein potentielles Opfer in sein Blickfeld gerät, drängt der Herr den Knecht, den Kleidertausch rückgängig zu machen, sobald aber eine gefährliche Situation naht, nimmt er davon wieder Abstand. (GW 6, 2587) Das führt zu bühnenwirksamen Intermezzi, soll indes nach Brechts Absicht in erster Linie beweisen, daß Don Juan ein Feigling ist, damit von der möglichen Idealität der Figur nichts mehr übrig bleibt.

Die entsprechenden Szenen bei Molière und Brecht seien des Kontrasts wegen zitiert. Molière läßt die Szene mit dem Pauvre und die mit Dom Carlos folgendermaßen ineinander übergehen:

Va, va, je te le donne pour l'amour de l'humanité. Mais que vois-je là? un homme attaqué par trois autres? La partie est trop inégale, et je ne dois pas souffrir cette lâcheté.
(*Il court au lieu du combat.* (III, 2/748)
Sganarelle Mon maître est un vrai enragé d'aller se présenter à un péril qui ne le cherche pas; mais ma foi! le secours a servi, et les deux ont fait fuir les trois. (III, 3/748)

Die tapfere Spontaneität des Molièreschen Dom Juan unterstreicht das vorhergehende »pour l'amour de l'humanité«, ohne daß deshalb Dom Juan zu einem für Molière positiven Helden würde. Er sah lediglich keinen Anlaß, die aristokratische Tapferkeit in Frage zu stellen, wie immer auch sonst Dom Juan eine sozial schädliche und verwerfliche Persönlichkeit ist. Zu Dom Carlos (»l'épée à la main«) kann der Molièresche Dom Juan (»revenant l'épée à la main«) deshalb sagen:

Je n'ai rien fait, Monsieur, que vous n'eussiez fait en ma place. Notre propre honneur est intéressé dans de pareilles aventures, et l'action de ces coquins étoit si lâche que c'eût été y prendre part que de ne s'y pas opposer. (III, 3/748)

Es wird noch zu erörtern sein, wie gerade diese Stelle eine tiefere Interpretation zum gesellschaftlichen Gehalt der Komödie ermöglicht. Vorerst ist festzuhalten, daß in der Darstellung Molières drei Räuber einen Adligen angreifen, ein anderer kommt ihm zu Hilfe, Sganarelle sieht zu, doch die tapferen Degenkämpfer sind ihren Angreifern mit der Waffe ebenso überlegen wie durch ihren gesellschaftlichen Rang. Und so ist die Szene bei Brecht:

Don Juan Was ist das? Ein Edelmann, von drei Rüpeln angefallen!
Sganarelle Die Ruderer!
Don Juan Der Kampf ist zu ungleich; eine solche Feigheit kann ich nicht mit ansehn. Komm dem Mann sofort zu Hilfe! Ich selbst schlage mich nicht mit Leuten, die mit Balken zuhauen. In den Kampf, Schurke!
Er gibt Sganarelle einen Fußtritt, der diesen auf den Kampfplatz befördert, und geht abseits. (GW 6, 2587)

Brecht läßt sich nicht entgehen, die Kampfszene pantomimisch auszuspielen, Sganarelle vertreibt die Ruderer mit Gebrüll, bleibt dabei nicht unversehrt, da taucht Angelika auf, und das bedeutet wieder Kleiderwechsel für Don Juan. Darauf folgt dann der Dialog der Adligen:

Don Carlos wenn Don Juan fertig angezogen ist: Erlauben Sie, mein Herr, daß ich Ihnen meinen Dank abstatte für ihre hochherzige Aktion und Ihre ...
Don Juan sich ungeduldig umblickend: Ich habe nur getan, mein Herr, was Sie an meiner Stelle auch getan hätten.
Sganarell beiseite: Nämlich nichts.
Don Carlos Tatsächlich genügte Ihr Auftauchen. Ihre gebieterische Erscheinung, Ihre Stimme, gewohnt des Befehlens ...

Don Carlos berichtet, wie es zu dem Zwischenfall kam; nachdem die Ruderer ihm die Geschichte ihres erlittenen Betruges durch einen Edelmann vorgetragen hatten, reagierte er so:

Als ich ihnen Vorhaltungen machte über die schändliche Beschimpfung unseres Standes, ließen sie sich zu solchen Injurien hinreißen, daß ich sie, ungeachtet ihrer Überzahl, bestrafen wollte. (GW 6, 2589)

Von der Tapferkeit der noblesse d'épée bei Molière hat Brecht nichts übriggelassen. Bei ihm entzieht sich der eine Adlige, Don Juan, der Gefahr, und der andere muß sich keines schnöden Überfalls erwehren, sondern der Prügel, die er durch seinen aristokratischen Hochmut provoziert hat. Brecht gewinnt der Szene

Modellcharakter ab: den eigentlichen Kampf führen die Unteren, und zwar nicht für ihre eigenen Interessen. Die gemeinsame Sache machen müßten, nämlich Sganarelle und die Ruderer, treten gegeneinander an, notgedrungen, und bleiben als geschlagene Helden zurück. Die Ruderer ziehen ab, weiterhin ohne Lohn, und Sganarelle hat weder von seinem Herrn noch von Don Carlos Dank zu erwarten. Als das von Brecht gewünschte Fazit ließe sich formulieren, daß die parasitäre Existenz der Adligen sich nicht in elitärer Abgeschiedenheit verwirklicht, sondern die unteren Ständeklassen als unfreiwillige Werkzeuge aristokratischer Anmaßung — äußere sich diese nun als Liebesdrang oder als »Ehre« — benutzt.

Das Ruderer- und Kleidertausch-Motiv ist recht ausführlich nachgezeichnet worden. Die zitierten Stellen mögen gezeigt haben, daß es Brecht gelungen ist, die negative Charakterisierung Don Juans in einer Weise zu vollenden, die ihn als eine im engeren Wortsinn viel komischere Figur als bei Molière erscheinen läßt. Auch ist nicht zu bestreiten, daß die Einschübe für eine stärkere Turbulenz der Handlung sorgen und sich gleichwohl der Komödientendenz überzeugend einpassen. Dennoch sei die Frage gestellt, ob der Gedanke, Don Juan als Feigling darzustellen, wirklich so rundherum glücklich ist. Es braucht nicht einmal der psychoanalytische Gesichtspunkt geborgt zu werden, um zu erkennen, daß ein tollkühner Don Juan, der sozusagen in Dauerbereitschaft steht, den Degen zu ziehen, der »passendere« Charakter wäre — was eine komische Intention keineswegs ausschließt! Hätte Brecht seine Bearbeitung tatsächlich, so wie er es vorgibt, »nach möglichst genauer Prüfung des Textes unter der Berücksichtigung der Dokumente von Molières Zeit und seiner Stellung zu dieser Zeit« (GW 17, 1257) angefertigt, so hätte er ein wichtiges Problem der Molièreschen Komödie nicht nur nicht übersehen, sondern in ihm auch leicht den Ansatz finden können, eine *seiner* Intention entsprechende Gestaltung des »gesellschaftlich-komischen« Moments in der Figur Don Juan zu liefern. Es handelt sich um das *Problem der Ehre* bzw. des *Duells*.

Molière deutet an, daß Dom Juan den Commandeur im Duell getötet hat (»Ne l'ai-je pas bien tué? [...] J'ai eu ma grâce de cette affaire.« I, 2/721 s.)

Der geschichtliche Hintergrund ist bekannt: Richelieu hatte das Verbot der Duelle gegen den Adel durchgesetzt, doch behielt das Problem während des ganzen Jahrhunderts seine Brisanz. Im Gegensatz zu Corneille vertritt Molière, eine Generation später, den vom Hofe gewünschten offiziellen Standpunkt, jedenfalls insofern, als er die vermeintlich selbstverständliche Verbindung von aristokratischer Ehre und Duell nicht akzeptiert. In der Figur des Dom Carlos gibt sich in Molières Komödie der Standpunkt der noblesse de cour als bon sens zu erkennen, mit dem sie sich von der eigenen großen Vergangenheit distanziert. Das Ethos der alten noblesse d'épée, dessen vehementer Herold der Autor des *Cid* gewesen war, kann der neuen »Vernunft« nicht standhalten, zu deren Fürsprecher sich Molière macht.

Die entscheidend wichtige Stelle findet sich in der dritten der fünf Szenen des dritten Akts, also ziemlich genau im Zentrum der fünfaktigen Komödie. Im Dialog mit Dom Juan beklagt Dom Carlos den Ehrenkodex seines Standes, der ihn zum

Duell zwingt. Molière läßt Dom Carlos aussprechen — und unterscheidet ihn damit auch von seinem fanatischen Bruder Dom Alonse — daß der Adlige, je verpflichtender er den ständischen Ehrbegriff auffaßt, sich in desto größere Abhängigkeit von den Launen anderer begibt, auf die er dann zu reagieren gezwungen ist:

[...] nous nous voyons obligés, mon frère et moi, à tenir la campagne pour une de ces fâcheuses affaires qui réduisent les gentilshommes à se sacrifier, eux et leur famille, à la sévérité de leur honneur, puisque enfin le plus doux succès en est toujours funeste, et que, si l'on ne quitte pas la vie, on est contraint de quitter le Royaume; et c'est en quoi je trouve la condition d'un gentilhomme malheureuse, de ne pouvoir point s'assurer sur toute la prudence et toute l'honnêteté de sa conduite, d'être asservi par les lois de l'honneur au dérèglement de la conduite d'autrui, et de voir sa vie, son repos et ses biens dépendre de la fantaisie du premier téméraire qui s'avisera de lui faire une de ces injures pour qui un honnête homme doit périr. (III, 3/748 s.)

Wichtig ist zwar, daß Dom Carlos es dennoch auf sich nimmt, gemeinsam mit dem Bruder die verletzte Familienehre »wiederherzustellen«. Wichtiger ist, daß er es als derart Resignierender tut, obwohl es sich immerhin um die Ehre seiner von Dom Juan verführten und verlassenen Schwester handelt. Entscheidend aber ist der Gehalt der Reflexion selbst. Die Ehre — nach Hegels Wort »das schlechthin *Verletzliche*« [251] — wird hier in fast jedem Wort als drückende Last spürbar: être obligé, réduit, contraint, asservi, dépendre, périr sind allesamt Vokabeln, die das Subjekt niederzwingen. Die Ehre erscheint dem »honnête homme« — und dieser Begriff scheint hier mit Bedacht gewählt [252] — geradezu als Unvernunft, da sie ihn in die Unfreiheit bloßen Reagierens drängt.

Darauf nun die Replik Dom Juans:

On a cet avantage, qu'on fait courir le même risque et passer mal aussi le temps à ceux qui prennent fantaisie de nous venir faire une offense de gaieté de coeur. (III, 3/749)

Dom Carlos empfindet die Ehre als das ihm Fremde, das Auferlegte, das sein Selbst reduziert — Dom Juan sieht in ihr das Positive, mit dem er sich in *aktiver* Selbstverwirklichung identifizieren kann. Mit den Worten Hegels zu reden:

In der Ehre aber haben wir nicht nur das Festhalten an sich selber und das Handeln aus sich, sondern die Selbständigkeit ist hier verbunden mit der *Vorstellung von sich selbst;* und diese Vorstellung gerade macht den eigentlichen Inhalt der Ehre aus, so daß sie in dem Äußerlichen und Vorhandenen das Ihrige und sich darin ihrer ganzen Subjektivität nach vorstellt. [253]

Dom Carlos vertritt die Ideologie der noblesse de cour, die sich im zentralen Begriff des honnête homme auch der der »ville« nähert, während Dom Juan, der »Grand«, gemäß dem Selbstverständnis seiner »Freiheit« und Lebensführung an der Ideologie der alten noblesse d'épée festhält und nach ihr handelt.

Somit erscheint die Begründung, die er seinem helfenden Eingreifen gibt (»Notre propre honneur est intéressé«), in neuem Licht. An dieser Stelle kann ein weiteres Zitat aus Hegels *Ästhetik* eingerückt werden, das sich wie ein direkter Kommentar liest:

Der Mann von Ehre denkt daher bei allen Dingen immer zuerst an sich selbst; und nicht, ob etwas an und für sich recht sei oder nicht, ist die Frage, sondern, ob es ihm gemäß sei, ob es seiner Ehre gezieme, sich damit zu befassen oder davon zu bleiben. Und so kann er auch wohl die schlechtesten Dinge tun und ein Mann von Ehre sein. [254]

Dom Juan, der »Ehrverletzer« par excellence, ist der uneingeschränkte Vertreter des alten Standesbewußtseins und damit auch ein Befürworter des Duells. Die spezifische historische Bedeutung des Duells lag ja gerade darin, daß der Adel an ihm als an dem letzten Fetisch seiner ehemaligen Autonomie festhalten wollte. Es war ein »Symbol der individuellen Freiheit, wie sie im Rahmen einer Kriegertradition verstanden wird, nämlich der Freiheit, sich gegenseitig zu verletzen oder zu töten, wenn ihnen [= den Adligen] der Sinn danach steht [...], ein Symbol der Revolte von Eliteschichten gegen die zunehmende Staatskontrolle, die immer mehr dazu neigt, alle Bürger dem gleichen Gesetz zu unterwerfen«. [255]

Molière plädiert für den bon sens des honnête homme gegen die Hybris eines Dom Juan. Der Blick des Dialektikers wird allerdings nicht übersehen, daß Molière dabei als notwendigen Fortschritt zur »Vernunft« betrachtet, was in der Realität der höfischen Gesellschaft unter Louis XIV die dem Adel *aufgezwungene* Position war, in die sich seine Machtlosigkeit zurückzog.

Der reale gesellschaftliche Prozeß der Entmachtung des Adels bildet in der Weise das Sediment der Molièreschen Komödie, in der dessen ideologische Ausdrucksformen reflektiert werden. Die Ideologie der alten noblesse d'épée erscheint als anachronistische, und zwar sowohl in ihrer sittlichen Komponente als »vertu« (Dom Louis) wie in ihrer heroischen als »honneur« (Dom Juan). In der Komödie des libertin und hypocrite Dom Juan wäre demnach der Kern einer Komödie angelegt, deren Thema der Abschied von der Aristokratie überhaupt ist. Eine solche Komödie war aber deshalb nicht möglich, weil die Perspektive, aus der heraus die alte Adelsherrlichkeit kritisiert wird, eine selbst noch überwiegend adlige war. Die Sicht der noblesse de cour auf ihre eigene Vergangenheit ist aber durch Sympathie getrübt und führt — indem der Figur Dom Juan ein partielles Recht gelassen wird — zur Ambivalenz ihrer Ausstrahlung.

An dieser Stelle hätte Brecht ansetzen können, indem er nicht nur die Aura des adligen Don Carlos zerstört, auch ihm die elitäre Standesanmaßung unterschiebend, sondern darüber hinaus einen allzeit kämpferischen und händelsuchenden Don Juan zeigt. Die spezifisch aristokratische Tapferkeit ist ja, um noch einmal Hegel zu zitieren, keine sozial positive Komponente:

Denn die persönliche Selbständigkeit, für welche die *Ehre* kämpft, zeigt sich nicht als die Tapferkeit für ein Gemeinwesen und für den Ruf der Rechtschaffenheit in demselben oder der Rechtlichkeit im Kreise des privaten Lebens; sie streitet im Gegenteil nur für die Anerkennung und die abstrakte Unverletzlichkeit des einzelnen Subjekts. [256]

Weder die Verwerflichkeit noch die Komik der Figur brauchten geopfert zu werden, wenn Brecht Dom Juan die Tapferkeit beließe: »sein« Don Juan könnte sich ja z. B. in seiner »Ehre« verletzt fühlen, wenn einer nicht freiwillig seine Frau herausrücken will, ihn dann niederstechen usw. Anstatt einen duellwütigen Arzt Marphurius zu erfinden (GW 6, 2578 ff.), hätte es auch ein duellwütiger Don Juan getan. Das »Gesellschaftlich-Komische« wäre dadurch jedenfalls genauer getroffen als durch die schematische Gleichsetzung: Don Juan ist Parasit und daher auch feige, die sich lediglich auf die »allgemein-menschliche« Unterscheidung zwischen tapfer und feige stützen kann.

Kleiner Exkurs zur Bettlerszene:

»Wichtig ist, daß man, wenn man ändert, den Mut und die Geschicklichkeit haben muß, genügend zu ändern.« (GW 16, 605) Dieser Satz von Brecht ermuntert zu einer Reflexion über Molières Szene III, 2, die in Form einer trouvaille mitgeteilt sei, um auf die Möglichkeit hinzuweisen, wie Brecht den Charakter Don Juans mit nur leichtem Eingriff hätte stärker ändern können. Denn nicht, *daß* Brecht den Charakter in seinem Sinn umgestaltet, ist zu kritisieren, sondern die Mittel sind es, z. B. das Motiv Feigheit, die er zu diesem Zweck verwendet.

Brecht war bemüht, in der Bettlerszene jede Möglichkeit einer positiven Wirkung Don Juans auszuschalten, wie aus dem entsprechenden Lob hervorgeht, das er der Inszenierung Bessons (einer Inszenierung des Molièreschen Stücks) erteilt:

In der berühmten Bettlerszene, die bisher dazu benutzt wurde, Don Juan als Freigeist und damit fortschrittlichen Typ hinzustellen, zeigte Besson lediglich einen Libertin, zu arrogant, irgendwelche Verpflichtungen anzuerkennen, so daß sichtbar wurde, wie die herrschende Clique sich auch über den staatlich konzessionierten und befohlenen Glauben hinwegsetzte. (GW 17, 1261)

Zwar heißt das »Va, va, je te le donne pour l'amour de l'humanité« jetzt: »Ihr Dummköpfe! Da! Ich gebe ihn dir [= den Louisdor] aus Liebe zur Menschlichkeit.« (GW 6, 2586) Wo bei Molière der Atheist dem Gläubigen gegenübertritt, wird bei Brecht durch Don Juans Anrede *beider* Gesprächspartner der Eindruck gestützt, als breche der blasierte Adlige gerade eine Sache ab, die ihm langweilig wird. Diese textliche Hilfe ist aber zu schwach, um Brechts Intention sinnfällig zu unterstreichen.

Erwähnt wurde bereits, daß Molières Dom Juan nicht als ein roué der Régence-Zeit interpretiert werden darf. Ein Vergleich mit dem Vicomte de Valmont macht den Kontrast da besonders sichtbar, wo es sich um ein ähnliches Motiv handelt: jeweils erweist der adlige Verführer seine Großmut durch eine den Armen gewährte Geldspende, und jeweils verfolgt er dabei eine nicht uneigennützige Absicht. Ist diese bei Molières Dom Juan aber lediglich der amour-propre des sich als Atheisten gefallenden Aristokraten, der sich in einer spontanen Handlung kundtut, so ist die Tat Valmonts in exaktem raffinement lang vorhergeplant und um des günstigen Eindrucks willen ausgeführt, den sie auf sein »Opfer«, Mme de Tourvel, machen soll. Valmont, als Schauspieler, der bei seinem Spiel sich zusieht, registriert und reflektiert nun noch die Wirkung, die er selbst verspürt:

Je serais tenté de croire qu'il y a vraiment du plaisir à faire du bien et qu'après tout ce que nous appelons les gens vertueux, n'ont pas tant de mérite qu'on se plaît à nous le dire. [257]

Die gesellschaftskritische Einsicht des Autors Laclos, der die Tugend der Wohltäter durchschaut, wird nicht dadurch gemindert, daß er sie von dem roué, der die wirklich Bedürftigen nur als Dekor seiner Gefühle und Absichten benutzt, selbst erkennen und formulieren läßt. Denn das entspricht nur der Struktur dieses Briefromans, in dem die Skrupellosigkeit der Personen sich in der Eigenanalyse mitteilt, die das Thema ihrer Briefe ist. Interessant ist der Kommentar Baudelaires zu dieser Stelle:

Don Juan devenant Tartuffe et charitable par intérêt. Cet aveu prouve à la fois l'hypocrisie de Valmont, sa haine de la vertu, et, en même temps, un reste de sensibilité par quoi il est inférieur à la Merteuil, chez qui tout ce qui est humain est calciné. [258]

Der Zusammenhang von libertinage und hypocrisie ist auch in Molières *Dom Juan* gegeben und dort Komödienthema. Daß aber mit Baudelaire in der Figur Valmont tatsächlich (relativ zu Mme de Merteuil) noch ein Rest von menschlichem Empfinden entziffert werden kann, zeigt, zu welch veränderten Maßstäben die radikale Adelskritik des Romans von 1782 zwingt. Die Grundlage einer solchen Kritik war im Jahre 1665 derart weder objektiv (von den Verhältnissen) gegeben noch subjektiv (von Molière aus gesehen) möglich. Brecht aber, dem es in seiner Bearbeitung um die Demaskierung alles Parasitären im konkreten Modell des Adligen geht, hätte sich mit großem Nutzen von dem Motiv, so wie es in den *Liaisons dangereuses* dargestellt ist, inspirieren lassen können.

Das »Gesellschaftlich-Komische« der Bettlerszene wäre noch eindringlicher herausgekommen, wenn Brecht als stummen Zeugen von Don Juans Barmherzigkeit die von ihm umworbene Angelika auf der Bühne placiert hätte. Der kritische Gehalt wäre intensiviert: die Szene zeigte dann in modellhafter Konzentrierung, wie der Repräsentant der Aristokratie (deren parasitäre Existenz direkt für die Armut der unteren Stände verantwortlich ist) den Armen lediglich zum Anlaß nimmt, sich als Wohltäter aufzuspielen. Jede Idealität (d. h. der Aspekt des fortschrittlichen Atheisten), die Brecht in der Szene verhindern wollte, wäre von der Figur Don Juan genommen und durch einen materiellen Gesichtspunkt ersetzt, nämlich den, Angelika zu imponieren. Ohne textliche Änderung würde das »Spiel im Spiel« dem Komödiencharakter des Ganzen zugute kommen, und Brecht könnte dann auch den zitierten Übergang, den Molière hier vorsieht, wortgetreu übernehmen, weil die Motivation verändert wäre: Don Juan käme dem brdrängten Don Corlos zu Hilfe, weil das vor den Augen Angelikas geschähe. Das von Brecht erfundene komische Moment, daß der dankbare Don Carlos unbeabsichtigt Don Juan daran hindert, Angelika nachzueilen, könnte dann beibehalten werden usw. Der Rezensent braucht, nach Lessings Wort, »nicht besser machen zu können, was er tadelt« [259], und es sei auch eingestanden, daß der Vorschlag, wie der Autor »besser« hätte verfahren können, in einer literaturwissenschaftlichen Untersuchung nicht recht am Platz ist. Die Rechtfertigung soll hier aber in dem Nachweis liegen, wie unglücklich Brechts Gedanke eines feigen Don Juan ist. Und der Nachweis gewinnt eben an Gewicht, wenn eine andere Möglichkeit skizziert werden kann, die den Charakter der Figur ebenfalls, und zwar gerade in Brechts Sinn, verändert, aber dabei näher am historischen Modell bleibt und zudem das »Gesellschaftlich-Komische« verstärkt.

Don Juans Relation zu den Adligen:

Es sei nochmals wiederholt, daß Molières Komödie eine differenzierte Abstufung innerhalb der noblesse zeigt (die hochherzige Elvire, der unbeherrschte Dom Alonse, der vernünftige Dom Carlos, der pathetische Vater), der eine je besondere Attitude Dom Juans korreliert —, während Brechts Don Juan mit seinen Standesgenossen auf dieselbe parasitäre Basis gestellt ist. Damit nicht gar zu viel umgeschrieben werden muß, kommt der Regisseur Brecht dem Textbearbeiter Brecht zu Hilfe:

> Gewisse Vorgänge können durch die Musik Lullys untermalt werden. Die Unterredungen mit Donna Elvira im ersten und letzten Akt verlieren durch die Musik den tragischen und gewinnen einen schicklicheren melodramatischen Charakter. Zu dem Auftritt des rächenden Bruders (Don Alonso) im dritten Akt paßt sehr gut das Hörnerhalali.
>
> (GW 17, 1258)

Die stärksten Veränderungen betreffen die Figur des Vaters, der in Molières Komödie — wie relativiert auch immer — die schärfste Verurteilung Dom Juans formuliert hatte. Seine Tirade wird bei Brecht nicht nur dadurch szenisch abgeschwächt, daß im Hintergrund die angeheuerten Ruderer exerzieren, sondern Brecht hat auch alle Maximen über die wahren Tugenden eines gentilhomme gestrichen. Brechts Don Luis ist weniger moralisch indigniert als darüber entsetzt, daß er, um die Skandalgeschichten des Sohnes zu vertuschen, allmählich die Huld des Königs zu verlieren droht. Nicht ein zutiefst getroffener Vater beschwört bei seinem Abgang den himmlischen Zorn auf den schändlichen Sohn herab, sondern Brechts Don Luis sucht das Weite, als der Sohn ihn wieder anpumpen will. (GW 6, 2563) Diesem Vater als einem der Adligen geht es lediglich um die »apparences«; so ist er, als Don Juan reuige Einsicht fingiert, nicht mehr — wie bei Molière — ergriffen, sondern nur erleichtert, daß die Unannehmlichkeiten für ihn abnehmen werden. (GW 6, 2607 ff.) Was Don Luis und Don Juan verbindet, ihre Standeszugehörigkeit, kommt in Brechts Bearbeitung auf Kosten dessen stärker heraus, was im einzelnen sie trennt.

Die Differenz Don Juans zu den Adligen ist nurmehr eine graduelle: in seiner Figur sind bloß die negativen Züge besonders konzentriert, mit denen Brecht den Adel insgesamt kennzeichnet.

Don Juans Relation zu den unteren Ständen:

Die beiden Glanznummern Don Juans, in denen die Eloquenz des Mannes von Welt brilliert — die ballettartige Szene mit den auf sein Eheversprechen hoffenden Bäuerinnen (II, 4) sowie die Abfertigung des Gläubigers Dimanche (IV, 3) — hat Brecht beibehalten, obwohl in ihnen der Aspekt zynischer Skrupellosigkeit hinter dem einer charmanten Insolenz verschwindet. Allerdings verzichtet er auf die amüsante Szene Molières, in der Sganarelle als gelehriger Schüler seines Herrn nun ebenfalls den Bourgeois düpiert, weil Brecht die Möglichkeit eines geheimen Einvernehmens Sganarelles mit seinem Herrn ausschließen will. Den Bauern hat Brecht den ihnen von Molière zugewiesenen diskriminierenden Dialekt genommen, und er bemüht sich überhaupt, wie z. B. durch die Erfindung der Ruderer, zu demonstrieren, auf wessen Kosten die Lebensweise des Adels geht.

In diesem Sinn wird auch das Schlußtableau ausgestaltet. Nach dem strafenden Ende (welches Spektakel Brecht zusätzlich ironisiert: »seinen Hut vergeblich festhaltend, fährt Don Juan in die Tiefe«), stürzen nahezu alle Personen der Komödie noch einmal auf die Bühne und beklagen, daß sie noch durch des Parasiten Tod die Geprellten sind. Dann aber heißt es:

Alle stehen erschüttert vor dem Loch. Aus der Höhe nieder flattert langsam Don Juans Hut.
Sganarelle Mein Lohn! Mein Lohn! (GW 6, 2615)

Die materialistische Volte des um seinen Lohn betrogenen Dieners stand bereits am Schluß der Molièreschen Komödie, bevor sie der Zensur zum Opfer fiel. Brechts Bearbeitung zeigt hier eine merkwürdige Inkonsequenz: einerseits soll dargelegt werden, daß nicht nur Sganarelle die Zeche des Parasiten bezahlen muß, sondern daß die Zahl der Abhängigen weit größer ist. Darum schließlich hatte Brecht mehrere Personen hinzugefügt: »das Volk« wird gegenüber Molières Komödie quantitativ verstärkt. Auf die Bühne stürzen also der Diener La Violette, der Kaufmann Dimanche, die Köching Serafine, die Ruderer und Fischermädchen — sie alle sind in gleicher Weise um den Lohn ihrer Arbeit betrogen. Andererseits aber reiht Brecht, wahrscheinlich durch den Gedanken verführt, einen bühnenwirksamen Schluß im hektischen Bewegungsstil der Commedia dell'arte zu inszenieren, auch die Fraktion der Adligen (mit Ausnahme Elviras) in den Reigen des Schlußtableaus ein. So treten neben die direkt materiell Geschädigten diejenigen, die in vermeintlich »höheren« Belangen (Familienehre, Respekt gegen den Vater) beleidigt wurden. Da Brecht mit einer solchen Einebnung der Interessen nicht schließen will und kann, schreibt er vor, »alle« seien erschüttert, um dann dem einen Sganarelle, der gegen die allgemeine Emotion den materialistischen Sinn behauptet, das letzte Wort zu geben. Damit ist allerdings der Molièresche Schluß wieder erreicht, der doch sozial vertieft werden sollte.

Das Herr-Knecht-Verhältnis.

Don Juan ist der Seigneur, Sganarelle der Servant. Das Herr-Knecht-Modell weckt Assoziationen philosophischer Art, die an die *Don-Juan*-Bearbeitung bestimmte Erwartungen knüpfen läßt-, was insofern berechtigt ist, als Brecht nicht nur eine beachtliche Kenntnis Hegels und Marx' besitzt, sondern schließlich auch der Autor von *Herr Puntila und sein Knecht Matti* ist.

Über die Seite des Herrn war bislang die Rede, die Seite des Knechts bleibt zu erörtern. Das Theater Molières zeigt eine differenzierte Vielfalt von Dienern und Zofen, die ihren Herren oft geistig überlegen sind, die Intrigen einleiten und deren

Verlauf überwachen. Sie sind das eigentlich aktive Potential der Komödie, auch wenn sie in der Regel nicht einmal für die eigenen Interessen agieren, sondern die gefährlichen bzw. bornierten Heuchler demaskieren müssen, um dem herrschaftlichen jungen Paar zu seinem Glück zu verhelfen. Dann ist am Ende der Komödie die Hochzeit der »füreinander Bestimmten« die Chiffre, in der personelles Glück und allgemeiner bon sens identisch werden, die Zukunft meldet sich als verheißungsvoll. Nun ist es eine Sache, Molière eine naturgeschichtliche Auffassung von Gesellschaft nachzuweisen (als könnte diese, wenn nur *alle* recht »vernünftig« sind, ein ewiges Gleichgewicht bewahren). Die positive Utopie Molières zielt auf die *Reform* des Bestehenden, die Diener bleiben Diener, nur daß sie »bessere« Herren bekommen haben. In dem so sieghaft beglückenden Schluß verbirgt sich die Wiederkehr des Gleichen, wenn auch auf »höherem« Niveau. Eine andere, wesentlichere Sache aber ist, daß die naturgeschichtliche Harmonievorstellung zwar die grundlegende Prämisse der Molièreschen Komödie ist, nicht indessen von selbst sich verwirklicht, sondern eben von den Dienern erst in Realität übersetzt werden muß.

Auf den ersten Blick wird deutlich, daß Sganarelle nicht recht in das skizzierte Bild passen will. Deshalb, und weil in der Molière-Literatur häufig in flüchtiger Weise das Vorbild der Commedia dell'arte für Molières Dienerfiguren erwähnt wird, sei an dieser Stelle ein Exkurs zur historischen Entwicklung und gesellschaftlichen Bedeutung des Dienerpersonals in der Komödie eingeschoben, der auch dem Verständnis der Brechtschen Komödien dienen soll.

Auch wenn das spezifische Herr-Knecht-Verhältnis nicht deutlich ausgeprägt ist, bleiben alle Dienerfiguren der Komödie prinzipiell durch die Abhängigkeit vom jeweiligen Herrn bestimmbar. Für die Komödienliteratur insgesamt ist charakteristisch, daß die Typologie des Dienerpersonals vielgestaltiger als die der Oberen entfaltet ist. Das ist ein merkenswertes Phänomen: die Unteren sind durch die sog. Ständeklausel eindeutig diskriminiert, doch zugleich gilt das Interesse des Publikums und seine Sympathie stets den Dienern als den Abhängigen. Diese sorgen für die Bewegung, sind das treibende Element, ihre Waffe ist die List, »das Erbteil der Schwachen«. [260] Sie sind das konkrete und deshalb auch je spezifizierte Moment der Komödie, wohingegen die Herren in der Regel blasser gezeichnet sind: es scheint in vielen Komödien so, als ob ihr Hauptcharakteristikum, eben die Herrschaft, genügt.

Was das bürgerliche wie das »einfache« Publikum mit den Dienerfiguren ins Einvernehmen setzt, ist die mehr oder weniger bewußte Erkenntnis der gemeinsamen Abhängigkeit und dessen, wie man sich in ihr einrichten kann. Dabei sind die Dienerfiguren nicht im Sinne einer »Widerspiegelung« realer gesellschaftlicher Verhältnisse zu interpretieren. Vielmehr muß die gesellschaftliche *Vermittlung* beachtet werden, um jeweils verstehen zu können, warum gerade zu dieser bestimmten Epoche gerade diese bestimmte Dienerfigur in der Komödie dominiert. In der Literaturwissenschaft gibt es manche vorzügliche Arbeit zu diesem Thema [261], deren Materialreichtum allerdings mehr unter gattungshistorischer Sicht zusammengetragen wurde. Insofern der wesentliche Aspekt der gesellschaftlichen Vermittlung wenn nicht übersehen, so doch vernachlässigt wurde, bleibt das Desiderat einer Analyse der Dienerfiguren in der europäischen Komödie noch zu erfüllen. Die methodische Anforderung schließt Rezeptionsästhetik und Publikumssoziologie ein, so daß die folgenden kurzen Bemerkungen nur die Funktion eines bescheidenen Hinweises haben können. Falls der Exkurs einer zusätzlichen Rechtfertigung bedarf, so ist es diese: Autoren wie Wedekind, Sternheim, Horváth scheinen weit stärker als Brecht Komödienautoren im engeren Sinn zu sein, doch bringt Brecht — z. B. im *Schweyk* und im *Puntila* — entschiedener als sie die alte Dienerkomponente ins Komödienspiel ein. Das hat mit einer vermeintlich selbständigen Gattungstradition oder deren »Wiederaufgreifen« nichts zu tun. Vielmehr ist es das »Gesellschaftlich-Komische« in der »verabschiedenden« Darstellung der bürgerlichen Gesellschaft als anachronistischer, das Brecht — um die Relation von Herrschern und Beherrschten, von »Unternehmern und Unternommenen« (GW 19, 523) zu zeigen — auf das Modell der Diener in der Komödie zurückgreifen läßt.

Auszugehen ist von den »zanni«, den Dienerfiguren der Commedia dell'arte. Sie sind für das Verständnis der europäischen Komödie wichtiger als die englischen Figuren Vice, Fool und Clown, die allerdings für die deutsche Literatur den zunächst entscheidenden Einfluß übten. Auch hierfür sind gesellschaftliche Gründe maßgebend, an denen sich am Beispiel Komödie die relative Rückständigkeit Deutschlands gegenüber anderen Nationen aufzeigen ließe. [262 Exkurs]

Die Commedia dell'arte wird gewöhnlich als eine Theaterform dargestellt, die dem »reinen Spiel« am nächsten komme; es wird auf die Bedeutung der Improvisation im Gestischen verwiesen und das Gleichgewicht gelobt, das zwischen den Dienern einerseits, den satirisch gezeichneten Figuren wie Pantalone und Dottore andererseits sowie den Vätern und statuarischen Liebenden besteht. Es wird allein von der Theaterwirklichkeit, den Masken, dem artistischen Element der »lazzi« ausgegangen. Indem der Commedia dell'arte so ihre realistische Grundierung genommen wird, fällt es um so leichter, die Entwicklung des europäischen Theaters als einen Weg von der Künstlichkeit der Maske zum Realismus der Charaktere zu beschreiben, in welcher Entwicklung das Theater Molières sozusagen der entscheidende Wendepunkt gewesen sei.

Diese Auffassung ist unzulänglich. Tatsächlich ist die Commedia dell'arte ein vollkommenes Modell des »Gesellschaftlich-Komischen«: Realität ganz in Spiel umgesetzt, sozialer Ernst völlig in kunstfertige »Schwerelosigkeit« aufgelöst. Man denke etwa an die berühmte Tischszene in Goldonis *Servitore di due padroni,* in der die Akrobatik Truffaldinos nichts Naturgegebenes ist, sondern dadurch erzwungen, daß zwei Herren gleichzeitig zu bedienen sind. Der Bewegungsstil selbst ist Modell des »Gesellschaftlich-Komischen«: die Herren, die befehlen, sind durch gemessene Gebärde in Gang und Sprache gekennzeichnet — die Diener, deren Hurtigkeit scheinbar nur lustig ist, *müssen* in Wort und Tat gleichermaßen beweglich und listig sein, um sich ihren Lebensunterhalt verdienen zu können. Sie haben ständig Hunger. Die Brotstückchen-Episode beweist, daß die sinnfällig komische Chiffre nichts mit der naiven Genußsucht der sog. »komischen Figur« mehr zu tun hat, sondern entwickelt ist aus der realen Not der Abhängigen, repräsentiert durch den Dienerstand.

Gegen den Einwand, das Beispiel des Aufklärers Goldoni sei schlecht gewählt, weil er am Ende der Commedia dell'arte stehe und sie literarisiere (und zwar nach französischem Vorbild, wie etwa Mandajors *Arlequin valet de deux maîtres* für den *Servitore*) — gegen diesen Einwand sei die These vertreten, daß die entscheidende Ausgestaltung der Commedie dell'arte tatsächlich in Frankreich, aus dem Zentrum der im 17. und 18. Jahrhundert fortgeschrittensten kontinentalen Nation heraus, geschah. Goldoni gab der Commedia dell'arte, was als Möglichkeit in ihr angelegt war, doch in Frankreich erst entdeckt wurde.

Die *unmittelbare* Weiterwirkung der Commedia dell'arte wird zumeist überschätzt, weil die bekannten Namen eine solche nahezulegen scheinen. Nichts indessen ist falscher als die Annahme eines festen Typenpersonals, mit dem direkt oder indirekt nur ein altes Schema variiert würde, dem es einzig um das »Spiel« zu tun sei. Nicht italienischer »Geist« setzt sich durch, sondern französische Wirklichkeit, und das bestimmende Moment dabei ist das Herr-Diener-Verhältnis. Diesem war in der ursprünglichen Commedia dell'arte von der Dienerseite her lediglich eine bestimmte Richtung oder Tendenz mitgegeben. Zunächst gab es da eine klare Unterscheidung zwischen dem »furbastro«, dem schlauen und abgefeimten Diener (Brighella bzw. Scapino), und dem »scemotto«, dem tölpelhaft-obszönen Diener (Arlecchino bzw. Truffaldino). Hinzu kam als weiblicher Gegenpart die Colombina (bzw. Smeraldina). Figuren wie Scaramuccio und Pedrolino kamen erst als »Rückimport« aus Frankreich (Scaramouche, Pierrot) zu gewisser Bedeutung.

Im Pariser Théâtre-Italien werden Arlecchino und Brighella zu der neuen Figur des *Arlequin* zusammengefaßt: so entsteht *der* Diener par excellence, der gerissen und überlegen auftritt (meist wenn der Herr abwesend ist), aber auch naivunschuldig sein kann, der oft in der Rede kühn sich hervorwagt, um sich sogleich in gespielter Tolpatschigkeit zu tarnen. So ist es kein Zufall, daß die *Rolle* Arlequin dazu *benutzt* werden konnte, die verschiedensten Aspekte der sich formierenden bürgerlichen Ideologie auszudrücken, z. B. die empfindsame Sensibilität (Florians *Arlequin*-Trilogie, Marivaux' *Arlequin poli par l'amour,* Richtung auf die sog. comédie larmoyante), aber auch die egalitär-utopische Tendenz (Marivaux' *Ile des esclaves*). Vom 18. Jahrhundert aus rückblickend, zeigt sich sehr eindringlich, wie sich der Emanzipationsprozeß des Bürgertums in vielfältiger Abstufung in den Dienerfiguren vermittelt: da gibt es einen bürgerlich-gutmütigen Arlequin, eine Lisette (Colombine), die den Standesunterschied durch Heirat »nach oben« durchbrechen kann, einen Scaramouche, der stets über ein Ziel hinaus will und dabei scheitert, einen französischen Bauern Pierrot, der von sanfter Melancholie sein kann (wie Watteaus *Gilles* ihn präsentiert), dann einen Meister der Intrige und des Übertölpelns, Scapin, und dessen plebejischen Nachfolger Figaro.

Die These, daß das Auftauchen von Dienerfiguren in der europäischen Komödie, deren Namen an die Commedia dell'arte erinnern, keine *primäre* Rückbeziehung auf die Commedia darstellt, sondern allenfalls die Rolle benutzt, um das Herr-Knecht-Verhältnis zu veranschaulichen, kann hier nicht weiter ausgeführt werden. Für die These, d. h. für die zentrale Bedeutung des Herr-Knecht-Motivs, spricht einerseits, daß es sich auch unabhängig von den spezifisch italienischen Maskennamen als das beherrschende in Komödie und Roman erweist. [263] Daß in den Dienerfiguren tatsächlich die revolutionäre Periode des Bürgertums vermittelt ist und also zuerst in Frankreich den entscheidenden literarischen Niederschlag finden mußte, dafür spricht andererseits — in negativer Korrelation — die reaktionäre, gegen die Französische Revolution gerichtete, Darstellung der Dienerfiguren in der deutschen Komödie. [264]

Nach diesem Exkurs fällt die Deutung der Molièreschen Sganarelle-Figur leichter. Sie entspricht dem Arlequin-Typus, bietet die entsprechenden lazzi, bei denen sich Vernunft und Körper gleichermaßen verrenken (III, 1/745 s.). Auch handelt es sich um das Essen bzw. darum, wie Sganarelle nicht dazu kommt (IV, 7/767 s.). Sganarelle ist sowohl abergläubisch-einfältig als auch überlegen-gerissen; er tarnt seine Vorwürfe gegen Dom Juan (I, 2/721), findet seine »eigene« Sprache nur hinter dessen Rücken (II, 5/741), bleibt aber seinem Herrn in einer Art Haßliebe verbunden, imitiert ihn, wenn das zu seinem Nutzen ist.

Doch die Parallele zum Arlequin zeigen, genügt noch nicht für die Deutung der Sganarelle-Figur. Nicht einmal dergestalt ist die Commedia dell'arte das Vorbild, daß vor ihr als Folie die realistische Anverwandlung durch Molière sich als dessen »Leistung« abzeichnete. Vielmehr ist davon auszugehen, daß dem *Dom Juan* das konkrete Verhältnis gentilhomme-valet eingebaut ist, aber in einer Weise, die das Gewicht eindeutig auf die Waagschale des gentilhomme legt. Zwei Gesichtspunkte sind dabei wesentlich. Erstens ein mehr innerliterarischer: wenn die Molièresche Komödie ein Thema bearbeitet, in dessen Zentrum der Herr als die aktive Figur steht (*Amphitryon, Dom Juan*), dann behält Molière diese die Handlung bestimmende Rollenteilung bei. Es kann keine Rede davon sein, daß der *Dienst* des Dieners als die eigentliche *Arbeit* erschiene, deren Nutzen der *Genuß* des Herrn wäre.

Sganarelle definiert sich selbst in bezug auf Dom Juan, er tut dies aber im Sinne seiner Abhängigkeit von ihm und nicht im Sinne seiner eigenen Leistung für ihn. Dom Juan seinerseits definiert sich nie in bezug auf Sganarelle, sondern behandelt ihn wie einen beliebigen Lakaien. Die »Verführung« ist seine eigene Aktion, Sganarelle leistet dabei nur Handlangerdienste. Zweitens: die Tatsache, daß die Herr-Knecht-Beziehung hier noch nicht jene historische Stufe erreicht hat, die dem philosophischen Begriff Hegels die Grundlage bot, kann natürlich nicht allein durch das literarische Moment der Themenwahl erklärt werden. An dieser Stelle ist darauf zurückzukommen, daß die ideologische Perspektive des *Dom Juan* von der noblesse de cour und nicht vom Bürgertum bestimmt ist, was der Realität insoweit gerecht wird, als im Jahre 1665 vom Bürgertum *als Klasse* und von entsprechendem Klassenbewußtsein objektiv nicht viel zu sehen sein konnte.

Der beste Beweis ist die Szene mit Monsieur Dimanche (IV, 3), in der Herr und Knecht gemeinsam denjenigen übers Ohr hauen, dessen Beziehung zu Dom Juan tatsächlich, und viel stärker als die Sganarelles, durch wirkliche Arbeitsleistung vermittelt ist. Das heißt, Molières *Dom Juan* zeigt nicht nur keine bürgerliche Perspektive, sondern partizipiert an der Geringschätzung des Bürgertums durch die noblesse de cour. Wie der bürgerliche Standpunkt aussähe, dafür sei als »trouvaille« jene moralisatio mitgeteilt, die Diderot in den *Mémoires pour Catherine II* niederschrieb, nachdem er einen Dialog skizzierte, der Molières Szene zum Verwechseln ähnlich sieht:

Cette scène fait rire d'abord, mais ensuite elle attriste. Je n'aime pas qu'on paye ses dettes avec un air de violon. Cela est bon sur un théâtre, détestable dans la société. [265]

Die Arbeit muß ihren gerechten Lohn finden, der Leistung eine Gegenleistung entsprechen — das ist aber die voll ausgebildete bürgerliche Ideologie des 18. Jahrhunderts: die Standesgegensätze verschwinden vor der abstrakten und formellen Gleichheit der autonomen Persönlichkeit, die sich als *Vertragspartner* gegenübertreten. Die Gesellschaft soll nach den Prinzipien des libre échange ausgerichtet sein und im Arbeits- bzw. Berufsethos dieses Ideal auch ideologisch verwirklichen.

Vor diesem Hintergrund wird klar, daß wenn in Molières Szene das Berufsbürgertum nicht einmal gegen den verschuldeten Adligen Positivität gewinnt, das noch viel weniger von der Seite des Knechts Sganarelle gegen seinen Herrn Dom Juan gezeigt werden konnte. Vor dem Hintergrund des Diderot-Zitats ist aber auch die entsprechende Szene bei Brecht zu beurteilen. Wiederum sei die Frage gestellt, ob nicht Brechts Perspektive die des aufsteigenden Bürgertums gegen den Parasiten lediglich rekapituliert, obwohl er sie doch selbst in die Kritik miteinbeziehen müßte, jedenfalls dann, wenn er seinem marxistischen Anspruch genügen will.

Und in der Tat zeigt Brechts Bearbeitung der Dimanche-Szene eine bürgerlich-moralische Tendenz, was allerdings erst durch das, was Brecht gegenüber dem Original wegläßt, ins Auge fällt. Don Juan darf nämlich auch bei Brecht noch den biederen Kaufmann düpieren, und zwar in einer Weise, die — nicht durch Mitgefühl gemildert — ganz auf Kosten Dimanches geht. Aber: Brechts Sganarelle »tut so etwas nicht«. Brecht *mußte* die Szene streichen, weil sonst seine Knecht-Figur (so wie er sie versteht: als ein Modell der Abhängigen überhaupt) nicht mehr »gestimmt« hätte. Der Triumph des Plebejers Sganarelle über den Bourgeois hätte in dieser Szene noch zu sehr dem des Aristokraten geähnelt. Indem Brecht die Idealität seines Knechts nicht durch solchen Zug belasten wollte, anerkennt er indirekt die *moralische* Verwerflichkeit, welche die bürgerliche Perspektive Diderots zu ihrem Angriffspunkt gemacht hatte.

Indessen »stimmt« Brechts Sganarelle auch so nicht. Vorgeschwebt hatte ihm offenbar, um mit den Typennamen zu reden, ein »Figaro« in der Rolle des Knechts, d. h. eine Herr-Knecht-Beziehung, in der das Gewicht auf die Seite des Knechts verlagert wird. Darum etwa ist es nicht mehr die Tapferkeit Don Juans, sondern die Aktion Sganarelles, die bei Brecht die Ruderer in die Flucht schlägt: der Knecht »arbeitet«, und der Herr hat den Nutzen davon.

Gleich in den ersten Sätzen der Komödie wird die neue Akzentuierung deutlich. Molières Sganarelle zählte unter den angeblichen Vorzügen des Tabaks auf, daß er mit Tugend- und Ehrgefühlen »tous ceux qui en prennent« (I, 1/715) begabe. Bei Brecht heißt das:

Nur der Tabak ist es, der die Großen dieser Welt instand setzt, die Leiden zu vergessen, besonders die der anderen. (GW 6, 2549)

»Tous ceux« sind »die Großen« geworden, und der kleine Nachsatz, der charakteristisch für die Repliken des Brechtschen Sganarelle ist, soll wohl so etwas wie Klassenbewußtsein ausdrücken. Der hier spricht, rechnet sich zu den »Kleinen«, die es mit den »Großen«, von denen einer Don Juan ist, zu tun haben. Nach dieser etwas groben Soziologie »durchschaut« Sganarelle nun die Welt, was ihn z. B. zu der Erkenntnis führt: »Gebt mir seinen [= Don Juans] Rock, seine Bänder und seine Federn, und ich verführ euch spielend.« (GW 6, 2578) Gerade *wenn* der Diener aber so »hellsichtig« aufgebaut ist, leuchtet um so weniger ein, daß er am Schluß als der Geprellte dasteht. Ein »richtiger« Figaro hätte auch Wege gefunden, zu dem ihm zustehenden Lohn zu gelangen — oder aber er wäre, wie Matti, seinem Herrn einfach davongelaufen:

's wird Zeit, daß deine Knechte dir den Rücken kehren.
Den guten Herrn, den finden sie geschwind
Wenn sie erst ihre eignen Herren sind. (GW 4, 1709)

Die durchaus richtige Einsicht, daß ein solcher Schluß für den *Don Juan* anachronistisch wäre (weil ein Selbstbewußtsein des Knechts voraussetzend, dessen historische Stunde noch nicht geschlagen hat), hätte Brecht daran hindern sollen, in der Figur Sganarelle etwas anzulegen, das in logischer Konsequenz zu solchem Schluß doch hinführen muß. So hat Brecht, indem er das Herr-Knecht-Modell stärker hervorheben wollte, lediglich die Einheitlichkeit der Molièreschen Sganarelle-Figur zerstört, ohne sie in neuer Struktur zusammenzusetzen zu können.

Die Beziehung gentilhomme-valet in Molières Komödie hat *für uns* — bei entwickeltem »historischen Sinn« — eine nicht minder kritische Bedeutung, als Brecht ihr abgewinnen wollte. Insofern nämlich das Herr-Knecht-Verhältnis »die Grundfigur der Klassengesellschaft überhaupt« [266] darstellt, zeigt Molières Komödie als deren historische Konkretion die totale Abhängigkeit des Knechts von seinem Herrn: nur im Schlepptau Dom Juans kann Sganarelle zu eigener Aktion gelangen, z. B. Monsieur Dimanche hintergehen. Gerade wenn es Brecht um die aktuelle Tragweite des Herr-Knecht-Verhältnisses zu tun ist, müßte er diese historische Konkretion für die *Don-Juan*-Bearbeitung bewahren.

In dem Zusammenhang sei eine kurze Bemerkung zur generellen Bedeutung des Herr-Knecht-Verhältnisses in der Brechtschen Komödie eingefügt. Es ist wenig überraschend, daß Brecht das Herr-Knecht-Verhältnis als das grundsätzliche im Kapitalismus ansah. Nur sind die Darstellungsmöglichkeiten begrenzt, da der Lohnabhängige sich nicht mehr *einem* konkreten Menschen als seinem Herrn gegenübersieht. Wenn daher die Komödie das Herr-Knecht-Verhältnis im Modell sichtbar machen will, entsteht das Dilemma, daß das Modell selbst nur eine historisch schon überholte Ausdrucksform dieses Verhältnisses sein kann. Das Modell des Gutsbesitzers Puntila und seines bäuerlichen Knechts Matti konnte nicht vom Vorwurf der mangelnden Aktualität verschont bleiben! Die Schwierigkeit des »Historisierens« ist damit zugleich die Schwierigkeit, um nicht zu sagen: die Grenze, an die die Brechtsche Komödie stößt.

Besonders augenfällig wird das am *Schweyk*. Hier ist ein Knecht, der sich nicht einem Herrn, sondern mehreren Funktionären, die über ihn Herrschaft haben, ausgesetzt sieht und sich in getarnter Blödigkeit behaupten muß. Ensteht so eine Annäherung an das Herr-Knecht-Verhältnis in der gesellschaftlichen Realität, ist das zugleich eine Einbuße an theatralischer Evidenz. Daher läßt sich Brecht zu einem »Nachspiel« verleiten, in dem es zu der »historischen Begegnung zwischen Schweyk und Hitler« (GW 5, 1990 ff.) kommt. Indem die Person Hitler als der »eigentliche« Herr auftritt, zu dessen Nutzen der Knecht Schweyk den Kriegsdienst leistet, und indem das Nachspiel jetzt das Herr-Knecht-Verhältnis umkehrt, ist Brecht hier eine problematische Verengung des Problems unterlaufen.

Das Herr-Knecht-Verhältnis, wie es seit Hegels begrifflicher Darlegung in der *Phänomenologie* und *Rechtsphilosophie* verstanden wird, rekapituliert in sich als dialektischen Prozeß, was die gesellschaftliche Realität als historische Stufenfolge hervorgetrieben hatte: 1. die reine Abhängigkeit und Unselbständigkeit des Knechts; 2. das Auseinandertreten von Herr und Knecht, die absolute Verbindlichkeit der Herrschaft in Frage stellend; 3. die Umkehrung des Verhältnisses, die von der Erkenntnis des Knechts eingeleitet wird, daß der Herr von seiner, des Knechts, Arbeit abhängig ist.

Der Exkurs zu den Dienerfiguren hat andeuten wollen, wie die europäische Komödie diese historische Stufenfolge an dem Verhältnis der Herren zu ihren Dienern exemplifiziert. Als spezielles Ergebnis sollte erreicht werden, daß Brechts Herr-Knecht-Modell (das stets von der dritten Stufe her konzipiert ist!) im *Don Juan* scheitern mußte, weil es in diesen Rahmen einer Feudalwelt *noch nicht* hineinpaßt, während es im *Schweyk*, beim Thema Abhängigkeit unter dem Faschismus, nicht mehr ausreicht. Zweitens war ein generelles Resultat beabsichtigt: die vorliegende Arbeit, die Komik und Komödie am Beispiel Brecht analysieren will, war ja der These gefolgt, daß es eine Intention Komödie gibt, deren Gegenstand die »Verabschiedung« einer bestimmten und noch herrschenden Gesellschaft ist. Zur Überprüfung dieser These war es nicht unwesentlich, wenigstens andeutungsweise sichtbar zu machen, daß der Ansatz in der je konkreten Gestaltung des Herr-Diener-Verhältnisses auch dort vorhanden ist, wo gemeinhin der Einfluß der Commedia dell'arte als eine sich sozusagen selbständig transportierende Gattungstradition des »reinen Spiels« angenommen wird.

Zur Möglichkeit positiver Aspekte der Don-Juan-Figur:

Welchen Erkenntniswert kann Brecht für seine *Don-Juan*-Bearbeitung reklamieren bzw. wie kann er deren Notwendigkeit begründen? Die einfache Polemik gegen den Aristokraten als Parasiten wiederholt nur den ideologischen Kampf des frühen Bürgertums; und der Einfall, auf den Brecht solches Gewicht legt, daß nämlich der Adlige durch sein Äußeres allein Wirkung macht, ist immerhin schon im Jahre 1687 Thema einer Komödie gewesen: *Le Chevalier à la mode* von Dancourt! Die Rechtfertigung kann also nur in dem *Modell* des Parasiten gesucht werden, insoweit in diesem Modell die Aktualität einer noch bestehenden parasitären Lebensweise kritisch bloßgelegt werden kann.

»Wir sind gegen parasitäre Lebensfreude.« (GW 17, 1258) Das soll heißen, »wir« sind gegen diejenigen, die nicht selbst für ihren Lebensunterhalt arbeiten müssen und eben dadurch die Muße zu ihrem Epikuräertum gewinnen, für das Don Juans »Unersättlichkeit« in eroticis lediglich die Chiffre ist; »wir« sind gegen einen Genuß der Herren, der durch die Ausbeutung der Knechte erst möglich wird. Ironischerweise führt aber auch diese erweiterte Blickrichtung in erster Linie nicht in die Gegenwart, sondern in die bürgerliche Diskussion des »Luxus«-Problems im 18. Jahrhundert, auf die hier nicht weiter eingegangen werden kann.

Die spezifische Lebensweise der Aristokratie im Zeitalter des Absolutismus steht in der Geschichte dermaßen einzig da, daß Brecht in der Kritik an ihr nahezu zwangsläufig auf die Positionen zurückfällt, die — einst im Angesicht der historisch konkreten Gestalt eingenommen — nun ihrerseits historisch geworden sind. Das heißt, eine Bearbeitung des *Don Juan* könnte Aktualität und Interesse »für uns« nur durch die klare Betonung des Gegensatzes zu unserer Zeit erreichen. Dafür ein Beispiel: aus Molières Szene mit Monsieur Dimanche geht auch hervor, daß die Adligen ihr am höfischen Standard orientiertes Wohlleben um den Preis einer wachsenden Verschuldung bestreiten müssen. Eine Bearbeitung, der es um die Zerstörung der Aura eines homme révolté zu tun ist, könnte das zeigen (und würde damit das »Gesellschaftlich-Komische« präziser treffen), wenn sie einen Don Juan präsentierte, der nicht aus eigenem Triebe, sondern aus verbissener Anstrengung sein ständisches Prestige in einer demonstrativ zur Schau gestellten Ausschweifung und Verschwendung zu bewahren sucht.

Brecht aber ging es um das »Modell« Don Juan, d. h. um die Aktualität einer Parallele nach vorn. Das konnte nicht gelingen. Der entscheidende Einwand gegen die Tragfähigkeit dieses Modells ist gerade dort anzumelden, wo die Bearbeitung in besonderem Maße einer »marxistischen Betrachtungsweise« (GW 17, 1257) zu folgen glaubt. Indem Brecht das Herr-Knecht-Verhältnis akzentuiert sowie mehrere neue Figuren als »Volk« hinzufügt, soll suggeriert werden, daß die Relation von Ausschweifung und Abhängigkeit die von Kapital und Arbeit irgendwie »mitbedeuten« kann. Mit Marxismus hat solche Verlängerung der Perspektive wenig zu tun. Abgesehen davon, daß der kritische Angriff, erweitert auf »die Kapitalisten«, Ursachen und Folgen verwechselt und in bloßes Ressentiment versinkt, wenn er sich die »Lebensweise« zum Ziel nimmt, ist diese von der aristokratischen zu verschieden, als daß Parallelen möglich wären. Seit dem Beginn der kapitalistischen Ära ist »der Genuß« nach dem Wort von Marx, »unter das Kapital, das genießende Individuum unter das kapitalisierende subsumiert, während früher das Gegenteil stattfand«. [267] Daß Brecht glaubt, diese Unterscheidung ungestraft verwischen zu können, ist nur ein Anzeichen für die mangelhafte theoretische Durchdringung des *Don-Juan*-Themas. Ein anderes wurde bereits erwähnt: wo im Gelächter der Leipziger Studenten über »heutige Herzensbrecher« sich kleinbürgerliches Muckertum aus seiner Frustration »befreit«, schreckt Brecht nicht vor der Peinlichkeit zurück, hierin einen zusätzlichen Beweis für die Aktualität seiner *Don-Juan*-Konzeption zu erblicken. [267a]

Es ist mangelnde Dialektik, daß Brecht nicht einmal ansatzweise die Möglichkeiten überdenkt, ob aus der *Figur* Don Juan nicht besser *gegen Molière* ein positiver Gehalt zu schlagen wäre.

Die Figur bietet den Widerspruch zwischen elitärer Haltung und objektiv fortschrittlicher Tendenz, doch Brecht legt in diesem Widerspruch stets den Akzent auf die negative Seite. Da ist z. B. das Problem von Don Juans Atheismus. Richtig ist zwar Brechts Urteil, daß die Libertin-Bewegung eine vorwiegend aristokratische Angelegenheit war, ein Atheismus der happy few, dem es um die elitäre Abgrenzung vom naiven Volksglauben anstatt um eine emanzipierende Breitenwirkung ging. Andererseits müßte der historische Dialektiker sehen, daß dies nur charakteristisch für die Entwicklung des Atheismus überhaupt ist. Der Atheismus kam nie direkt »vom Volke« her, konnte vielmehr mit einer Verachtung desselben korrelieren (z. B. im Deismus Voltaires!), um dennoch als Religionskritik eine wesentliche Etappe innerhalb des »fortschrittlichen« Atheismus zu bilden.

Ähnlich verhält es sich mit dem parasitären Zynismus Don Juans, dem »an sich« natürlich ebenfalls keine irgend positive, zukunftweisende Bedeutung zuerkannt werden kann. Eine »marxistische Betrachtungsweise« würde sich hier allerdings an die, von Marx übernommenen, Betrachtungen Hegels über Diderots *Neveu de Rameau* zu erinnern haben [268], um sich in der Kritik an Don Juan vor der Position eines moralisierenden »ehrlichen Bewußtseins« zu hüten. Zu erinnern wäre auch der Satz von Marx, daß angesichts der »Einseitigkeit« der bürgerlichen Gesellschaft »im Gegensatz zu derselben gewisse feudale Formen der Individualität ihr Recht behaupten«. [269] Vielleicht würde gerade eine »marxistische Betrachtungsweise« erst die verläßliche Grundlage schaffen, auf der die Figur Don Juan ihre positive Bedeutung entfalten könnte. Ernst Bloch wenigstens hat das versucht:

> Ist Don Giovanni, wie ihn Mozart verdeutlicht, ein Wolf oder ein menschliches Gesicht unter lauter Larven? [...] Ist doch der Genuß seit alters nur für den Herrn da, den nicht arbeitenden. Den Reichen führt ein Abenteuer in die Bar, den Armen bringt es ins Gefängnis. Und vor 1789 waren zwar stets Carmens möglich, als Mädchen aus dem Volk, auch einige Abenteurer, aber Don Juan, an dem alles glänzt, mußte eben deshalb hoffähig sein. [...] Der Kavalier ist nicht der Unterdrückte, er hat nur seine gänzlich ununterdrückte Geilheit hinter sich und das Volk nur insofern, als er dessen Töchter mißbraucht. Das also ist der eine Aspekt Don Giovannis, von Molière herstammend und in Mozarts Werk teilweise erhalten. Doch dem gegenüber steht nun *der andere Don Giovanni, die Kraftnatur,* ganz nach dem Herzen der bürgerlichen Stürmer und Dränger. Mozart feiert ihn durchaus, in der Champagnerarie und vor allem in der Schlußszene, und verstand sich die Französische Revolution, außer vielfach ressentimenthafter Bürgersitte, nicht auch auf Burgunder und freie Liebe? Besaß sie neben Robespierre nicht auch Danton, einen wirklichen Löwen des Genusses und einen höchst populären dazu? Ist dem Materialismus sel-

ber nicht seit Epikur und Lukrez die diesseitige Lust angestammt, die in Frankreich ohnehin so volkshaft heimische? In der Tat veränderte sich Don Juans Bild durch die Französische Revolution; der adlige Wüstling kam gänzlich in die Reihe der Freien oder des Ver sacrum contra Pfaffen. [270]

Auch für Ernst Bloch ist Don Juan eine widerspruchsvolle Figur, deren bedenkliche Seiten nicht unterschlagen werden. Aber er setzt den Akzent, wenn auch in rhetorischen Fragesätzen, auf die positive Antizipation befreiter Sinnlichkeit, ihm wird der praktische Materialismus zu einer promesse de bonheur. Der Genuß, ehedem nur Privileg der Adligen soll sozialisiert werden, nicht aber moralisch diskreditiert. Das will denn die tiefere Einsicht in die Aktualität Don Juans scheinen, die überdies durchaus marxistisch legitimiert werden kann — auch dann, wenn man die tagtraumhafte Wölbung nach vorn der Blochschen Hoffnungsphilosophie nicht unbedingt als theoretische Basis akzeptieren will. Doch die bloße Denunziation Don Juans als eines Parasiten, also der Vorwurf der Unproduktivität, ist untrennbar mit der frühbürgerlichen Illusion einer »produktiven Selbstverwirklichung« des Subjekts in der Arbeit verbunden. *Diese* Position zu übernehmen, heißt eine Bearbeitung vorlegen, die sich fälschlich auf Marx beruft, dessen Ergebnisse nicht zur Kenntnis nehmend.

Ernst Bloch ist ein Autor, der wahrhaft unverdächtig ist, im Ancien Régime das verlorene Eden der Menschheit feiern zu wollen. Hierin liegt das sachliche Gewicht, seine positive Don-Juan-Deutung der negativen bei Brecht gegenüberzustellen. Dabei muß aber differenziert werden, was den Ausgangspunkt Molière betrifft. Ernst Bloch gibt eine knappe und treffende Charakterisierung, die mit Recht die kritische Tendenz, welche Brecht glaubte ergänzend hinzutun zu müssen, schon bei Molière voll verwirklicht findet:

Der Verführer wird bei Molière zum Typ des damaligen Kavaliers: furchtlos, aber ein kalter Rationalist, an dem nur Egoismus, aber keine Leidenschaft ist. Er siegt zwar auch durch den außergewöhnlichen Liebesdegen, durch herrischen oder geistreichen Charme, doch mehr durch die gesellschaftliche Macht, die er einsetzen und ausspielen kann, sowie, bei Damen von Stand, durch sein Treue- und Eheversprechen. [271]

In diesen Worten liegt eine Spur Zurückhaltung. Sie kommt daher, daß Bloch die *Figur* Don Juan rühmt, ihren verheißungsvollen Dimensionen nachgeht, diese vor allem bei Mozart, dann auch bei Lord Byron, Lenau, Grabbe aufspürt. Unter solchem Blickwinkel wird die Figur in einen Prozeß gestellt, der ihre dialektische »Wahrheit« mehr und mehr entfaltet, während Molières Version dann nur mit den Einschränkungen gewürdigt werden kann, die dem »Vorläufer« anhaften müssen.

Dafür mag einiges sprechen, doch ist vor allem zu berücksichtigen, daß Molière eine *Komödie* geschrieben hat. Und der Komödie geht es nicht um Objektivität. Sie will dem, was sie »verabschieden« will, nicht Gerechtigkeit widerfahren lassen, das Für und Wider erwägen, sondern sie nimmt auf äußerst parteiliche Weise Stellung. Es ließe sich behaupten, daß Molières Komödie die Figur Don Juan nur zum Anlaß ihrer Kritik am libertin à la mode und an den hypocrites nimmt.

Brechts Bearbeitung erweitert diese Kritik, richtet sie auf die gesamte Aristokratie, und will in diesem Sinn ja durchaus *Komödie* bleiben, doch fehlt ihr der aktuell-gesellschaftliche Gegenstand Molières, den falsche Aktualisierung nicht ersetzen kann. Brechts Bearbeitung ist in dem Maße schlicht überflüssig, wie die Kritik an der Aristokratie überflüssig geworden ist: die alte Gestalt, die da zu Grabe getragen werden soll, stammt schon aus dem Plusquamperfekt, und die Kritik an ihr rennt jene Türen ein, durch die einst die gesamte bürgerliche Gesellschaft hindurchgeschritten ist.

Eine neue Don-Juan-Kritik müßte daher gesellschaftlich neu konkretisiert werden — der Hinweis, der adlige Don Juan sei modellhaft noch irgendwie verbindlich, genügt da nicht! Das aber hieße eine neue Komödie schreiben, denn die Bearbeitung einer ca. dreihundert Jahre alten Vorlage kann das einfach nicht leisten.

Das Gleiche gilt von einer positiven Don-Juan-Deutung, welche die wohl objektiv »aktuellere« Sicht wäre — auch sie wäre als Bearbeitung Molières notwendig unzulänglich, müßte neu konzipiert werden. [272] Daher kehrt sich Brechts Wort über Molières Komödie, sie sei »für uns in der älteren Auffassung wertvoller als in der neueren (ebenfalls alten)« (GW 17, 1260), nicht nur gegen Molières Interpreten, sondern gegen Brechts eigene Bearbeitung. Denn in paradoxer Weise zeigt sich, daß Molières Komödie gerade durch ihre mangelnde Radikalität, d. h. durch die Perspektive der noblesse de cour (Kritik nur am Libertin, nicht am Adel insgesamt). eine Aktualität bewahrt bzw. gewinnt, die Brechts Bearbeitung vergeblich zu erreichen sucht. So enthält Molières *Dom Juan* beide Aspekte, den »Glanz des Parasiten« sowohl wie das »Parasitäre seines Glanzes«. Das Stück ist als Komödie konkreter und geschlossener und wird auch der *Figur* Don Juan gerechter, die zudem mehr umschließt, als die beiden Begriffe »Glanz« und »Parasit«, wie immer man mit ihnen spielen mag, aussagen können. [273] Noch einmal klar gesagt: Brechts *Don-Juan*-Bearbeitung scheitert daran, daß sie keine wirkliche Konkretisierung des »Modells« Don Juan finden kann. Hierin liegt der wesentliche Unterschied gegenüber der genialen *Hofmeister*-Konzeption, von der noch ausführlich die Rede sein wird.

Die *Don-Juan*-Bearbeitung als Brecht-Komödie:

Wert und Rang der Brechtschen Bearbeitung müssen sich in erster Linie im Vergleich zu Molière erweisen, und das kritische Fazit dieses Vergleichs soll auch in keiner Weise abgeschwächt werden. Dennoch ist über die direkte Relation zu Molière hinaus ein weiterer Gesichtspunkt zu beachten, der aus der Perspektive des Brechtschen Oeuvres zu formulieren ist; dann erst wird die Bearbeitung als spezifische Brecht-Komödie voll verständlich.

Unmittelbar einsichtig ist zunächst, daß im *Don Juan* wiederum das Moment der Sexualität von zentraler Bedeutung ist, das Brecht seit den frühen Einaktern in so kontinuierlicher wie variabler Weise als ein Motiv genutzt hat, an dem das »Gesellschaftlich-Komische« demonstriert werden kann. Sogar zu den komischen Hochzeitsszenen ließe sich eine Verbindung herstellen: lag der kritische Gehalt dort in der Enthüllung von Unfreiheit (besonders der Frau) in bürgerlicher Ehe und Familie, so bietet der *Don Juan* insofern eine vergleichbare Intention, als hier die Kritik auf eine sog. »feudale Auffassung der Liebe als Jagd«, mit den unzähligen Frauen als Beute, gerichtet werden soll.

Sexualität ist nur ein Teilbereich dessen, was Brecht den »primitiven« oder »niedrigen« Materialismus nennt. Diese Arbeit hat zu zeigen versucht, wie das Problem des niedrigen Materialismus als komisches Motiv in sowohl positiver als negativer Richtung im Brecht-Theater erscheint. Der theoretische Ausgangspunkt der *Don-Juan*-Bearbeitung: »gegen parasitäre Lebensfreude«, betont entschieden den negativen Aspekt, in der vom Thema her gegebenen Abwandlung. Gleichzeitig aber verdeutlicht der bedauernde Zusatz: »Leider haben wir als Lebenskünstler nur den Tiger vorzuweisen!« (GW 17, 1258), daß es Brecht nicht leicht gefallen ist, in dem Beispiel »Sinnlichkeit als aristokratisches Privileg« diese selbst, wie er glaubte, verdammen zu müssen. Denn Materialismus, Sinnlichkeit, savoir vivre und carpe diem — das sind zentrale Punkte, um die sich das Denken Brechts in immer erneuten Reflexionen dreht.

Der Marxist Brecht machte sich oft darüber lustig, daß der Materialismus »bei uns wenig mehr als eine Idee« nur sei (GW 16, 699), und er wunderte sich, »warum die linken Schriftsteller zum Aufhetzen nicht saftige Beschreibungen von den Genüssen anfertigen, die man hat, wenn man hat«. (GW 14, 1393) Und im *Glücksgott*-Fragment heißt es mit programmatischem Ton:

> Ich bin der Gott der Niedrigkeit
> Der Gaumen und der Hoden
> Denn das Glück liegt nun einmal, tut mir leid
> Ziemlich niedrig am Boden. (GW 10, 892)

Dann aber findet Brecht auch, zumal in der Lyrik, moralische und schuldbewußte Überlegungen zu diesem Thema (vgl. GW 9, 723), von denen keine Verbindung zu der spezifisch komischen Komponente führt, die Brecht im primitiven Materialismus freilegte, um das »Künstliche und Vergängliche aller gesellschaftlichen Überbauten« (GW 2, 489) e contrario sichtbar zu machen. Sie bezeichnen aber Intensität und Spannweite der Brechtschen Reflexionen zu dem Problem, dessen präzise Formulierung Brecht in seinen Schriften zur Politik und Gesellschaft gefunden hat:

> Es gibt bei uns sehr wenig Philosophen, die sich für Vergnügungen aussprechen. In der Tat werden die Philosophen, welche die Vergnügungen unterbinden oder zumindest einschränken wollen, höher gepriesen, ernster genommen. Ihre Vorschriften werden desto mehr geachtet, je weniger sie beachtet werden. Der besitzende Teil der Bevölkerung verurteilte die Vergnügungssucht der Besitzlosen aus begreiflichen Gründen, der besitzlose Teil die der Besitzenden ebenfalls aus begreiflichen Gründen. So kamen die Vergnügungen, wo immer von Moral gesprochen wurde, in schlechten Ruf.
> Der Satz: *Das Ziel eines Menschen ist, sich zu vergnügen* ist deshalb schlecht, weil er dem guten Satz: *Das Ziel der Menschheit ist, sich zu vergnügen* ins Gesicht schlägt.
> (GW 20, 331 f.)

Wenngleich aus dieser Argumentation wiederum nicht hervorgeht, wie denn in der »Zwischenzeit«, d. h. bis die ganze Menschheit sich »vergnügen« kann, die Vergnügungen selbst zu bewerten sind, ist das ein abgewogenes Urteil, das einen Hinweis gibt, warum Brecht die Lebensweise Don Juans en bloc verurteilen will. Wenn man aber das Ensemble der Brechtschen Komödien betrachtet, fällt auf, daß der hedonistische Impetus meist dann bejaht wird, wenn er »von unten« gegen die »von oben« verfügte Moral gerichtet ist. Brecht plädiert entschieden für die kleinen Leute gegen die feinen Leute, für das vermeintlich Niedrige der Menschen gegen die hohen Ideen vom Menschen. Die entsprechende Komik der Situation bewirkt dann jene befreiende Tendenz, die die psychoanalytische Theorie des Komischen im Begriff »Entlastungsfunktion« verallgemeinert hat. Die Triebsphäre wird also positiv gegen abstrakte Moral ausgespielt. Dieser Aspekt tritt aber, und hier ist eine deutliche Entwicklung festzustellen, in den späteren Brecht-Komödien nur punktuell hervor, in Einzelszenen, während der frühe Brecht ihn in *Baal* fast zum Komödienthema machte und in *Trommeln in der Nacht* Ähnliches versuchte, wie seine Selbstkritik verrät (GW 17, 959).

Danach wurde das »Gesellschaftlich-Komische« des primitiven Materialismus von Brecht zunehmend so konstruiert, daß es einen negativen Gehalt bekommt. Schon der Text von *Trommeln in der Nacht* erlaubte diese Deutung, daß nämlich die vitalen Bedürfnisse kritisiert werden, wenn sie zu einer Flucht ins Private führen. Die Groteskszenen in *Mahagonny* haben die gleiche Funktion, ähnlich die Hochzeitsszenen usw. In diesem Rahmen erscheint es folgerichtig, daß die Komödienkritik des Brechtschen *Don Juan* denjenigen trifft, der den sinnlichen Vergnügungen in der privilegierten Enklave seines Standes nachgeht. Nur muß, was folgerichtig ist, deshalb noch nicht die objektiv einzig »richtige« Darstellungsmöglichkeit sein.

Hierbei ist an den späten Kommentar Brechts zu *Baal* zu erinnern, in dem der Autor ausführt, daß nur diejenigen, denen das dialektische Denken fremd ist, in Baal ausschließlich eine Verherrlichung nackter Ichsucht erblicken würden. Demgegenüber sei zu beachten, daß Baal zwar asozial sei, »aber in einer asozialen Gesellschaft«, und daß nicht zu sagen wäre, »wie Baal sich zu einer Verwertung seiner Talente stellen würde«. (GW 17, 947) Das wäre keine schlechte Begründung für den Versuch, der Figur Don Juan ein wenigstens partielles Recht zu geben, indem Don Juans offen zur Schau gestellte Amoralität nicht als Signum seiner Klassenzugehörigkeit gewertet, sondern in Gegensatz zu derselben gebracht würde. Gerade auf die Sinnlichkeit des negativen Helden wäre ein starker Akzent zu setzen, der sich in der bürgerlichen Don-Juan-Deutung so nicht findet. Denn diese nimmt die Sinnlichkeit nur als Symbol, der über sich hinausweise. Kaum einer der bürgerlichen Interpreten, von Kierkegaard bis Camus, versäumt, die Parallele Don Juan/Faust zu ziehen. [274] Wer ewig strebend seinen Penis müht, den wollen die erlösen, denen der gelebte Augenblick weniger bedeutet als das dahinter vermutete idealistische Wollen. Der Neid auf den Erfolgreichen wird ersetzt durch Sympathie und Identifikation mit einer Symbolfigur, die ihr »eigentliches« Ziel, die Inkarnation *des* Weiblichen in *einer* Frau, auch nicht erreicht — oder aber sie wird zu einem Helden stilisiert, dessen »éthique de la quantité« der Absurdität des menschlichen Daseins trotzt: immer geht es um »höhere Dinge«, und das Ende ist Melancholie.

Tatsächlich ist Brechts *Don-Juan*-Deutung in erster Linie gegen bürgerliche Don-Juan-Exegese als einem Paradigma bürgerlicher Ideologie gerichtet — aber nicht unter dem Gesichtspunkt von Sinnlichkeit bzw. primitivem Materialismus, sondern unter dem des großen Individuums. Dies ist eines der wichtigsten Leitmotive, die das Brechtsche Oeuvre durchziehen. Pro domo gesprochen, vertritt Brecht dieselbe These wie in der Selbstkritik bzw. Selbstrechtfertigung zu *Baal*:

Die Interessantheit des negativen Helden, die man jetzt so gern für den positiven geschaffen sähe, entspricht dem echten Interesse der Gesellschaft für die Potenzen des asozialen Typus. (GW 16, 932)

Nach Brechts Meinung verdient der asoziale große einzelne nicht die Kritik, die der Gesellschaft, die ihn hervorbringt, gebührt. Gleichzeitig wendet er sich aber auch gegen alle Versuche, die verbrecherische »Größe« (Typ Richard III) irgend romantisch zu verklären und ihr die Aura des Besonderen zu verleihen: Macheath ist kein genialer outcast, sondern ein normaler Bürger. Und Arturo Ui wird entgegen der »romantischen Geschichtsauffassung der Kleinbürger« als ein »Verüber großer politischer Verbrechen«, nicht als selbst großer Verbrecher gezeigt. (GW 17, 1177 f.) Die Idee des großen Ausnahmemenschen, dem eben seiner vermeintlichen »Größe« wegen vieles nachgesehen werden müsse, ist geradezu die bête noire für Brecht, an der seine Polemik sich immer wieder entzündet, in seiner Lyrik (z. B. *Fragen eines lesenden Arbeiters*) ebenso wie in seinen Arbeiten für die Bühne (z. B. *Verhör des Lukullus*). Das Bemühen, die Idealität jener Heroen zu zerstören, denen die ganze Welt nur Anlaß ist, ihr Selbst durchzusetzen, ist so stark, daß Brecht übersieht, wie er bisweilen mit einer Idealisierung des Volkes antwortet. Der Mitarbeiter Manfred Wekwerth hat das am Beispiel der *Coriolan*-Bearbeitung als Fehler gerügt. [275] Auf jeden Fall ist ein wichtiges Ziel der Brechtschen Komödie, »den oberflächlichen Firnis des Individualismus« (GW 17, 974) überhaupt bloßzulegen.

Vor dem skizzierten Hintergrund wird die *Don-Juan*-Bearbeitung als spezifische Brecht-Komödie kenntlich. Weniger Molière wird verändert, als die bürgerliche Don-Juan-Deutung demoliert. Der zentrale Ansatz richtet sich gegen die Spezies der Ichsucher, Selbstverwirklicher, Sucher des Absoluten usw. Deren »eigentliches Wesen« interessiert Brecht nicht. Er ließ sich von der Maxime leiten:

Vor allem ist eine gewisse Erforschung des »Wesens« zu unterlassen oder zu bekämpfen, die im Grund nur die Unterforschlichkeit des betreffenden Wesens und damit aller Wesen dartun will. (GW 20, 64)

Die Komödie mit dem aristokratischen Helden im Zentrum wäre demnach bei Brecht zu einer Komödienkritik an der bürgerlichen Ideologie geworden, soweit diese als Don-Juan-Interpretation dafür den Gegenstand liefern kann.

Die Bearbeitung rückt so auf die Linie von Brechts »eigenen« Komödien, erreicht aber — wie darzulegen versucht wurde — nicht deren ästhetischen Rang. Der soziologische Schematismus des Brechtschen *Don Juan* macht allerdings auf eine Gefahr aufmerksam, die in Brechts Komödien stets latent vorhanden ist.

III. »Der Hofmeister«
Komödie von Lenz — Komödie von Brecht

Die Bearbeitung des Lenzschen *Hofmeister*, im Jahre 1950 von Brecht selbst am Berliner Ensemble inszeniert, zeigt die Merkmale des Exemplarischen und nimmt doch, *als* Bearbeitung, eine Sonderstellung ein. Das liegt daran, daß das Problem der literarischen Tradition hinter dem der geschichtlichen zurücktritt: es ist das Problem der deutschen Nationalgeschichte.

Um diesen Punkt zu verdeutlichen: das Verhältnis von Bearbeitung und Original läßt sich meist als direkte Beziehung des neuen Textes auf den alten bestimmen, und indirekt darin eingeschlossen ist die Beziehung der Jetztzeit auf die Entstehungszeit der Vorlage. Das geschichtliche Moment ist vermittelt, und aus dieser Vermittlung erst wird die »Aktualität« freigesetzt. Im Falle des *Hofmeister* ist der Akzent verschoben: primär ist eine Geschichtsbetrachtung, die in der deutschen Vergangenheit die »deutsche Misere« erblickt. Innerhalb solcher Konstruktion — und um sie zu bestätigen — wird der alte Text ausgewählt, weil er dem Bearbeiter als eines der ersten Dokumente jener »Misere« gilt, die selbst noch durchaus aktuell geblieben ist. Damit erlangt schon die bloße Wahl bzw. »Entdeckung« der Vorlage einen Teil der Bedeutung, den sonst in der Regel erst die Bearbeitung für sich beansprucht. Nur wird jetzt explizit zum Thema gemacht, was dem Original als Basis implizit zugrunde lag.

Exemplarisch ist der *Hofmeister* für Brechts eigenes Werk sowohl wie für die Inszenierungspraxis nach Brecht, auf die er stilbildend gewirkt hat, stilbildend gerade für die zeitgenössische Themenstellung und Darbietungsweise von Komödie auf dem Theater. Die Bemerkungen *Über das Poetische und Artistische* sowie die ausführliche Dokumentation im Band *Theaterarbeit* (S. 68—120) betonen das spezifisch künstlerisch-handwerkliche Interesse Brechts am Phänomen des aufgeführten Stücks, und zugleich ist die Grundkonzeption der Bearbeitung in besonders augenfälliger Weise an bestimmten Äußerungen der marxistischen Klassiker orientiert; der programmatische Begriff der »deutschen Misere« ist hierfür die Chiffre. Der *Hofmeister*, bei dem Brecht Autor, Dramaturg und Regisseur in einer Person ist, läßt sich stärker als andere Bearbeitungen als »originäres« Brecht-Opus verstehen, was dadurch begünstigt wird, daß die Lenzsche Komödie schon in ihrer technischen Verfahrensweise den Intentionen Brechts nahe kommt. Was die Bearbeitung auszeichnet: gesellschaftskritische Ermittlung eines historischen Tatbestands und dessen so präzise wie artistische Darstellung, die ihn »für uns« verwertbar macht, klingt mittlerweile wie eine pauschal formulierte Selbstverständlichkeit. Das beweist immerhin, daß Brechts *Hofmeister* am Beginn einer Entwicklung steht, die ihn bestätigt hat. Doch reicht die Kategorie »Brecht-Einfluß« als Erklärung nicht aus: nicht bloß eine literarische Innovation wird perpetuiert, sondern wesentlich ist die politische Perspektive, aus der heraus »das Bürgerliche« komisch gesehen wird. Der *Hofmeister* markiert den Punkt, an dem sich in und mit der Gattung Komödie die Perspektive durchsetzt, mit der Brecht im Jahre 1950 ziemlich allein dastand, d. h. Brecht wird durch die zeitgenössische Inszenierungspraxis *politisch* bestätigt. [276]

Es ist weiter auf eine ganz konkrete Wirkung der *Hofmeister*-Bearbeitung aufmerksam zu machen. Die Komödie von Lenz sei »ohne Brecht bereits heute undenkbar«, hatte Hanns Eisler festgestellt. [277] Doch heißt das nicht, wie im Fall der *Dreigroschenoper*, daß die Bearbeitung das Original verdrängt hätte, im Gegenteil: sie hat auf dieses mit Erfolg erst hingewiesen. Denn mit Brecht beginnt eigentlich nach langer Pause wieder die Bühnengeschichte des Autors Lenz, erst *nach* der Bearbeitung des *Hofmeister* wurden auch das Original und andere Werke von Lenz für spielbar gehalten. Allerdings kann das Original jetzt auch nicht mehr für sich gespielt werden, ohne sich in irgendeiner Weise auf die Bearbeitung zu beziehen. [278] Der mit den Augen Brechts gesehene Autor erscheint jetzt oft als ein mit den Augen Brechts *ver*sehener Autor, und das Cliché vom Sturm und Drang als einer bloßen Gefühlsrevolte wird dabei oft durch das konträre einer radikalen Gesellschaftskritik ersetzt. Über *Lenz oder die Alternative* zu schreiben (gemeint ist die Alternative zur deutschen Klassik) [279], weckt einen Verdacht, der in der Formulierung, Lenz habe im *Hofmeister* den Standpunkt eines »demokratischen Plebejers« eingenommen [280], zur Gewißheit wird: daß nämlich Brechts Bearbeitung indirekt den Anstoß zu einer neuen Legendenbildung geliefert hat. Es wird zu zeigen sein, wie das Verständnis gerade des Komödiencharakters des *Hofmeister* unmittelbar davon betroffen wird.

Relativiert werden muß auch die Vorstellung, Lenz habe das sog. »epische« Theater vorweggenommen bzw. sei dessen Vorläufer, was falsch ist. [281] Richtig ist nur, daß im Namen Shakespeare eine gewisse Verwandtschaft der dramatischen Intention von Lenz und Brecht ihren gemeinsamen Nenner findet. Brechts Erklärung zur Stückwahl legt dar, der *Hofmeister* von Lenz helfe »den Weg zum Shakespeare zu bahnen, ohne den ein nationales Theater kaum zustande kommen kann«. (GW 17, 1221) Der Sturm und Drang dachte ähnlich; allerdings setzte er Shakespeares sog. »Natur« gegen französische Konvention, seine »Lebendigkeit« gegen die geschlossene Kultur des Klassizismus, rühmte fast ausschließlich die Charakterzeichnung. Für Brecht dagegen bedeutet Shakespeare eine Dramaturgie, in der »die Idee nicht das Stoffliche vergewaltigt« — er ist also vor allem als Antithese zu Schiller gedacht. Anders als der Sturm und Drang rühmt Brecht gerade nicht die großen Charaktere bei Shakespeare, sondern will die Verlagerung des Interesses von der Individualität der Personen auf die »Vorgänge zwischen ihnen« lobend konstatieren.

Nun spricht Lenz ebenfalls von einem notwendigen Vorrang der »Grundbegebenheit« oder »Sache« vor der »Person«, bezieht dies aber nicht wie Brecht auf die Shakespearesche Dramaturgie allgemein, sondern glaubt damit die *Komödie* im

Gegensatz zur Tragödie definieren zu können. Brecht geht auf die theoretischen Ausführungen von Lenz nie ein, vermutlich hat er sie gar nicht gekannt. Er hält sich an das Werk selbst, das er als »ersten Niederschlag« Shakespeares in Deutschland eben deshalb ansieht, weil hier das »Stoffliche« und nicht die Idee, weil die »Vorgänge« zwischen den Personen und nicht deren Ansichten in den Mittelpunkt rücken. Das Fazit:

Auf diese Weise sind die Personen auch nicht entweder ernst oder komisch, sondern ernst, bald komisch. Der Hofmeister selbst erntet unser Mitgefühl, da er sehr unterdrückt wird, und unsere Verachtung, da er sich so sehr unterdrücken läßt. (GW 17, 1221)

Besonders klar ist das schon sprachlich nicht. Denn der Gegengriff zu »ernst« ist »heiter«, und das Komische ist mit dem Heiteren so wenig identisch wie das Ernste mit dem Tragischen. Doch selbst wenn dem so wäre, und selbst wenn hier ein kontinuierlicher Wechsel zwischen beiden feststellbar wäre, und wenn weiterhin zuträfe, daß dieser Wechsel durch den der zugeordneten Begriffe »Mitgefühl« und »Verachtung« umschrieben werden darf — wäre damit über die Intention des Ganzen, wie sie durch die Gattungsbezeichnung festgelegt wird, noch gar nichts gesagt. Brechts zwischen »Trauerspiel«, »Komödie« und »Tragikomödie« schwankende Definitionen beweisen daher auch, daß eine szenentechnisch konstatierte Ambivalenz der Personendarstellung zum wertenden Verständnis des ganzen Stücks nicht ausreicht. Diese Kalamität Brechts scheint die Unschlüssigkeit von Lenz, welcher Begriff der »passende« sei, lediglich zu reproduzieren [282], doch muß hier unterschieden werden: die Schwierigkeiten liegen zwar in der Sache selbst, im Stück *Hofmeister*, die Ursachen der Schwierigkeiten aber werden von Brecht anders als von Lenz beurteilt.

Die Gattungsbezeichnung ist keine terminologische Nebensächlichkeit, auf die sich nicht einlassen müßte, wer den *Hofmeister* nur einfach für sich verstehen will. Das Stück als Komödie und nicht als Trauerspiel bezeichnen, heißt eben auch, es dementsprechend verschieden zu interpretieren. Die These, die hier vertreten wird, daß Lenzens *Hofmeister* eine Komödie ist und nicht erst in Brechts Bearbeitung dazu wird, richtet sich gegen die in der Literaturwissenschaft bestehende communis opinio, die mit dem Zauberwort »Tragikomödie« hantiert und bei Lenz den Beginn einer neuen (Misch-)Gattung auszumachen vermeint.

Die Gattungsfrage, von Brecht her gesehen:

Ausgangspunkt für Brechts Verständnis des *Hofmeister* ist der Begriff der »deutschen Misere«. Dieser Begriff meint, auf den einfachsten Nenner gebracht, Fehlen der Revolution und die sich daraus ergebenden schädlichen Folgen für die gesellschaftliche Entwicklung in Deutschland. Oft wird der Begriff expressis verbis in bezug auf die Französische Revolution verwendet, auf jeden Fall wird von Heine über Marx und Engels bis zu Lukács und Brecht immer wieder der Vergleich Deutschland—Frankreich gezogen. Als Beleg sei eine knappe Briefstelle von Friedrich Engels zitiert:

Beim Studium der deutschen Geschichte — die ja eine einzige fortlaufende Misère darstellt — habe ich immer gefunden, daß das Vergleichen der entsprechenden französischen Epochen erst den rechten Maßstab gibt, weil dort das grade Gegenteil von dem geschieht, was bei uns. [283]

Es ist leicht zu zeigen, daß Brecht den Begriff der »deutschen Misere« genau auf diesen Vergleich stützt, und zwar in so globaler Weise, daß es scheint, als ob der Lenzsche *Hofmeister* tatsächlich *nach* der bürgerlichen Revolution in Frankreich (oder zumindest *nach* dem *Figaro* von Beaumarchais) entstanden sei. Diesen Eindruck erweckt z. B. das Sonett, dem Brecht den bezeichnenden Titel gibt: *Über das bürgerliche Trauerspiel »Der Hofmeister« von Lenz.* Der erste Vierzeiler lautet:

Hier habt ihr Figaro diesseits des Rheins!
Der Adel geht beim Pöbel in die Lehre
Der drüben Macht gewinnt und hüben Ehre:
So wird's ein Lustspiel drüben und hier keins. (GW 9, 610)

Die Schlußverse dieses Ende der dreißiger Jahre entstandenen Sonetts — »Er [= Läuffer] flennt und murrt und lästert und entmannt sich. / Des Dichters Stimme bricht, wenn er's erzählt.« — rücken die dramatische Figur wie ihren Autor auf dieselbe traurige Basis klagender Ohmacht. Das Sonett folgt einer geschichtsphilosophischen Konstruktion, die den sog. »Übergang« von feudaler zu bürgerlicher Epoche mit dem von Tragödie zu Komödie identifiziert. Gesellschaftspolitische Entwicklung und literarische Gattung werden unmittelbar parallel gesehen, so daß folgende Gleichung entsteht: drüben in Frankreich Fortschritt, Emanzipation der bürgerlichen Klasse, Beaumarchais' *Mariage de Figaro* (1784) deren Ausdruck, *also* Komödie; hier in Deutschland Fehlentwicklung, Misere, Lenzens *Hofmeister* (1774) deren Ausdruck, *also* bürgerliches Trauerspiel. Das Vorverständnis von »deutscher Misere« verleitet Brecht dazu, die gesellschaftlichen Verhältnisse, die umgangssprachlich als »Trauerspiel« bezeichnet werden könnten, nicht nur mit dem ästhetischen Begriff des Trauerspiels in eins zu setzen, sondern auch zu suggerieren, eine andere Gattung zu wählen, sei zu dieser Zeit in Deutschland gar nicht möglich.

Diese Zeit wird von Friedrich Engels anschaulich als »Zustand« beschrieben:

So war der Zustand Deutschlands gegen Ende des vorigen Jahrhunderts. Das ganze Land war eine lebende Masse von Fäulnis und abstoßendem Verfall. Niemand fühlte sich wohl. Das Gewerbe, der Handel, die Industrie und die Landwirtschaft des Landes waren fast auf ein Nichts herabgesunken; die Bauernschaft, die Gewerbetreibenden und Fabrikanten litten unter dem doppelten Druck einer blutsaugenden Regierung und schlechter Geschäfte; der Adel und die Fürsten fanden, daß ihre Einkünfte, trotz der Auspressung ihrer Untertanen nicht so gesteigert werden konnten, daß sie mit ihren wachsenden Ausgaben Schritt hielten; alles war verkehrt, und ein allgemeines Unbehagen herrschte im ganzen Lande. Keine Bildung, keine Mittel, um auf das Bewußtsein der Massen zu wirken, keine freie Presse, kein Gemeingeist, nicht einmal ein ausgedehnter Handel mit anderen Ländern — nichts als Gemeinheit und Selbstsucht — ein gemeiner, kriechender, elender Krämergeist durchdrang das ganze Volk. Alles war überlebt, bröckelte ab, ging rasch dem Ruin entgegen, und es gab nicht einmal die leiseste Hoffnung auf eine vorteilhafte Änderung; die Nation hatte nicht einmal genügend Kraft, um die modernden Leichname toter Institutionen hinwegzuräumen. [284]

Wenn es stimmt, daß dieser Text trotz seiner vagen Zeitangabe und trotz seiner pauschalen Beweisführung die Voraussetzung des Lenzschen *Hofmeister* von 1774 zutreffend beschreibt, zumindest in der Qualität eines Stimmungsbildes [285], dann stellt sich die Frage, auf welche Weise die beschriebene Misere in der zeitgenössischen Literatur sich niederschlug: wurde die Misere nur einfach registriert bzw. ging sie nur irgendwie in die Werke ein? Oder wurde sie kritisch reflektiert?

Friedrich Engels weist jedenfalls direkt im Anschluß an die zitierte Stelle darauf hin, daß gerade in der Literatur »die einzige Hoffnung auf Besserung« gesehen wurde: »Jedes bemerkenswerte Werk dieser Zeit atmet einen Geist des Trotzes und der Rebellion gegen die deutsche Gesellschaft, wie sie damals bestand.«

Dieser Protest ist von der Entscheidung, ob er in der Form des Trauerspiels oder der Komödie artikuliert wird, prinzipiell unabhängig. Nicht so für den Anti-Schillerianer Brecht! Brechts Argumentation setzt eine qualitative Differenz zwischen beiden voraus, etwa so zu verstehen, daß für ihn der Protest des Trauerspiels heroisch-aufrecht, und das heißt letztlich ohnmächtig, ausfällt, wogegen der der Komödie satirisch-aggressiv und klassenmäßig bewußter sei. Diese Argumentation hat manches für sich, nur muß jeweils im konkreten Fall sorgfältig untersucht werden, wie sich denn der »Protest« tatsächlich äußert, wogegen er sich richtet, welche Werke zum Vergleich herangezogen werden können. Im Fall des *Hofmeister* empfiehlt es sich, auf die Engelssche Definition der Misere als *Zustand* zurückzukommen. Zustand meint dann in Deutschland ja gerade nicht jene Phase des geschichtlichen Prozesses, in dem das Bürgertum schon als Klasse formiert und notwendig gegen die hemmenden Schranken der Feudalordnung stoßen muß. Zustand als im wesentlichen sozial*psychologischer* Begriff meint eben, daß »alles« zu ihm beiträgt, keine Klasse mehr in dem von ihr gewünschten Umfang von ihm profitieren kann, so daß er auch vom aufgeklärten Adel wie vom Bürgertum gleichermaßen kritisiert werden kann. Insofern ist der Vergleich von *Hofmeister* und *Figaro* als der Vergleich verschiedener gesellschaftlicher Voraussetzungen berechtigt — nicht aber die von Brecht daraus gezogene Folgerung. Vielmehr können und müssen beide Werke *als* Komödien verglichen werden: als Komödien, deren Perspektiven differieren.

Neben die Kennzeichnung des *Hofmeister* als eines Dokuments der »deutschen Misere« tritt für Brecht, sie ergänzend, die Kennzeichnung als eines »realistischen Werks«, was zunächst zu dem gleichen Schluß, nämlich der These vom »Trauerspiel«, führt. Wie im *Messingkauf* von 1940, wo Brecht die Versuche der englischen Restaurationskomödie, von Beaumarchais und Lenz würdigt, um die Bedeutung des klassenmäßigen point of view für die Komödie hervorzuheben (GW 16, Anm. 1*), spricht er in den zur gleichen Zeit geschriebenen *Notizen über realistische Schreibweise* von der »bürgerlich revolutionären realistischen Dramatik der John Gay, Beaumarchais und Lenz«. Sie hätten die Probleme und »Selbstbespiegelungen« der bürgerlichen Klasse auf die Bühne gebracht:

Die Hauptsache ist, daß der Blickpunkt nunmehr der Bürger ist, bei Beaumarchais im *Figaro* und bei Lenz im *Hofmeister* der emanzipierte Lakai. Das ist echter Realismus, denn der Bürger war eben wirklich das treibende Zentrum der ökonomischen Entwicklung geworden, und jetzt schickte er sich an, auch das politische Zentrum zu werden. (GW 19, 363)

Diese Konstruktion ist recht pauschal, weil sie die beträchtlichen historischen Phasenunterschiede der geschilderten Entwicklung in Frankreich und Deutschland nicht berücksichtigt (Signum der »deutschen Misere« ist doch, daß »der Bürger« in Deutschland gerade nicht das »treibende« Element ist), die ebenfalls erheblichen Interferenzunterschiede zwischen Adel, Klerus und Bürgertum in beiden Ländern übersieht und schließlich die Methode, mit der die Literatur den gesellschaftlichen Prozeß wiedergibt, unzulässig vereinfacht. »Bürgerlich« ist die Literatur nicht nur dann, wenn bürgerliche Personen in ihr vorkommen. Auch ist es ja nicht so, daß die klassizistische Tragödie auf einmal und endgültig einer sog. realistischen bürgerlichen Komödie gewichen ist, wie immer das auch im Rückblick als die einzig naheliegende Konsequenz scheint.

Brechts Bemerkungen streben eine historische Genauigkeit allerdings gar nicht an: nicht von Lillos *London Merchant,* sondern von Gays *Beggar's Opera,* nicht von Diderots *Père de famille,* sondern von Beaumarchais' *Figaro* geht er aus, und das heißt, daß er sich auf eine gesellschaftliche Intention der Werke beruft, die mit den Attributen »bürgerlich« und »realistisch« allein kaum charakterisiert werden kann. Gegen die komplizierten Erscheinungsformen und theoretischen Begründungen der Dramatik des 18. Jahrhunderts, die zwischen den traditionellen Polen Tragödie und Komödie ein »genre mixte« etablieren wollte, hält Brecht an dem Grundgegensatz zwischen Tragödie und Komödie fest, den er auf das »drame bourgeois« überträgt und nach der antifeudalen Tendenz bewertet.

Um Brechts Wort von der »Selbstbespiegelung« aufzugreifen: das Bürgertum erkannte sich in dem Maße auf der Bühne wieder, wie es seine gegenüber dem Adel als »größer« behauptete Tugend und Empfindsamkeit wiedererkannte. Sich ernst nehmen hieß, sich Größe und Fähigkeit des Leidens zu bestätigen. Unter dieser groben Prämisse impliziert dann die Gattung »Bürgerliches Trauerspiel« einen mehr indirekten Protest gegen den Adel. Der Akzent liegt auf der Selbstdarstellung des Bürgertums als jener Darstellung, wie man in verderbter Umwelt sich selbst treu bleiben kann und muß. Es ist ja überaus aufschlußreich, mit welcher Hartnäckigkeit das bürgerliche Trauerspiel die Kollision der Klassen als eine zwischen tugendhafter Unschuld des Bürgermädchens und patriarchalischer Sittenstrenge des Bürgervaters auf der einen Seite und amoralischem Verführertum sowie zynischer Gewissenlosigkeit auf der anderen zeigt, so als gäbe es keine anderen, wesentlicheren Konfliktmöglichkeiten. Demgegenüber ist dann die Komödienbehandlung desselben Problems bei Beaumarchais eine qualitativ neue Position — auch wenn man die populäre Legende vom *Figaro* als einem Wegbereiter der Revolution bzw. von seinem Autor als einem Ideologen des Dritten Standes nicht akzeptiert. [286] Der Akzent solcher Art Komödie liegt jedenfalls nicht mehr auf dem Durchhalten in schlechten Verhältnissen, nicht mehr auf dem sozialpsychologisch bedingten Versuch, dem Leiden der Bürger ästhetische Dignität zu verschaffen, sondern auf dem direkten Protest gegen die Anmaßungen der Aristokratie. So betrachtet, stimmt die Tendenz von *Figaro* und *Hofmeister* natürlich nicht überein: die klassenmäßige Stoßrichtung, die der Komödie Beaumarchais' entnommen werden *kann*, fehlt bei Lenz. Trotzdem ist es unerfindlich, warum Brecht den *Hofmeister* deshalb partout als Trauerspiel hinstellen will:

> Denn dieses deutsche Standardwerk des bürgerlichen Realismus ist eine Tragödie im Gegensatz zum französischen. Man hört geradezu das Gelächter des Franzosen über den deutschen Hausleher, der durch die Anknüpfung geschlechtlicher Beziehungen zu seiner adeligen Schülerin nicht etwa Karriere macht, sondern gezwungen wird, sich zu entmannen, um seinen Dienst ausüben zu können. Dieses Gelächter des Franzosen und dieser wilde Protest des Deutschen sind beides Ergebnisse revolutionärer realistischer Haltung.
> (GW 19, 363)

Der alles und nichts sagende Begriff »Realismus« ist, wie er hier verwendet wird, ein wunder Punkt, insofern er bloße Kopie der Wirklichkeit meint: als könnte Lenz gar nicht anders, als zum gleichen Thema ein Trauerspiel schreiben. Brechts Argumentation, beim Wort genommen, richtet sich gegen sich selbst. Es zeigt sich nämlich, daß »Wirklichkeit« für Brecht in genereller Abstraktion das bedeutet, was auf der historischen Tagesordnung steht, also Kampf des Bürgertums gegen die Feudalordnung. Dementsprechend ist Brecht so stark auf die antifeudale Komponente fixiert, daß er übersieht, wogegen der »wilde Protest« des Lenzschen Werks gerichtet ist: »realistisch« ist es doch gerade darin, daß es *beide* Klassen, Bürgertum wie Aristokratie, die in der deutschen Realität noch nicht klar gegeneinander treten, gleichermaßen kritisch behandelt. Die Realität ist doch gerade jener merkwürdige Zustand, in dem man — nach den Worten von Marx und Engels — »weder von Ständen noch von Klassen sprechen [kann], sondern höchstens von gewesenen Ständen und ungebornen Klassen«. [287]

Brechts Vergleich Beaumarchais/Lenz ist auf die Figuren Figaro/Läuffer beschränkt, an deren Haltung er die vermeintlich gleiche Bezogenheit auf die Feudalherrschaft zu erkennen glaubt, so daß dann der eine ihr gewachsen und überlegen ist, der andere von ihr beschädigt wird. Die Brüchigkeit dieser Konstruktion zeigt sich besonders darin, daß Brecht die Motivation Läuffers zu seiner Tat hier schon so darstellen muß, wie sie zwar in seiner Bearbeitung, nicht aber bei Lenz gegeben ist. Der Interpretation, daß Läuffer »gezwungen wird, sich zu entmannen, um seinen Dienst ausüben zu können«, womit in tatsächlicher wie übertragener Bedeutung eine für den Bürger in der Feudalgesellschaft sonst unlösbare Konfliktsituation unterstellt sein soll, kommt der Text des Lenzschen *Hofmeister* nicht entgegen. Dort heißt es, die Beweggründe seien »Reue« und »Verzweiflung« gewesen (V, 3/81)*.

* Der nach Akt- und Szenenzahl zitierte Text des Lenzschen *Hofmeister* richtet sich in der Seitenzahl nach Bd. II der im Literaturverzeichnis genannten Ausgabe von Titel/Haug.

Wenn überhaupt das Verhältnis zwischen dem adligen Gustchen und dem bürgerlichen Läuffer derart im Zentrum des Stückes steht, daß der Versuch erlaubt wäre, aus ihm den Maßstab zu seiner Qualifizierung als Trauerspiel oder Komödie zu gewinnen, dann ist es eigentlich unverständlich, wie Brecht auf der These vom Trauerspiel beharren kann. Denn noch der oberflächlichsten Betrachtung muß sich doch zeigen, daß im *Hofmeister* der für viele bürgerliche Trauerspiele typische Standeskonflikt nicht nur umgedreht, sondern ihm darüber hinaus das Attribut des Tragischen entschieden verweigert wird. Hier tritt der Bürgerliche der Adligen zu nahe, doch darf weder sie als Selbstmörderin noch er als »zweiter Origenes« enden; vielmehr stürmen beide, sie mit dem Handikap des fremden Kindes, er mit dem, keine Kinder mehr zeugen zu können, in den je standesgemäßen Ehestand. Also kein tragisch erstarrender Widerspruch, sondern dessen demonstrativ banale Auflösung! Da Brecht rein äußerlich, von der vermuteten Problemstellung her, argumentiert, wäre es nur konsequent, den *Hofmeister* allenfalls als Parodie eines Trauerspiels statt als dessen Exempel hinzustellen. Brechts These vom Trauerspiel läßt sich schwerlich aufrechthalten.

Nun ist es bemerkenswert, daß Brecht in einem von Hans Mayer mitgeteilten Brief, wiederum unter Berufung auf den »Realismus«, zu einem genau entgegengesetzten Ergebnis kommt. Die Rede ist vom »Versagen« der deutschen Klassik, wogegen die »bedeutenden realistischen Anfänge« wieder sichtbar gemacht und die »Unterdrückung Lenzens durch die Literaturgeschichte« aufgezeigt werden müßten. Das Fazit lautet jetzt:

Ferner ist das Stück eine wirkliche *Komödie,* und es ist doch so charakteristisch, daß die Klassiker diese eben realistische Kunstgattung so gar nicht pflegten. [288]

Die terminologische Verwirrung ist beträchtlich. Erst hieß es: weil Lenz Realist ist, deshalb müsse sein Stück, im Gegensatz zum *Figaro,* ein bürgerliches Trauerspiel werden. Jetzt heißt es: weil Komödie per se eine realistische Gattung sei, müsse Lenz als Realist, im Gegensatz zu den deutschen Klassikern, Komödien schreiben. Dieser Widerspruch tritt auch an anderer Stelle bei Brecht auf. [289]

Noch eine weitere Äußerung Brechts ist zu erwähnen. Unter den 32 Pointen, die er gesammelt und mit dem Titel *Komisches* überschrieben hat, notiert Brecht die folgende:

Lenz [zeigt] im *Hofmeister,* daß die Lehrer nur Stellen bekommen können, wenn sie sich selber kastrieren. (GW 19, 462)

Ein komisches Motiv macht ein Stück zwar noch nicht zur Komödie (zumal Brecht es hier wieder so beschreibt, wie es bei Lenz noch nicht konstruiert ist), doch ist die Tatsache wichtig, *daß* Brecht hier als komisch benennt, was in seinem Sonett noch als Signum für »Trauerspiel« gelten sollte.

Es ist allerdings fraglich, ob in Brechts Einschätzungen des Gattungsproblems eine wirkliche Entwicklung feststellbar ist, die von der Anfangsthese »Trauerspiel« zu der am Ende definitiven von »Komödie« hinführt. Eines haben die wechselnden

Begründungen aber gezeigt: Brecht versucht stets, »Komödie« dem Begriff wie dem sachlichen Gehalt nach als Antwort auf eine gesellschaftlich-politische Situation zu bestimmen, und er geht dabei von keiner Gattungstheorie oder Gattungstradition aus. Zweitens setzt er stets voraus, daß Läuffer die zentrale Figur des Werkes ist. Dies ist die Haupterklärung für seine auch in den einzelnen Szenenkommentaren auftretenden terminologischen Schwankungen. »Das von Bergsche Haus ist tragödiensicher« (GW 17, 1238) sagt Brecht in der Erkenntnis, »daß bei genügend Wohlstand die Tragik keine gesicherte Existenz hat«. (GW 17, 1234) Bei Läuffer dagegen, in der Menuettszene, sieht Brecht den »Keim der Tragikomödie« angedeutet (GW 17, 1250), und die Läuffer-Gustchen-Konstellation wird von ihm folgendermaßen kommentiert: »Aber das Tragische, so es hereinkommt, muß doch bei Läuffer liegen.« (GW 17, 1232)

Das fatale Geschick Läuffers soll also in anderem Ernst als das der übrigen Personen erscheinen, und in diesem Sinne, unter der Prämisse, daß Läuffer die Hauptfigur ist, spricht Brecht vom »Tragischen« und von »Tragikomödie«. Andererseits spottet Brecht — und zwar gerade auch im Text seiner *Hofmeister*-Bearbeitung (vgl. GW 6, 2375) — über das Tragische als einer Sache der Oberklasse und diffamiert es als ideologisches Geschwätz.

Aus Brechts Äußerungen zum Gattungsproblem des *Hofmeister* geht nie klar hervor, ob das Lenzsche Werk für ihn die schlechten Verhältnisse nur objektiv registriert bzw. »widerspiegelt« oder aber, als Komödie, einen perspektivischen Standpunkt einnimmt, der — als Kritik und Utopie meßbar — über die Misere hinausweist. Weil Brecht nämlich von der Figur Läuffer her den Charakter des Werkes glaubt bestimmen zu können, bekommt er die Intention des Ganzen nur ungenau zu fassen, und daher schwankt sein Urteil immer wieder zwischen Trauerspiel, Tragikomödie und Komödie.

Das Verfahren der Brechtschen Bearbeitung selbst gibt aber, so sei als These formuliert, entschiedenere Auskunft: es behandelt den Lenzschen *Hofmeister* als eine Komödie. Wäre es nämlich ein Trauerspiel in dem Sinne, daß der Figur Läuffer das Verständnis und die geheime Sympathie des Autors Lenz gehörten, und wäre die Perspektive demnach nur die des »bürgerlichen wilden Protests«, so hätte das für Brecht geheißen, diesen zusätzlich ironisieren zu müssen bzw. das *ganze* Stück *gegen Lenz* neu zu konstruieren. Er hätte, wo nur zähneknirschende Ohnmacht, »Schicksal« und moralischer Protest wäre, auch die Kritik noch nachzutragen gehabt. [290] Indessen zeigt die Bearbeitung deutlich, daß Lenz ihr bereits »vorgearbeitet« haben muß, so daß Brecht die bürgerlich-kritische Zustandsanalyse durchaus übernehmen kann, um allein das transzendierende Moment klassenmäßig neu zu bestimmen.

Das Gattungsproblem, von Lenz her gesehen:

Die Gattungsbezeichnungen, die Lenz seinem *Hofmeister* gibt, schwanken zwar, doch ist das Ergebnis dann eindeutig. Vor Vollendung des Werkes, im Jahre 1772, ist die Rede vom »Trauerspiel«, die Handschrift verzeichnet den später durchstrichenen Titel »Lust- und Trauerspiel«, der endgültige und vollständige Titel von 1774, auf den Lenz auch in seinen Briefen zurückkommt, lautet: *Der Hofmeister oder Vortheile der Privaterziehung, eine Komödie.* Nicht erst diese definitive Bezeichnung, schon die erste, konträre, ist recht aufschlußreich. Sie hieß:

Mein Trauerspiel (ich muß den gebräuchlichen Namen nennen) nähert sich mit jedem Tage der Zeitigung. [282]

»Trauerspiel« also nicht als Chiffre einer bewußten dramatischen Intention, sondern als Zugeständnis an den zeitgenössischen Geschmack und Wortgebrauch, wie er auch prompt von der Rezension im *Allmanach der deutschen Musen* bestätigt wird, wo es heißt:

Wenn das kein Trauerspiel ist, worinne ein Vater in Raserei verfällt, eine Tochter ihre Ehre verliert, Gefängnisse und Bettlerhütten erscheinen, Verwundungen, Ersäufungen und Kastrierungen vorgehn, so möchte manche französische Tragödie dagegen Lustspiel heißen. [291]

Ein derartiger Begriff des Trauerspiels ist weder an einer philosophischen Spekulation über das »Wesen« des Tragischen oder über die »Idee« der Tragödie orientiert noch an den historischen Erscheinungsformen der tragischen Dramatik, sondern richtet sich allein nach dem unmittelbaren Emotionswert der einzelnen szenischen Vorgänge. Wenn unter *solchen* Voraussetzungen die Gattungsbezeichnung bei Lenz zunächst schwankt, ist das sachliche Gewicht gering, und die Ursachen der Unentschlossenheit sind auch denen nicht vergleichbar, die Brechts wechselnden Urteilen jeweils zugrunde lagen. Doch hat Lenz sich an den »gebräuchlichen Namen« ja nicht gehalten und den *Hofmeister* am Ende eine Komödie genannt. Diese definitive Entscheidung muß zur Kenntnis genommen werden und ist keinesfalls arbiträr [292], wenngleich sich ihre Berechtigung natürlich erst in der Analyse des Werkes selbst erweist (d. h. der *Hofmeister* ist nicht deshalb schon als Komödie ausgewiesen, weil Lenz ihn so bezeichnet).

Die gleiche Einschränkung gilt für die theoretischen Überlegungen von Lenz. Ihr Verhältnis zum Stück ist sicher nicht das von Programm zu Ausführung; eine derart nahtlose Kausalbeziehung von Theorie und Praxis ist hier wie generell mit Skepsis zu beurteilen. [293] Dennoch geben ästhetische Reflexion und Werk zusammen wichtige Hinweise auf die Situation der Gattung Komödie, wie sie zu der Zeit am Beispiel Lenz sich darstellt. Deshalb seien Lenzens *Anmerkungen übers Theater* (1774) und die (Selbst-)*Rezension des neuen Menoza* (1775) kurz betrachtet, wobei vorausgeschickt werden muß, daß beide Schriften den Anforderungen einer wirklichen »Theorie« nicht entsprechen. Wo die Explikation der These auszuarbeiten wäre, steht jeweils eine Ausweichgebärde, mit der sich Lenz auf das wortlose Verständnis derer verläßt, die in selbständiger Gedankenarbeit vollenden sollen, was er — angeblich aus »Müdigkeit«, das Selbstverständliche zu sagen — an Argumenten schuldig bleibt. [294] Den Möglichkeiten, eine eigene neue Genre-Diskussion einzuleiten, steht zudem im Wege, daß die deutschen Autoren wie Lenz in ihren dramaturgischen Schriften stärker als etwa die Franzosen (z. B. Diderot,

Mercier) stets erst gewisse »Pflichtübungen« — nämlich Aristoteles-Auslegung, Shakespeare-Lob, Polemik gegen französischen Klassizismus — glauben ausführen zu müssen, so daß die Funktion des Kommentars die Selbständigkeit der These beeinträchtigt.

Das gilt besonders von Lenzens *Anmerkungen übers Theater*. Die abstrakte Gegenüberstellung von »Sache« (bzw. »Begebenheit«, »Hauptempfindung«) und »Person« (bzw. »Charakter«), die, wie Lenz gegen Aristoteles behauptet, der von Komödie und Tragödie entsprechen soll, hat eigentlich nur als Antithese zu einer ebenso abstrakten Definition Lessings ihr partielles Interesse. [295] Eine brauchbare Unterscheidung der Gattungen ist das nicht. Der Satz: »In der Komödie aber gehe ich von den Handlungen aus, und lasse Personen Teil dran nehmen welche ich will.« (Bd. I, S. 361), stellt dann allenfalls eine persönliche Absichtserklärung dar, die kaum grundsätzliche Bedeutung erreicht. Der *Hofmeister* läßt sich durchaus nicht nur diesem eingeschränkten und rein formalen Sinn als Komödie begreifen, und vor Lenzens *Anmerkungen übers Theater* ist geradezu zu warnen. [296]

Sehr viel bedeutsamer ist die *Rezension des Neuen Menoza*, wo es unter anderem heißt:

> Ich nenne durchaus Komödie nicht eine Vorstellung die bloß Lachen erregt, sondern eine Vorstellung die für jedermann ist. Tragödie ist nur für den ernsthaftern Teil des Publikums, der Helden der Vorzeit in ihrem Licht anzusehen und ihren Wert auszumessen im Stande ist. (Bd. I, S. 418 f.)

Hier wird Komödie nicht von der emotionellen Wirkung des Lachens her definiert, sondern von einer pädagogischen intendierten Breitenwirkung: an anderer Stelle vermerkt Lenz, sein Publikum sei »das ganze Volck«. [297] Das ist die Konsequenz einer nüchternen Bestandsaufnahme sowie die Formulierung eines Programms — ein bedauernder Unterton, als wäre der »ernsthaftere Teil« kleiner *geworden*, ist nicht festzustellen, und der Tragödie wird keineswegs nachgetrauert. Merkwürdig, daß Lenz deren Personal nur in »Helden der Vorzeit« sieht: so wird die Tragödie zu etwas Unaktuellem, das den Gegebenheiten der zeitgenössischen Wirklichkeit nicht mehr entspricht. [298]

Das Gebiet der Komödie wird dadurch erweitert, es wird von dem im engen Sinne Komischen unabhängig. Lenz betont daher auch die »Notwendigkeit der französischen weinerlichen Dramen«, also der sog. comédie larmoyante, und fügt hinzu:

> Komödie ist Gemälde der menschlichen Gesellschaft, und wenn die ernsthaft wird, kann das Gemälde nicht lachend werden. Daher schrieb Plautus komischer als Terenz, und Molière komischer als Destouches und Beaumarchais. Daher müssen unsere deutschen Komödienschreiber komisch und tragisch zugleich schreiben, weil das Volk, für das sie schreiben, oder doch wenigstens schreiben sollten, ein solcher Mischmasch von Kultur und Rohigkeit, Sittigkeit und Wildheit ist. So erschafft der komische Dichter dem tragischen sein Publikum. Ich habe genug geredt für die, die mich verstehen wollen, und verstehen können. (Bd. I, S. 419)

Leider hat Lenz nicht »genug geredt«: ein Beispiel, wie das aussehen soll, »komisch und tragisch zugleich schreiben«, wäre hilfreich gewesen. Aber ist der Text nun wirklich die Begründung einer neuen Gattung »Tragikomödie«, wie das seit den Arbeiten von Guthke mit stereotyper Hartnäckigkeit wieder und wieder behauptet wird? [299] Es empfiehlt sich, genau zu lesen.

Da zeigt sich, daß Lenz eben von »Komödie« spricht, Komödienautoren anführt, dem Komödienschreiber das Zugleich von tragisch und komisch nahelegt und auch am Schluß des Absatzes auf den komischen Dichter zurückkommt. Die Gattung der Komödie wird also keineswegs in ihrer Verbindlichkeit angetastet bzw. soll irgendwie »überwunden« werden, sondern im Gegenteil: von ihr ist auszugehen, in sie soll und muß integriert werden, was ehedem nur in der Tragödie seinen angemessenen Platz gefunden hat. Wer nun trotzdem unbedingt den schlechten Begriff der »Tragikomödie« glaubt verwenden zu müssen, sollte hinzufügen, daß hier bei Lenz damit nur *eine bestimmte Form der Komödie* und gerade nicht eine selbständig neben sie tretende neue Spezies angesprochen ist!

In den zitierten Sätzen steckt allerdings auch keine »Komödientheorie«. Ein Satz wie der, daß bei einer »ernsthaft werdenden menschlichen Gesellschaft« die Komödie nicht im Komischen verbleiben könne, verliert bei genauerem Hinsehen viel von seiner Beweiskraft. Das Wort von der »menschlichen Gesellschaft« entpuppt sich als bloße Tautologie [300], und außerdem hat die satirische Komödie seit jeher die politisch desolate Wirklichkeit zu ihrem Gegenstand gemacht: Molières Komödien waren alles andere als nur »lachend«! Was vor allem aber soll »Gemälde« heißen? Ist damit eine getreuliche Wiedergabe dessen, was ist, gemeint? Wenn das zutrifft — wofür sich zumindest eine wichtige Briefstelle von Lenz anführen ließe [301] — dann wäre damit an einer handhabbaren Definition von Komödie vorbeigegangen. Denn Komödie muß durch die Intention bestimmt werden, mit der sie Teile der Wirklichkeit *auswählt,* und durch die Perspektive, durch die sie diese zum »Gemälde« zusammensetzt und als kritisierbar darstellt. Das festzulegen, wäre wichtiger als Lenzens Hinweis zur Darstellungsweise, die »komisch und tragisch zugleich« sein solle, bei welcher Forderung im Zusammenhang des Gesagten (Erwähnung der comédie larmoyante, von Destouches und Beaumarchais) wieder einmal »tragisch« für »ernst« steht. Die Komödie übernimmt die Funktion der Tragödie — so ist die Voraussetzung. Der Schluß — der komische Dichter »erschaffe dem tragischen sein Publikum« — deutet auf eine, zeitlich nicht fixierte, *Möglichkeit* hin: die kulturpädagogische Wirkung der Komödie könnte dazu führen, daß der »ernsthaftere Teil« des Publikums, d. h. derjenige, der an den großen geschichtlichen Heroen der Tragödie Interesse findet, vergrößert wird. Hierauf liegt aber nicht der Akzent der Lenzschen Darlegung; die Behauptung, Lenz habe Komödie »nur als eine Stufe auf dem Weg zur Tragödie betrachtet« [302], so als sei Tragödie der Tempel des ästhetischen Heiligtums, zu dem auch Lenz aufsteigen wolle, ist nicht gerechtfertigt.

Noch einmal: eine wirkliche Theorie hat Lenz nicht vorgelegt. Wichtig ist allein der Versuch, die Komödie in direkte Beziehung zum aktuellen Gesellschaftszustand zu setzen, wobei das einzelne Komische sekundär wird. Wichtig ist, daß die Individualität einer negativen Versuchsperson (der »Lastertyp« der Aufklärungskomödie) hinter dem »Gemälde« einer ganzen Gesellschaft zurücktreten soll. Wichtig sind auch die formalen Konsequenzen, die Lenz daraus zieht: keine einlinige »Charakterkomödie« mehr, sondern die Reihung einzelner Begebenheiten, die sehr indirekt miteinander verbunden sind. Davon ist in Lenzens theoretischen Skizzen aber kaum andeutungsweise die Rede. Ihre Kenntnis vermag denn auch insgesamt das Verständnis der Lenzschen Werke, z. B. des *Hofmeister*, nicht *grundlegend* zu beeinflussen, und als »Gebrauchsanweisung« gar sollten sie nicht angesehen werden.

Zu Titel und Personenverzeichnis des *Hofmeister*:

Titel und Personenverzeichnis des *Hofmeister* geben als scheinbar äußerlichste Bestandteile der Komödie wertvolle Hinweise auf deren Intention, insofern sie den Erwartungshorizont des Rezipienten eingrenzen, noch bevor dieser einen Satz gelesen oder gehört hat.

Das Personenverzeichnis wird angeführt durch den Geheimen Rat, Herrn von Berg, dem der Major, die Majorin, Gustchen, Fritz von Berg, Graf Wermuth und danach erst Läuffer und die übrigen folgen. Diese Anordnung ist keinesfalls selbstverständlich, sondern hält sich noch an die Regeln der Ständeklausel, die erst im nachklassizistischen Drama seit Büchner ihre Gültigkeit verliert. Der Personenzettel wird seitdem nach Wichtigkeit und dramatischem Interesse der Figuren gegliedert. Brechts Personenreihung sieht schon recht verschieden aus; in seiner Bearbeitung ist Läuffer an die erste Stelle gerückt, Brecht sieht in ihm die Hauptperson.

Der Geheime Rat steht bei Lenz wohl nicht allein seines Standes und sozialer Stellung wegen an der Spitze, sondern auch deswegen, weil er — wie ein »Berg« im Flachland — die anderen Personen geistig überragt. Auffällig sind die vielen »sprechenden« Namen, die gemäß einem traditionellen Stilmittel der Komödie eine charakterisierende Festlegung bzw. Kritik der betreffenden Personen anmelden: in der Handlung wird oft nur entfaltet, was aus dem Namen selbst ersichtlich ist. Graf Wermuth ist der Mann, der »zwanzig Bouteillen Champagner« leert (II, 6/42). Der Herr von Seiffenblase, ohne die Konsistenz eines richtigen Charakters, ist von schillernder Nichtigkeit, auch er wird übrigens von einem Hofmeister erzogen. Namen wie Jungfer Hamster, Jungfer Knicks brauchen in ihrer negativen und spöttischen Bedeutung nicht erläutert zu werden, ebenso wenig wie die Assoziation an bürgerliche Rechtschaffenheit im Namen der Wirtin Frau Blitzer. Von den mit Fritz von Berg befreundeten Studenten ist Bollwerk der derbere, der mit Pätus (lat. »paetus« = verliebt blinzelnd) kontrastiert. Der Name Rehaar für das Mädchen, das Pätus heiraten wird, evoziert sowohl die »Unschuld«, der nachgestellt wird, als auch eine gewisse »Feinheit« der Bürgerlichen, was dann dadurch bestätigt wird, daß sie sich mit dem adligen Gustchen ohne weiteres versteht. Die »weibliche« Komponente des Namens paßt auch zu dem Beruf des Vaters: er ist Lautenist, doch überwiegt hier das negativ-charakterisierende Moment des »Unmännlichen«. Vater Rehaars Sprache ist dadurch gekennzeichnet, daß er an die Worte ein »-chen« anzuhängen liebt, und ihm wird auch vorgeworfen, daß er feige ist: »Ein Musikus muß keine Courage haben«, sagt er selber. (V, 2/78) Das adlige

Paar ist entidealisiert, insofern die standesgemäßen Namen Friedrich und Auguste auf die sozusagen menschlichere Form Fritz und Gustchen reduziert sind. Die Analyse der Komödie wird bestätigen, daß solche »Angleichung« des bürgerlichen und des adligen jungen Paars einer ganz bestimmten ideologischen Position des Autors entspricht. Ob auch im Namen Wenzeslaus eine Charakterisierung, und zwar ironischer Art, verborgen ist, ist nicht sicher. [303] Läuffer schließlich ist unstet, gehetzt, unfrei: »Läuffer läuft fort«, heißt es einmal am Szenenschluß (II, 5/41). Der Name bezeichnet die in jeder Hinsicht unsichere Existenz seines Trägers, der stets von anderen abhängig ist und mehr reagiert denn selbständig handelt.

Wie alle diese sprechenden Namen die »Freiheit« der Personen einschränken, sie im Sinne einer übergreifenden Perspektive determinieren und damit nicht auf ein Trauerspiel, sondern auf eine Komödie hinweisen, so gilt dies um so mehr vom Titel: *Der Hofmeister oder Vorteile der Privaterziehung*. Er will ironisch verstanden werden und deutet an, das folgende Stück werde die Realität der Privaterziehung als schlecht und nachteilig bloßstellen. Hieße das Stück nur *Der Hofmeister*, wäre ein individueller Fall vorausgesetzt, die Entfaltung eines besonderen Charakters. Der erweiterte Titel aber macht von vornherein klar, daß das Interesse vom Einzelfall auf den Beispielfall gelenkt werden soll: der konkrete Vertreter seines Berufsstandes ist nur soweit wichtig, wie er exemplarisch ist. Nicht um die Enthüllung einer mehr oder weniger verzeihlichen »Schwäche« berufsspezifischer Art also geht es (wie z. B. in den zahllosen Typenkomödien, die den Rechtsgelehrten, Arzt, Landgeistlichen usw. im Titel nennen), nicht also wird hier lediglich der Standpunkt einer vernunftbestimmten Allgemeinheit gegen den isolierten einzelnen eingenommen, um ihm bzw. seinem Berufsstand eine Korrektur seines Verhaltens zu empfehlen. Der Komödie, die *Der Hofmeister oder Vorteile der Privaterziehung* heißt, geht es vielmehr um den Nachweis der Schädlichkeit und Überflüssigkeit dieses Berufs, und sie will für dessen Abschaffung plädieren. Das heißt erstens: die Blickrichtung solcher Komödie wird weniger auf die Person des Hofmeisters als auf seine Funktion und Wirkung zielen, da die Gesellschaft der eigentliche Adressat des Komödienbeweises ist. Das heißt zweitens: da nicht der einzelne Hofmeister, sondern die Gesellschaft die Existenz dieses Berufs zu verantworten hat — als ein Zeichen dafür, daß sie die Notwendigkeit öffentlicher Erziehung bzw. praktischer Ausbildungsziele für ihre eigene Weiterentwicklung noch nicht erkannt hat — müßte auch die Komödienkritik auf eben diese Gesellschaft selbst gerichtet sein. Das heißt drittens: das Programm solcher Komödie ist der Substanz nach bürgerlich, insofern erst bei uneingeschränkter Anerkennung des Nützlichkeitsprinzips die adlige Enklave der Privaterziehung so recht als störend beurteilt werden kann.

Der Titel, so erläutert, macht klar, daß die Komödie selbst ihm nicht völlig entspricht! Er skizziert aber zugleich auch schon die Momente, die über das von ihm direkt Genannte hinausweisen können oder sogar müssen.

Das Thema des *Hofmeister* ist nämlich nicht die Privaterziehung, wie immer auch der Schluß der Komödie die These des Titels zu bestätigen scheint.

Die letzten Worte zwar, die Fritz von Berg spricht: »Wenigstens, mein süßer Junge! werd ich dich nie durch Hofmeister erziehen lassen.« (V, 12/104), tun so, als werde jetzt das Résumé verkündet, zu dem alle Begebenheiten hinstrebten, als habe z. B. Fritz von Berg etwas gelernt, was er nicht ohnehin schon wußte.

Ein literarisches Werk verstehen heißt aber, wenn nicht alle, so doch möglichst viele seiner sinnhaltigen bzw. strukturbestimmenden Momente im Verständnis aufzuheben. Das kann nicht, wer nur auf die im Titel angesprochene Privaterziehung achtet, weil er dann ja versuchen müßte, sämtliche Szenen in Bild und Gegenbild auf den Kristallisationspunkt des Privaterziehers Läuffer zu beziehen. Das ist nicht möglich. Schon das »Gustchen-Schicksal« ist *allein* als »Beweis« der Nachteile von Privaterziehung nicht interpretierbar, oder wäre es in allzu äußerlichem Sinne. Anders als vom Titel angegeben, demonstriert die Komödie auch weniger *am* Beispiel Läuffer die Nachteile der Privaterziehung *für andere,* als vielmehr *für ihn selbst,* wobei aber wiederum das Resultat, Selbstverstümmelung, keine Folge ist, die dem Berufe angelastet werden könnte. Natürlich ist die Kastration aber auch nicht einfach akzidentiell, aus der besonderen »Natur« Läuffers zu verstehen [304], als wäre die Tat ohne dahinterstehenden gesellschaftlichen Zwang motivierbar.

Aus all dem folgt, daß die wirkliche Bedeutung der Privaterziehung bzw. der Läuffer-Komponente darin liegt, nicht die Ursache, sondern bloß ein Symptom des schlechten Gesellschaftszustands zu beleuchten, daß sie im Rahmen der Komödie daher nicht die Stelle des Themas, sondern nur die eines Motivs einnimmt.

Thema des *Hofmeister* ist Erziehung, und zwar im weitesten Sinne, als Einsicht zu vernunftbestimmtem Verhalten betrachtet, unabhängig davon, ob sie von eigens dafür legitimierten Personen beruflich (privat oder öffentlich) ausgeübt wird. Für die *Hofmeister*-Komödie ist u. a. wesentlich, daß schon in der Relation der Generationen, in der Abhängigkeit der Jüngeren von den Älteren, stets das Erziehungsmodell impliziert ist. Und entscheidend ist, daß dieses Zentralproblem der Aufklärung hier gesellschaftlich gefaßt wird: was wird gelehrt bzw. durch väterliches Vorbild illustriert? Wie geschieht das, welche Konsequenzen hat das für Lehrende und Lernende? Welchen Prinzipien folgen ein Pastor, ein Geheimer Rat, ein Major als Väter bzw. wie ist das klassenmäßig und bewußtseinsmäßig unterschieden? Diese Fragen sind es, die im *Hofmeister* thematisiert werden, und zwar auf eine Weise, daß Erziehung (nämlich »falsche«) in der Darstellung der gestörten Beziehungen der Individuen zueinander nicht nur den Gegenstand der Komödie ausmacht, sondern auch, daß Erziehung (nämlich »richtige«) als der einzige Ausweg aus dem miserablen Gesamtzustand angeboten wird.

Doch kommt, was so gemeinhin als der Erziehungsoptimismus der Aufklärung bezeichnet zu werden pflegt, nicht als Phönix aus der Asche hervor, sondern flattert dem »guten Ende« mit verbrannten Flügeln entgegen. Widersprüchlich, weil nicht »radikal« genug, ist die bürgerlich-kritische Analyse, die dem *Hofmeister* zugrunde liegt; widersprüchlich desgleichen die auf bloße »Vernunft« setzende Perspektive, die das Ganze zur Komödie rundet, das Illusionäre ihres Standpunkts sehend, aber über einen anderen doch nicht verfügend. Diese Widersprüche bestimmen Rang und Grenze der Lenzschen Komödie und machen das Werk reicher, als das der Titel verspricht, der kein einfach »falscher«, aber ein zu kurz gegriffener ist — obwohl, wie zu zeigen versucht wurde, bei scharfem Hinsehen aus ihm und gegen ihn schon entziffert werden kann, was über das von ihm direkt genannte Problem hinausgehen *muß*. (D. h. die Privaterziehung ist nicht Ursache, sondern Folge der gesellschaftlichen Misere — und eben dies ist auch der tatsächliche Gehalt der Lenzschen Komödie).

Zum Komödiencharakter und gesellschaftlichen Gehalt des Lenzschen *Hofmeister*:

Der Monolog, unverzichtbarer Bestandteil des klassischen Dramas, muß sich in der ganz auf »Natur« und »Lebenswirklichkeit« eingeschworenen Lenzschen Dramaturgie recht fremd ausnehmen. Die Worte Läuffers, mit denen die Komödie eröffnet, sind denn auch kein Monolog im traditionellen Sinn. Hier wird ad spectatores gesprochen und keine Seelenstimmung enthüllt, die für einen Dialog zu intim wäre. Hier sagt einer (und zwar aus der Sicht seiner Rolle, was ihn vom traditionellen Prologos unterscheidet!), wie *er* die Situation sieht, sagt damit aber auch viel von dem, wie sie wirklich ist, und seine Geste, die den Worten folgt, macht abschließend deutlicher noch als seine Rede erfahrbar, welche Verhältnisse durch diese Exposition, durch diese »Vorstellung«, umrissen sind. Es empfiehlt sich, den Text genau zu betrachten:

Mein Vater sagt: ich sei nicht tauglich zum Adjunkt. Ich glaube, der Fehler liegt in seinem Beutel; er will keinen bezahlen. Zum Pfaffen bin ich auch zu jung, zu gut gewachsen, habe zu viel Welt gesehn, und bei der Stadtschule hat mich der Geheime Rat nicht annehmen wollen. (I, 1/11)

Die weiteren Reflexionen Läuffers gelten alle dem Geheimen Rat bzw. dessen Verhalten ihm gegenüber, bei dem er »Satire« (gemeint ist Ironie) argwöhnt: »er sieht mich vermutlich nicht für voll an.« Die Szenenanweisung vermerkt darauf: »Geht dem Geheimen Rat und dem Major mit viel freundlichen Scharrfüßen vorbei.«

Es ist zumindest von einem Interpreten gesehen worden, daß diese erste Szene zum ganzen Stück sich so verhält wie die Skizze zum Gemälde. [305] Das gilt es zu erläutern. »*Mein Vater* sagt« — »*Ich* glaube«: damit ist eine Konstellation umrissen, die in den Vater-Sohn-Gegensatz gekleidet ist, aber in einer Weise darüber hinausgeht, die es verbietet, die »Grundbegebenheit« der Komödie in einem verborgenen »Verlorener Sohn«-Modell zu suchen. [306]

Wesentlich ist: was kraft Autorität gesagt wird, wird nicht einfach mehr geglaubt, sondern nach dem verschwiegenen Sinn hinterfragt. Das Maß an Einsicht, das an dieser Stelle sogar Läuffer verfügbar ist, ist Teil dessen, was die Komödie insgesamt zu befördern trachtet. Die Konstellation ist dadurch gekennzeichnet, daß die Kontinuität des fraglos Gültigen einen Sprung bekommen hat, der zu neuem Nachdenken und neuem Verhalten zwingt. Was immer war, muß nicht so bleiben. Der Geheime Rat wird das seinem Bruder, dem Major, vorhalten:

unsere Kinder sollen und müssen das nicht werden, was wir waren: die Zeiten ändern sich, Sitten, Umstände, alles. (I, 2/12)

Der Gegensatz zwischen herkömmlichem, falsch gewordenem Verhalten und neuem, realitätsbezogenerem Verhalten verläuft allerdings nicht als klare Trennungslinie zwischen den Generationen: die Väter Läuffers und Gustchens zwar sind dem Alten ganz verhaftet (während der Geheime Rat zunächst die große Ausnahme zu sein scheint), doch ihre Kinder repräsentieren darum noch nicht, so wie sie sind, eine neue Gesellschaft. Gustchen, mit ihrem Dasein durchweg unzufrieden, wählt die falsche Alternative: »Sie liegt Tag und Nacht über den Büchern und über den Trauerspielen da.« (I, 4/19) Es ist die Flucht in die Scheinwelt der Literatur, von der auch Fritz von Berg infiziert ist, der seinem Julia-Gustchen als Romeo Schwüre leistet (I, 5). Läuffer schließlich orientiert sich im Grunde an denselben fatalistischen Überzeugungen, die sein Vater im Gespräch mit dem Geheimen Rat verkündet: »Aber was ist zu machen in der Welt?« — »Gütiger Gott! es ist in der Welt nicht anders.« (II, 1/26 f.)

Läuffer läuft immer fort, immer mit freundlichen Scharrfüßen, oder er sitzt, wie es heißt, »in sehr demütiger Stellung« da (I, 3/13), hegt Illusionen über seinen Wert (»zu gut gewachsen, habe zu viel Welt gesehn«) und muß doch bei erster Gelegenheit erfahren, »daß Domestiken in Gesellschaft von Standespersonen nicht mitreden« dürfen. (I, 3/15) Aus der Sicht der Komödie wird er kritisierbar vor allem durch die Illusionen, die er trotzdem über seine Zukunft sich ausmalt und stolz dem Vater schreibt (»daß die Aussichten in eine selige Zukunft mir alle die Mühseligkeiten meines gegenwärtigen Standes —« II, 1/31). Eher beiläufig wird er auch schon mal auf den »verfluchten Adelstolz« (II, 5/40) schimpfen, aber eben nicht auf den Adel selbst. Läuffer handelt nicht, Läuffer reagiert nur; auch die »Verführung« Gustchens ist nicht eben »sein Werk« zu nennen, sondern sie geschieht ihm sozusagen. Hier wäre immerhin eine Strategie gewesen: dem adligen Fräulein ein Kind machen, um sich durch die dann sicher folgende Heirat aus der Misere zu ziehen — das wäre zwar nicht »fein«, aber doch ein Weg gewesen, und durchaus gangbar, wie der Major später verrät, als Läuffer fortgelaufen bleibt: »ich hätte dem Lausejungen einen Adelbrief gekauft, da hättet ihr können zusammen kriechen.« (IV, 5/70) Zähneknirschend, doch stets beflissen, läuft Läuffer dahin. Aus »Reue und Verzweiflung (V, 3/81) schließlich (und nicht als prophylaktische Maßnahme!) wird er seine Tat begehen, ohne Bewußtsein, daß er aus innerem Zwang an sich nur ausführt, was er als äußeren Zwang dumpf auf sich lasten fühlt. [307] Indem die Komödie bestätigt, was der Geheime Rat, wie Läuffer zu Recht argwöhnt, weiß, daß Läuffer nämlich nicht »für voll« anzusehen ist, bestätigt sie zugleich, daß dieser Lakei mit seinen freundlichen Scharrfüßen kein, sei es auch negativer, »Held« eines Trauerspiels ist. (D. h. die Komödie kehrt ihren Komödiencharakter deutlich genug heraus).

Doch ist an dieser Stelle zu erinnern, daß weder Läuffer selbst noch der Hofmeisterstand im Zentrum der Komödie stehen, die vielmehr zu großen Teilen die prekäre Lage der bürgerlichen Intelligenz überhaupt reflektiert: dem Adel nicht mehr dienen wollen, dem Bürgertum noch nicht dienen können, da die Zahl der Berufsmöglichkeiten allzu begrenzt ist. In der ersten Szene werden sie genannt: Adjunkt, Pfaffe, Schullehrer oder eben Hofmeister — Berufe, die *allesamt* keine sehr verlockenden Aussichten bieten. [308] Das ist ein wichtiger Punkt, der deutlich macht, daß das von der Komödie kritisierte Übel nicht nur die eine Spezies des Hofmeisterstandes sein kann, weil sonst dessen Alternative, die öffentliche Stadtschule oder die »freie« Erziehung der Studenten in Halle, mit kräftigen Strichen als die positive Gegenmöglichkeit hätte ausgemalt werden müssen. Weit entfernt, solche Alternative zu sein, enthüllt sich indessen dort, und zumal im Umkreis des Wenzeslaus, eine Wirklichkiet, die der auf Läuffer lastenden nur allzu ähnlich sieht. Davon wird noch ausführlicher zu sprechen sein.

Vorerst sei der Blick nochmals auf die erste Szene gelenkt. »Ich glaube, der Fehler liegt in seinem Beutel.« Also vom *Geld* wird gesprochen. Wer sich in den Zeugnissen des 18. Jahrhunderts ein wenig auskennt, weiß, daß dies geradezu ein Signalwert der bürgerlichen Literatur ist. [309] Geld, und das heißt natürlich fehlendes Geld, bestimmt das soziale Dasein fast aller Figuren. Pastor Läuffer kann seinem Sohn keine vollständige Ausbildung bezahlen, und dieser muß als Hofmeister erfahren, wie ihm sein Gehalt in kontinuierlichen Stufen immer weiter herabgesetzt wird. Doch senkt die adlige Majorsfamilie das Salaire nicht lediglich, um Läuffer zu prellen! Der Zustand der »deutschen Misere« zeigt sich am provinziellen Landadel nur genauso wie am Bürgertum: Graf Wermuth zwar noch kann mit seinem Bruder die Nächte bei Hof durchtanzen oder in den Spielsälen verbringen und, einer bloßen »Idee« folgend, sechshundert Austern und zwanzig Flaschen Champagner konsumieren (II, 6/42), sich auch seinen Tanzunterricht »einige dreißig tausend Gulden kosten lassen« (I, 3/16) — doch die Majorin, die seine Gesellschaft sucht und durchaus ähnliche »Ideen« verwirklichen möchte, kann das eben nicht. Darum wirft sie mit der ganzen Verachtung und dem anerzogenen Hochmut ihrer ehemals mächtigen Kaste dem eigenen Manne Geiz vor:

> [...] er meint, wir werden verhungern, wenn er nicht täglich wie ein Maulwurf auf dem Felde wühlt. Bald gräbt er, bald pflügt er, bald eggt er. Du willst doch nicht Bauer werden? Du mußt mir vorher einen andern Mann geben, der die Aufsicht über dich führt. (II, 6/43)

Das fehlende Geld, das zwischen Läuffer Vater und Sohn eine Distanz schafft, führt auch im adligen Haus zu einer kaum noch verborgenen Kluft: was dort den sozialen Aufstieg hindert, droht hier den sozialen Standard auszuhöhlen. Die Existenz des Hofmeisterstandes ist nun das Medium, in dem die unterschiedlichen Interessen der beiden finanziell angeknacksten Familien aufeinandertreffen, und der Streitpunkt muß dabei natürlich das Geld selbst sein.

Der Geheime Rat, der immer spricht, als stünde er selbst »über« den Klassen und *deshalb* alles Übel dem Hofmeisterstand allein zumißt, formuliert beiden Parteien gegenüber die durchaus bürgerliche Frage nach dem Nutzwert. Seinen adligen Bruder, der »den Beutel so weit auftut, daß« — zuerst noch — »dreihundert Dukaten herausfallen«, fragt er schlicht: »Sag mir, was meinst du mit dem Geld auszurichten; was forderst du dafür von deinem Hofmeister?« (I, 2/12) Pastor Läuffer hält er vor, daß »Sklave« sei, wer »seine Freiheit einer Privatperson für einige

Handvoll Dukaten verkauft«, was durch keine Annehmlichkeiten aufgewogen werden könne:

Und was ist der ganze Gewinst am Ende? Alle Mittag Braten und alle Abend Punsch, und eine große Portion Galle, die ihm Tags über ins Maul gestiegen, abends, wenn er zu Bett liegt, hinabgeschluckt wie Pillen. (II, 1/26)

Beiden Parteien also wird vom Geheimen Rat bedeutet, sie würden nicht auf ihre Kosten kommen. Die aber denken anders: die Majorsfamilie hält an der Hofmeistererziehung fest, weil sie der standesgemäßen Konvention entspricht; besondere Ausbildungsziele sind da nicht gefordert. Für Gustchen, die er sein »einziges Kleinod« nennt, denkt der Major dabei nur an die Stabilisierung ihres Tauschwerts, damit sie »mit einem General oder Staatsminister vom ersten Rang versorgt« (I, 4/19) werden kann. Sohn Leopold soll seinen Lex lernen und perfekt im Lateinischen, aber des Majors eigene Sprachkenntnis (»Kann er sein*en* Cornelio?« I, 4/16) macht indirekt deutlich, daß das für ein Fortkommen so wesentlich auch wieder nicht sein kann. Im Sinne der im Prinzip weiter gültigen Privilegierung des Adels ist das durchaus folgerichtig, und es ist der Geheime Rat, der als bloßer Idealist dagegen Unrecht hat. Wie sein Bezugspunkt, alles Übel komme vom Hofmeisterstand, falsch ist, so ist auch sein »Programm«, das dieses Übel beseitigen soll, insoweit falsch, wie es »über« den handfesten Interessen steht: die Bürger sollen sich einfach nicht mehr anbieten zum »Sklavendienst«, dann würden die Adligen sie auch nicht mehr mißbrauchen können — so das Credo des in jeder Hinsicht Unabhängigen. Die Abhängigen, die Läuffers, die an ihren Lebensunterhalt denken müssen, können sich indes die Stelle nicht aussuchen, die ihnen zu leben ermöglicht. Die eigentliche Pointe zum »Programm« des Geheimen Rats (»lernt etwas und seid brave Leut. Der Staat wird euch nicht lang am Markte stehen lassen«. II, 1/27) wird von Wenzeslaus, dem Schulmeister im Staatsdienst, geliefert: er hat »in seinem Leben nicht so viel Geld auf einem Haufen beisammen *gesehen*« (III, 4/57) wie Läuffer im ersten Jahr als Hofmeister tatsächlich *verdient* hat. Die Frage nach seinem Lohn erklärt er für »dumm gefragt« und verweist auf »Gottes Lohn« und ein »gutes Gewissen« (III, 4/59).

Da beide Parteien, auf die der Geheime Rat einredet, nicht auf ihn hören, kommt es, und es kann anders nicht sein, zum Feilschen; die ersten Szenen der Komödie registrieren das. Die Misere, wie Engels sie beschrieben hatte (»nichts als Gemeinheit und Selbstsucht — ein gemeiner, kriechender, elender Krämergeist durchdrang das ganze Volk«), ist die wahre Basis allen Geschehens. Pätus liegt in beständigem Kampf mit seinen Gläubigern und diese mit ihm. Eine ganze Szene wird dem Gelächter derjenigen eingeräumt, die mitangesehen haben, daß Pätus keine andere Kleidung als seinen Winterrock besitzt, um ins Theater zu gehen. (II, 4/39) Die materiellen Probleme machen alle Menschen »gleich«, aber sie sind es, die die reale Ungleichheit enthüllen: noch an den unscheinbarsten Stellen der Komödie scheint dieser materielle Aspekt auf.

Die verschiedenen Schauplätze im *Hofmeister* haben gewiß einen je besonderen Funktionswert, so daß die Atmosphäre der Universitätsstadt Halle als »freier«

denn die in Insterburg oder Heidelbrunn bezeichnet werden darf. Nur irrt, wer »hier« völlig anderes als »dort« zu sehen meint und als Beweis etwa auf das luftige Studentenzimmer verweist, mit Fenstern, durch die der geprellte Pätus eben den schlechten Kaffee hinausschüttet, mit dem die Wirtin ihn betrogen hatte. Wesentlich an diesem Motiv ist doch eben der Dauerclinch zwischen Wirtin und Mieter, von denen jeder auf seinen Vorteil bedacht ist, aber Pätus gar nicht merkt, *daß* Frau Blitzer ihn betrügt. »Ich habe sie kürzlich bezahlt: nun kann ich breiter tun«, sagt Pätus und kommandiert die Wirtin jetzt, wie er nicht immer konnte. Ihren Kaffee findet er »unvergleichlich« und bietet auch dem adligen Fritz zu trinken an: »ich zahle was Rechts, das ist wahr, aber dafür hab ich auch was ...«. Die Replik kann ernüchternder nicht ausfallen, Fritz findet: »Der Kaffee schmeckt nach Gerste.« Der Sohn aus dem Adelshaus weiß, wovon er redet, weiß, wie Kaffee schmecken muß, und darauf erst dämmert es Pätus (»Gerstenkaffee und fünfhundert Gulden jährlich!« II, 3/35), daß er die ganze Zeit betrogen wurde, und jetzt wirft er das Service aus dem Fenster.

Der Standesunterschied, der an solch nebensächlichem Motiv aufscheint, meldet sich verstärkt an, wo es ernst geworden ist, d. h. wo der adlige Fritz als Bürge für den verschuldeten Pätus im Gefängnis landet. Pätus ist zwar außer sich vor Zerknirschung, doch Bollwerk hält dem Gefühlsausbruch die praktische Vernunft bürgerlicher Erfahrung entgegen:

So sei doch nun kein Narr, da Berg so großmütig ist und für dich sitzen bleiben will; sein Vater wird ihn schon auslösen: aber wenn du einmal sitzest, so ist keine Hoffnung mehr für dich; du mußt im Gefängnis verfaulen. (II, 7/47 f.)

Während Pätus von seinem Vater äußerst kurz gehalten wird, werden Fritz von Berg »außer seinem starken Wechsel noch alle halbe Jahr außerordentliche geschickt« (III, 3/55). Das sind günstige Voraussetzungen, »großmütig« zu sein. Und als das adlige Fritzchen aus dem Gefängnis entfleucht, hindert der Professor M-r die Gläubiger daran, Steckbriefe auszufertigen und hat »für die Summe gutgesagt« (IV, 1/62) — in weiser Voraussicht, daß das Geld schon fließen werde, wo die Familienehre eines Geheimen Rats in Gefahr gerät.

Es ist nur konsequent, daß wann immer vom »Schicksal« in der Komödie geredet wird, dann damit vom Geld die Rede ist. So stürzt Pätus in die Zelle seines Freundes: *Rauft sich das Haar mit beiden Händen und stampft mit den Füßen:* »O Schicksal! Schicksal! Schicksal!« das heißt, er hat kein Geld und muß die entsprechende Frage Fritzens negativ beantworten. (II, 7/47) Der einzige Ausweg, wenn auch der mit den unwahrscheinlichsten Aussichten, ist das Lotteriespiel. Und so kommt Pätus dann wieder:

Gott! Gott! *Greift sich an den Kopf und fällt auf die Knie.* Schicksal! Schicksal! [...] Ich hab Geld, ich hab alles — Dreihundert achtzig Friedrichsd'or gewonnen auf einem Zug! (V, 8/88 f.)

Schicksal heißt die göttliche Macht, die Geld versagen und Geld schenken kann. Wiederum wird deutlich, in der Figur des Pätus, daß die »freie« Erziehung keinen sehr beträchtlichen Gegensatz zur Hofmeistererziehung darstellt, daß das Lernen keine Garantie für ein späteres Einkommen ist, daß folglich auch der Hofmeisterstand nur Teil, nicht Ursache der allgemeinen Misere ist. Denn wie sähe z. B. Pätus' Zukunft aus? Obwohl er eine bessere Ausbildung als Läuffer genießt, besteht zwischen ihm als Bürgerlichem und dem adligen Fritz eben keine »Chancengleichheit«, winkt Pätus anders als Fritz keine sichere Existenz. Er, der Rehaars Tochter heiraten will, will alles gut machen, wenn — die Einschränkung ist wichtig — »wenn das Schicksal meinen guten Vorsätzen beisteht«. Und was heißt wieder Schicksal?:

In meinem Vaterlande wird sich schon eine Stelle für mich finden, und wenn auch mein Vater bei seinen Lebzeiten sich nicht besänftigen ließe, so ist mir doch eine Erbschaft von fünfzehntausend Gulden gewiß. (V, 2/79)

Die Aussicht auf eine Stelle also ist ungewiß, und selbst wenn das anders wäre, könnte Pätus wohl noch kaum an Heirat denken und Rehaar nicht daran, dem zuzustimmen: es ginge nämlich Pätus dann wie Wenzeslaus, der sagen muß:

[...] an eine Frau hab ich mich noch nicht unterstanden zu denken, weil ich weiß, daß ich keine ernähren kann. (III, 2/54)

Pätus baut seine Zukunft nicht auf sein erworbenes Wissen, sondern auf die Zuversicht, daß ihm die Erbschaft zufällt! Schärfer, als das hier geschieht, kann die Wirklichkeitsdarstellung der Komödie die »Ideen« des Geheimen Rats nicht als die Illusionen eines Wohlhabenden bloßstellen, der nicht weiß, wovon er redet, wenn er verkündet, ein jeder werde »im Staat« schon nach seinen Fähigkeiten Verwendung finden.

Wieder und wieder wird das Geld als der entscheidende Faktor kenntlich, der die Motivationen der Personen bestimmt. Das gilt indirekt sogar für das Schicksal Marthes, des alten blinden Bettelweibs, das sich als die Mutter des alten Pätus herausstellt. Ihr Elend ist direkt auf finanzielle Erwägungen des raffgierigen Sohnes zurückführbar:

Ich habe sie aus dem Hause gestoßen, nachdem [!] sie mir den ganzen Nachlaß meines Vaters und ihr Vermögen mit übergeben hatte. (V, 12/101)

Danach war sie zu nichts mehr nutze, und den Nutzen des Sohnes, der immer nur kostet, vermag der alte Pätus ja auch nicht recht zu sehen. Doch auch der kommt nun zurück und meldet sich als »verstoßener Sohn«, dessen sich »Gott« (gemeint ist die Lotterie) »als eines armen Waisen angenommen« habe:

Hier, Papa, ist das Geld, das Sie zu meiner Erziehung in der Fremde angewandt; hier ist's zurück und mein Dank dazu: es hat doppelte Zinsen getragen, das Kapital hat sich vermehrt und Ihr Sohn ist ein rechtschaffener Kerl worden. (V, 12/103)

Der alte Pätus braucht ja nicht zu wissen, und auch der junge will es nicht mehr wahrhaben, daß die Rechtschaffenheit neuesten Datums ist und nur dem allerunwahrscheinlichsten der Zufälle zu danken —, daß gerade nicht das für die Erziehung aufgewendete Kapital in doppeltem Sinne »Zinsen« getragen hat, sondern das »Schicksal«, nämlich das Losglück, noch soeben vor dem Kerker bewahren konnte. Märchenhaft wie der ganze Schluß der Komödie ist die Bekehrung des alten Pätus: »Nimm mein ganzes Vermögen«, sagt er, und »schalte damit nach deinem Gefallen« — das ist ein inhaltschweres Wort, auf das der junge Pätus lang hat hoffen müssen, und das auch Vater Rehaar gut im Ohre klingen wird.

Mit dem Musiker Rehaar hat es nämlich folgende Bewandtnis:

Toujours content, jamais d'argent: das ist des alten Rehaars Sprichwort, wissen Sie, und die Herren Studenten wissen's alle; aber darum geben sie mir doch nichts. (IV, 6/73)

Mit flinker Rede wird eine gar nicht so heitere Devise ausgesprochen, die — scheinbar selbstironisch gemeint — doch auf die reale Abhängigkeit des Sprechers hinweist. Der Substanz nach gilt solche Maxime auch für Läuffer, den Hofmeister, der eben zufrieden zu sein hat, es aber nicht ist. Sie gilt auch für Wenzeslaus, den Schullehrer, der allerdings durch seine spezielle Misere, die ebenfalls nur Teil der allgemeinen ist, schon so weit verbogen ist, daß er sich tatsächlich als »frei« und ständig zufrieden fühlt.

Die Heirat der Jungfer Rehaar mit dem jetzt reichen Pätus bedeutet für Rehaar, daß seine Geduld sich ausgezahlt hat, mit der er darüber hinwegsah, daß immer die »Wechselchen« seiner Schuldner ausblieben. Aber im direkt Finanziellen einer Geldschuld lag gar nicht der eigentliche Konflikt zwischen Rehaar und Pätus, der durch die Heirat eingeebnet wird. Die Tochter war ein »unverführtes unschuldiges Lamm« (IV, 6/71) — und eben da liegt der Punkt.

Zwar heißt es im *Hofmeister,* daß Musikanten, wenigstens nach dem Urteil des adligen Fritz, »noch weniger als Weiber sind« (IV, 6/75), und Lautenist Rehaar ist daher kein Musikus Miller, aber die Grundsituation, was die Rolle der Tochter betrifft, ist der in der ersten Szene von *Kabale und Liebe* durchaus vergleichbar: die Unschuld des Bürgermädchens ist ihr alleiniger und höchster Tauschwert, der vom Bürgervater gegen die feindliche Umwelt aufrechterhalten und verteidigt werden muß. Jungfer Rehaar ist »ein Mädchen, das alles von der Natur empfing, vom Glück nichts«. Der nun »ihre einzige Aussteuer, ihren guten Namen, zu rauben« (IV, 6/72), wie Pätus versuchte, trifft die bürgerliche Position buchstäblich an ihrer verletzlichsten Stelle, wo der Schaden irreparabel ist. Wo der gute Namen keinen guten Klang mehr hat, hilft nur noch ein Ortswechsel, und auch der kostet wieder Geld:

[...] augenblicks hat mir das Mädchen auf den Postwagen müssen und das nach Kurland zu ihrer Tante; ja nach Kurland, Herr, denn hier ist ihre Ehre hin und wer zahlt mir nun die Reisekosten? (VI, 6/74)

Schicksal, Ehre, Stolz, Tugend, Moral — alles ist in erster Linie ein materielles Problem: insofern parodiert der *Hofmeister* als Komödie das klassische bürgerliche Trauerspiel, indem er zu den großen Begriffen einfach die Realien beisteuert.

Und aus all der Misere soll nun Erziehung heraushelfen? Und der Geheime Rat, der nur die Unvernunft des Hofmeisterstandes und nicht die Unvernunft der nach

Ständeklassen geordneten Gesellschaft sieht, wäre das »Sprachrohr« des Autors Lenz? So urteilen viele Interpreten, und vermutlich hatte Lenz Ähnliches sogar vorgeschwebt; schon die Namengebung wies in diese Richtung. Von Berg steht geistig »höher« als die übrigen Personen — nur eben, weil er auch materiell »höher« als die anderen steht. Er ist der einzige, der in die Zukunft denkt — nur eben, weil er nicht so wie die anderen an die Gegenwart zu denken braucht. Er steht *über* den Verhältnissen, weil er *in* den schlechten Verhältnissen nicht stehen muß.

Ginge es nur nach den ursprünglichen Absichten des Autors Lenz, dann brauchte die Komödie selbst ja gar nicht mehr analysiert zu werden: zu fragen ist aber nach dem, was Lenz unter der Hand daraus geworden ist, und der Text läßt allerdings den Geheimen Rat mehr als idealistischen Schwätzer denn als Raisonneur erscheinen.

In der ersten Szene wird gesagt, daß der Geheime Rat Läuffer bei der Stadtschule nicht annehmen wollte, da dessen Kenntnisse nicht ausreichen. Aber um sich die nötigen Kenntnisse anzueignen, brauchte es Geld, das Pastor Läuffer nicht hat. Folglich ist die Empfehlung, doch bitte etwas zu lernen, worauf alles weitere sich schon finden werde, nicht sehr hilfreich. Auf die schwache Stelle seiner Argumentation verwiesen, bleibt der Geheime Rat die Antwort schuldig und tut so, als habe der Pastor Läuffer den Faden des Gesprächs dort verloren, wo der lediglich einen starken Knoten geknüpft hat, den der Geheime Rat solange nicht auflösen kann, wie er allein gegen das Hofmeisterwesen polemisiert:

Pastor Das ist sehr allgemein gesprochen, Herr Rat! [...] nicht jedermann kann gleich Geheimer Rat werden, und wenn er gleich ein Hugo Grotius wäre. Es gehören heutiges Tags andere Sachen dazu als Gelehrsamkeit.
Geh.Rat Sie werden warm, Herr Pastor! — Lieber, werter Herr Pastor, lassen Sie uns den Faden unsers Streits nicht verlieren. Ich behaupt: es müssen keine Hauslehrer in der Welt sein! das Geschmeiß taucht den Teufel zu nichts. (II, 1/27 f.)

Der Geheime Rat spricht immer »sehr allgemein«, aus der Position eines kollektiven »Wir«, in dem der Adel (soweit er nur seinen Dünkel abstreife) und das Bürgertum (soweit es nur zu seinen genuinen Grundsätzen sich bekenne) gleichermaßen aufgenommen sein sollen.

Der Pastor sagt: »so viel weiß ich, daß der Adel überall nicht ihrer Meinung sein wird«, und von Berg erwidert:

So sollten die Bürger meiner Meinung sein — Die Not würde den Adel schon auf andere Gedanken bringen, und *wir* könnten uns bessere Zeiten versprechen. (II, 1/29 f.)

Das ist folgendes Programm: »wir« sollen zwar nach wie vor nach Ständeklassen unterschieden sein, aber »wir« wollen doch auf den Menschen als solchen achten, auf den, »der den Adel seiner Seele fühlt« (II, 1/26) und kein Sklave mehr ist. »Die feinen Sitten hol der Teufel!«: es komme nur darauf an, daß der Bürger den Adligen nicht länger in der Meinung bestärke, »er sei eine bessere Kreatur als andere«. (II, 1/29) Kurzum, die Ständeordnung soll sozusagen durch einen »Meinungswandel« humanisiert werden.

Es ist kein Zweifel, daß das »Allgemeine« im Reformprogramm des Geheimen Rats auch das Programm der *Hofmeister*-Komödie darstellt, und es ist weiterhin kein Zweifel, daß dieses Programm bürgerlich ist. Aber damit ist noch wenig gesagt! Die Interpreten, die verwunderlich und merkwürdig finden, daß die bürgerlichen Ideen von einem Adligen verkündet werden, verstehen nämlich nicht die historisch spezifische Erscheinungsform der bürgerlichen Perspektive, die dem *Hofmeister* zugrunde liegt: es ist die eines Klassenkompromisses zwischen Reformadel und Bürgertum.

Der Autor Lenz kann sich im Jahre 1774 bürgerliches Selbstbewußtsein nicht anders als nach dem Modell aufgeklärter Vernunft vorstellen, wie sie bislang, vor allem in Frankreich und England, von Teilen des Adels repräsentiert wurde. Der Geheime Rat ist ein voltairianisches Vorbild, das sich vor allem keinen religiösen Nebel, keinen »so ehrwürdigen schwarzen Dunst vor Augen machen« lassen will. (II, 1/27) Die weltlichen Probleme gelten dann als eine bloße Frage des Verhaltens bzw. der »Meinung«, durch kluge Überlegung anzugehen, durch jene Einsicht, die Frucht einer vernünftigen Erziehung in Schule und Elternhaus ist.

Wären alle »Menschen« so, wie der Geheime Rat sein will, dann würden Graf Wermuth und Frau Majorin nicht an den alten Privilegien festhalten, gäbe es nicht mehr die verwerflichen Anmaßungen des adligen Seiffenblase, dächten die Läuffers nicht daran, die Sklaverei in Hofmeisterstellen zu akzeptieren, würde der Major im persönlichen Unglück nicht gleich an Familie und Nation zweifeln (IV, 1/62), »die ganze Welt zur Hure« machen wollen und aus blinder Wut »unmündig« werden (III, 1/50), wäre Wenzeslaus von seinen religiösen Wahnvorstellungen (»es ist die letzte böse Zeit« V, 9/91) erlöst und würde nicht ausgerechnet im kastrierten Läuffer den »Pfeiler unsrer sinkenden Kirche« (V, 10/97) erwarten, wäre Jungfer Hamster wohl nicht mehr schadenfroh und Frau Blitzer nicht betrügerisch, würde der alte Pätus die eigene Mutter nicht verstoßen und wäre auch nicht so übertrieben geizig, brauchte Rehaar nicht so kriecherisch unmännlich mehr zu sein, wären alle Mädchen, ob adlig, bürgerlich oder vom Lande, ob Gustchen, Rehaarin oder Lise, vor den bösen Buben sicher, denn die würden jeder ein »rechtschaffener Kerl« sein wollen und kein »Teekessel« (»Wenn er sich selbst nicht beherrschen kann«, wie Fritz von Berg so plastisch erläutert IV, 6/71), würden alle die Sublimierung schaffen und wüßten ihre »Kräfte« freudig »dem allgemeinen Besten aufzuopfern« (II, 1/26).

Wenn aber auch der Geheime Rat selbst so wäre, wie er gern sein wollte, dann würde er, als man seinen Sohn bei ihm verleumdet, eine andere Reaktion zeigen als diese:

> Es ist ein Gericht Gottes über gewisse Familien, bei einigen sind gewisse Krankheiten erblich, bei andern arten die Kinder aus, die Väter mögen tun, was sie wollen. (III, 3/56)

Da dankt die weltliche Vernunft plötzlich ab vor Gottes Gericht, da geht es ans »Fasten und Beten«, und der Geheime Rat wird, wo sein vernünftiges Verhalten sich bewähren müßte, aus Verzweiflung so »unmündig« wie sein Bruder aus Wut. Deshalb, und weil weder der Major noch der Pastor auf ihn hören, weil der Geheime Rat buchstäblich nichts bewirkt und keineswegs zum guten Ende irgend beiträgt, weil die »Teekessel« überall munter pfeifen, weil überhaupt die Verhältnisse nicht so sind, daß lediglich die Wahl zwischen richtigem und falschem »Verhalten« zur Diskussion stünde, weil die Komödie faktisch von Szene zu Szene das Programm des Geheimen Rats als »zu allgemein« desavouiert, — deshalb kann der Geheime Rat nicht unbesehen als »Sprachrohr« des Autors Lenz angesehen werden. [310]

Dennoch sind seine Ideen nicht einfach falsch. Vernunft bleibt das Desiderat der Komödie, wie immer auch ihre Folgenlosigkeit reflektiert wird. Der *Hofmeister* enthüllt so prägnant wie wenige andere Werke der Zeit die Antinomien bürgerlichen Aufklärungsdenkens. Bevor auf den Schluß des Werkes einzugehen ist, bevor also das Kunststück erläutert wird, wie Lenz die Position des Geheimen Rats vom Geschehen der Komödie widerlegen läßt und trotzdem dessen Ideen als utopisches Moment der Komödie wieder hervorholen kann und muß (weil er über eine andere Zukunftsperspektive nicht verfügt), ist die Figur des Wenzeslaus in die Analyse einzubeziehen.

Wäre, wie der Titel der Komödie zu verstehen nahelegte, Privaterziehung als Negativexempel das Thema, müßte der Schullehrer Wenzeslaus das *Gegenbild* des Hofmeisters Läuffer sein. In Wahrheit ist er Läuffers Ebenbild: diesem grinst als Zukunft entgegen, wovor er fortgelaufen war. Will Läuffer in »Reue und Verzweiflung« durch seine absurde Tat mit der Vergangenheit Schluß machen, so feiert Wenzeslaus die Kastration als Initiationsakt, mit dem sich Läuffer als ihm ebenbürtig erweist: »Ich glückwünsche Euch, ich ruf Euch ein Jubilate und Evoë zu.« Erst *nach* der »edlen Tat« (!) wird Läuffer »Herr Mitbruder« und »Herr Kollega« genannt! (V, 3/80 f.), weil nun der von Wenzeslaus gefaßte Plan (»Ich will Euch nach meiner Hand ziehen, daß Ihr Euch selber nicht mehr wieder kennen sollt«. III, 4/61) vom Zögling selbst verwirklicht worden ist.

Wer Wenzeslaus nur für ein »Original« hält und seine wahnwitzige Lobpreisung der Enthaltsamkeit nur als »wunderlich« begreift, verkennt den kritischen Gehalt der Lenzschen Komödie, die hier ein schauerliches Modell bürgerlicher Selbstverstümmelung zeigt, neben dem sogar Läuffers Tat noch harmlos scheinen möchte, weil der das aus Reue und Verzweiflung Geschehene, als der Affektsturm vorüber, wieder bereut, während jener in vollem Bewußtsein des Frohlockens nicht müde werden kann: »sing Er mit Freudigkeit: Ich bin der Nichtigkeit entbunden, nur Flügel, Flügel, Flügel her.« (V, 3/81)

Welchen Platz nimmt Wenzeslaus im strukturellen Gefüge der Komödie ein? Zunächst illustriert Wenzeslaus durch sein Verhalten tatsächlich, was der Geheime Rat verkündete, daß nämlich ein Bürger, der was Rechtes gelernt hat und vom Staat beschäftigt wird, kein Bedienter mehr ist, kein Sklave: Wenzeslaus wirft Graf Wermuth kurzerhand aus seinem Haus. Kein Wunder, daß das Läuffer, dem Lakaien der Adligen, mächtig imponiert: »Glücklicher Mann! Beneidenswerter Mann! [...] Ich bewundere Sie...« (III, 2/53) Fast wörtlich nimmt Wenzeslaus die Argumente des Geheimen Rats wieder auf (ein Hofmeister könne selbst des guten Essens am Adelstisch nicht froh werden, weil das schlechte Gewissen des

Ignoranten schlecht verdauen lasse), doch als nun Läuffer seinerseits wie der Geheime Rat zu schwärmen beginnt (»O Freiheit, güldene Freiheit!«), kommt sogleich ein sehr nüchterner Ton ins Gespräch: »Ei was Freiheit! Ich bin auch so frei nicht« (III, 4/57). Nach seinem kärglichen Lohn gar will Wenzeslaus nicht gefragt werden: »Ei was, es ist nun einmal so; und damit muß man zufrieden sein.« (III, 4/59) Seine »Freiheit« ist eine, die sich allein in Gedanken bzw. im guten Gewissen erweist. Die stolze Selbstbescheidung verdrängt das Bewußtsein, daß sie ja gar nicht so sehr eigenem Willen zu danken ist, sondern erzwungen. Mehr noch, sie ist in präzisem Sinne falsches Bewußtsein, denn der selbst durchaus Unfreie fühlt sich gleichwohl den Herrschenden mehr als den von ihnen Unterdrückten verbunden. Während der Geheime Rat immerhin bestrebt ist, den »ehrwürdigen schwarzen Dunst« (II, 1/27) fortzuwischen, fordert Wenzeslaus zu »reifem Nachdenken« darüber auf, »was der Aberglaube bisher für Nutzen gestiftet hat«. Wenzeslaus entlarvt nicht etwa den Primitivglauben in seiner ideologischen Funktion für die Klassengesellschaft, sondern es ist seine eigene, ernst gemeinte Warnung, wenn er die Nützlichkeit des Aberglaubens preist:

Aberglauben — nehmt dem Pöbel seinen Aberglauben, er wird freigeistern wie ihr und euch vor den Kopf schlagen. Nehmt dem Bauer seinen Teufel, und er wird ein Teufel gegen seine Herrschaft werden und ihr beweisen, daß es welche gibt. (V, 9/91)

Und dies spricht ein Schullehrer, der nach solchen Grundsätzen seine Erziehungsaufgabe richtet. Wo sich der Geheime Rat nahezu alles von der Propagierung aufgeklärter Vernunft verspricht und nicht zuletzt deshalb für die staatlichen Schulen plädiert, hängen die Schullehrer selbst am Aberglauben fest, der ihnen hilft, die eigene Misere zu verdrängen, und eben dies empfehlen sie auch ihren Schülern.

Erziehung im weitesten Sinne sei das Thema des *Hofmeister*, lautete die These. Das kann weiter präzisiert werden. Worauf Erziehung unmittelbar, in den Worten des Geheimen Rats, oder mittelbar, in der Darstellung des Geschehens, immer zielte, war *Sublimierung*. Die Triebenergien sollen auf das Soziale, auf den Dienst für die Gesellschaft umgelenkt werden — das eben hatte ja der, der das verkündet, der Geheime Rat, selbst gelernt, war er doch in seiner Jugend vor »Ausschweifungen« nicht gefeit. (III, 3/56) Die Erziehung, wie sie Wenzeslaus vertritt, möchte aber die Triebe überhaupt ausmerzen, sofern sie nicht von Aberglauben und religiösem Wahn absorbiert worden sind. Sublimierung ist ein moderner Begriff, der vielleicht für die Analyse einer Komödie aus dem Jahr 1774 nicht recht angemessen scheint. Aber es besteht kein Zweifel, daß die im *Hofmeister* thematisierte Erziehungsproblematik auf nichts anderes als Sublimierung zielt und auch vom Autor so »gemeint« war. Gerade die Figur des Wenzeslaus ist auf eine Weise charakterisiert, als hätte Lenz die Psychoanalyse des 20. Jahrhunderts gekannt. Man sehe folgende Stelle:

Ich habe geraucht, als ich kaum von meiner Mutter Brust entwöhnt war; die Warze mit dem Pfeifenmundstück verwechselt. He he he! Das ist gut wider die böse Luft und wider die bösen Begierden ebenfalls. (III, 4/58)

Wie um jeden Zweifel auszuräumen, *was* mit dem ständigen Pfeifenrauchen bewirkt werden soll, läßt Lenz Wenzeslaus von den Essäern erzählen:

Wie die es nun angefangen, ihr Fleich so zu bezähmen; ob sie es gemacht wie ich, nüchtern und mäßig gelebt und brav Toback geraucht, oder ob sie Euren Weg eingeschlagen — so viel ist gewiß, *in amore, in amore omnia insunt vitia,* und ein Jüngling, der diese Klippe vorbeischifft, Heil, Heil ihm, ich will ihm Lorbeern zuwerfen. (V, 3/81)

Mit scharfer Beobachtungsgabe hat Lenz erkannt, daß gerade der, dem Sexualität das Erzübel in der Welt ist, zwanghaft darauf fixiert ist: ob Wenzeslaus nach einem zweiten Origenes lechzt, das Alte Testament zitiert oder *De pudicitia* von Valerius Maximus, er kann nur immer von dem reden, was irgend sexuelle Problematik birgt. Und trotz aller erbitterten Selbstkasteiung im dichten Tabakrauch macht Wenzeslaus die schmerzliche Erfahrung:

Es ist wahr, das Mädchen ist gefährlich; ich hab's nur einmal von der Kanzel angesehn und mußte hernach allemal die Augen platt zudrücken, wenn sie auf sie fielen, sonst wär mir's gegangen wie den weisen Männern im Areopag, die Recht und Gerechtigkeit vergaßen um einer schnöden Phryne willen. (V, 9/92)

Wenzeslaus gleicht dem »wohlgenährten Kandidaten« in Lenzens Gedicht *Die Liebe auf dem Lande,* »der nie noch einen Fehltritt tat, / und den verbotnen Liebestrieb / in lauter Predigten verschrieb«. (Bd. I, S. 139) — doch der Trieb, der die »Teekessel« überall pfeifen läßt, ist eben nicht so einfach zu bezwingen.

Läuffer und Wenzeslaus sind Figuren, die in dialektischem Sinn identisch scheinen. Für Läuffer ist Sexualität der einzige Fluchtpunkt, den sein geknechtetes Dasein übrig läßt, ist die »selige Zukunft« dessen, der keine andere Zukunft hat, sondern nur die »Mühseligkeiten [s]eines gegenwärtigen Standes« (II, 1/31) auf sich lasten fühlt. Und desgleichen Wenzeslaus ist, ihm selbst unbewußt, aus seiner miserablen sozialen Position mit ihn peinigender Konsequenz immer wieder auf Sexualität verwiesen. Die kreatürlichen Bedürfnisse melden sich hartnäckig da, wo einer krampfhaft versucht, sich in der aufgezwungenen Enthaltsamkeit als »freie Persönlichkeit« zu fühlen, die mit sich und der Welt in Frieden lebt. Nur muß Läuffer direkt Hand an sich legen, während Wenzeslaus im religiösen Wahn den gesellschaftlichen Zwang als eine Selbstzensur verinnerlicht hat, der er tabakrauchend Folge leistet. Das Resultat ist dasselbe, aber es macht beide vor Anfechtung nicht immun. Noch der kastrierte Läuffer schaut begehrlichen Blicks auf Lise, noch der so sicher sich wähnende Wenzeslaus sieht in ihr die gefährliche Phryne.

Der eine körperlich-konkret, der andere ideologisch verbrämt, führen beide an sich aus, was als gesellschaftlicher Druck ihnen zum persönlichen Befehl geworden ist. *Dies ist nicht tragisch,* da beiden jedes Bewußtsein fehlt, daß ihr kreatürliches Selbst mit dem gesellschaftlichen Über-Ich in Kollision gerät. Die objektiv schlechten Verhältnisse sind noch kein »Schicksal«, das unabweislich von ihnen forderte, was sie tun. Hier ist keine Auflehnung, die ja wenigstens wissen müßte, wogegen sie sich wendet, und der in der Katastrophe ihr partielles Recht zuerkannt würde; hier ist nur blindes Reagieren, das in Wenzeslaus' Thesen zum Aberglauben zudem seinen reaktionären Charakter enthüllt. Läuffer, der »artig genug, nur zu artig« ist (I, 2/11), repräsentiert wie der ehrbare Wenzeslaus, der zornig wird, nur wenn sein formelles Hausrecht verletzt wird (III, 2/53), den deutschen bürgerlichen Untertan. Und dazu kommt noch die merkwürdige »Unmännlichkeit« und Servilität des Musikerziehers Rehaar zum Beweis, daß die subjektive Beschaffenheit der Personen allemal gesellschaftlich produziert ist.

Warum sollte nun, was als nicht-tragisch dargestellt und vielmehr deutlich als unvernünftig kritisiert wird, »tragikomisch« heißen dürfen? Dies kann nur behaupten, wer im *Hofmeister* nach einer »tragischen Lage« Ausschau hält und nach »komischen Charakteren« — als hätte die Lenzsche Komödie nicht gerade zum Ziel, im Verhalten der Personen die fatale gesellschaftliche »Lage« als das geschichtlich Vorläufige zu zeigen, das geändert werden muß. Wer die Komödie kurzerhand zur »Tragikomödie« erklärt, geht damit zwangsläufig an ihrer Intention vorbei und muß behaupten, sie sei »in bezug auf den Ausgang indifferent«. [311] Auf die skandalösen *Hofmeister*-Interpretationen wird noch genauer einzugehen sein, da zumal ihr ideologischer Gehalt direkt in das Thema »deutsche Misere« gehört.

Doch wäre die Analyse des Lenzschen *Hofmeister* nicht vollendet ohne die Berücksichtigung des demonstrativen happy ending-Schlusses. Ihn für »peinlich versöhnlich« zu halten, ist ebenso unzulängliche Deutung wie seine Qualifikation als »parodistisch« oder »ironisch«. [312] Was ist denn peinlich bzw. was wird denn parodiert oder ironisch relativiert: der Schluß, die »Versöhnung« selbst? Oder nur die unglaubwürdige Art ihres Zustandekommens? Zumindest für einen zeitgenössischen Regisseur, der den Lenzschen *Hofmeister* inszenieren will, liegt hier ein Problem: soll er z. B. in der Figur der Lise unreflektierte Naivität als Humanum erscheinen lassen oder diese Naivetät gerade als Produkt der Wenzeslaus-Erziehung darstellen? Ist in der Hochzeit von Läuffer und Lise nur der erwartete Trauerspielschluß höhnisch abgebogen — oder aber wird damit nicht auch auf dem insistiert, was sein sollte? Wird mit der Doppelheirat von Fritz und Gustchen, von Pätus und Fräulein Rehaar nur das traditionelle Schema des Komödienendes parodiert (bzw. gar schon in einer Weise kritisch beleuchtet, wie das für Brechts komische Hochzeitsszenen gilt), oder aber entspringt die ironische Relativierung einer intellektuellen Redlichkeit des Autors, die nichtsdestoweniger auf ein »richtiges« glückliches Ende utopisch verweist? Der Text läßt jeweils beide Möglichkeiten zu, wenn allerdings auch wohl erst dem heutigen Verständnis. Er ist, wie jedes literarische Meisterwerk, ästhetisch »reicher«, als dem subjektiv begrenzten Vorstellungsvermögen des Autors vorgeschwebt haben mag. Das heißt jedoch nicht das Werk einer interpretatorischen Willkür aussetzen, der »alles erlaubt« wäre. Der historische Stellenwert des Werks, der in seinem Schluß hervortritt, ist recht genau zu präzisieren.

Demonstrativ banal und »falsch« ist das happy ending gestaltet, das Glück der Personen bloßer Schein, die dargestellte Realität weicht dem Märchen: Familien finden zusammen und entstehen neu, ein jeder verzeiht jetzt dem anderen, die Kluft der Generationen ist überwunden, am Ende stehen Hochzeit und Erbschaft. Doch wird das Wunschbild noch nicht dadurch kritisiert, daß es als irreal verzeichnet ist! Es handelt sich um jene Dialektik des guten Endes, die Ernst Bloch unter der Überschrift *Happy End, durchschaut und trotzdem verteidigt* beschrieb:

Der Betrug stellt das gute Ende dar, als sei es in einem unveränderten Heute der Gesellschaft erreichbar oder gar schon das Heute selbst. Doch indem Erkenntnis den faulen Optimismus zuschanden macht, macht sie nicht auch die dringende Hoffnung aufs gute Ende zuschande. [313]

Das bewußt »falsche« happy ending, also der Schluß, der sich selbst ironisiert, um auf den »richtigen« die Hoffnung zu lenken, ist das Kunststück, das Lenz erbringen muß, um die Kritik der Komödie (die sich auf sämtliche Personen, den Geheimen Rat eingeschlossen, bezieht) durchzuhalten — und dennoch den Reformideen des Geheimen Rats nicht völlig absagt, sondern deren Kern — aufgeklärte Vernunft, Sublimierung, Umsetzen der Triebe in soziale Energien, Koexistenz der Ständeklassen — als utopisches Desiderat bewahrt.

Die abstrakte Vernunft, die die Richtlinien zu einem angemessenen Verhalten liefern soll, ist der Maßstab, mit dem die Personen gemessen werden. Nun zeigt die Komödie aber, daß das Verhalten die Verhältnisse nicht wird ändern können: was würde z. B. aus einem Pätus werden, wenn da keine Erbschaft wäre? Die Zukunft des Bürgerlichen ist doch, auch wenn er kein Hofmeister-Slave sein will, wesentlich prekärer als die eines Fritz von Berg. Welcher Beruf steht da in Aussicht, wenn nicht der eines unterbezahlten Schulmeisters, von dem dann wiederum keine Pädagogik mit gesellschaftlich positiven Wirkungen ausgehen kann?

Das vordergründig Thematisierte, Erziehung, wird immer wieder durch die Realität (Geld!) in die Schranken gewiesen. Das vernünftige Verhalten selbst, demgegenüber die Begebenheiten als unvernünftig gewertet werden, ist in sich brüchig: der Geheime Rat versagt vor dem selbst gestellten Anspruch, er kann zum guten Ende daher nicht lenken, sondern dieses setzt mit einem Zufall ein (Lotteriegewinn). Vernunft wird sowohl gefordert wie als hilflos, als nicht konkret, als »zu allgemein« denunziert. Noch die letzten Worte des Geheimen Rats haben diesen vagen Ton, wo es darum geht, ein Gegenmodell zur bisherigen Erziehung zu formulieren: »Doch davon wollen wir ein andermal sprechen.« (V, 12/104)

Dies ist nun der Punkt, an dem die allgemeine Misere auch die gesellschaftliche Perspektive der Komödie ereilt. Irgendwie muß alles anders werden, die kritische Bestandsaufnahme war ja umfassend genug, hat die Anmaßung des Adels wie die Knechtseligkeit des Bürgertums gleichermaßen umrissen und auch die »Ausnahme« des Geheimen Rats nicht als solche bestehen lassen. Doch indem beiden Gesellschaftsklassen gleichermaßen »Schuld« an dem Zustand gegeben wird, der geändert werden soll, kann sich diese Änderung selbst nur wieder als eine des Verhaltens aller artikulieren, die nicht anders denn als Märchen zu »verwirklichen« ist, und der nüchterne Blick muß das Zustandekommen des utopisch Verheißenen ironisieren.

Die Ständeordnung soll bestehen bleiben — aber so, als ob sie keine Rolle spielte: »Bruder Berg« sagt der bürgerliche Pätus, »Bruder Pätus« der adlige Fritz (II, 7/47), denn »unter Landsleuten da ist immer so eine kleine Blutsverwandtschaft« (II, 3/35), die mehr als Standesunterschiede zählen soll. So ist auch das bürgerliche Mädchen Rehaar als Gespielin des adligen Gustchen akzeptiert und diese als ihre Freundin, denn beide sind ja »in *einem* Alter, *einem* Verhältnis« (V, 7/86).

Am Ende sind Bürger und Adlige als »Landsleute« in einem Haus versammelt, das bürgerliche und das adlige Paar treten an zur Doppelheirat. Auf dem Boden glücklicher Klassenharmonie des Nebeneinander soll der gesellschaftliche Gesamtzustand dank allgemeiner Einsicht aller irgendwie sich einmal selbst reformieren können.

Erziehung aller ist das Ziel, das allen gleichermaßen zugute kommen wird, abstrakter Einsicht muß gelingen, was Lenz an praktischem Erziehungsinhalt zu formulieren schuldig bleibt. (Kein Wort auch wird darüber verloren, *was* die Studenten Pätus und Fritz denn in Halle lernen, zu welchem Berufe sie das führen soll. Der private [!] Unterricht bei einem Lautenisten wird ja schwerlich dazu beitragen, daß sie »dem Staate nützen« [II, 1/26] können.)

Die Komödie, die den Aufklärungsoptimismus durch ihre Darstellung Szene für Szene immanent kritisiert, holt ihn gleichwohl als einzig denkbare Utopie wieder hervor. Das heißt indessen: Lenz ist kein »demokratischer Plebejer«, der den Antagonismus von Feudalklasse und Bürgertum von einem archimedischen Punkt jenseits beider Klassen aus betrachtet! Er ist auch kein »Radikaler« oder »bürgerlicher Revolutionär«, dem eine politische Entschiedenheit eignete, die den deutschen Klassikern fehlt — im Gegenteil, bei ihm klingt nur allzu deutlich an, was die Klassiker als Humanität des Allgemein-Menschlichen und als Klassenkompromiß später so beharrlich wie realitätsfern ausmalten. Nur ist die bürgerliche Zustandsanalyse im *Hofmeister* derart genau, daß das Werk seit seiner Entstehung sozusagen immer mehr zur Komödie geworden ist. Das heißt: die Kritik an dem Zustand »deutscher Misere« hat Bestand, nicht aber die bürgerliche Klassenkompromiß-Perspektive, die als »Überwindung« dieses Zustands angeboten wird.

Doch wesentlich ist immerhin, daß Lenz das, was er als änderbar erkannte, nicht als tragisch mehr stilisieren wollte und deshalb die Probleme des bürgerlichen Trauerspiels schon als die einer Komödie begriff! Darin war er seiner Zeit voraus, wie besonders an seiner Behandlung des Trauerspielmotivs par excellence hervorgeht: das verführte Mädchen braucht nicht mehr in den Tod geschickt zu werden. Dies ist ein Problem, das keinen tragischen Untergang mehr heischt, sondern das lösbar ist, wenn erst die Utopie real geworden, wenn erst aufgeklärte Vernunft als wahres Humanum die Menschen zur Menschlichkeit erzieht. Das »gefallene Mädchen« fällt nicht in ewige Verdammung und darüber wird nicht »die ganze Welt zur Hure« (III, 1/50) — sondern so fordert es nur die Brutalität bürgerlicher Beschränktheit und kaltherziger »Moral«. Vor der Lenzschen Komödie wird die bürgerliche Rechtschaffenheit der Rezensenten lächerlich. Man lese, was selbst ein Schubart schrieb:

Und der gute Fritz soll ein Mädchen nehmen, das schon ein Kind gehabt hat? Wenn sie gerad keine gemeine Metze ist, so fällt mir doch hier der altdeutsche Edelmann ein:

Wer 'ne Hur nimmt wissentlich,
Bleibt ein Hundsfott ewiglich. [314]

Noch unerbittlicher und strafwütiger zetert der Rezensent der Lemgoer Bibliothek:

Hält der Verfasser den Pudorem für Vorurteil? Es ist gewiß keiner, so wenig als die Meinung, daß ein rechtschaffener Mann niemals eine von einem andern geschändete Frauensperson heiraten dürfe, gegen die der Verf. den Fritz von Berg handeln läßt. Keine mildernden Umstände können das erträglich machen; hier hilft auch keine Philosophie. Denn die Sache gründet sich auf die Natur der Dinge, nach welcher eine Frauensperson, die einen solchen Fehltritt begangen hat, nie eine gute Ehefrau werden kann. [315]

Das bürgerliche Trauerspiel weicht der Komödie, wo die bürgerliche Moral, wie der Lemgoer Rezensent sie vertritt, nicht unbesehen mehr akzeptiert wird, sondern ihrerseits vor vernünftiger Humanität lächerlich wird. Hier liegt wohl die eigentliche Modernität des Autors Lenz, und hier liegt denn auch zugleich der gesellschaftlich-fortschrittliche Akzent der Gattung Komödie. (Demgegenüber muß ein bürgerliches Trauerspiel aus dem Jahre 1844, nämlich Hebbels *Maria Magdalene*, von der Problemstellung überholt und von der Problemlösung reaktionär wirken).

Lenzens Komödie *Der Hofmeister* ist ein Werk voller Widersprüche. Lenz redet der Vernunft das Wort und zeigt doch zugleich deren Ohnmacht. Er demonstriert die reale Ungleichheit von Bürgertum und Adel und übt dennoch keine konsequente Ideologiekritik an den Ideen des wohlhabenden Geheimen Rats. Er entlarvt den deutschen bürgerlichen Untertan und zeigt doch nicht, wogegen dieser kämpfen müßte. Er kritisiert die Anmaßungen und Privilegien des Adels und plädiert trotzdem nicht für dessen Abschaffung. Er erliegt der bürgerlichen Illusion vom Klassenkompromiß und geht zugleich weit über bürgerliche (Moral-)Vorstellungen hinaus. Kurzum: Lenz übernimmt die Probleme des bürgerlichen Trauerspiels, aber er macht daraus eine Komödie — und das ist ein entscheidender Schritt! Im Lichte historischer Erfahrung ist es gerade die Kritik am Bürgertum, die den Komödiencharakter des Werkes immer stärker hervortreten ließ und die Aktualität des *Hofmeister* hat wachsen lassen.

Kritik der spätbürgerlichen *Hofmeister*-Interpretation:

Die *Hofmeister*-Deutungen, die *vor* Brechts Bearbeitung entstanden, sollen unberücksichtigt bleiben. Denn Brechts Bearbeitung markiert eine bestimmte Etappe des historischen Verständnisses, die, möchte man meinen, von denen nicht einfach übergangen werden kann, die danach den Lenzschen *Hofmeister* zu interpretieren versuchen. Brecht hat ja dem Text nicht lediglich Eigenes beigemengt, sondern auf vieles erst hingewiesen, was in ihm steckte. Und das praktische Erkenntnisinteresse, das seine Bearbeitung lenkte, sollte doch auch für eine Literaturwissenschaft verbindlich sein, die nicht das Verstehen um des Verstehens willen betreiben kann. Genau an dieser Stelle aber ist ein Skandal der bürgerlichen Germanistik zu konstatieren. Es genügt nicht, als Polemik in die Anmerkungen zu verweisen, was zu dem zu sagen wäre, was die »Kunst der Interpretation« so alles fertig bringt. Was hier geschieht, gehört direkt ins Thema »deutsche Misere« und wird in präzisem Sinne von dem getroffen, was in den Versen von Brechts *Hofmeister*-Epilog als »Und vielerorts ist's auch heute noch wahr« bezeichnet wird. Die westdeutschen Hochschullehrer der Germanistik sehen durchweg nicht die Parallele, die zwischen Lenzens Schulmeister Wenzeslaus und etwa Heinrich Manns Professor Unrat zu ziehen möglich ist, und selbst wenn sie sie gesehen hätten, hätten sie diese vermutlich als »oberflächlich« abgetan.

Dagegen ist der Schluß des Brechtschen Epilogs zu zitieren:

> Gebrochen ist sein Rückgrat. Seine Pflicht
> Ist, daß er nun das seiner Schüler bricht.
> Der deutsche Schulmeister, erinnert ihn nur:
> Erzeugnis und Erzeuger der Unnatur!
> Schüler und Lehrer einer neuen Zeit
> Betrachtet seine Knechtseligkeit
> Damit ihr euch davon befreit! (GW 6, 2394)

Es waren übrigens diese sieben Verse, die in der westdeutschen Uraufführung von Brechts Bearbeitung (Hamburg, 13. 9. 1960) gestrichen wurden [316], was ja heißt, daß der politische Gehalt der Bearbeitung in solch direkt ausgesprochener Weise zensiert werden mußte.

Wichtiger aber scheint, daß dieser politische Gehalt — z. B. die Formulierung »Erzeugnis und Erzeuger der Unnatur« — schon in der Lenzschen Komödie voll gegeben ist und für die Figur des Schulmeisters Wenzeslaus uneingeschränkt gültig! Deutlicher als in Lenzens Text kann doch kaum mehr gezeigt werden, daß der sozial Unterdrückte seine Unterdrückung verdrängt, zu abstrusen Ideen Zuflucht sucht und nun diesen seinen »Ausweg« seinen Schülern als Erziehungsmaxime aufzuzwingen trachtet, damit auch die lernen, mit einem »guten Gewissen« sich gegen die schlechten Verhältnisse zu immunisieren. Eine erstaunliche Modernität Lenzens ist, daß er die soziale Unterdrückung zugleich als sexuelle darstellte und weiter zeigte, wie dadurch ein falsches Bewußtsein entsteht, das den unterdrückten Bürger auf Inhalte fixiert, die von seinen wirklichen Interessen ablenken. Die sexuelle Repression hilft die politische stabilisieren; aufgezwungene Enthaltsamkeit wird als selbstgewollte verinnerlicht und so von den Erziehern weitergegeben — das Ergebnis ist in buchstäblichem Sinn die Selbstentmannung des Bürgertums.

Wie überdeutlich solche Zusammenhänge in Lenzens Komödie auch ablesbar scheinen, die bürgerliche Literaturwissenschaft steht blind davor. Ohne die Einsicht indessen, daß das Kastrationsmotiv für Läuffer *und* Wenzeslaus gilt und daß der Letztere in seinem reaktionären Lob des Aberglaubens und seinem religiösen Wahn noch weit schärfer kritisiert wird, läßt sich der *Hofmeister* nicht angemessen verstehen.

Die Figur des Wenzeslaus ist ein Prüfstein, an dem sich die *Hofmeister*-Interpretation zu bewähren hat. Wenn Matthias Claudius im Jahre 1774 den Lenzschen Schulmeister apostrophiert als: »mein lieber Wenzeslaus mit seiner Brille, der kreuzbraveste Schulmeister, womit Gott je ein Dorf gesegnet hat«, den er, hätte er die Macht dazu, als »Oberkonsistorialrat und Generalsuperintendent« einstellen würde [317], so mag das als bezeichnende Kuriosität ja noch angehen. Wenn aber noch in den Jahren 1962 und 1968 der Lenzsche Hofmeister in einer Weise gedeutet wird, die ahnen läßt, auch die verständnisvollen Deuter hätten gegen eine Beförderung des Mannes keine großen Bedenken, so ist das nicht mehr kurios zu nennen.

Die Dissertation von Britta Titel — *»Nachahmung der Natur« als Prinzip dramatischer Gestaltung bei J. M. R. Lenz* (Frankfurt 1962) — ist ein Beispiel formalistischer Literaturbetrachtung, die etwa in einem langen Kapitel der »Charakterisierung der Personen durch die Weise ihres Sprechens« nachspüren kann, ohne sich viel darum zu kümmern, *was* diese Personen sagen. Auf 10 Seiten wird die »Sprachgebärde des Schulmeisters Wenzeslaus [als] maßvoll und fast rhetorisch« erläutert, die »nichtsdestoweniger [...] von innerer Aktivität [vibriere]«. (S. 199—209) Als positiv wird vermerkt, daß Lenz, um ein Gegenbild zum Hofmeister Läuffer aufzustellen, nicht schwarz-weiß gemalt, sondern vielmehr so recht seine Kunst der Charakterdarstellung bewiesen habe. Wenzeslaus sei nämlich »ein Original, leicht [!] karikiert«, dessen »pädagogisches Prinzip« das der »indirekten Lenkung« sei. Gelobt wird, wie Wenzeslaus »seine Kunst handhabt« (!), »der Selbsttätigkeit des zu Erziehenden Raum zu geben, obwohl dabei dieser Fuchs seinen Zögling wie eine Marionette am Faden hält«. — Um die ganze Tiefe solcher Auslegung zu ermessen, empfiehlt sich ein einziger Blick auf die Szene V, 3 des *Hofmeister,* die einen Pädagogen zeigt, der mit seiner »indirekten Lenkung« des orgiastischen Frohlockens über die »edle Tat« der Selbstverstümmelung kein Ende finden kann ...

Die Arbeit von Britta Titel ist nun keineswegs eine Ausnahme, die für die bürgerliche Germanistik der sechziger Jahre untypisch wäre. Dagegen spricht, daß der Verfasserin wohl aufgrund ihrer Dissertation die Edition der Lenzschen Werke mitübertragen wurde. Dagegen spricht weiter, daß sich Heinz Otto Burger »in erster Linie der Dissertation von Britta Titel verpflichtet« erklärt, als er für die zweibändige Interpretationssammlung *Das deutsche Lustspiel* (1968) seinen Aufsatz über Lenzens *Hofmeister* beisteuert.

Bei Burger ist zu erfahren, daß Lenz mit Wenzeslaus »eine lebenspralle Figur« gelungen sei, »die wie kaum eine andere demonstriert, was es heißt, das Charakteristische ins Komische zu verstärken«. Natürlich ist bei Burger von der sexuell-politischen Komponente dieser Figur nichts zu lesen, sondern seine Deutung richtet sich auf ein »Original, das jede Schablone sprengt, ebenso wacker wie schrullig«. Das liest sich dann so:

> Wenzeslaus ist in seinem schlecht dotierten Amt gewiß nicht auf Rosen gebettet, aber weil er sich bescheidet und weiß, was er wert ist, kann er »vergnügter als der große Mogul« sein. Er stammt aus der Familie der vergnügten Seelen, wie sie Christian Weise, Gellert, Hagedorn malten. Lenz tunkt den Pinsel in den gleichen Farbtopf, doch führt er ihn mit ungleich mehr Armschmalz. [318]

Hierzu erübrigt sich der Kommentar. Es braucht nur wieder auf den Lenzschen Text verwiesen zu werden, um zu sehen, was es in Wahrheit mit der »Selbstbescheidung« auf sich hat, was das für eine »vergnügte Seele« ist, die da »falscher, falscher, falscher Prophet« (V, 10/94) ruft und wütend von dannen zieht, als »alle großen Hoffnungen« und »alle großen Erwartungen«, die ihm Läuffers »Heldenmut einflößte« (V, 10/97), für ihn am Ende schwinden.

Deutungen wie die von Titel und Burger, die in Wenzeslaus nur ein »Original« zu sehen vermögen (und daher auch als Gesamtinterpretation scheitern *müssen*), sind zwar beide gleichermaßen abwegig, aber sie haben eben darin Methode. Die Methode ist die, kein irgend formulierbares Erkenntnisinteresse zu haben, das in dem Text etwas »für uns« Wichtiges entdecken wollte, sondern das jeweilige Werk der freien Verständnisgabe des Interpreten zu überlassen. Was der dann damit anfängt, pflegt meist auf eine künstlerische Tiefe erpicht zu sein, in deren Dunkel er allein den Weg zu finden weiß.

Zu reden ist von der Arbeit Albrecht Schönes: *Säkularisation als sprachbildende Kraft. Studien zur Dichtung deutscher Pfarrersöhne.* (Zweite, überarbeitete und ergänzte Auflage Göttingen 1968) Man habe beim *Hofmeister* »in gesellschaftskritisch-pädagogischer Wirkung seine eigentliche Absicht sehen wollen«, das gehe aber nicht, vielmehr sei auf die »Grundbegebenheit« vom verlorenen Sohn das Augenmerk zu lenken. Das Fazit:

Es scheint fast, als gewinne die Selbstkastration des Hofmeisters [...] eine tiefere Bedeutsamkeit. Denn der Entmannte wird keinen Sohn mehr haben, keinen verlorenen Sohn, er allein. Die Ursituation, die sich durchsetzt und fortwirkt, wird aufgehoben — und kann nur aufgehoben werden durch diesen Schritt. Insonderheit an Äußerungen des Wenzeslaus (»zweiter Origenes«) wird erkennbar, wie die christliche Lehre einer an die menschliche Fortpflanzung gebundenen Erbsünde hier hineinspielt. Nur die Selbstaufgabe des Menschen löst den Zwang, der über allem Leben so unentrinnbar herrscht, wie er ausnahmsweise die Figuren des *Hofmeister*-Dramas regiert. [319]

In Brechts Epilog stand der Vers: »Und vielerorts ist's auch heut noch wahr.« Die Interpretationskünstler Titel und Burger haben den Lenzschen Wenzeslaus wenigstens noch als ein bißchen »schrullig« empfunden — in Gestalt Albrecht Schönes ist Wenzeslaus ein Nachfahre entstanden, der die Selbstkastration Läuffers zwar nicht gleich wie dieser zu rühmen versteht, aber deren »tiefere Bedeutsamkeit« doch unfehlbar wie dieser religiös zu deuten unternimmt. Wo da nun »Ursituation« ist und »unentrinnbarer Zwang über allem Leben«, da wäre der »Hofmeister« wohl am Ende noch ein tragisches Existenzdrama und Läuffer dessen Held — eine Deutung, die den Sinn der Lenzschen Komödie schlicht ins Gegenteil verdreht und als dreist bezeichnet werden muß! Bei Akzeptierung der Benjaminschen Forderung, es gelte im literarischen Werk nicht dessen Entstehungszeit, sondern unsere Zeit, die des heutigen Erkenntnisstandes, zur Darstellung zu bringen, zeigt sich, daß die *Hofmeister*-Interpretationen von Titel, Burger und Schöne gerade dadurch, daß sie dieser Forderung ausweichen, nur bornierte Perspektivlosigkeit und Blindheit vor gesellschaftlich-politischen Aspekten als aktuellen Erkenntnisstand bürgerlicher Germanistik zur Darstellung bringen.

Es gibt allerdings auch eine sozusagen linksliberale Variante der bürgerlichen *Hofmeister*-Interpretation, die der bisher skizzierten wesentlich überlegen ist und viele treffliche Einzelbeobachtungen macht. Ein Beispiel ist die Arbeit Gert Mattenklotts: *Melancholie in der Dramatik des Sturm und Drang.* (Stuttgart 1968) Zwar will der Verfasser seine Interpretation »als Erweiterung der Deutung Schönes« (S. 125) verstanden wissen, was Furchtbares ahnen läßt, doch hält er sich zum Glück nicht sehr an diesen Vorsatz. Er ist vielmehr der erste, der bemerkt, daß mit der Figur des Wenzeslaus nicht alles »stimmt«, daß hier nicht bloß ein »Original« leicht karikiert wird, und er begreift auch die Dialektik des »guten Endes«. Nicht aber versteht er den *Hofmeister* als Komödie (und damit in diesem Fall als eine durchgehende Kritik an allen ihren Figuren), sondern will einen »Übergang« vom Trauerspiel (dessen Wesen Melancholie sei) zum Lustspiel erkennen:

> Nicht läßt Lenz' angebliche Grillenhaftigkeit das Trauerspiel sich zur Komödie wenden, sondern die Überwindung der Melancholie — wenn auch nur im ästhetischen Bereich, und darum zweideutig — hat ihr Fundament im Stück selbst, in der Person des Geheimen Rats. Er ist der geheime Fluchtpunkt, der die Konstruktion des Spiels als ein Trauer- und Lustspiel ermöglicht. [S. 125]

Der Geheime Rat ist für Mattenklott die »Ausnahme«. (Und: »Gerade die Ausnahme aber ist die Bedingung der Komödie.«) Sein Reformprogramm sei der »archimedische Punkt«, der Melancholie zerstöre. (S. 165) Der Schlußsatz bei Mattenklott lautet: »Besiegt wird Melancholie vom ästhetischen wie politischen Provisorium.« (S. 168) *Wessen* Melancholie wird durch wen und was »besiegt«? Sollte die der Personen gemeint sein, so hat die Komödie in fast jeder ihrer Szenen gezeigt, daß das Verhalten des Geheimen Rats folgenlos bleibt, keinen Einfluß auf sie hat, und daß der »Sieg« ein Lotteriegewinn, eine Erbschaft oder ein Bauernmädchen ist, das noch einen Kastraten heiratet. Sollte die Melancholie des Autors gemeint sein, so wäre trotz aller Ironisierung des Schlusses auf dessen bürgerlich illusionären Charakter zu verweisen. Ein Literaturwissenschaftler des Jahres 1968 dürfte einfach nicht so argumentieren, als wäre Überwindung von Melancholie das Ziel — und nicht Überwindung von gesellschaftlichen Zuständen, die den einzelnen melancholisch machen. Mattenklott preist uneingeschränkt den Mut zum »nächst Besseren« (S. 165), und von der Herstellung des »Guten« ist dann, wie es sich für Pragmatiker gehört, nicht mehr die Rede. Wie Schöne gleichsam den Standpunkt des Wenzeslaus zu seinem macht, so Mattenklott den des Geheimen Rats.

Ein anderes Beispiel bürgerlich-kritischer Literaturwissenschaft ist Helmut Arntzens Buch *Die ernste Komödie. Das deutsche Lustspiel von Lessing bis Kleist.* (München 1968), dessen 7. Kapitel, »Die Komödie der Entfremdung«, von Lenz und Klinger handelt. Die kursorische Betrachtung des *Hofmeister* will keine ausführliche Interpretation sein, gibt einer solchen aber wichtige Hinweise, vor allem — und das ist die entscheidende Leistung — in der Widerlegung des Guthkeschen Ansatzes von »Tragikomödie«. Richtig gesehen wird die Dialektik des »guten Endes«, zutreffend bemerkt, daß Läuffer nicht Mittelpunkt, sondern allenfalls Katalysator des Geschehens ist, und daß der Geheime Rat keineswegs die große »Ausnahme« ist. Angesichts der sonstigen Literatur zum *Hofmeister* muß fast schon als verdienstvoll gewürdigt werden, daß Arntzen das Werk als *Komödie* zu verstehen in der Lage ist. Nur ist eben wichtig, was das für ihn heißt.

Arntzen behauptet, daß für die Komödie des Sturm und Drang »nicht mehr der Konflikt, sondern bereits die Fremdheit zwischen Gesellschaft und Individuum und beider mit sich selbst Ausgangspunkt« sei, und diese Fremdheit resultiere »aus der Emanzipation des Individuums selbst und aus der damit verbundenen Heterogenität der Gesellschaft«. (S. 85) Hier wird prägnant sichtbar, was aus dem Marxschen Entfremdungsbegriff wird, wenn bürgerlich-kritische Literaturwissenschaftler mit ihm hantieren: er wird zum Schwamm, der alles und jedes verwischt, aus dem der abstrakte Tiefsinn tropft. Ein Leser, der den Lenzschen Text nicht kennt, wird nach der Lektüre des Arntzen-Kapitels, wo immer nur von *dem* Individuum und *der* Gesellschaft gesprochen wird, kaum vermuten, daß die Figuren der Komödie als Adlige, Bürger und sogar Bauern recht genau unterschieden sind und daß die »Entfremdung« eines Geheimen Rats sehr anders aussieht als die eines Läuffer oder Wenzeslaus. Arntzen hingegen kündet von einer »Problematik der Unmittelbarkeit«. Diese soll darin bestehen, »daß die totale Vermitteltheit innerhalb der bürgerlichen Gesellschaft den Unmittelbaren ausschließt, den sie hervorgebracht hat, aber Unmittelbarkeit ihrerseits zur Unvermittelbarkeit, zum Nebeneinander fensterloser Monaden wird«. (S. 86) Es ist nur allzu wahrscheinlich, daß der Verfasser solche Ausführungen für Dialektik hält, aber eben eine, die von allem Konkreten souverän glaubt absehen zu dürfen. Denn gesetzt den Fall, Lenz hätte tatsächlich seine Komödie an einer so vagen Kategorie wie »Unmittelbarkeit« orientiert, dann wäre es Aufgabe des Literaturwissenschaftlers, die historisch-ideologische Bedeutung dieses Vorgehens zu analysieren. Dieser Aufgabe kann aber nicht genügen, wer selbst nur über solch unhistorische Kategorien wie »das Individuum«, »die Gesellschaft«, die »Fremdheit« zwischen beiden usw. verfügt. Er kann daher weder den historischen Standort der Lenzschen Utopie vom Klassenkompromiß ausmachen noch etwa gar diesen spezifischen Standort innerhalb der andauernden Geschichte bürgerlicher Ideologie einordnen. Im Gegenteil: da ja das angebliche Hauptproblem, nämlich die »totale Vermitteltheit«, heute nur noch zugenommen haben kann (und deshalb die erkenntnismäßige Prämisse des »kritischen« Literaturwissenschaftlers ist), darf behauptet werden, daß der Standort Arntzens über denjenigen, den er Lenz zuweist, so wenig hinausgekommen ist wie der von Schöne und Mattenklott über den der Lenzschen Figuren Wenseslaus und Geheimer Rat.

Erst mit dem im Jahre 1969 erschienenen Aufsatz von Horst Albert Glaser — *Heteroklisie — der Fall Lenz* — erreicht die westdeutsche Lenz-Forschung das Niveau, auf dem der Autor behandelt zu werden verdient. Der theoretische Ansatz stellt gewissermaßen die Antithese zu der hier vorgelegten Analyse des *Hofmeister* dar. [320] Obwohl es Glaser gelingt, die Theorien Guthkes soweit zu relativieren, daß diese diskussionswürdig werden, sitzt er leider letztlich ebenfalls der bürgerlichen Legende von Tragikomödie auf und kann deren ideologischen Gehalt nicht durchschauen.

Wie ist zu erklären, daß die bürgerliche Literaturwissenschaft seit dem Jahre 1959, als Karl S. Guthke in Lenzens *Hofmeister* und *Soldaten* einen »neuen Formtypus in der Geschichte des deutschen Dramas« gesichtet zu haben meinte, nahezu unisono (mit Ausnahme Arntzens) das Gerücht von Tragikomödie weiterverbreiten konnte, obwohl die Dürftigkeit des Ansatzes — Kontrast zwischen Person und Situation — doch ins Auge springt? Wie konnte gar ernsthaft behauptet werden, daß Brechts *Hofmeister*-Bearbeitung die Anregung für Guthke geliefert habe? [321] Spätestens Guthkes weitere Arbeiten *Geschichte und Poetik der deutschen Tragikomödie* (Göttingen 1961) und *Die moderne Tragikomödie. Theorie und Gestalt* (Göttingen 1968) sowie die Schriften der Autoren, die sich in sein Schlepptau hängten, machen klar, daß sich hier eine Weltanschauung zu artikulieren versucht. Es ist eine Standortbestimmung bürgerlichen Lebensgefühls der sechziger Jahre, die nicht zufällig mit der abebbenden Welle des sog. »absurden Theaters« zusammentrifft. Weil Begriffe wie »tragikomisch«, »absurd«, »grotesk« — von denen kaum je einer ohne den anderen auftritt — für besonders »modern« angesehen werden, müssen sie es sein, mit deren Hilfe nun auch Lenz, aber er nicht allein, für die zeitgenössische bürgerliche Weltanschauung reklamiert werden kann. Das heißt, die bürgerliche Literaturwissenschaft hat die Scharlatanerie der Guthkeschen Argumentation deshalb nicht erkennen können, weil sie mit dessen ideologischen Prämissen sich derart in Übereinstimmung fühlte, daß ihr die sachliche Unzulänglichkeit im einzelnen konkreten Fall, etwa in der *Hofmeister*-Interpretation, einfach entging. Das sei im folgenden kurz skizziert.

Guthke geht aus von einem Kontrast zwischen Person und Situation und sieht darin ein »Formgesetz« walten. Nach dessen Inhalt fragt er nicht, geschweige denn nach den Ursachen, die dafür verantwortlich sind, daß eine Person »komisch« und eine Situation »tragisch« wirken kann. Gesetzt den Fall, Lenz hätte im *Hofmeister* solch einen Kontrast zwischen Person und Situation dargestellt, so hat er ihn eben *dargestellt*, und dieser Darstellung liegt dann eben eine *Intention* zugrunde. Diese muß von einem Literaturwissenschaftler erkannt, historisch-kritisch gewertet und an ihrer Realisierung wieder überprüft werden. Nur wer vor dieser Aufgabe versagt, kann behaupten, daß aus der *Darstellung* eines Kontrasts zwischen komisch und tragisch zu folgern sei, die *Intention* des Autors ziele daher eben auf einen »tragikomischen Gesamteindruck« und habe anderes nicht im Sinn. Künstlerische Darstellung wird von Guthke als unmittelbare Wiedergabe der Realität ausgegeben, er hält für Spiegelung der Realität, was als deren kritische Dekuvrierung gedacht war. Insbesondere die Komödie will sich indessen mit der Realität, so wie sie nun einmal ist, nicht abfinden, sondern die Entdeckung propagieren, daß die gegenwärtige Realität, so wie sie ist, nicht ewig sein wird. Guthke aber, der den *Hofmeister* im wesentlichen von der Figur Läuffer her interpretiert, verfügt nicht einmal über irgend konkrete Begriffe von Komik und Tragik, was doch allererst die Grundlage sein müßte, um eine neue Intention des »Tragikomischen« von ihnen zu unterscheiden.

Warum z. B. ist Läuffers Situation für Guthke tragisch? Nun, sie ist es eben, »gleichgültig, ob wir heute dies als tragisch oder nur traurig empfinden«. (!) Aber die Personen, bleiben sie nicht komisch? Nun, sie haben für Guthke, man sieht nicht recht wie und warum, »über die komische Karikierung hinweg noch genügend

Tiefe und seelische Weite, um ihr Geschick zu einem tragischen werden zu lassen«. Bei Läuffer trage eben das »Komische seines Wesens« (!) bzw. »diese komische Charakterschwäche, diese lächerlich kindsköpfige Unfertigkeit« zu seiner Tragik bei — gerade so, als sei so ein »Wesen« nicht erst zu dem *geworden*, was es ist, als sei es nicht durch gesellschaftliche Bedingungen (z. B. Erziehung, soziale Stellung, sexuelle Frustration usw.) zu dem *gemacht worden*, was es jetzt nur einfach *ist*. Und gerade diese Bedingungen sind doch in der Lenzschen Komödie deutlich thematisiert!

Nachdem Guthke das irgendwoher gekommene unveränderliche »Wesen« mit der gleichfalls stets irgendwie vorfindlichen und unveränderlichen »Situation« hat kräftig kontrastieren lassen und das Sowohl mit dem Als-auch genügend gemischt hat, entsteht ihm als Ergebnis die neue »Mischform«. [322] Während Lenzens Intention darauf gerichtet ist, über den Zustand, den seine Komödie kritisch darstellt und utopisch transzendieren möchte, hinauszuweisen, da er ihm ein änderbares Skandalon und nicht das sozusagen letzte Wort der Geschichte ist — wollen Guthke und seine Adepten Lenz auf diesen Zustand festnageln, ihm unterstellend, er habe das dargestellte »Gemisch« nur unmittelbar als solches wiedergeben wollen. Historische Besonderheit ist solcher Literaturwissenschaft nebensächlich, die vermeintliche »Grundbefindlichkeiten« des Lebens entdecken will und nach den großen Vorwegnehmern dieser Entdeckungen fahndet.

Aufschlußreich ist das Motto, das Karl S. Guthke seinem Buch *Die moderne Tragikomödie* voranstellt. Es stammt von Thomas Mann und lautet:

> Denn ganz allgemein und wesentlich scheint mir die Errungenschaft des modernen Kunstgeistes darin zu bestehen, daß er die Kategorien des Tragischen und des Komischen, also auch etwa die theatralischen Formen und Gattungen des Trauerspiels und des Lustspiels, nicht mehr kennt und das Leben als Tragikomödie sieht. [S. 4]

Das ist deutlich: die bürgerliche Welt, die beansprucht, als »das Leben« überhaupt zu gelten, müsse als Tragikomödie gesehen werden. Wer die Stelle bei Thomas Mann nachschlägt, erfährt auch, welche Folgerungen aus dieser These gezogen werden sollen:

> Das genügt [nämlich: »das Leben als Tragikomödie« zu sehen], um das Groteske zu einem eigentlichsten Stil zu machen, und zwar in dem Grade, daß selbst das Großartige heute kaum anders als in der Gestalt des Grotesken erscheint. Es wird erlaubt sein, das Groteske den eigentlich antibürgerlichen Stil zu nennen. [323]

Es kann hier nicht darauf eingegangen werden, inwieweit die Definition des Grotesken als antibürgerlicher Stil für den Autor Thomas Mann selbst charakteristisch ist, der immer bestrebt war, auf eine Distanz zum Bürgertum zu gehen, die diesem dennoch (zumal in der berüchtigten »Ironie«) verbunden blieb. Wichtig ist dies: Tragikomödie wie die ihr zugeschriebene Stilgebärde, das Groteske, werden verstanden — und deshalb wählt Guthke dieses Zitat als Motto — als die einzig mögliche »Antihaltung«, die einem Autor übrig bleibe, um die ihm nicht gefallende Gegenwart darzustellen. In dieser Sicht muß eine Intention Komödie als »überholt« erscheinen und deren optimistisches Element als »unglaubhaft«.

Wem »das Leben« als eine einzige Kette von kleinen Katastrophen offenbar wird, von denen nur immerhin noch begriffen wird, daß sie das Attribut »tragisch« nicht verdienen —, wem die Misere das Erwartete und Normale ist, das Immergleiche, das so bleiben werde, was auch immer geschieht —, wer keinen gesellschaftlichen Weg aus der schlechten Gegenwart für möglich hält, sondern diese für ausweglos erklärt —, wer mit seinem Kopf voll bürgerlicher Vernunft immer wieder an die Mauer bürgerlicher Realität rennt und darauf mit brummendem Schädel verkündet, »uns« komme nur noch Tragikomisches und Groteskes bei (das dann wenigstens noch »antibürgerlich« wirke), der sieht dann allerdings Komödien nicht als Komödien an und empfiehlt eine Mischform als das ganz Neue und Moderne, der sieht, weil in seinem Kopfe sich so vieles mischt, das immergleiche Gemisch in Vergangenheit, Gegenwart und Zukunft. Es ist die spätbürgerliche Perspektivlosigkeit, die die Unmöglichkeit jeder gesellschaftlichen Perspektive überhaupt meldet: »das Leben« lasse anderes nicht zu.

Dagegen ist mit Nachdruck zu wiederholen:

Komödie ist definierbar als eine Intention, die sich als Kritik und Utopie realisiert. Ihr ist ein antizipatorisches Moment eigen, das vom »guten Ende« eingefangen wird. Der Optimismus richtet sich auf die gesellschaftliche Entwicklung und ist auch dann vorhanden, wenn das »gute Ende« in der Komödie selbst dem in der Realität noch nicht entspricht. Die Komödie kann in ihrer Utopie vordergründig mit der Realität der gegenwärtigen Gesellschaft übereinstimmen, so daß — wie in den Charakterkomödien Molières — die Kritik der Komödie nur auf den isolierten einzelnen gerichtet scheint. Die Komödienkritik kann aber auch auf das Gesellschaftsganze zielen und ihre Utopie dabei sich in Einklang mit der geschichtlichen Bewegung wissen — dies ist der Fall der Brechtschen Komödie, die bürgerliche Erstarrung vom sozialistischen Standpunkt aus darstellt.

Die Komödie ist aber auch dann noch Komödie, wenn — wie im Falle des Lenzschen *Hofmeister* — der Standpunkt der allgemeinen »Einsicht« zwar hinreicht, das Verhalten der Personen wie die schlechten Verhältnisse zusammen als einen lächerlichen Zustand zu fassen, der geändert werden muß, doch als Utopie nur vage Hoffnung auf einen Klassenkompromiß bietet. Es ist zu zeigen versucht worden, daß Lenz diese Kalamität nicht verwischt, sondern sie ihrerseits thematisiert, so daß seine Komödie am Ende zugleich Bewahrung der Aufklärung wie deren Parodie ist.

»Tragikomisches« aber existiert vor allem in den Köpfen derer, die das Komische zu einer naturgegebenen Charakterdisposition verdrehen und einen als obsolet dargestellten Zustand mit einer »tragischen Situation« verwechseln. [324] Angesichts dieser Sachlage darf behauptet werden, daß Brechts Bearbeitung des *Hofmeister* noch dort, wo sie direkt *gegen* Lenz geschrieben ist, die historisch richtige Rezeption des Lenzschen Originals ist, wogegen die bürgerliche Literaturwissenschaft, die ihre interpretatorischen Kunststücke in scheinbarer Texttreue veranstaltet, weder den historischen Stellenwert noch den wirklich aktuellen Gehalt der Komödie zur

Geltung bringen kann. Da sie es auch *nach* Kenntnis der Brechtschen Bearbeitung nicht kann, liegt hier kein je individuelles Unvermögen, sondern ein Symptom für das Fortwirken jener »deutschen Misere« im ideologischen Bereich, die Brechts Komödienbearbeitung zur Besichtigung freigab. Denn wer die Selbstkastration Läuffers mit religiösem Sinn versieht, in Wenzeslaus nur ein schrulliges »Original« erblickt, lediglich über eine allgemeine, alle Klassen gleichermaßen affizierende, »Entfremdung« klagt und schließlich meint, »das Leben« könne eben nicht anders denn als »tragikomisch« gesehen werden — der gehört in die Reihe der Erzieher, die Brecht als Ideologieträger der bürgerlichen Welt vorführt: »Erzeugnis und Erzeuger der Unnatur.«

Die *Hofmeister*-Bearbeitung als Brecht-Komödie:

Um mit einem scheinbar unseriösen Aspekt zu beginnen: Brecht hat die Bearbeitung offensichtlich Spaß gemacht, beschreibbar als das Vergnügen dessen, der sein Bildungswissen einsetzen kann, um die Bildungsgegenstände selbst komisch zu destruieren. So spricht Brecht etwa im Prolog bewußt von »teutscher Misere«, sich der im 18. Jahrhundert geläufigen, auf einer falschen Etymologie beruhenden Schreibweise bedienend. Das bleibt aber nicht Reminiszenz, sondern verstärkt rein lautlich den so lächerlichen wie böswillig chauvinistischen Charakter des deutschen Schullehrers, wie Brecht ihn bloßlegen will: »Teutsche Hermanne! Gesunde Geister in gesundem Körper, nicht so welsche Affen.« (GW 6, 2371) Dem empfindsamen Liebespaar Fritz und Gustchen verleiht Brecht dadurch zeittypisches Kolorit, daß er Klopstockverse rezitieren läßt, sich an Goethes *Werther* erinnernd, wo allein die Erwähnung des Namens dieses Modedichters genügte, die »Herzensgemeinsamkeit« von Lotte und Werther auszudrücken. Zu Klopstock fiel es dann nicht schwer, den von diesem besungenen Modesport zu assoziieren: dies die Inspiration für Läuffers Schlittschuh-Szene. Rousseaubegeisterung und Italienreise, zwei weitere zeittypische Motive, bringt Brecht in so genialer wie witziger Verknappung in einem einzigen Satz unter, der überdies auf die materiellen Bedingungen solcher Bildungserlebnisse hinweist: »Ein halbes Jahr Italien — das nenn ich einen Vater nach Rousseau!« (GW 6, 2385), sagt Pätus zum adligen Fritz, der die Reise getan.

Brecht macht es Spaß, noch für das kleinste Detail seine Kenntnisse vom 18. Jahrhundert zusammenzutragen, doch wird daraus kein selbstgenügsames Vergnügen, das nur die »Kenner« zu teilen vermöchten, sondern das lenkt direkt ins Zentrum der Bearbeitung. Brecht führt das Geschehen näher an das Ende des Siebenjährigen Krieges heran, wie gleich in den ersten Sätzen des Majors an seinen Bruder deutlich wird, mit denen die Komödie eröffnet:

> Mit der Ökonomie geht es nicht zum Besten, Wilhelm; keine Gäule aufzutreiben, selbst fürs Geld. Potz hundert, die sieben Jahre Krieg sind noch nicht verwunden im Land.
> (GW 6, 2335)

Somit versucht Brecht, der allgemeinen »Misere« einen konkreten Hintergrund zu geben, der besonders auch für den Bereich der Lehrinstitutionen gilt, »wo jetzo der König doch nach seinem Krieg die invaliden Unteroffiziere zu Lehrern anstellt«. (GW 6, 2372) Dank dieser konkreten Situierung, die übrigens nicht immer im Detail auch »stimmt« [325], kann Brecht nicht nur die prekäre Lage Läuffers genauer bestimmen, sondern z. B. auch die bereits bei Lenz erwähnte *Minna von Barnhelm* in spezifisch realistischer Weise (»Ein kleiner Beitrag zur Kriegsgeschichte!« GW 6, 2353) als historischen Bezugspunkt einbeziehen sowie Kants Schrift *Zum ewigen Frieden* auf einen realen Anlaß hinordnen. (GW 6, 2351) Viele kleine Einzelstücke tragen dazu bei, das Epochengemälde auszustatten: Misere des Alltags und große idealistische Philosophie.

So läßt Brecht die Kantschen Ideen von Pflicht und Neigung sozusagen im friederizianischen Kasernenton vortragen. Das hört sich in den Worten des preußischen Geheimrats, der seinen Fritz mit des Bruders Gustchen ertappt hat, dann so an:

> [...] jetzt heißts: nach Halle und eine Leuchte der Menschheit geworden! Daß du ihrer würdig werdest! Und die wahre Freiheit kapierst! Als welche die Menschen von den Tieren unterscheidet. Die Hengste und die Stuten müssens, aber die Menschen sind frei, es nicht zu tun. Verstanden, Sohn? *Fritz nickt schamvoll.* Deshalb will ich, daß ihr eure Separation aus Notwendigkeit selber wissentlich vollzieht, ohn Zwang, aus Einsicht, freiwillig. Kein anderer Brief zwischen euch geschrieben als ein offener! Ists versprochen? *Fritz und Gustchen nicken.* Der Gedank ist frei, aber Geschriebenes wird zensurieret! (GW 6, 2338 f.)

Komisch ist nicht allein die Reduzierung des Kantschen Sittengesetzes auf bloße Sexualmoral (wie das für die spätere bürgerliche Ideologie allerdings durchaus kennzeichnend ist), sondern auch die politische Folgerung von der notwendigen Koexistenz zwischen individueller »Freiheit« und staatlicher Zensur. Hier wird Kant »von oben« interpretiert. Doch nicht, daß seine Philosophie das zuläßt, ist Brechts Ausgangspunkt allein, sondern mehr noch die Art, wie Kant »von unten« begriffen wird, was Brecht vor allem in der Figur des Pätus komisch darstellt. Die »wahre Freiheit« ist das Nicht-Tun: sexuelle Enthaltsamkeit ist *eine* konkrete Konsequenz dieser Maxime, durch das Geschehen der Komödie veranschaulicht, doch erhält sie zugleich allgemeinere Bedeutung, das Verhalten der idealistischen Personen insgesamt betreffend. In ihnen hat Brecht den sog. »Geist der Goethezeit« Gestalt werden lassen, um ihm gut materialistisch zu Leibe zu rücken — eine Berührung, bei der unfehlbar Komik entstehen muß.

Man wird nicht sehr fehlgehen in der Vermutung, daß Brecht in Figuren wie Pätus etwas von der realen geschichtlichen Person Kant hat darstellen wollen: auch da war ja bürgerliche Enge und häusliche Misere, Hauslehrerdasein, ganz zum Thema des *Hofmeister* gehörig. [326] Schon einem der Sinnlichkeit so aufgeschlossenen Mann wie Heine war Kants »mechanisch geordnetes, fast abstraktes Hagestolzenleben« ein wenig unheimlich und bedenklich vorgekommen, doch trennte er um so schärfer davon die großen Ideen des Mannes, den er als einen »Robespierre im Reiche der Gedanken« versteht. [327] Die Heinesche Konstruktion ist bekannt: ironisiert wird, daß die Deutschen ihre Revolutionen nur immer in der Idee ausführen, gleichwohl zieht Heine die Parallele zwischen deutscher Philosophie und tatsächlicher geschichtlicher Bewegung in anderen Ländern.

Brecht denkt da anders. Er sieht nicht das Gedankengewölbe, sondern die schlechte Wohnung, über der es schwebt, und er stellt zwischen beiden einen kausalen Zusammenhang her. Ihm steht Kant nicht einmal gedanklich »über« der Misere, sondern er versteht die Kantschen Ideen als deren Bestandteil. Brecht sichtet anstelle von aufklärerischer Philosophie, die wenigstens ideell das Gleiche vertritt, was in Frankreich materielle Wirklichkeit wird, nur praxisferne — und letztlich praxisverhindernde — bürgerliche Ideologie. Er übernimmt den Hegelschen Spott über Kants bloßes »Sollen« und rekapituliert noch entschiedener als die marxistischen Klassiker deren Hohn über den sog. »freien Willen« als eines Postulats, das nicht auf Verwirklichung angelegt ist. [328]

Es soll nicht erörtert werden, inwieweit Brechts *Hofmeister*-Komödie dem Anspruch einer wirklichen Kant-Kritik genügen kann und ob da nicht — wenn auch nicht gerade in der *Praktischen Vernunft* und der *Grundlegung zur Metaphysik der Sitten* — in der Kantschen Philosophie Wichtiges und Aufhebenswertes steckt, dessen sich marxistische Philosophie nicht zu entschlagen brauchte. Auszugehen ist einzig davon, daß Brecht in Form einer Komödie (zu deren konstituierenden Eigenarten ja Parteilichkeit und »einseitige« Sicht gehören) seine materialistische Kritik am Kantschen Idealismus festmacht, und zwar so, daß die »ungerechten« Vergröberungen gerade erst für das komische Gefälle sorgen. Das führt zu höchst amüsanten Pointen, z. B. zu der Frage des armen betrogenen Pätus, wie denn eigentlich zu bewerten sei, wenn eine Frau vielleicht eine Person A liebe, aber mit einer Person B schlafe, worauf dann die köstliche Replik kommt:

Ich denke, du willst, ich sage: der Geist zählt. Aber warum zitterst du? Betriffts dich?
(GW 6, 2359)

Wie hier die körperliche Reaktion die ideelle Rationalisierung Lügen straft, so wird im Brechtschen *Hofmeister* auch generell der geistige Höhenflug immer wieder von der platten Wirklichkeit zu Boden gezwungen, und der Zusammenstoß macht komischen Effekt.

Die von Brecht eingefügte Kant-Komponente ist nun kein Zusatz, der lediglich mehr Zeitkolorit einbringen soll, und auch kein Mittel, um die Quantität der komischen Einzelmomente zu erhöhen. Vielmehr liegt hier der entscheidende Punkt, an dem die Bearbeitung zu einer Umarbeitung gegen Lenz wird. Und das betrifft eben nicht nur die Veränderung der Figur des Geheimen Rats, wie Brecht selbst zu verstehen nahegelegt hatte und wie ihm darauf nachgesprochen wurde. [329] Gewiß hat Brecht dem Geheimen Rat alle irgend fortschrittlichen Bonmots („dann sollten die Bürger meiner Meinung sein“ usw.) gestrichen und macht ihn zu einer feudalen Charaktermaske, doch hatte bereits Lenz dem immerhin insoweit vorgearbeitet, als er die Ideen des Geheimen Rats als „zu allgemeine“ durch das Geschehen widerlegen ließ.

Die Lenzsche Komödie übte Kritik an *allen,* ob Adlige oder Bürger, und der Maßstab war der der abstrakten Vernunft. Bei Brecht kommt es zur radikalen Kritik dieser Vernunft selbst und damit zur Kritik an dem durch Kant repräsentierten Idealismus. Die Folge ist vor allem die, daß Brecht die Lenzsche Utopie vom Klassenkompromiß zerstört. Denn Lenz hatte ja gerade deshalb, weil er *alle* Personen ungeachtet der Standesunterschiede gleichermaßen kritisierte, eine Utopie des »So soll es sein« aufbauen müssen, die auch für alle »Menschen« gleichermaßen verheißungsvoll ist, wo »alle Menschen Brüder« sind. Daher die Konstruktion einer Damon-Pythias-Komponente (ähnlich der in Schillers *Bürgschaft*), wo der adlige Fritz den bürgerlichen Pätus im Gefängnis vertritt und dieser mit jenem den Lotteriegewinn brüderlich teilt, der die gemeinsame Reise ermöglicht — was dadurch ergänzt wird, daß die bürgerliche Rehaarin und das adlige Gustchen sich »schwesterlich« verstehen, so daß am Schluß das gemeinsame Glück in *eine* Szene gefaßt wird, in der nur noch »Landsleute« zählen, deren »menschliche« Einsicht über so schnöde Dinge wie Standesunterschiede weit erhaben ist, wie immer diese auch bestehen bleiben. Mit dieser Szene kommt Lenzens Komödie, wenn auch ironisch rückversichert, an ihr Ziel und Ende. Hierauf liegt ihr Akzent — nicht so sehr auf der Figur Läuffer, dessen Geschichte mit der vorletzten Szene abschließt.

Anders bei Brecht. Sein *Hofmeister* ist die Geschichte Läuffers. Das Kastrationsmotiv tritt klarer als bei Lenz hervor, insofern es die Kritik am Bürgertum modellhaft konzentriert. Hierauf liegt der Akzent, während die Adligen sozusagen auf eigene Kosten lächerlich sind: Brecht hält es für unnötig, darauf eigens zu insistieren. Er zeigt das starre Nebeneinander der Klassen und bringt daher einen dreigeteilten, getrennten Schluß, der erst das »gute Ende« für Pätus am wärmenden Ofen, darauf das von Fritz und Gustchen inmitten der versammelten Adelsclique, dann zuletzt das von Läuffer und Lise darstellt. Am Schluß ist wieder jeder für sich, keine klassenüberwindende Gemeinsamkeit ist übriggeblieben. Im Gegenteil: als Fritz (der in Brechts Bearbeitung auch keinen ergreifenden Opfergang ins Gefängnis mehr antreten darf) nach seiner Italienreise dem einstigen Studienfreund seine Kümmernisse klagt, wird kein »brüderliches« Mitgefühl reaktiviert, sondern Pätus geht zu seiner neuen Haus- und Pantoffelordnung über:

Traurig. — Aber unsere Sorgen sinds nicht. Komm an den wärmenden Ofen, Karoline!
(GW 6, 2387)

Brecht übernimmt also Lenzens kritische Zustandsanalyse, und allenfalls verstärkt er, was in ihr bereits angelegt war. Die bürgerliche Illusion vom Klassenkompromiß bzw. die Utopie des bloßen guten Willens aller, die in Lenzens Komödie den strukturell erforderlichen Abschluß liefert, übernimmt Brecht nicht.

Er wechselt aber auch die Utopie des Komödienendes nicht einfach aus, was ja hätte bedeuten müssen, eine — aus dem Geschehen der Komödie heraus entwikkelte — radikalbürgerliche Perspektive (die nun selbst wieder historisch überholt ist) am Ende der Komödie zu verankern. Statt dessen geht Brecht auf äußerste Distanz zum Geschehen, indem er dessen Historizität betont:

Geehrtes Publikum, unser heutiges Stück
Wurd verfaßt einhundertfünfzig Jahre zurück.
Drin trete aus der Vergangenheit Tor
Ich, des deutschen Schulmeisters Urahn, hervor. (GW 6, 2333)

So lauten die ersten Verse, die Brecht der eigentlichen Komödie vorschaltet und vom Darsteller des Hofmeisters (dessen historischer Horizont nicht dem der von ihm dargestellten Figur Läuffer entspricht) als Prolog sprechen läßt. Brechts Regie versuchte den historischen Abstand zwischen Prolog und Epilog zum Stück selbst, somit dessen Spiel- und Beispielcharakter unterstreichend, zu verstärken. [330] Entsprechend resümiert dann der, wieder vom Darsteller des Hofmeisters gesprochene, Epilog:

> Und das war nun der Komödie Schluß:
> Wir hoffen, ihr saht ihn nicht ohne Verdruß
> Denn ihr saht die Misere im deutschen Land
> Und wie sich ein jeder damit abfand
> Vor hundert Jahr und vor zehn Jahr
> Und vielerorts ists auch heut noch wahr. (GW 6, 2394)

Dadurch ist Brecht der Schwierigkeit enthoben, in der Komödie selbst ihre Utopie festzulegen. Prolog und Epilog machen die Komödie zu etwas Abgeschlossenem: für die dargestellten Personen wie für ihre direkten Nachfahren gibt es keine Perspektive, wohl aber für die »Betrachter einer neuen Zeit«. [331] Deren Standort ist bereits durch eine qualitativ verschiedene Lebenspraxis gekennzeichnet, so daß ihre tatsächliche Erfahrung das konkret utopische Moment ergänzt, das der vor dem Epilog beendeten Komödie selbst fehlt.

Nur eben ist der erreichte Standort noch kein sozusagen naturgesetzliches Fixum, sondern erfordert nach wie vor gesellschaftliche Aktivität zu seiner Bewahrung und Vollendung. Denn »vielerorts ists auch heut noch wahr«: daß nämlich die Vergangenheit über die Gegenwart herrscht. Darum führt Brechts Bearbeitung die schlechte Vergangenheit *als solche* vor. Die Historizität, die das Lenzsche Original in Brechts Bearbeitung gewinnt, entspricht genau der Funktion, die die »Historisierung« der Fabel in Brechts eigenen Komödien einnimmt. (Man vergleiche nur den Prolog zum *Hofmeister* mit dem zum *Guten Menschen von Sezuan* GW 4, 1607 oder mit dem Prolog zum *Puntila* GW 4, 1611 oder mit den letzten Worten Mattis GW 4, 1708 f.). Auf den politischen Gehalt dieses Vorgehens bzw. auf die kulturpolitischen Kontroversen, die Brechts Bearbeitungen wie überhaupt sein Komödientypus ausgelöst haben, wird noch einzugehen sein.

Vorerst ist festzuhalten, daß Brechts Umarbeitung des Lenzschen *Hofmeister* nicht in die Gestaltung der individuellen Konfliktsituationen montiert ist, sondern deren Summe addiert, um auf die gesellschaftliche Lösbarkeit des im Modell dargestellten Problems hinzuweisen. Durch die mit Prolog und Epilog gegebene Perspektive, durch jene »Historisierung«, die in den Figuren Läuffer, Wenzeslaus, Pätus und Bollwerk das Urbild des deutschen bürgerlichen Schulmeisters erkennbar macht, würde von einem sozialistischen Heute aus das Lenzsche Stück wohl auch dann zur Komödie, wenn es bei Lenz ein Trauerspiel gewesen wäre.

Es ist im Rahmen dieser Arbeit nicht möglich, auf den ästhetischen Reichtum der *Hofmeister*-Bearbeitung, auf das »Poetische und Artistische« der Aufführung, die »Erkenntnisse und Impulse in Form von Genüssen vermitteln« wollte (GW 17, 1240), so ausführlich einzugehen, wie das an sich notwendig wäre. Zudem muß eingestanden werden, daß sich der Interpret, der einzelne Momente analysieren will, bei einem Blick auf die durch sorgfältige Szenenfotos unterstützten Kommentare im Band *Theaterarbeit* an das Verhältnis von Hase und Igel in der bekannten Geschichte erinnert fühlt: er kommt zu spät, das zu Sagende steht bereits da, und es hat zudem literarischen Rang. Jede der szenischen Analysen, die Brecht selbst gibt, wäre unmittelbar als Beleg für das »Gesellschaftlich-Komische« zitierbar, und dasselbe gilt für die Berichte der Schauspieler und Mitarbeiter. Allenfalls in der Beschreibung, die der Darsteller des Grafen Wermuth von seiner Rolle gibt, wäre eine leichte Ungenauigkeit zu korrigieren. Er sagt:

Die Rolle des Grafen Wermuth blieb komisch, aber zu dem Komischen gesellte sich eine scharfe Kritik an der Gesellschaft. (*Theaterarbeit,* S. 100)

Das Wort »gesellte sich« ist unglücklich gewählt, insofern es suggeriert, da trete etwas hinzu, wogegen richtiger gesagt werden müßte, daß das Komische bei Brecht gerade erst durch den implizierten gesellschaftlichen Gehalt charakterisierbar ist.

Dafür findet Brecht immer wieder eine verblüffend einfache szenische Bildhaftigkeit, die in ihrer Konkretion zugleich »bedeutet«, ohne je symbolisch schwerfällig zu werden. Ein Beispiel: In der Katechismus-Szene (GW 6, 2353 ff.) treten sich Läuffer und Gustchen gegenüber, Hofmeister und Schülerin, wobei von der funktionellen Rollenverteilung her die Überlegenheit ganz auf seiten des Examinators liegen müßte. Tatsächlich aber verschiebt sich dieses Verhältnis in kontinuierlichen kleinen Schritten bis zur völligen Umkehrung. (Vgl. dazu den Bericht der Darstellerin und die entsprechenden Szenenfotos in *Theaterarbeit,* S. 96 ff.) Die Szene gibt, wie Brecht anmerkt, »die Gelegenheit, die soziale Überlegenheit Gustchens zu demonstrieren. Sie mischt alle Mittel ihres Körpers mit all denen ihres Rangs, ihn zum Tanzen zu bringen«. (GW 17, 1228) Das adlige Fräulein setzt sog. weibliche Verführungskünste ein, um gleich darauf in den höfischen Salonton ihrer Kaste zu verfallen:

Verzeihen Sie, daß ich Sie gestern aussetzte. Es war mir wahrhaftig unmöglich, zur Mühle zu kommen, ich war enrhümiert auf eine erstaunende Art. (GW 6, 2354 f.)

Dem ist der bürgerliche Läuffer nicht gewachsen. »Er macht unruhig gequälte Schritte hin und her, dreht sich wie auf dem Eislaufplatz spindelförmig« — in dieser Bewegung ist Läuffers sozialer Gestus getroffen, der an die Schlittschuh-Szene erinnert, die ihrerseits in den Menuett-Szene vorgebildet war — »bleibt jäh stehen, den Tatzenstock am Rücken zwischen den Ellbogen verkrampft, als fessele er sich selbst«. (GW 17, 1229)

Die traditionelle Komikdefinition z. B. Bergsons sähe hier nur »das Mechanische im Lebendigen« und würde die Unbeholfenheit als solche bzw. die Situation, daß hier ein Mann in Schwierigkeiten ist, komisch finden. Das wird dem ästhetischen Reichtum des Komischen nicht gerecht. Denn es ist die soziale Überlegenheit Gustchens, durch die Läuffer so komisch verkrampft. Von ihr geht die »Fesselung« aus, die Läuffer an sich selbst vollzieht; der Lehrer wird zum Schüler und versteckt das Insignum seiner Rolle. Zugleich ist aber das Lineal als Penissymbol kenntlich: die selbstauferlegte Zurückhaltung des Erziehers, die ihm die Hände binden soll, evoziert auch die erotische Fesselung, der er erliegen und nachgeben wird. Die so entstehende komische Haltung Läuffers zeigt den Konflikt zwischen dem kreatürlichen Trieb und der gesellschaftlichen Prohibition dieses Triebes in einer Balance, die nicht lange aufrechterhalten bleiben kann. Es ist eine Probe auf das »Gleichgewicht« wie in der Ballett-Szene und wie in der Schlittschuh-Szene, die für Läuffer wiederum negativ ausgehen muß, wie immer er sich anstrengen mag. Die Regieanweisung Brechts schreibt vor: »Läuffer gibt sich Tatzen mit dem Linial.« (GW 6, 2354) und wiederholt den Hinweis in der Szene mit Lise (GW 6, 2379). Gegen die sexuellen Anfechtungen versucht Läuffer die strafende Autorität des Lehrers aufzubieten — gegen sich selbst. Seine eigene Libido erfährt er immer wieder nur als abstrakte, ihm selbst fremde und feindselige Sexualität, der zu wehren er die ihm gleichfalls fremde und rein äußerliche Rolle des »Erziehers« zu verkörpern trachtet. Solch ein vollgültiger Erzieher kann er aber nun nicht werden — außer um den Preis der Selbstkastration. Nicht wie bei Lenz aus »Reue und Verzweiflung«, sondern aus »Reue [und] Sorgen um meinen Beruf« (GW 6, 2382) wird daher die Tat bei Brecht motiviert: »Zwischen Scylla und Charybdis von Natur und Beruf habe ich mich für den Beruf entschieden.« (GW 6, 2383)

Das »Gesellschaftlich-Komische« in dem szenischen Modell, wie einer da im Kampf mit sich selbst liegt, mit Hilfe eines einzigen Requisits veranschaulicht, enthüllt einen direkt sozialen Gehalt allein in der Gegenüberstellung von kreatürlicher Sinnlichkeit und gesellschaftlich erzwungenem Normverhalten. (Vgl. GW 17, 1235) Darüber hinaus »bedeutet« es aber, im Gesamtgefüge der Brechtschen Komödie, wie das Bürgertum überhaupt den Streit zwischen Selbstbehauptung und Anpassung zu lösen pflegt: im Nachgeben und in der Ausmerzung aller aufrührerischen Affekte. So feiert denn Wenzeslaus, der diesen Streit für sich schon längst ausgefochten hat, die Tat Läuffers:

> Wer sollte Lehrer werden können, wenn nicht jetzt Ihr? Von allen habt Ihr die höchste Qualifikation! Habt Ihr nicht die Aufsässigkeit in Euch für ewig vernichtet, der Pflicht alles untergeordnet? Kein Privatleben kann Euch fürder noch abhalten, Menschen zu formen nach Eurem Ebenbilde. Kann man weiter gehen? Für Euer persönliches Fortkommen seid unbesorgt. Pflicht getan. Alles läßt sich glücklich an. (GW 6, 2382 f.)

Die Selbstkastration ist in konkretem Sinn zugleich »übertragen« verstehbar, und Brecht meint damit ein bürgerliches Syndrom, nicht allein den Sonderfall Läuffer.

So hat etwa Pätus seine Sinnlichkeit von vornherein verdrängt und sich in die rein geistigen Gefilde der Kantschen Philosophie begeben, obwohl (oder weil) sein Leibphilosoph »aufwieglerisch doch nur in der Idee« ist. (GW 6, 2360) Doch selbst dieser bescheidenen Oppositionshaltung wird Pätus sich enthalten müssen: »Wie hätte ich ansonsten eine Lehrerstelle gekriegt?« (GW 6, 2384) Brechts Intention war darauf gerichtet, »in einer leichten und komischen Art die eigentümliche Form der Selbstentmannung bürgerlicher Kreise [zu zeigen], welche nicht nur die Revolutionen anderer Völker, sondern auch ihr eigenes Privatleben nur ›im Geiste erleben‹«. (GW 17, 1230 f.) Die Pointe, daß Pätus dann sogar sein geistiges Aufmukken einstellen muß, ist kaum weniger radikal als Läuffers so einschneidende Tat.

Das »Gesellschaftlich-Komische« des einzelnen szenischen Augenblicks entfaltet das Poetische wie das Artistische der Darstellung und dadurch erst recht den sozialen Gehalt. Brechts *Hofmeister*-Bearbeitung ist ein Musterbeweis dafür, daß die politische Tendenz mitnichten auf Kosten der künstlerischen Mittel zu gehen braucht, sondern im Gegenteil durch diese erst voll realisierbar wird. Dabei konzentriert das einzeln Komische (wie immer es auch ein in sich abgeschlossenes konkret anschauliches Bild ist) in seiner Konkretion zugleich einen großen Teil der Gesamtkomödie, so daß von jeder einzelnen Szene her dank der vielen Andeutungen, Verweise, Querverbindungen und wechselnden Verdeutlichungen die Interpretation des Ganzen möglich scheint. Das unterscheidet die Brechtsche Bearbeitung von der Lenzschen Komödie und macht sie, ohne Umschweife gesagt, künstlerisch »besser« als das Original.

Dafür ist nicht die höhere Quantität der im engen Wortsinn »komischen« Momente das Kriterium, denn — um das noch einmal zu wiederholen — dies ist für eine Komödie sekundär, die vielmehr durch ihre Intention charakterisiert wird, d. h. durch ihre spezifische Relation zum Dargestellten, dessen Gegenwärtigkeit vermittels einer Kombination kritischer und utopischer Elemente zu einer schlechten Vergangenheit stilisierend. Aber gerade dadurch, daß die Exempla des »Gesellschaftlich-Komischen« bei Brecht stets auf diese Intention verweisen, entsteht eine künstlerische Geschlossenheit der ganzen Komödie, dergegenüber Lenzens Unbeholfenheiten doppelt auffallen. Das sei an einem Beispiel erläutert.

Verglichen seien zwei Szenen, die außer einer vordergründigen Gemeinsamkeit (jeweils die Schadenfreude bürgerlicher Mädchen über den bürgerlichen jungen Mann) nichts miteinander zu tun haben. Die Lenzsche Szene (II, 4/39) wird von Brecht nicht übernommen, die Brechtsche Szene (GW 6, 2342 f.) hat an keiner Stelle des Originals ein Vorbild. Mehr noch: die Lenzschen Figuren Frau Hamster, Jungfer Hamster, Jungfer Knicks treten nur hier in Erscheinung, und auch Brechts Szene zeigt mit Jungfer Watten, Jungfer Rabenjung und Jungfer Müller Figuren, die nicht noch einmal im Stück begegnen. Das tertium comparationis ist damit genannt: beide Szenen sollen gerade deshalb gegenübergestellt werden, weil sie einen je isolierten Platz einnehmen und ihre strukturbestimmende Qualität äußerst gering ist. Brecht meinte sogar, seine Szene könne »zur Not auch weggelassen werden, obwohl« — und auf diese Einschränkung kommt es allerdings an — »obwohl sie die Situation Läuffers in einer guten äußerlichen Art anschaulich macht«. (GW 17, 1225)

Die Szene II, 3 des Lenzschen *Hofmeister* hatte Pätus' prekäre finanzielle Lage ausführlich behandelt und damit geschlossen, daß Pätus ungeachtet der heißen Sommertemperaturen seinen Winterpelz anlegen wird (einen anderen hat er nicht), um mit den Freunden *Minna von Barnhelm* zu sehen. Damit ist die Primitivform eines komischen Kontrasts skizziert, die bloße Unangemessenheit bzw. die abstrakte Inkongruenz von Person und Situation angedeutet, die vielen Komikdefinitionen so lieb und teuer ist. In dieselbe Richtung weist, daß in Szene II, 3 Pätus' Furcht vor Hunden erwähnt wurde und daß die folgende Szene nun tatsächlich berichtet, wie Pätus in seinem wunderlichen Aufzug vor Hunden davongelaufen ist. Szene II, 4 bringt demnach inhaltlich nichts Neues, aber — und dieser Mangel ist gravierender — sie führt diesen komischen Kontrast auch nicht vor, macht ihn nicht anschaulich, verzichtet gerade auf theatralische Mittel. Lenzens Szene II, 4 gibt nur einen *Bericht* davon: der ganze Dialog besteht darin, daß Jungfer Knicks und Jungfer Hamster die vergangene Situation Frau Hamster erzählen und dabei immer wieder beteuern, wie sehr sie gelacht haben und wie unvergleichlich das gewesen sei.

Brechts Szene dagegen ist wirkliches Theater. »Sie ist nichts ohne artistische Raffinesse (spezielle Schlittschuhkünste Läuffers, ein reizvolles, doch einfaches Bühnenbild und so weiter).« (GW 17, 1225) Sie führt den faux pas sinnlich anschaulich vor, nämlich Läuffers Versuch, die Mädchen zu beeindrucken, sein Stolpern und seinen Fall, der das schadenfrohe Gelächter auslöst. Rein äußerlich betrachtet, zeigt sich somit, daß Lenzens Unbeholfenheit die Komik seiner Szene glatt verschenkt — aber damit ist noch nicht genug gesagt. Wichtiger ist, daß es Lenz nicht gelingt, den sozialen Gehalt des Komischen herauszubringen, weil er das besondere Verhältnis zwischen Jungfer Hamster und Pätus nicht deutlich werden läßt, ja der Zuschauer weiß in Szene II, 4 noch gar nicht, daß Jungfer Hamster ihrem sprechenden Namen gemäß Pätus' Geld zusammenträgt. Was als Voraussetzung zum Verständnis der Szene II, 4 wichtig wäre, wird erst in der Szene IV, 6 beiläufig erwähnt und hat dann keine Bedeutung mehr. Dort sagt Fritz zu Pätus:

> Die Hamstern war eine Kokette, die aus dir machte, was sie wollte; sie hat dich um deinen letzten Rock, um deinen guten Namen und um den guten Namen deiner Freunde dazu gebracht. (IV, 6/71)

Diese Äußerung ins Präsens gebracht und nach II, 3 vorverlegt, die Szene II, 4 dann im Gegenüber von Jungfer Hamster und Pätus direkt ausgespielt (z. B. mit einer scheinheiligen Frage des Mädchens, warum Pätus denn keine angemessene Sommerkleidung trage, er sei doch sonst immer so auf seine Wirkung bedacht usw.) — und die Komik wäre nicht nur anschaulich, sondern sozial vertieft, würde etwas über das Verhältnis der Personen zueinander aussagen, auf die Misere bzw. auf die überragende Bedeutung des Geldes hinweisen und damit einen wichtigen Platz im Rahmen der Gesamtkomödie einnehmen können. So wie die Szene II, 4 bei Lenz aber dasteht, ist sie in sich dürftig und überflüssig.

Dagegen sei nun die souveräne Beherrschung der genuin theatralischen Mittel bei Brecht betrachtet. Seine Szene kann, wie er sagt, »zur Not auch weggelassen werden«, vor allem wohl dann, wenn der Darsteller des Läuffer die hier erforderlichen artistischen Fertigkeiten nicht mitbringt. Die vorausgegangene Menuett-Szene hatte bereits in Läuffers Bewegungen seinen sozialen Gestus hervortreten lassen: dort hatte Läuffer versucht, aus seiner fast perfekten Körperbeherrschung die Berechtigung abzuleiten, sich im Gespräch über Tanzkunst auf dieselbe Ebene der Adligen zu begeben, hatte geglaubt, da mitreden zu können und mußte dann erfahren, daß Domestiken das nicht zusteht. Hier in der Schlittschuh-Szene demonstriert nun Läuffer wiederum, diesmal vor seinesgleichen, vor Mädchen seines Standes, seine Künste, ohne dafür belohnt zu werden. Stets findet Läuffer eine für ihn unüberwindbare Schranke: im Haus der Majorin ist es die Tatsache seiner niedrigen Herkunft, vor den bürgerlichen Mädchen die, daß er kein Einheimischer ist:

Jungfer Müller Gehst du mit Nachbars Hans, denkt sich niemand was. Ein Hurenbock mag er sein, aber er ist kein Fremder. Aber mit einem Fremden, wozu wirst du wohl mit ihm gehn? Wenn man mit so einem Schokolade trinkt, ist man verschrien in Insterburg bis ans Lebensende. (GW 6, 2343)

Das Poetische der Darstellung liegt darin, daß rein vom körperlichen Ausdruck her der soziale Gestus Läuffers wiederholt und präzisiert wird. Läuffer bewegt sich in buchstäblichem Sinne auf Glatteis, und zu Fall kommt er nicht durch persönliches Ungeschick, sondern durch seine soziale Rolle, was hier zusätzlich dadurch »bedeutet« wird, daß Läuffer von seinem adligen Zögling Leopold niedergezogen wird. (Vgl. GW 17, 1226) Die Szene macht darüber hinaus deutlich, in welch dumpfer provinzieller Enge das Geschehen angesiedelt ist. Läuffer ist, wie Brecht so plastisch erläutert. »der ›Hahn im Korb‹, der als ›Hecht im Karpfenteich‹ behandelt wird«. (GW 17, 1242) Seine sexuelle Notlage, die hier zum Ausdruck kommt, ist für das Verständnis der späteren Szene mit Gustchen wichtig, in der dann überdies die charakterisierende Spindelbewegung in Läuffers Haltung wieder zitiert wird. Aber auch an den bürgerlichen Mädchen wird in dieser Szene ein für die Atmosphäre der ganzen Komödie wichtiges Motiv demonstriert: die Art, wie sie sich unterhalten (z. B. über den Pastor: »In seiner Predigt kommen so Stellen vor.«) und kichern — Brecht hatte eigens eine Schauspielerin engagiert, die kichern konnte, was »alleine schon die sexuelle Gewecktheit und Gehemmtheit der Mädchen« ausdrücken sollte (GW 17, 1232) — trägt bei zu dem von kreatürlicher Sinnlichkeit und gesellschaftlicher Repression bestimmten Klima der Komödie.

Der hier versuchte Vergleich könnte auf andere Szenen und Figuren übertragen werden und würde jeweils zu dem gleichen Resultat führen, daß nämlich Brecht im einzelnen stets konkreter und anschaulicher und damit »komischer« als Lenz vorgeht. In der Behandlung des »Gesellschaftlich-Komischen« ist Brecht *künstlerisch* überlegen, indem er gerade den sozialen Gehalt freilegt und diesen in der einzelnen Konkretion zugleich für die ganze Komödie »bedeutend« zu machen versteht.

Brechts *Hofmeister* ist natürlich in erster Linie die Bearbeitung einer Komödie von Lenz. Das Werk ließe sich aber auch ohne Schwierigkeit völlig aus Brechts eigenem Oeuvre ableiten und verstehen, da es in seinem zentralen Thema, der »deutschen Misere«, wie in den einzelnen Motiven geradezu die Summe von Brechts Komödien darstellt.

Unmittelbar einsichtig ist zunächst, welch bestimmende Funktion Brecht hier wiederum der Sexualität zugemessen hat. Das ist in der Literaturwissenschaft auch gesehen worden: nur daß die These, der eigentliche Gegenstand des Brechtschen *Hofmeister* seien die sexuellen Schwierigkeiten junger Leute in einer triebfeindlichen Umwelt, und die daraus gezogene Folgerung, kein anderes Werk Brechts weise so klar wie dieses die Merkmale eines Wedekind-Einflusses auf [332], an der wirklichen Sachlage genau vorbei zielt. Während nämlich Wedekind (*Frühlingserwachen. Eine Kindertragödie*) den Gegensatz zwischen »Kindern« und »Erwachsenen« zu einem aktuellen *tragischen* Konflikt zwischen »menschlicher Natur« und bürgerlicher Gesellschaft ausbaut, in dem er gegen die herrschende Moral die Partei der Opfer ergreift, ist Sexualität für Brecht ein *komisches* Motiv, weil es aus einer anderen Perspektive gesehen wird. Die programmatische Formulierung aus den *Anmerkungen zur »Dreigroschenoper«* sei nochmals zitiert, um die erstaunliche Kontinuität des Ansatzes bis hin zum *Hofmeister* zu belegen:

> Aber das Geschlechtliche in unserer Zeit gehört unzweifelhaft in den Bezirk des Komischen, denn das Geschlechtsleben steht in einem Widerspruch zu dem gesellschaftlichen Leben, und dieser Widerspruch ist komisch, weil er historisch, d. h. durch eine andere Gesellschaftsordnung lösbar ist. [...] Das Künstliche und Vergängliche aller gesellschaftlichen Überbauten wird sichtbar. (GW 2, 489)

Der sog. »primitive Materialismus« ist ein positiv-komisches Motiv, insofern die heitere Bejahung der Triebsphäre gegen gesellschaftlichen Zwang bzw. Sublimierung im »Rein-Geistigen« ausgespielt wird. Bollwerks an Baal erinnernder Grobianismus (»Man will nicht schlafen, weil man liebt; man liebt, weil man schlafen will.« GW 6, 2348) gehört Brechts Zustimmung zumindest in der Relation zum Kant-Jünger Pätus, von dem vermeldet wird: »Er träumt von ihr. Das Leintuch muß es büßen.« (GW 6, 2349) Gleichwohl ist Bollwerk alles andere als Repräsentant jener unverstümmelten Sinnlichkeit, deren Modell Brecht etwa in seiner Oper vom dicken Glücksgott skizzieren wollte. Vielmehr ist Bollwerks Sinnlichkeit, auf krude Sexualität reduziert, der generellen Misere sowohl abgerungen als zugleich deren Ausdruck und Ergebnis: »ich werd Hofmeister, da gehts in die Klausur in einem abgelegenen Nest, ich muß mich bevor weidlich auslieben.« (GW 6, 2352) Die sog. primitiv-materialistischen Freuden sind auch ein negativ-komisches Motiv, insofern das Individuum seine ganzen Triebenergien auf sie konzentriert, um sich desto widerstandsloser dann mit der allgemeinen Misere abzufinden.

Das heißt, der Widerspruch im Verhalten von Pätus und Bollwerk enthüllt in dialektischem Sinne die Identität ihrer Reaktion, die von denselben gesellschaftlichen Voraussetzungen erzwungen ist. Solche Konflikte sieht Brecht nicht wie Wedekind aus der Perspektive der Personen, und sie bergen daher kein irgend »Tragisches« mehr, sondern sie sind ihm Indikator der objektiven Komik der bürgerlichen Gesellschaft. Diese objektiv vorhandene Komik wird von Brecht im je einzelnen Motiv des »Gesellschaftlich-Komischen« auch konkret und exemplarisch anschaulich gemacht.

Immer wieder kehrt Brecht dabei auf das Modell der bürgerlichen Ehe zurück, um den vermeintlichen Schutz- und Fluchtort, in den die Personen aus ihrer sozialen und politischen Misere entkommen wollen, komisch zu diskreditieren. Dem liegt — wie zu zeigen versucht wurde — stets das Grundmuster des Kantschen Ehevertrags implizit zugrunde: im *Hofmeister* wird es, den kritischen Einwänden Hanns Eislers zum Trotz [333], von Brecht expressis verbis zitiert. (GW 6, 2384) Die

Szene mit Pätus und Karoline am wärmenden Ofen wird zu einem komischen Genrebild, wie denn auch die beiden folgenden Schlußszenen der Komödie als Variationen der bei Brecht so häufigen komischen Familien- und Hochzeitsfeiern aufzufassen sind.

Vor allem aber das Motiv der Selbstkastration mußte Brecht zu einer gesellschaftlich-komischen Darstellung reizen, hatte er es doch bereits in der Sergeant Fairchild-Episode in *Mann ist Mann* (GW 1, 368 f.) dergestalt verwendet. [334] Dort hatte das Motiv aber noch nicht wie im *Hofmeister* jene generell »bedeutende« Funktion, die die geistige und politische Selbstkastration der bürgerlichen Intelligenz paradigmatisch vorführt.

Im »Hofmeister der Feudalzeit, der vom Adel »gut trainiert, zurechtgestutzt und exerziert« worden ist, damit er »nur lehre, was genehm«, erblickt Brecht den bürgerlichen Schulmeister (»Da wird sich ändern nichts in dem« GW 6, 2333), der nicht bevor er »verstümmelt und entmannt« ist, »von oben gnädigst anerkannt« wird (GW 6, 2394) und sich diese Anerkennung dadurch erhalten muß, daß er die kommenden Schülergenerationen die Kunst der Selbstbescheidung lehrt. Nur dann werden sie — in des Wortes doppelter Bedeutung — vom Staate »ausgehalten«: die Intellektuellen sind die geistigen Prostituierten des Systems. Wenn Brecht zur ersten Szene anmerkt, sie zeige »Läuffer sozusagen auf dem Strich« (GW 17, 1223), dann ist hier schon jenes komische Motiv angedeutet, das dann in der *Turandot*-Komödie breit entfaltet wird. Und der metaphorische Vers des *Hofmeister*-Epilogs: »Hat er sich gebückt, verbeugt, gebogen / Wird ihm der Brotkorb hochgezogen« (GW 6, 2394) wird in Brechts *Turandot* konkret in Szene gesetzt. (GW 5, 2212 f.)

Brecht, der seine Komödien als materialistischer Historiker der bürgerlichen Gesellschaft verfaßt, kann ihr keine Tragik mehr zubilligen. Im Text des *Hofmeister* macht er allein schon die Rede davon als ideologisches Geschwätz kenntlich:

Geh.Rat zum Grafen Die Tragik in all dem, die Tragik!
Graf zum Geheimen Rat Man fühlt sich so ohnmächtig. Diese grobschlächtigen Kreaturen — *weist auf die Bedienten* — finden sich besser zurecht. (GW 6, 2375)

Brechts *Hofmeister*-Bearbeitung ist in mehrfacher Hinsicht für Brechts Komödien insgesamt paradigmatisch, und sie nennt schließlich beim Namen, was oft das virtuelle Zentrum war: die »deutsche Misere«! An diesem Begriff ist nun abschließend der historische Standort der Brechtschen Komödie bzw. ihr politischer Gehalt zu bestimmen.

IV. Die »Deutsche Misere« — Das geheime Leitmotiv von Komik und Komödie bei Brecht

Der historische Stellenwert der Brechtschen Komödie (und damit die Möglichkeiten ihrer Weiterentwicklung) könnte nur dann genau bestimmt werden, wenn zugleich auf die literarische und politische Wirkung des Brechtschen Gesamtwerks eingegangen würde. Stichpunkt ist das Jahr 1949: das Berliner Ensemble entsteht im Jahre der Gründung der DDR. Es müßte dann streng geschieden werden zwischen der Brecht-Rezeption im bürgerlichen Feuilleton, d. h. der spezifischen Art, in der die »westlichen« Tuis den »östlichen« Dichter zu verstehen suchten [335], und den kulturpolitischen Auseinandersetzungen, die das Werk in der sog. Aufbauphase des Sozialismus in der DDR auslöste. Immer handelte es sich nur vordergründig um eine formal-literarische Methodenkontroverse (hie »Einfühlung«, dort »Verfremdung«); auch stand ja das Verhältnis von zeitgenössischer Literaturproduktion zur Tradition schon seit Mitte der dreißiger Jahre im Zentrum der marxistischen Kulturpolitikpläne (die Formel von der »produktiven Aneigung des kulturellen Erbes« z. B. datiert von daher), aber nach dem Zusammenbruch des Faschismus in Deutschland erlangte das eine aktuelle Qualität. Die Brecht gewidmete Literatur beginnt allmählich wahrzunehmen, eine wie einschneidende Bedeutung ihm für die Entwicklung materialistischer Kulturtheorie zuerkannt werden muß. [336] Brechts Schriften zu Philosophie, Politik und Gesellschaft bleiben noch durchaus aufzuarbeiten, doch wäre auch nach wie vor das eigentlich literarische Oeuvre neu zu reflektieren, z. B. gerade der Bearbeitungstypus, um daraus vielleicht die Materialien für einen Gegenentwurf zur bürgerlichen Hermeneutik erschließen zu können.

Von all dem kann hier kaum andeutungsweise die Rede sein. Indessen lassen sich vom Problem der Komödie her einige Orientierungshilfen bereitstellen. Die Ausgangsposition sei nochmals fixiert: die Intention der Brechtschen Komödie ist darauf gerichtet, die Momente der realen politischen und gesellschaftlichen Entwicklung des deutschen Bürgertums in spezifischer Weise so zu ordnen, daß das Gesamtbild einer schlechten Vergangenheit entsteht, von der Abschied zu nehmen ist. Die Intention des Bearbeitungstypus' ist ähnlich, insofern sie es ebenfalls in besonderer Weis mit der Aufarbeitung der Vergangenheit zu tun hat.

Ist nun die Brechtsche Bearbeitung Bearbeitung einer Komödie, so führt das zu keinem tautologischen Ergebnis. Werke wie Molières *Dom Juan* und Lenzens *Hofmeister* nahmen schon selbst, *als* Komödien, in dezidierter Weise (in Kritik und Utopie) zu ihrer Zeit Stellung. Gleichzeitig aber kommen sie eben *aus* dieser schlechten Vergangenheit, und die Komödienbearbeitung hat diesen von heute aus sichtbaren Teil an ihnen »mitzuverabschieden«, und erst recht gilt das für den Überlieferungsprozeß, soweit sich dieser als Einverleibung in bürgerliche Ideologie offenbart. Das Problem ist nicht nur darin zu sehen, daß die Überlieferung dem Werk von außen nahe trat, ihm Falsches imputierend, sondern auch darin, daß im Werk selbst Stellen vorhanden waren, die zu solchen Beschlagnahmen einluden. Die Schwierigkeit der Bearbeitung ist die: wie weit kann »mit« dem Original gegangen, d. h. kann die in ihm vorhandene Kritik übernommen und unterstützt werden, und wo muß »gegen« das Original ändernd eingegriffen, d. h. die ihm immanente Utopie negiert oder ausgewechselt werden?

Natürlich ist dies keine normale Art der Rezeption, aber es war auch keine normale historische Situation, in der Brecht Werke der Vergangenheit den »Betrachtern einer neuen Zeit« verfügbar machen wollte. Wichtig ist vor allem, welche Art Werke Brecht zur Bearbeitung aussucht: es handelt sich um solche, die bereits in sich »Jetztzeit« enthalten, in denen ein kritisches Potential gegeben ist, das einen direkten Anknüpfungspunkt liefert. Brechts Bearbeitungen sind niemals reine Negation; den Lenzschen *Hofmeister* wählen ist etwas anderes, als gewisse Dramen Schillers polemisch vorzuführen.

Literarische Produktion setzt nicht an irgendeinem Nullpunkt ein, die Beziehung zur kulturellen Tradition ist ihr, wenn auch indirekt, stets immanent. Das gilt also für Brechts eigene Stücke wie für diejenigen, die er an seinem Theater aufführen will und z. T. dafür bearbeitet. Das Verhältnis zur kulturellen Vergangenheit ist aber wie das zur politischen abhängig von der historisch-politischen Situation der Gegenwart. Wie sah diese aus? »Die glücklichen Zeiten kommen nicht, wie der Morgen nach durchschlafener Nacht kommt.« (GW 17, 1106) Und: »es kann nicht von einem zum anderen Tage dekretiert werden, daß nunmehr Sozialismus zu herrschen habe.« (GW 20, 107) Brecht wußte, daß der politische Bruch mit der Vergangenheit nicht mit einem Schlag das gesellschaftlich »Alte«, geschweige denn dessen ideologische Formen, ablösen würde, so daß die kulturelle Vergangenheit, um einmal wieder verfügbar zu werden, der Reinigung durch eine wirkliche Kulturrevolution bedarf. Davon geht Brecht in den fünfziger Jahren aus: daß nicht einmal an die Humanität der deutschen Klassik ein einfaches »Anknüpfen« so ohne weiteres möglich ist, daß das sog. »Erbe« den Schmutz, den die bisherigen Erbwalter auf ihm hinterlassen haben, nicht schon dadurch abstreift, daß es jetzt in sozialistische Hände gekommen ist.

Die Übernahme des »Erbes« ist kein kampfloser Vorgang. Da werden nicht einfache Formen geerbt, nach dem Tode des Erblassers, der infolge von Altersschwäche, einer natürlichen Dekadenz seiner Kräfte, eintrat. (GW 19, 317)

Brecht hatte nicht nur begründete Sorge, daß sich unter sozialistischem Mantel die Renaissance kleinbürgerlichen Besitzdenkens in Sachen Kultur ereignen könnte, sondern er wußte auch, daß an dem »Erbe« etwas vorgegangen war, das erst noch in einem langen Prozeß zu revidieren sein würde:

Die Basis unserer Einstellung zur Kultur ist der Enteignungsprozeß, der im Materiellen vor sich geht. Die Übernahme durch uns hat den Charakter einer entscheidenden Veränderung. Nicht nur der Besitzer ändert sich hier, auch das Besitztum. Und das ist ein verwickelter Prozeß. (GW 20, 90)

An diesem Punkt überschneiden sich die Funktionen der Brechtschen Komödie und des Brechtschen Bearbeitungstypus. Die Komödie will den Abschied von der politischen und gesellschaftlichen Vergangenheit bewußt machen. Die Bearbeitung gibt sich in ihrer Existenz als vorläufige Art der »Aneignung« des kulturellen Erbes aus dieser Vergangenheit zu erkennen, auf das also nicht verzichtet werden soll, das aber nicht unmittelbar, ohne Sichtbarmachung der historischen Distanz, den Heutigen einfach zufällt.

Das visierte Ziel der Brechtschen Komödie ist die Heiterkeit des Betrachters einer neuen Zeit. Dabei mündet die Kritik der Brechtschen Komödie nicht in ein utopisches »Ideal«, sondern antizipiert die Perspektive der sozialistischen Gesellschaft, die zwar noch nicht »bei sich« angelangt, aber auf dem Wege dorthin ist.

Wichtiger als den Begriff des »richtigen Wegs« nahm Brecht hingegen den des »richtigen Gehens«. (GW 16, 167) Und »richtiges Gehen« ist nur möglich, wenn zuvor ein klares Bewußtsein erreicht worden ist, wovon man sich zu trennen hat. Da der »Weg« auch nicht so einfach geradeaus verläuft, ist gerade die Heiterkeit der Komödie ein guter Wegbereiter. In dem Blick, den die Komödie zurückwirft, ist zu lernen, daß die alten Wegmarken keine Meilensteine sind (oder allenfalls solche, die zerfallen) und daß sie in die falsche Richtung weisen. Dieser Blick zurück der Komödie konnte als die Forderung des Tages definiert werden, als die erforderliche Perspektive, in der die soziale Überlegenheit des »Neuen« über das »Alte« — nämlich die der sozialistischen über die bürgerlich-kapitalistische Gesellschaft und deren historische Sonderform des Faschismus — sichtbar gemacht werden konnte.

Dazu mußte das »Alte« aber auch so radikal wie irgend möglich überwunden werden, und das hieß — die Konsequenz ist entscheidend wichtig und Ursache für die kulturpolitischen Kontroversen — es mußten zunächst ungerecht-einseitige Wertungen dabei in Kauf genommen werden. Der Akzent konnte *noch nicht* auf die positiven, vorwärtsdrängenden Kräfte gesetzt werden, die auch im Schoße der schlechten Vergangenheit schon wuchsen. Eine gewisse Kontinuität der gesellschaftlichen Entwicklung von den Vorläufern zu den Nachfahren könnte nach Brechts Ansicht erst dann betont werden, wenn der »historische Sinn« so weit entwickelt sein würde, daß der befreiten Gegenwart *ihre* Vergangenheit positiv zitierbar wäre.

Davon aber war die neue staatliche Formation noch weit entfernt. Ein großer Abstand war zwischen den Veränderungen an der »Basis«, denen die im »Überbau« nur schrittweise nachschlichen. Brecht hat das genau registriert:

Wir zum Beispiel — die Wahrheit ist konkret — haben ein Publikum und haben Künstler, die im Dritten Reich gelebt haben, zum Teil schon in der Weimarer Republik oder gar im Kaiserreich, in jedem Fall unter dem Kapitalismus. Man hatte versucht, meist mit Erfolg, ihr Gefühlsleben von Kind auf zu pervertieren. Der reinigende Prozeß einer Revolution war Deutschland nicht beschieden worden. Die große Umwälzung, die sonst im Gefolge einer Revolution kommt, kam ohne sie. (GW 16, 906 f.)

Damit ist das Motiv der »deutschen Misere« angesprochen! Der politische Umbruch, der »Übergang« zum Sozialismus kam eben wiederum nicht als Ergebnis einer sozialen Revolution in Deutschland zustande.

Während die parteioffizielle Linie in der DDR auf eine Kontinuität des sozialistischen Kampfes verweisen wollte, also auf die eigenen nationalen Anstrengungen, den Sozialismus zu erreichen, und *daher* gegen die »Misere-Theorie« Stellung bezog, gingen Brecht und viele linke Intellektuelle von einer realistischeren Ausgangsposition aus. Es könne nicht darum gehen, meinte Brecht, schlagartig den Aufbau des »Neuen« ins kulturelle Werk zu setzen, dem »neuen Menschen« seine Vorbilder anzubieten, auf daß er sich mittels der Einfühlung in sie heroisch stärke, sondern es sei eben der fatalen Tatsache Rechnung zu tragen, daß die deutsche Arbeiterbewegung den Faschismus nicht hatte verhindern können und auch die Befreiung von ihm aus eigener Kraft nicht schaffte:

Es ist ein großes Unglück unserer Geschichte, daß wir den Aufbau des Neuen leisten müssen, ohne die Niederreißung des Alten geleistet zu haben. Das haben, indem sie den Faschismus besiegten, die Sowjetrussen für uns getan. Wahrscheinlich deshalb sehen wir jetzt den Aufbau so undialektisch an. Und daß wir ihn so ansehen, hat wieder den Nachteil, daß wir dem täglichen Kampf gegen das Alte, den wir doch zu leisten haben, keinen genügenden Ausdruck verleihen. Wir suchen ständig das »Harmonische«, das »An-und-für-sich-Schöne« zu gestalten, anstatt realistisch den Kampf für die Harmonie und die Schönheit. (GW 17, 1154)

Wo der »tägliche Kampf gegen das Alte« zu leisten ist, muß sich folgerichtig die besondere Aktualität der Komödie erweisen. Das galt zunächst für Brechts eigene Stücke, die — im Exil geschrieben — jetzt zur Aufführung kamen. Gleich die zweite Inszenierung des Berliner Ensembles (nach der *Courage*) war die *Puntila*-Komödie. Sie versucht, am Beispiel der Spezies Gutsbesitzer (»ein gewisses vorzeitliches Tier«) die alte Ordnung, der man soeben entronnen war, noch einmal vorzuführen, um den Abschied von ihr ideologisch zu festigen. Der Prolog sei hier zum zweitenmal zitiert, da seine ersten vier Verse die Intention sämtlicher Brecht-Komödien programmatisch aussprechen:

Geehrtes Publikum, der Kampf ist hart
Doch lichtet sich bereits die Gegenwart.
Nur ist nicht überm Berg, wer noch nicht lacht
Drum haben wir ein komisches Spiel gemacht. (GW 4, 1611)

Auf Komödie war zu Beginn der fünfziger Jahre der Spielplan des Berliner Ensembles überhaupt ausgerichtet. Da neue Stücke nicht in genügender Zahl vorhanden waren und da nicht ausschließlich Brechts eigene Stücke gespielt werden sollten, mußte — wie es Manfred Wekwerth damals formulierte — die Weltliteratur »nach Stücken durchgesehen werden, die soziale Widersprüche enthalten, die durch das bourgeoise Theater verfälscht worden waren. Hier war es vor allem die Suche nach großen Komödien, da die Komödie die sozialen Beziehungen ihrer Figuren aufreißt und insofern besonders unter der Verfälschung und Verharmlosung durch das bourgeoise Theater zu leiden hatte«. [337] Das kulturelle Erbe wurde demnach nach dem Gesichtspunkt ausgewählt, ob es genügend kritische Impulse enthielt, mit denen sich die aktuelle Aufgabe der Ideologiezertrümmerung vermitteln ließ. Demgegenüber tat die offizielle Kulturpolitik so, als hieße die Parole »le jour de gloire est arrivé«, als sei der Schillersche Vers »Was wir als Schönheit hier empfunden / Wird einst als Wahrheit uns entgegengehn« [338] die Formulierung einer Utopie gewesen, die eben jetzt verwirklicht wurde, so daß man sich kommentarlos darauf berufen könne.

Brecht aber sah als schwerwiegenden Geburtsfehler des neuen Staates, der sein Wachstum beeinflussen mußte, daß der Sozialismus eben nicht von Deutschen in sozialer Revolution erkämpft, sondern von der Roten Armee importiert wurde, und daß er deshalb auch von großen Teilen der Bevölkerung als »fremd« empfunden wurde. Um dies zu ändern (soweit hier überhaupt Literatur wirken kann), hielt Brecht nicht für möglich, die Verbindungslinien vom Alten, wie progressiv auch immer es in seiner historischen Konkretion gewesen war, zum Neuen sozusagen als organisches Wachstum zu konstruieren. Vor allem schien es Brecht nicht zwingend, in dieser geschichtlichen Situation an die Humanität der deutschen Klassik anzuknüpfen. Denn die sog. »Revolution des Geistes« hatte in Deutschland ja nie gefehlt, »sie war tief, umfassend und in gewisser Weise permanent«:

In Deutschland hat der Begriff *Freiheit* immer eine große Rolle gespielt — ebenso wie die Tatsache der Unterdrückung. (GW 20, 256)

Warum also sollte jetzt wieder an das angeknüpft werden, was bislang immer folgenlos geblieben war? Aus dieser Folgenlosigkeit, meinte Brecht, müßten doch endlich einmal Konsequenzen gezogen werden. Das Erbe antreten — ja, aber so, wie Marx und Engels das Erbe der klassischen deutschen Philosophie antraten: als radikale Umgestaltung. Darauf beruft sich Brecht für seine literarische Arbeit, wie in der folgenden Äußerung aus dem Jahr 1955:

Im Grunde führe ich — in der deutschen Ästhetik — eine Polemik mit Schiller. Die Kritik des Vorhandenen ist üblich. Ich als Dramatiker kritisiere bürgerliche Dramatiker. Alles was die Klassengesellschaft hervorgebracht hat, unterliegt der Kritik. Der klassische Teil des Marxismus ist entwickelt durch Kritik. In der Dramatik gilt die gleiche Voraussetzung. [339]

Ein Ergebnis der Brechtschen Polemik mit Schiller ist die, daß er sich skeptisch zur Forderung nach dem »positiven Helden« verhält. Hierbei ist darauf aufmerksam zu machen, daß er die Forderung selbst für durchaus verständlich hielt, d. h. ihr nicht mit dem ironisch-wissenden Lächeln des bürgerlichen Tuis begegnete. Ist nämlich in der bürgerlichen Welt tatsächlich allein schon der Gedanke an eine Figur lächerlich geworden, die in sich die positiven, historisch bedeutsamen Züge ihrer Gesellschaft verkörpert, so würde er ja in der sozialistischen Gesellschaft aufs neue möglich, und der »positive Held« könnte wirklich progressive Impulse vermitteln. Wie aber macht man das?

Gegen die Kulturfunktionäre, die hier keine großen Schwierigkeiten sehen, hält Brecht daran fest, daß zuerst einmal das Alte, demnach *auch* der traditionelle Held, kritisch betrachtet, und daß heißt letztlich: komisch destruiert werden müsse:

Wenn wir Helden erdichten wollen, und das sollen wir, dann müssen wir erst suchen, die Helden von heute zu Gesicht zu bekommen. Es genügt nicht, einen Karl Moor, aber mit sozialistischem Bewußtsein, zu schaffen, oder einen Wilhelm Tell, aber als kommunistischer Funktionär, oder einen Zriny als Jakobiner. Wir müssen einen großen Ballast von erhabenen Gefühlen abwerfen, welche nur die Gefühle der Erhabenen waren, und uns den niedrigen Beweggründen zuwenden, welche die Beweggründe der Niedrigen waren. Die alten Ideale reichen bei weitem nicht aus, das heißt, wir müssen mit dem Kleinbürger in uns Schluß machen. (GW 19, 553)

Das ist ein deutliches Programm: erst den Kleinbürger in uns überwinden, diesen auch im Citoyen-Pathos der deutschen Klassik aufspüren, die ganze Misere ins Bewußtsein rücken und nicht den »runden« Menschen voraussetzen, der plötzlich in den Sozialismus hineinwächst und da prächtig gedeiht:

Der Schriftsteller, welcher bestrebt wäre, die Menschen lediglich »anders« einzuschätzen, als es die Kapitalisten tun, und sie deshalb »rund« »harmonisch«, »seelisch reich« schilderte, würde nur auf dem Papier »runde« Menschen formen, er wäre ein schlimmer Formalist. (GW 19, 316)

Der listige Brecht kehrt so den Formalismus-Vorwurf gegen die, die ihn gegen ihn selbst erhoben hatten, und dies ist ein Vorgehen, das in den meisten Schriften Brechts aus den fünfziger Jahren begegnet. Von der Partei wurde eine andere Dramatik gefordert, als sie Brecht aus ästhetischen wie politischen Gründen für richtig hielt:

Für das Proletariat wird starke Kost gefordert, das »blutvolle« unmittelbar ergreifende Drama, in dem die Gegensätze krachend aufeinanderplatzen usw. usw. In meiner Jugend galt freilich bei den armen Leuten der Vorstadt, in der ich aufwuchs, der Salzhering für eine kräftige Nahrung. (GW 16, 708)

Unter den Vorwürfen, die Brecht gemacht wurden, ist der immer wieder erhobene der mangelnden Dialektik besonders spaßig. Falsch ist er in dreifachem Sinn: was die philosophische Seite des Problems, die literarische Realisierung, die politische Komponente betrifft. Falsch nämlich ist die These, die Dialektik sei ausschließlich im Objekt situiert, so daß dem Subjekt nur die »anschauende« Erkenntnis zukomme. Falsch auch ist die daraus abgeleitete Forderung nach »Widerspiegelung«, immer auf die traditionelle Kollision von Spieler und Gegenspieler erpicht, auf daß in der abgeschlossenen Totalität des Stücks die ganze Dialektik zur Anschauung gebracht werde — wogegen Brecht die Dialektik im Verhältnis von Stück und Zuschauer organisiert. Der Vorwurf der mangelnden Dialektik wäre *dann* berechtigt, wenn Brecht, der in seinen Komödien die bürgerliche Gesellschaft als ein erstarrtes und historisch überholtes Gebilde ausstellt, damit suggerieren wollte, sie würde an den eigenen Widersprüchen schon von selbst zugrunde gehen, und das brauche nur noch heiter abgewartet zu werden. Das ist aber nicht der Fall. Vielmehr hat die Brechtsche Komödie die Intention, die Überwindbarkeit des Alten erst einmal bewußt zu machen, und sie verweist ausdrücklich darauf, daß die reale Überwindung eine ständig noch zu leistende gesellschaftliche Aufgabe ist: man sehe die Schlüsse und Epiloge bei Brecht.

Dies ist denn auch politisch die konsequentere und weiterreichende Folgerung. Während die offiziellen Vorwürfe stets in die Frage mündeten: wo ist das Volk, wo ist der »reale Gegenspieler«? — und also den exemplarischen proletarischen Kämpfer im Stück selbst plaziert sehen wollten, auf daß er zur Identifikation einlade, hielt Brecht das derart entstehende emotionelle Engagement für wenig fruchtbar:

Es kann nicht einfach eine Darstellungsweise in toto unberührt bleiben (als »die« realistische) und nur etwa der bürgerliche mit dem sozialistischen (d. h. proletarischen) Standpunkt ausgetauscht werden. Es genügt nicht, die Einfühlung in den Proletarier zu veranstalten, statt in den Bürger. Die gesamte Einfühlungstechnik ist fragwürdig geworden. (GW 19, 377 f.)

Es reiche nämlich nicht, meint Brecht, Vorbilder zu haben und darauf zu bauen, daß ihnen nachgelebt und nachgestrebt werden wird. Aber dies ist nicht einmal das eigentliche Problem. Wichtiger ist, daß gerade wenn die Dramatik, z. B. in der Darstellung geschichtlicher Epochen der deutschen Vergangenheit, immer wieder den kämpferischen sozialistischen Helden als die möglich gewesene Alternative anbieten würde, dann der tatsächliche Verlauf der deutschen Geschichte nahezu unverständlich werden müßte! Die Kalamität ist doch die, daß die positiven Helden in Deutschland stets die geschlagenen Helden, die Opfer waren, und die literarische Darstellung könnte dann allenfalls, um realistisch zu bleiben, eine Serie von »optimistischen Tragödien« bieten. Denn die »deutsche Misere« ist doch keine böswillige und hämische Erfindung von Literaten, die unfähig oder unwillens wären, die progressiven Kräfte in Deutschland zu würdigen.

An diesem Punkt stellt sich auch die Frage der historischen Wertung des deutschen Faschismus, und hier berühren sich die Auffassungen von Brecht und Lukács (die man heute nur noch als Gegner zu sehen scheint). In den Worten von Lukács:

[...] was bedeutet die Hitlerzeit in der deutschen Entwicklung? Ist sie eine unglückliche Episode innerhalb eines — im wesentlichen — normalen nationalen Wachstums? Oder ist sie die letzte, zugespitzteste, paradoxe Folge einer gesellschaftlich-geschichtlich anomalen Evolution? [340]

Lukács wie Brecht haben die zweite Frage bejaht. Und diese Antwort Brechts, die zumal in seinen Komödien deutlich aufscheint, löste die heftigen Angriffe derjenigen aus, die die »deutsche Misere« mit einem Tabu belegten. Die Erfahrung des Faschismus aber gerade war für Brecht die Bestätigung dessen, was der Begriff »deutsche Misere« meint, und diese Erfahrung ist das Initialmoment für seine Theaterarbeit in den fünfziger Jahren, für die Komödien und die Bearbeitungen: immer wieder ist es der spezifische Blick zurück — allerdings in zukunftgerichteter optimistischer Perspektive.

Die Folge war, daß, wo immer die Brechtsche Komödie die alte Gesellschaftsordnung noch einmal vorführte, Brecht die Aktualität dieses Vorgehens eigens rechtfertigen mußte. Wurde etwa am *Puntila* bemängelt, die Gutsbesitzer seien doch nun vertrieben, und Matti sei noch bloß ein Prolet, während es doch jetzt schon aktive Kämpfer geben, war für Brecht die Aufführung deshalb notwendig, »weil die Ablagerungen überwundener Epochen in den Seelen der Menschen noch lange liegenbleiben«. (GW 17, 1175) Auf die Frage, wo im *Arturo Ui* das Volk bleibe, antwortet Brecht mit dem Hinweis, daß seine Komödie ja »keinen allgemeinen, gründlichen Aufriß der historischen Lage der dreißiger Jahre geben« wollte, sondern den Kreis »absichtlich eng gezogen hat«, um in der Parabel »den üblichen gefahrvollen Respekt vor den großen Tötern zu zerstören«. (GW 17, 1179) [341] Den Kritikern des *Lukullus* entgegnete er, der »Kampf gegen das Alte« sei schließlich noch zu leisten (GW 17, 1154). Gegen den Vorwurf, der *Hofmeister* sei ein sog. »negatives Stück«, verteidigte sich Brecht, indem er daran erinnerte, daß hier »ein anregendes satirisches Bild dieses Teils der deutschen Misere« gegeben sei und daß »das Positive der bittere Zorn auf einen menschenunwürdigen Zustand unberechtigter Privilegien und schiefer Denkweisen« sei. (GW 17, 1250 f.) Jeweils also hielt Brecht den Forderungen nach unmittelbarer Aktualität seine Begründung einer historisiert-vermittelten Dramaturgie entgegen, deren wichtigste Funktion er als ideologiekritische beschrieb.

Das Problem der Komödie also stand im Mittelpunkt der theoretischen und praktischen Theaterarbeit Brechts am Berliner Ensemble. Und das geheime Leitmotiv ist die »deutsche Misere«, auch wo sie nicht derart thematisch wird wie im *Hofmeister.* Ausgangspunkt, wie gesagt, ist die Erfahrung des Faschismus, dessen verheerende Wirkungen Brecht auch im kulturellen Bereich konstatierte. Diese Erfahrung galt es zu verarbeiten, den Mut, die Bereitschaft und Tatkraft einzuüben, daraus die nötigen Konsequenzen zu ziehen. Das hieß, die Fehlentwicklungen in Deutschland aufzeigen, ohne darüber melancholisch zu werden oder ins andere Extrem zu verfallen, die alte Sauerei mit einem Federstrich für überwunden zu erklären. Also: die schlechte Vergangenheit *noch einmal* vorführen, aber in der Weise der Komödie, d. h. die Überwindbarkeit anschaulich machend, um in der Heiterkeit des Betrachters die Ausgangsbasis für die erforderliche reale Überwindung des Alten zu gewinnen.

In der Relation von Bühne und Zuschauerraum, von Vergangenheit und Gegenwart sollte sichtbar werden, daß es sich hier um eine gesellschaftliche Aufgabe handelt. Dieses Bewußtsein, um es noch einmal zu sagen, hielt Brecht nicht dadurch erreichbar, daß im Stück selbst bereits die entscheidenden Kollisionen von Spieler und Gegenspieler (von Kapitalisten und Sozialisten) mit dem Sieg der letzteren enden, so daß lediglich die emotionelle Teilnahme an einem sich scheinbar auch so zwangsläufig durchsetzenden Prozeß herauskäme.

Die konkrete Utopie in dieWirklichkeit umsetzen helfen hieß zunächst radikale *Kritik* des Alten üben, und hier war von Beschönigungen und falschem Optimismus abzusehen: das ist das Programm der Brechtschen Komödie, das ist auch zugleich die Grundlage der kritischen Aneigung des kulturellen Erbes:

> Der Sozialismus wird die bürgerlichen, feudalen, antiken Künste fortsetzen, indem er ihnen die seinen entgegensetzt. Manch neue Methode wird nötig sein und gefunden werden, damit die großartigen Konzepte und Ideen der Ingenien vergangener Zeiten von den Schlacken der Klassengesellschaft befreit werden können. (GW 16, 908)

Die »großartigen Konzepte und Ideen« bildeten mit der realen Misere ein Ganzes. Nun soll nicht das Ganze übernommen werden, sondern die Misere dargestellt, um die Konzepte und Ideen zu »retten«. *Eine* Methode, dies zu tun, ist die Bearbeitung. Sie ist, wie im Falle des *Hofmeister*, zu definieren als der notwendige Umweg, wo der direkte Weg der Rezeption noch durch ein mangelhaft entwickeltes historisches Bewußtsein verstellt scheint. Sie ist also vorläufig, wie aus einer ganz einfachen Überlegung zu erschließen ist: man stelle sich die Frage, ob es möglich wäre, im Spielplan eines Theaters Original und Bearbeitung nebeneinander aufzuführen. Das ginge nicht, weil — um die progressiven Eingriffe der Bearbeitung ins Licht zu setzen — dann das Original daneben nahezu gewaltsam zu einem starren historischen Monument gemacht werden müßte. Das liegt indessen nicht in der Intention der Brechtschen Bearbeitung. Sie versteht sich als eine einschneidende Etappe innerhalb des Rezeptionsprozesses, die eines Tages dem Original selbst zugute kommt, wenn es wieder unbearbeitet gespielt werden kann.

Eine weniger einschneidende Methode ist die, auf eine eigentliche Änderung zu verzichten, aber den sozialen Gehalt des Werkes dadurch zu intensivieren, daß das Moment des »Gesellschaftlich-Komischen« akzentuiert wird. Dies ist der Fall des *Urfaust*, der am Berliner Ensemble im Jahre 1952 herauskam und nun allerdings derart heftig angegriffen wurde, daß er nach nur 19 Aufführungen abgesetzt werden mußte. Brecht und seine Mitarbeiter gingen von der folgenden Arbeitshypothese aus:

> Wenn wir uns einschüchtern lassen durch eine falsche, oberflächliche, dekadente, spießige Auffassung von der Klassizität, werden wir niemals zu lebendigen, menschlichen Darstellungen der großen Werke kommen. Der echte Respekt, den diese Werke verlangen können, fordert es, daß wir den scheinheiligen, lippedienerischen, falschen Respekt entlarven. (GW 17, 1277)

Wo die »Einschüchterung durch die Klassizität« so unumschränkt herrschte wie in der Goethe-Rezeption, brauchte es keine Bearbeitung, weil allein schon die Betonung der komischen und kritischen Momente dem Ergebnis einer Bearbeitung gleich kommen mußte.

Die Formel Hans Mayers von der »Umfunktionierung der deutschen Klassik« durch Brecht wird der Sachlage nicht ganz gerecht; ausgesprochen falsch aber wäre es, Brechts Verhältnis zum kulturellen Erbe im Sinne der sog. »Zurücknahme« zu verstehen, welcher Begriff seit Thomas Manns *Doktor Faustus* eine große Rolle spielte. Wichtig ist doch, zu welchem Werk Goethes Brecht die Verbindung herstellt, eben nicht zum *Tasso* oder zur *Iphigenie*, nicht einmal zu *Faust I*, sondern zum Sturm und Drang-Werk des *Urfaust*.

Nach dem Wort Friedrich Engels' waren Goethe wie Hegel »jeder auf seinem Gebiet ein olympischer Zeus, aber den deutschen Philister wurden beide nie ganz los«. [342] Das war auch die Sicht Brechts — doch ließ er sich nicht dazu verleiten, etwa die Polemik des Jungen Deutschland, die Angriffe Börnes usw. zu repetieren, da er durchaus einen Unterschied zu machen wußte zwischen einem aktiven Ideologen, einem Tui, dessen Aufgabe es ist, die Misere zu verschleiern — was Goethe nicht war —, und einem Autor, dessen Werk die »deutsche Misere« in höchst unterschiedlicher Weise reflektiert und daher von bürgerlicher Ideologie einseitig verstanden und verfälscht werden konnte. Zum Thema Goethe und »deutsche Misere« sei nochmals Friedrich Engels zitiert:

Goethe verhält sich in seinen Werken auf eine zweifache Weise zur deutschen Gesellschaft seiner Zeit. [...] es ist ein fortwährender Kampf in ihm zwischen dem genialen Dichter, den die Misère seiner Umgebung anekelt, und dem behutsamen Frankfurter Ratsherrnkind resp. Weimarschen Geheimrat, der sich genötigt sieht, Waffenstillstand mit ihr zu schließen und sich an sie zu gewöhnen. So ist Goethe bald kolossal, bald kleinlich; bald trotziges, spottendes, weltverachtendes Genie, bald rücksichtsvoller, genügsamer, enger Philister. Auch Goethe war nicht imstande, die deutsche Misère zu besiegen; im Gegenteil, sie besiegte ihn, und dieser Sieg der Misère über den größten deutschen Dichter ist der beste Beweis dafür, daß sie »von innen heraus« gar nicht zu überwinden ist. [343]

Den *Urfaust* hat Brecht als ein Werk gesichtet, in dem Goethe weder von der Misere besiegt wird noch ihr mit schöner Humanität einfach gegenübertritt, sondern sie kritisch darstellt. Dabei mußte Brecht die Erfahrung machen, daß die Kulturfunktionäre das Thema »deutsche Misere« derart tabuisierten, daß sie es nicht einmal als Gegenstand der Goetheschen Darstellung durchgehen lassen wollten, daß sie sich die Brechtsche Forderung, »mit dem Kleinbürger in uns Schluß zu machen« (GW 19, 553), durchaus nicht zu eigen machten. Denn die beiden Szenen, die vor allem Anstoß erregten — die Schülerszene und die in Auerbachs Keller — befanden sich ja schließlich im Originaltext und sind nicht Brechts Erfindung. Brecht betrachtete sie als Goethes »Rüpelszenen« nach Shakespeareschem Vorbild und akzentuierte lediglich das Moment des »Gesellschaftlich-Komischen«.

Die Schülerszene wurde, in völliger Treue zum Original, zum »Spiel im Spiel«, das das Intellektuellenthema bei Brecht antizipiert: der Teufel »spielt« den deutschen Professor. [344] Und das Spiel wollte Brecht als deftiges:

Goethe läßt seinen Teufel die scharfe Kritik des Leerlaufs und der Habsucht des bürgerlichen Universitätsbetriebs in der Form frecher Späße üben. Das Theater muß da Phantasie anwenden, und die Teufelsspäße dürfen nicht feine, schalkhafte Späße sein, sondern Späße der groben Art; hier gehört ein grober Keil auf einen groben Klotz. (GW 17, 1278)

Desgleichen empfahl Brecht, die »Scherze« in Auerbachs Keller »auf die gesellschaftliche Kritik hin« zu betrachten und »nicht einfach als Scherze um der Scherze willen, als gehaltlose Clownerien«! (GW 17, 1279)

Beim *Urfaust* argumentiert Brecht »mit« Goethe gegen die Goethe-Rezeption, setzt den Akzent auf die Werktreue und will an den Ideengehalt — anders als im *Hofmeister* — direkt anknüpfen. Das ist nur aus seiner konkreten Verteidigungsposition her verständlich, denn grundsätzlich hielt Brecht für erlaubt und erforderlich, daß gerade auch »eine große Figur der Literatur neu und in einem anderen Geist behandelt wird«. (GW 19, 533) Und das hieß am Beispiel Faust, in Befolgung der Devise, »den Kleinbürger in uns zu überwinden«, daß die Komponente »Faust im Tornister«, »Inkarnation des deutschen Wesens« usw. gründlich negiert werden mußte, damit das Werk einmal wieder bzw. jetzt erst einer neuen Gesellschaft verfügbar werde. Dementsprechend kam Brecht in den *Thesen zur Faustus-Diskussion* seinem Freund Eisler zu Hilfe, der das Thema der »deutschen Misere« an der Figur Faust selbst demonstriert hatte und deshalb einer geradezu böswilligen Kampagne ausgesetzt wurde. Sozialistischer Anspruch und kleinbürgerliche Ehrfurcht vor sog. Geistesheroen vermengten sich in den kulturpolitischen Kontroversen der fünfziger Jahre in der DDR zu den wunderlichsten Ergebnissen. Hierauf kann nicht weiter eingegangen werden. Es sei lediglich geprüft, ob Brechts achte These zur Faustus-Diskussion eventuell eine Revision seiner eigenen *Hofmeister*-Konzeption bzw. eine Revision seines Komödienthemas überhaupt darstellt. Dort heißt es:

Wir müssen unbedingt ausgehen von der Wahrheit des Satzes: »Eine Konzeption, der die deutsche Geschichte nichts als Misere ist, und in der das Volk als schöpferische Potenz fehlt, ist nicht wahr.« [...] wer, wie Eisler, von der deutschen Misere redet, um sie zu bekämpfen, der gehört selber zu den schöpferischen Kräften, zu denen, die es unerlaubt machen, von der deutschen Geschichte als von einer einzigen Misere zu sprechen. (GW 19, 535)

Ist damit die Tatsache der »deutschen Misere« geleugnet? Sicher nicht. Im Gegenteil hat Brecht die Versuche der Geschichtsklitterung, also die Versuche, im »Volk« stets schon das unmittelbar »Positive« zu sehen, auf das man sich nur zu berufen brauche, um plötzlich auf eine stolze Vergangenheit zurückblicken zu können, selbst dieser Misere zugerechnet:

Was man tun muß, ist: definieren, was das Volk ist. Und es sehen als eine höchst widerspruchsvolle, in Entwicklung begriffene Menge und eine Menge, zu der man selber gehört. (GW 19, 528)

Gerade wo damit Ernst gemacht werden soll, daß das »Volk« zum aktiven Subjekt der Geschichte wird, sollte man es nicht als Abstraktum verklären — darauf hat Brecht immer wieder insistiert [345] — sondern aufzeigen, daß es bislang ein solches Subjekt nicht gewesen ist. Für Brecht war »Volk« kein mythisches Ideal, er sah in ihm sowohl den »Nährboden der Befreiung« wie auch das »unerschöpfliche Objekt des Mißbrauchs« und hielt es für einen positiven Helden wenig tauglich. [346] Wer auf die eine Seite die Hoffnung für die Zukunft gründet, darf die andere nicht unterschlagen, muß sie vielmehr kritisch darstellen. Von der »deutschen Misere« muß geredet werden, um sie zu bekämpfen — das Positive kann nicht einfach eingestrichen werden, sondern muß aus der Negation entstehen.

Das ist das Gegenteil von Fatalismus: die »deutsche Misere« darstellen heißt ja nicht, einen Nationalcharakter als ewiges und unabänderliches Verhängnis darstellen. [347]

Die Brechtsche Komödie hat die »deutsche Misere« zum Thema, um aus der Kritik die positiv-konkrete Utopie zu entwickeln, die vom realen gegenwärtigen »Volk« verwirklicht werden muß. Diese Intention, die Brecht in seinen eigenen Komödien, in den Bearbeitungen und Aufführungen von Werken des kulturellen Erbes und in den theoretisch-polemischen Schriften durchhielt, hat er stets gegen die undialektische Forderung des direkten Anknüpfens und der unmittelbaren Positivität verteidigt.

Nun wäre es denkbar, daß in der DDR heute auch von offizieller Seite die Leistung Brechts, was das Problem der historisierenden Komödie und das der sog. Aneignung des kulturellen Erbes anlangt, besser und verständiger gewürdigt werden könnte. Das ist zu überprüfen an der zweibändigen Ausgabe *Theater in der*

Zeitenwende, die — von einer Forschungsgruppe unter Leitung von Werner Mittenzwei im Institut für Gesellschaftswissenschaften beim ZK der SED Berlin erarbeitet — im Jahre 1972 erschien und die »Geschichte des Dramas und des Schauspieltheaters in der Deutschen Demokratischen Republik 1945—1968« behandelt. Diese beiden Bände stellen eine sehr informative Bestandsaufnahme dar, zumal wenn der Leser auch gegen den Strich zu lesen versteht und aus den Materialien die tatsächlichen Konflikte auch da entziffern kann, wo sie in harmonisierender »Synthese« dargeboten werden. [348]

Aufschlußreich ist, was im Jahre 1972 noch immer zum Brechtschen *Hofmeister* zu lesen ist (Bd. I, S. 304 ff.). Da wird das Adjektiv »bedenklich« verwandt, ist die Rede von der »Anfechtbarkeit« und »problematischen konzeptionellen Anlage«, da zeige die »Anlehnung an die Miseretheorie [...] die Schwäche der Bearbeitung« — und im selben Atemzug werden der ästhetische Rang und der spezifisch theatralische Wert der Aufführung hervorgehoben, als seien diese bei »falscher« Konzeption überhaupt erreichbar! Diese Einwände sind um so bemerkenswerter, als die *Don-Juan*-Bearbeitung durchweg positiv gewürdig wird (Bd. I, S. 308 ff.), obwohl bei nur annähernd objektiver Einschätzung hätte gesehen werden müssen, daß Brechts *Don Juan* wesentlich zwiespältiger als Brechts *Hofmeister* ausfiel — aber eben mit »deutscher Misere« nichts zu tun hat!

Die Art, wie die offizielle Kulturpolitik der frühen fünfziger Jahre dargestellt wird — einerseits: »gab das Zentralkomitee der SED den Kulturschaffenden eine entscheidende Hilfe«, andererseits: kamen »in einigen Fällen sektiererische Überspitzungen und dogmatische Verengungen« vor (Bd. I, S. 203 f.) — ist noch immer eine unfreiwillige Illustration dessen, was Brecht damals (z. B. in den Gedichten *Nicht feststellbare Fehler der Kunstkommission* und *Das Amt für Literatur*) bissig und einprägsam formulierte:

> Trotz eifrigsten Nachdenkens
> Konnten sie sich nicht bestimmter Fehler erinnern, doch
> Bestanden sie heftig darauf
> Fehler gemacht zu haben — wie es der Brauch ist. (GW 10, 1007)

Zu sagen: »Nach dem 5. Plenum begannen fruchtbare ideologisch-ästhetische Diskussionen« (Bd. I, S. 204) heißt vornehm übersehen, daß die »Fruchtbarkeit« von Brechts Schriften aus dieser Zeit jedenfalls in Opposition zu jener »Kampf gegen den Formalismus«-Verordnung gedieh. (Vgl. GW 19, 511—555)

Um kein Mißverständnis aufkommen zu lassen: hier geht es nicht um den Nachweis, daß Brecht »als Künstler« eben ein »Nonkonformist« ist, der *deshalb* von vornherein immer im Recht gewesen sein müsse gegenüber den Kulturfunktionären, die, weil sie eben in der Partei sind, *deshalb* von vornherein Banausen wären. Das hieße lediglich eine Spielart des Antikommunismus übernehmen, die von den Tuis des bürgerlichen Feuilletons gepflegt wird. Es wird aber erlaubt sein, kritisch anzumerken, daß in der DDR, wann immer das Verhältnis von Vergangenheit und Gegenwart zur Debatte steht — das ja das zentrale Problem der Komödie ist — nach wie vor ein strenges Tabu über die, verächtlich so genannte, »Misere-theorie« verhängt bleibt, gegen die die unverändert dogmatische Widerspiegelungsthese ins Feld geführt wird.

Zwar wird die Polemik heute nicht mehr gegen Brecht selbst gerichtet, der sozusagen in den Weltruhm weggetaucht ist, aber bei sorgfältiger Analyse der Kritik, die an den Komödien von Peter Hacks geübt wird (Bd. I, S. 275 ff; Bd. II, S. 21 ff., S. 93 ff., S. 259 ff.), wird dann sehr deutlich, daß es im Grunde immer noch dieselbe Auseinandersetzung der fünziger Jahre ist. Brecht entgeht den alten Vorwürfen jetzt dadurch, daß ihm die Parabelform zugute gehalten wird, in der vom konkreten historischen Tatbestand abstrahiert werde (Bd. I, S. 274 f.), so daß — die Folgerung bleibt unausgesprochen — bei diesem Formtypus die »Widerspiegelungs«-Elle weniger streng anzulegen sei. Was also der Parabel erlaubt sei, wird an dem von Peter Hacks entwickelten Komödienstil, »in dem Historie und Komödie einander durchdringen« (Bd. I, 278), streng geahndet:

Seine Historienstücke sollen ihre komödische Qualität aus einem — freilich einseitig verstandenen — Bewußtsein der historischen Überlegenheit des Heute, aus dem heiteren Abschiednehmen von der Vergangenheit, von dem Karl Marx gesprochen hat, erhalten. [...] Ironie und Komödieneffekte entstehen nicht aus der Überlegenheit seiner Helden in der historischen sozialen Auseinandersetzung, sondern aus der Kritik des Dramatikers an der damaligen Zeit. Hacks hält lediglich die Fehler, die Misere der Vergangenheit für das heutige Publikum darstellbar, weil es — und er bezieht sich da [...] insbesondere auf den sozialistischen Zuschauer — aus dem Gegensatz seiner Welt heute mit jener Welt damals aktivierende Impulse empfangen könne. (Bd. I, S. 279)
Von diesem Standpunkt aus verlacht er die »Gebresten« der Vergangenheit, ohne in ihr die realen Wurzeln unseres Heute zu erkennen und darzustellen. Notgedrungen bleibt bei solcher Geschichtsinterpretation die Dialektik auf der Strecke, so daß auch das Drama die Möglichkeit der dialektischen Wirkung auf das Publikum von heute verliert. Es vermag nur begrenzt, den realen Geschichtsverlauf und seine wahren »Beweger« deutlich zu machen und vor allem den großen gedanklichen Bogen, der Vergangenheit und Gegenwart verbindet, zu schlagen. (Bd. I, 283)

Auch wenn Hacks' Komödien sicher nicht einfach als Fortsetzung der Brechtschen angesehen werden sollten [349], wird man sagen dürfen, daß die Komödienintention beider Autoren in hohem Maße vergleichbar ist. Und diese Intention wird nun immer noch attackiert, und zwar noch immer mit demselben Vokabular (hat den realen Gegenspieler nicht gestaltet, ist unhistorisch und undialektisch usw.). Das heißt, die Dialektik dürfe allein in der Sache selbst, im geschichtlichen Prozeß, zwischen historischem »Spieler« und »Gegenspieler« sich bewegen, müsse dann exakt »widergespiegelt« werden (wobei diese »Exaktheit« nichts anderes als jene Wunschvorstellung ist, derzufolge das Proletariat in der Literatur jene »treibende« Rolle spielen muß, die es in der deutschen Realität eben nicht gespielt hat), und das Ganze müsse dann dem Zuschauer zur direkten Anschauung übergeben werden. Auf den Unterschied zwischen Historiendrama und »historisiertem« Stück wird gar nicht erst eingegangen. Daß »der Zuschauer« nach der Vergesellschaftung der Produktionsmittel irgendwie zu sozialistischem Bewußtsein gefunden habe, wird stillschweigend vorausgesetzt.

Es braucht nicht eigens betont zu werden, daß diese Ansichten denen Brechts stets konträr waren. Brecht insistierte darauf, daß »eine bloße Widerspiegelung der Realität [...], falls sie möglich wäre, nicht in unserem Sinne« läge (GW 19, 446). Und er insistierte darauf, daß die Zukunft von der Erledigung der Vergangenheit abhänge, große Teile der Bevölkerung aber noch tief in kapitalistischen Vorstellungen befangen blieben (GW 19, 543), woraus er aber keineswegs ableiten wollte, die Kunst müsse ihnen entgegenkommen. Da dies so deutlich ist, da Brecht z. B. seinen Schauspielern riet, »die Komik aus der heutigen Klassensituation [zu] ziehen, selbst wenn dann die Mitglieder der oder jener Klasse nicht lachen« (*Theaterarbeit*, S. 42), muß die Redaktion der *Theater in der Zeitenwende*-Bände zu den gewagtesten Spitzfindigkeiten Zuflucht suchen (Vgl. Bd. II, S. 22 u. S. 422, Anm. 23), um gegen die vermeintlich »kleinbürgerlich-linken Theorien« zu donnern, aber dem großen Brecht dabei nicht zu nahe zu treten.

Verdächtig häufig wurde und wird in der offiziellen DDR-Lesart von *dem Volk* als »moralisch-politischer Einheit« gesprochen — und demzufolge eben auch vom direkten »Anknüpfen«, von der Kontinuität, vom unmittelbar »aufgehobenem Erbe« (als sei das »Aufheben« nicht ein komplizierter, dialektischer *Prozeß*), wird das »Positive« erwartet und verlangt — verdächtig wenig wird von Klassenkampf gesprochen. Insofern dieser ebenso tabuisiert wird wie alles, was an die »deutsche Misere« auch nur entfernt erinnert, insofern der radikale Einschnitt des Faschismus (und damit auch zugleich »die ungeheure Niederlage der deutschen Arbeiterschaft von 1933«, von der, wie Brecht sah, »sie sich nur langsam erholt« GW 19, 543) weniger beachtet wurde als die neue »sozialistische Menschengemeinschaft«, deren organisches Wachstum möglichst unbelästigt von aller Aufarbeitung der Vergangenheit bleiben sollte, mußte die Brechtsche Komödienintention zwangsläufig Anstoß erregen, auch wenn man sie neuerdings erst mit Peter Hacks beginnen läßt.

Natürlich ist das ein politisches Problem, dadurch verursacht, daß in der DDR die sog. Übergangs- und Aufbauperiode allzu früh einfach als abgeschlossen erklärt wurde.

Da scheint es ganz ratsam, einmal Lenin zu zitieren:

> Diese Übergangsperiode kann nur eine Periode des Kampfes zwischen dem sterbenden Kapitalismus und dem entstehenden Kommunismus oder, mit anderen Worten, zwischen dem besiegten, aber nicht vernichteten Kapitalismus und dem geborenen, aber noch ganz schwachen Kommunismus sein. [...]
> Die Klassen sind geblieben, aber *jede* Klasse hat sich in der Diktatur des Proletariats verändert; auch ihr Verhältnis zueinander hat sich verändert. Der Klassenkampf verschwindet nicht unter der Diktatur des Proletariats, sondern er nimmt nur andere Formen an. [350]

Diese Sätze sind deutlich, und sie umreißen der Substanz nach die Ausgangsbasis der Brechtschen Komödie: diese will *noch einmal* die bürgerlich-kapitalistische Welt zur Darstellung bringen, zeigt diese als geschichtlich überholte und überantwortet sie der Heiterkeit des sozialistischen Betrachters, der weiß, daß das »Alte« keineswegs an sich selbst und aus sich selbst zugrunde geht, wohl aber in diesem

Rückblick seine soziale Überlegenheit erkennt, mit der das »Neue« in gesellschaftlicher Anstrengung organisiert werden muß.

Zwar ist ein fundamentaler Unterschied zwischen den sog. antagonistischen und nicht-antagonistischen Konflikten, doch darf daraus nicht gefolgert werden, die »mehr satirische« Komödie würde in einer Gesellschaft, die zum Sozialismus will, einfach von einer »mehr humorigen« (lächelnde Selbstkritik usw.) abgelöst.

Um die Aktualität des »Gesellschaftlich-Komischen«, das in dieser Arbeit am Beispiel von Komik und Komödie bei Brecht untersucht werden sollte, ist es also auch in der DDR nicht schlecht bestellt. Daß diese Aktualität indes besonders für das Land gewahrt bleibt, in dem die Tuis von »pluralistischer Gesellschaft« reden und die Unternehmer »Arbeitgeber«, die Unternommenen »Arbeitnehmer« nennen, was ja für sich schon unmittelbar komisch ist [351], dürfte einleuchten. Wenn es zutrifft, daß das Interesse an Komik und Komödie zunimmt, wäre das ein Prozeß, dessen Logik vom Brechtschen Werk her gesehen verständlich wird. Nicht des literarischen »Einflusses« wegen, sondern im Sinne der politischen Bestätigung. Und die Aktualität des »Gesellschaftlich-Komischen« zeigt sich nicht allein an der zeitgenössischen Komödienproduktion, sondern mehr noch an der Art, wie das Theater heute ältere Werke »auf Komödie hin« interpretiert. Dies ist eine Tendenz, die — weithin von Brecht unabhängig — dennoch im Brechtschen Werk, und insbesondere in seinem Bearbeitungstypus, ihren ästhetisch-politischen Gehalt exemplarisch hervorkehrt.

Anmerkungen

Nachweise der Mottos:

Hegel, Grundlinien der Philosophie des Rechts. Vorrede. In: *Hegel,* Werke 7, S. 28.
Brecht, Nachträge zum »Kleinen Organon«. GW 16, 702.
Marx, Zur Kritik der Hegelschen Rechtsphilosophie. Einleitung. MEW 1, S. 382.
Äußerung *Brechts* aus dem Jahr 1954. Zit. nach K. *Rülicke-Weiler,* Bemerkungen Brechts zur Kunst. Notate 1951—1955, S. 6.
Marx/Engels, Manifest der Kommunistischen Partei. MEW 4, S. 476.
Äußerung *Brechts,* mitgeteilt von E. *Schumacher* in: H. *Witt* (Hrsg.), Erinnerungen an Brecht, S. 332.

1 Die »Gesellschaftskomödie«, die in der deutschen Literatur von *Hofmannsthal* ihrer Vollendung wie ihrem Ende zugeführt wurde, konnte auch als Importware (T. S. *Eliot,* Christopher *Fry*) nicht mehr zu neuem Leben erweckt werden. Sie basierte auf einem noch festen Begriff von Individuum und »guter Gesellschaft«. Ein gewisser Ton der Sprache, eine gewisse Sublimierung der »Auseinandersetzungen« war vorgegeben. Wichtiger als Fabel und Handlung war jener genüßlich-süffisante Austausch von Lebensweisheiten und Zynismen, bisweilen Frivolität, der als Konversation ausgegeben wurde. Derart »funkelnder Dialog« ist noch in den Komödien eines *Anouilh* oder *Giraudoux* zu finden, in deren Werk aber der Anteil von mimischen und pantomimischen Elementen weit stärker hervortritt.
2 Die folgenden Bemerkungen könnten auch am Schluß dieser Arbeit als »Ausblick« oder dergleichen stehen. Es geht aber, pathetisch gesprochen, um hermeneutische Redlichkeit, wenn gleich eingangs das aktuell vermittelte Vorverständnis von Komödie skizziert wird, das dann von Brecht her wiederum präziser bestimmbar wird. Der erste Gedanke zu dieser Arbeit kam dem Verfasser übrigens im Jahre 1968, als er in Lyon kurz nacheinander *Planchons* »Tartuffe«-Inszenierung und *Strehlers* »Servitore«-Gastspiel im Theater sah.
3 Vgl. M. *Wekwerth,* Notate [...], S. 59.
4 P. *Hacks,* Brief an einen Dramaturgen. In: Zwei Bearbeitungen, S. 146.
5 F. *Dürrenmatt,* Theater-Schriften und Reden, S. 120 u. 122.
6 Ibid., S. 132 ff. (Kap. »Anmerkungen zur Komödie«) Der Komplex *Brecht-Dürrenmatt*-Komödie kann hier nicht weiter analysiert werden. Heranzuziehen wären vor allem *Dürrenmatts* »Dramaturgische Überlegungen zu den ›Wiedertäufern‹« (1967), in denen *Dürrenmatt* Brecht als Komödienautor würdigt. Das ist natürlich durchaus nicht so abwegig, wie Beda *Allemann* (in: H. *Steffen,* Hrsg., Das deutsche Lustspiel *II,* S. 201 f.) das hinstellt — nur eben tragen *Dürrenmatts* Begründungen dafür nicht allzu weit.
7 H. *Arntzen,* Die ernste Komödie, S. 249.
8 E. *Catholy,* Das deutsche Lustspiel, S. 177.
9 H. *Steffen* (Hrsg.), Das deutsche Lustspiel I, S. 3.
10 W. *Müller-Seidel,* Dramatische Gattungen, S. 180.
11 R. *Daunicht*/W. *Kohlschmidt*/W. *Mohr,* Art. »Lustspiel« in: Reallexikon II; Zitate S. 227, 228, 239.

12 H. *Mayer*, Anmerkungen zu Brecht, S. 9 u. 14.
13 G. *Zwerenz*, Aristotelische und Brechtsche Dramatik, S. 47 ff.
14 E. *Bentley*, Die Theaterkunst Brechts, S. 174.
15 M. *Kesting*, Das epische Theater, S. 158 u. 73.
16 F. H. *Crumbach*, Die Struktur des Epischen Theaters, S. 364 ff.
17 P. *Kostić*, Turandot [...], S. 190.
18 J. W. *Onderdelinden* interessiert sich nicht für den Komödiencharakter des Stückes in *allen* seinen Fassungen, sondern glaubt die Geschichte der Manipulierbarkeit des Stückes nachzeichnen zu können.
19 J. *Hermand*, Herr Puntila und sein Knecht Matti, S. 135 f.
20 H. *Mayer*, Brecht und die Tradition, S. 117.
21 H. *Jendreiek*, Bertolt Brecht. Drama der Veränderung, S. 67.
22 *Jendreiek* insistiert auf Brechts Überzeugung, daß alles, was ist, im Fluß veränderlich ist. Damit landet *Jendreiek* zwar beim bürgerlich-formalen Begriff von Dialektik: als sei deren Charakteristikum nichts als »Offenbleiben« an sich, als ständiges »Sowohl-Als auch«, als gäbe es Widersprüche, die, ganz sich selbst überlassen, schon irgendwie zum Fortschreiten bzw. »Umschlagen« drängen würden. Im gleichen Augenblick muß allerdings gesagt werden, daß es bei Brecht mitunter tatsächlich so aussieht, als habe er »Veränderung« an sich fetischisiert. Vgl. im »Kaukasischen Kreidekreis«: »O Wechsel der Zeiten! Du Hoffnung des Volks!« (GW 5, 2015) Vgl. S. 46, Anm. 97 der vorliegenden Arbeit. Nur hat der Interpret, will er generalisieren, wohl nicht da anzusetzen, wo gewisse Schwächen des Autors zu Tage treten, die dieser doch meist deutlich korrigiert.
23 W. *Hinck*, Die Dramaturgie des späten Brecht, S. 22.
24 W. *Kayser*, Das sprachliche Kunstwerk, S. 381.
25 E. *Staiger*, Grundbegriffe der Poetik, S. 192.
26 W. *Hinck*, Die Dramaturgie des späten Brecht, S. 78 f.
27 Ibid., S. 74 ff. u. 104 ff.
28 Ibid., S. 33 f. u. 67 f.
29 H. *Kaufmann*, Geschichtsdrama und Parabelstück, S. 135.
30 Ibid., S. 129.
31 Zur *Guthkeschen* Theorie von »Tragikomödie« vgl. in dieser Arbeit S. 51 u. 195 ff.
32 Grundsätzlich muß gesagt werden, daß die Theoretiker der »Tragikomödie« bzw. des »Tragikomischen« immer versäumen, die Momente, die sich hier »mischen« sollen, erst einmal für sich zu analysieren (was doch allererst die Voraussetzung sein müßte, um die neue »Mischform« von ihnen abzugrenzen!). Aus der Erkenntnis, daß es »*das* Tragische nicht gibt, nicht zumindest als Wesenheit« (Peter *Szondi*, Versuch über das Tragische, Frankfurt a. M. [2]1964, S. 60), und daß auch das Komische »nicht überhaupt«, »sondern als Satirisches, Humoristisches, Ironisches, als Schreckliches oder Rührendes« existiert (J. *Borew*, Über das Komische, S. 306), kann sich die These von Tragikomik noch lange nicht zwingend herleiten.
33 H. *Arntzen*, Komödie und episches Theater, S. 76: »Komik vermittelt das Lächerliche so intensiv wie kaum ein anderes ästhetisches Mittel, indem sie die Diskrepanz zwischen dem, was sein soll, und dem was ist, so greifbar sinnlich vorstellt, daß jeder Zuschauer diese Diskrepanz in seinem Lachen gewissermaßen unmittelbar begreift. Aber indem sie diese Diskrepanz veranschaulicht, verhindert Komik, solange sie andauert, deren Überwindung im Stück, läßt sie — dramatisch gesprochen — die Handlung auf der Stelle treten. [...] Diese Komik des Auf-der-Stelle-Tretens und der Wiederholung als eine komische Grundfigur ist exakt der Struktur des Dramas entgegen.«
34 E. *Schumacher*, Drama und Geschichte, S. 376 f.
35 *Schiller*, Über naive und sentimentalische Dichtung, Werke 5, S. 725 f.

36 Vgl. *Hegel,* Phänomenologie des Geistes, Werke 3, S. 541 ff. und *Hegel,* Ästhetik, S. 1105.

37 *Hegel,* Ästhetik, S. 567 f.

38 *Marx,* Zur Kritik der Hegelschen Rechtsphilosophie. Einleitung, MEW 1, S. 382.

39 Siehe »Theaterarbeit«, S. 16. Zuerst im Programmheft des Berliner Ensembles abgedruckt, unter anderem wohl als listige Absicherung gegen die Vorwürfe von offizieller Seite, die den »Puntila« als »nicht aktuell« kritisierten.

40 Vgl. dazu die fünf unter dieser Überschrift zusammengefaßten Texte in: *Marx/Engels,* Über Kunst und Literatur I, S. 159 ff.

41 *Marx,* Der 18. Brumaire des Louis Bonaparte, MEW 8, S. 115.

41a Um es also so deutlich wie möglich zu formulieren: In der »Kritik der Hegelschen Rechtsphilosophie« sieht *Marx* die weltgeschichtliche Tragik bei einer selbst schon alten (!) Gestalt, denn die Rede ist konkret vom ancien régime. *Marx* sieht also einen geschichtlichen Prozeß, der am Ende in eine objektiv tragische Kollision mündet, und erst die letzte Phase dieses Prozesses schlage in die Komödie um. Tragik in strengem Sinne liege dann vor, wenn das subjektive Tragik-Empfinden der untergehenden Klasse auch mit dem objektiven Vorgang selbst übereinstimmt:

»*Tragisch* war seine Geschichte, solange es [das ancien régime] die präexistierende Gewalt der Welt, die Freiheit dagegen ein persönlicher Einfall war, mit einem Wort, solange es selbst an seine Berechtigung glaubte und glauben mußte. Solange das *ancien régime* als vorhandene Weltordnung mit einer erst werdenden Welt kämpfte, stand auf seiner Seite ein weltgeschichtlicher Irrtum, aber kein persönlicher. Sein Untergang war daher tragisch.« (MEW 1, 381)

Erst wenn die Phase, die in der Geschichte *schon einmal* erreicht war, und die die Repräsentanten der untergehenden Ordnung als Tragödie erleben mußten, von diesen *noch einmal* in tragisch-heroischer Attitude durchzuspielen versucht wird, wenn also der persönliche Irrtum den weltgeschichtlichen ersetzt hat, dann ist dieser Vorgang objektiv zur Komödie geworden: »Das moderne ancien régime ist nur mehr der *Komödiant* einer Weltordnung, deren *wirkliche Helden* gestorben sind.« (MEW 1, 382)

Nun sei aber der Tragik-Begriff dieser Tragödie/Komödie-Relation an *Marxens* Formulierungen in der sog. »Sickingen-Debatte« überprüft. Im Brief an *Lassalle* schreibt *Marx* über *Sickingen:*

»Er ging unter, weil er als *Ritter* und als *Repräsentant einer untergehenden Klasse* gegen das Bestehende sich auflehnte oder vielmehr gegen die neue Form des Bestehenden.« (MEW 29, 591)

Die Formulierung scheint wie geschaffen, den Tragik-Begriff aus der »Kritik der Hegelschen Rechtsphilosophie« zu illustrieren. Das ist aber gerade nicht *Marxens* Argumentation in der »Sickingen-Debatte«! Andererseits geht *Marx* aber auch nicht so weit, der Situation *Sickingens* das Tragische schlichtweg zu bestreiten oder ihn gar zu einem komischen Helden zu machen. Zwar fährt er im Brief an *Lassalle* fort:

»Wolltest Du also die Kollision nicht einfach auf die im ›Götz von Berlichingen‹ dargestellte reduzieren [...], so mußten Sickingen und Hutten untergehn, weil sie in ihrer Einbildung Revolutionäre waren (letzteres kann von Götz nicht gesagt werden) und ganz wie der *gebildete* polnische Adel von 1830 sich einerseits zu Organen der modernen Ideen machten, andererseits in der Tat aber ein reaktionäres Klasseninteresse vertraten.« (MEW 29, 591)

Doch *Marx* entscheidet wie gesagt nicht, ob *Sickingens* »Einbildung«, ein Revolutionär zu sein, nur ein »persönlicher« oder auch ein »weltgeschichtlicher« Irrtum sei, ob also *Sickingen noch* ein tragischer Held oder womöglich *schon* ein komisch zu verstehender Held sei, sondern er beläßt es bei dem Wort: er sei »in der Tat nur ein Don Quixote, wenn auch ein historisch berechtigter«. (ibid.)

Der Grund ist der: *Marxens* Argumente gegen die Tragik *Sickingens* stützen sich

darauf, daß *Marx* im Grunde für einen anderen tragischen Helden, Thomas *Münzer*, plädiert. Das ist nun aber auch ein anderer Tragik-Begriff: er betrifft nicht mehr jene alte geschichtliche Gestalt, die schon bald komisch zu werden droht, sondern sozusagen eine Tragik der Frühe, die Tragik des zu früh kommenden Revolutionärs — oder, mit den Worten aus *Engels'* Brief an *Lassalle,* »die tragische Kollision zwischen dem historisch notwendigen Postulat und der praktisch unmöglichen Durchführung«. (MEW 29, 604)
Es ist die Tragik der französischen Jakobiner (vgl. z. B. »Die heilige Familie«, MEW 2, 128 f.), ihre tragischen Illusionen, die für *Marx* jetzt das Modell der geschichtlichen Tragik liefern, und *dieses* Modell liegt dem oben zitierten Passus aus dem »Achtzehnten Brumaire« zugrunde, wo Tragödie und Komödie (Farce) aufeinander bezogen werden.
Interessant ist noch folgende Differenzierung bei ein und demselben Motiv: in der »Kritik der Hegelschen Rechtsphilosophie« las *Marx* den Komödiencharakter des modernen ancien régime daran ab, daß es gewissermaßen nur noch maskiert, im alten historischen Kostüm auftrete: »Wenn es an sein eignes *Wesen* glaubte, würde es dasselbe unter dem *Schein* eines fremden Wesens zu verstecken und seine Rettung in der Heuchelei und dem Sophisma suchen?« (MEW 1, 382) Im »Achtzehnten Brumaire« macht *Marx* indessen klar, daß die bloße Tatsache einer historischen Kopie und ideologischen Rückbesinnung allein noch nicht genügt, um den Vorgang selbst als Komödie bzw. Farce zu werten. Denn die Gladiatoren der bürgerlichen Revolutionen in England und Frankreich »fanden in den klassisch strengen Überlieferungen der römischen Republik die Ideale und die Kunstformen, die Selbsttäuschungen, deren sie bedurften, um den bürgerlich beschränkten Inhalt ihrer Kämpfe sich selbst zu verbergen und ihre Leidenschaft auf der Höhe der großen geschichtlichen Tragödie zu halten. [...] Die Totenerweckung in jenen Revolutionen diente also dazu, die neuen Kämpfe zu verherrlichen, nicht die alten zu parodieren, die gegebene Aufgabe in der Phantasie zu übertreiben, nicht vor iher Lösung in der Wirklichkeit zurückzuflüchten, den Geist der Revolution wiederzufinden, nicht ihr Gespenst wieder umgehen zu machen.« (GW 8, 116)
Natürlich besteht zwischen *Marxens* Interpretationen zur »historischen Kostümierung« (notwendig für die bürgerlichen Revolutionäre des 18. Jahrhunderts, aber lächerlich bei den Vertretern des modernen ancien régime im 19. Jahrhundert) kein Widerspruch. Die *politischen* Revolutionen »bedurften der weltgeschichtlichen Rückerinnerungen, um sich über ihren eigenen Inhalt zu betäuben«, nämlich den, die gänzlich unheroische bürgerliche Gesellschaft zu etablieren. Hat sich die bürgerliche Gesellschaft aber einmal durchgesetzt und ist zur allgemeinen Weltordnung geworden, so ist zugleich damit die Möglichkeit der *sozialen* Revolution geschaffen, und die »muß die Toten ihre Toten begraben lassen, um bei ihrem eignen Inhalt anzukommen«. (MEW 8, 117) Vor diesem Hintergrund ist die »Neuauflage« des 18. Brumaire nicht nur keine soziale Revolution, sondern auch als Kopie des napoleonischen Staatsstreiches von 1799, mit dem die politische Revolution in Frankreich zu Ende ging, nur noch Komödie, Farce. Mit den Worten der »Kritik der Hegelschen Rechtsphilosophie«: die *wirklichen Helden* sind durch die bloßen *Komödianten* ersetzt worden.
Es sei kurz rekapituliert. In der »Kritik der Hegelschen Rechtsphilosophie« ist die Rede von einer »alten Gestalt« (konkret: dem ancien régime), die von der Geschichte in mehreren Phasen zu Grabe getragen wird. Komödie wird dann definiert als die »letzte Phase«, welche die Tragödie, definiert als vorhergegangene Phase der weltgeschichtlichen Gestalt, ablöst. Solche Definition des historischen Übergangs von Tragödie zu Komödie erlaubt ersichtlich auch die Möglichkeit, den »Übergang« als »Umschlagen«, d. h. Tragödie und Komödie in dialektischer Identität zu sehen, so daß die Bewertung allein durch die historische Perspektive bedingt wäre: denn was

der untergehenden Klasse tragischer Endpunkt ist, sieht sich aus der Sicht der aufsteigenden Klasse natürlich anders an. Diese mögliche Deutung ist wichtig und soll festgehalten werden. Allerdings birgt sie die Gefahr des Relativismus und beließe etwa einem bürgerlichen Brecht-Interpreten das Recht, Tragik dort zu sehen, wo nicht nur Komik intendiert, sondern eben auch objektiv gegeben ist. (Vgl. die Anmerkung 190a.) Die Deutung reicht also nicht aus und muß ergänzt werden.

Im »Achtzehnten Brumaire« und in anderen Schriften geht *Marx* nicht von der Tragik der Späte, der Tragik des ancien régime aus, sondern von der Tragik der Frühe, der Tragik der Revolutionäre, die jenes ancien régime stürzten, um dann zu erfahren, daß sie lediglich der bürgerlichen Gesellschaft den Weg gebahnt hatten.

Nicht also allein der Umschlag innerhalb der späten Phase einer weltgeschichtlichen Gestalt taugt zum Modell einer praktikablen Tragödie/Komödie-Relation, sondern auch der klare historische Abstand, wonach was einst Tragödie war, später bei der Wiederholung zur Travestie des Tragischen, zur Komödie gerät.

42 Vgl. insbesondere die Kapitel »Die gegensätzliche Konzeption des Komischen bei Marx und Hegel« und »Der widerspruchsvolle Charakter und der historische und gesellschaftliche Inhalt des Komischen in der dramatischen Gestaltung« bei G. *Baum,* Humor und Satire [...], S. 7 ff. u. 133 ff.

43 Vgl. z. B. folgende Definition *Hegels* der dramatischen Kollision: »Durch das Prinzip der Besonderung nun, dem alles unterworfen ist, was sich in die reale Objektivität hinaustreibt, sind die sittlichen Mächte wie die handelnden Charaktere *unterschieden* in Rücksicht auf ihren Inhalt und ihre individuelle Erscheinung. Werden nun diese besonderen Gewalten, wie es die dramatische Poesie fordert, zur erscheinenden Tätigkeit aufgerufen und verwirklichen sie sich als bestimmter Zweck eines menschlichen Pathos, das in Handlung übergeht, so ist ihr Einklang aufgehoben und sie treten in wechselseitiger Abgeschlossenheit *gegeneinander* auf.« (Ästhetik, S. 1071) — Eine Dramatik in diesem Sinne, mit aufeinanderkrachenden Gegensätzen, klarem Gegenüber von Spieler und Gegenspieler, hatte man gerade von Brecht oft gefordert, doch hat er sich unmißverständlich dagegen ausgesprochen. (Vgl. GW 16, 708).

44 F. G. *Jünger,* Über das Komische, S. 16.

45 E. *Schumacher,* Die dramatischen Versuche B. Brechts, S. 48 f. (als Kritik an der »Heiligen Johanna«.

46 Es wurde bereits angedeutet, daß Autoren wie H. *Kaufmann* und E. *Schumacher* die Frage einer Brecht-Komödie gerade durch den Bezug auf die »Heiterkeit«-Stelle bei *Marx* glauben verneinen zu müssen. Für sie ist »Heiterkeit« als »befreites Lachen« Konstituens einer Komödie, die erst im nachhinein, als bloßer Rückblick auf eine statisch daliegende Vergangenheit, denkbar wird. Diese Auslegung wird der *Marx*-Stelle nicht gerecht — und solcher Begriff von Komödie gerät unversehens in die Nähe des bürgerlich verharmlosenden Begriffs von »Lustspiel«.

47 *Marx/Engels,* Manifest der Kommunistischen Partei, MEW 4, S. 476.

48 Es sei hier nochmals das Wort aus dem Abschnitt »Das Gesellschaftlich-Komische« im Band »Theaterarbeit«, S. 42 zitiert: »selbst wenn dann die Mitglieder der oder jener Klasse nicht lachen.« Die Schwierigkeiten, die Brecht in den fünfziger Jahren in der DDR gemacht wurden, beruhten zum großen Teil darauf, daß Brecht nach wie vor Klassenunterschiede sah und seine Stücke keineswegs für eine einheitliche, irgendwie von selbst entstandene, »sozialistische Menschengemeinschaft« konzipierte. Vgl. hierzu Hans *Mayer,* Brecht in der Geschichte, S. 235, der hervorhebt, daß das »neue Publikum« am Schiffbauerdamm wohl soziologisch nicht mehr der alten Gesellschaft entsprach, aber ideologisch ihr noch verhaftet blieb. Nur sollte *Mayer* dazu sagen, daß Brecht diesen Sachverhalt genau erkannte und in seine Überlegungen einbezog — gegen die Kulturfunktionäre, für die eben die »neue Zeit« schon voll herangekommen schien. (Vgl. 211 ff. der vorliegenden Arbeit.)

Es gibt allerdings auch Stellen bei Brecht, wo er davor warnt, die Gegner des Prole-

tariats als »einheitliche, reaktionäre Masse« abzutun, wo er nicht auf »Spaltung« des Publikums aus ist, sondern sagt, die Kunst vermöge doch »eine gewisse Einheit ihres Publikums herzustellen, das in unserer Zeit in Klassen gespalten ist«. (GW 16, 642) — »Denn die Angehörigen einer Klasse sind nicht immun gegen Ideen, die ihrer Klasse nichts nützen. [...] Es wirkte nicht nur Gift als Reiz, wenn der Hof von Versailles dem Figaro Beifall klatschte.« (GW 16, 703)
Grundsätzlich hielt Brecht aber daran fest, das Publikum zu »spalten«, keine Kompromisse einzugehen: »Wir sollten nicht mehr lange so schreiben, daß man zwar unsern Standpunkt, den sozialistischen, erkennt, aber nicht gezwungen ist, sich dafür und dagegen zu entscheiden.« (GW 19, 484)

49 W. *Benjamin*, Versuche über Brecht, S. 113.

50 Äußerung Brechts aus dem Jahr 1954. Zit. nach K. *Rülicke-Weiler*, Bemerkungen Brechts zur Kunst, S. 6.

51 H. *Kaufmann*, Geschichtsdrama und Parabelstück, S. 146.

52 E. *Schumacher*, Die dramatischen Versuche B. Brechts, S. 93.

53 R. *Grimm*, Bertolt Brecht, [3]1972, S. 4. Gegenüber der zweiten Auflage hat *Grimm* die Bemerkung dadurch ergänzt, daß sich das *Valentin*-Vorbild bei Brecht »vermutlich mit dem der ›Zwischenspiele‹ des Cervantes verband«.

54 Das vielzitierte Wort stammt von H. *Mayer*, Brecht und die Tradition, S. 27.

56 W. *Hecht*, Brechts Weg zum epischen Theater, S. 66 spricht zwar von »unmittelbarem Einfluß *Valentins* auf die frühen Einakter, will auch Motive der späteren Stücke Brechts — vor allem das der Familienfeier — auf ihn zurückführen, meint aber einschränkend, daß Brecht *Valentins* »tragikomische Dimension« fehle. — M. *Schulte*, Karl Valentin, S. 130 ff. (Kap. »Valentins Einfluß auf Brecht«) sieht z. B. in »Lux in Tenebris« »deutliche Spuren« des Einflusses, obwohl er hinzufügen muß, daß »die Thematik dieses Dramas Valentins Welt völlig fremd ist«. — R. *Pohl*, Strukturelemente [...], S. 68 sagt zu Brechts Diktion, daß sie »möglicherweise auch ohne Valentin« sich habe entwickeln können, für die »Kleinbürgerhochzeit« indes sei *Valentins* Einfluß konstitutiv.

57 Dieser Absatz stützt sich weitgehend auf D. *Schnetz*, Der moderne Einakter, S. 13 ff. (Kap. »Die historische Stellung des Einakters«.)

58 H. O. *Münsterer*, Erinnerungen [...], S. 141.

59 E. *Straßner*, Schwank, S. 14. — Die Bezeichnung »Witz« ist etwas unglücklich, aber immer noch einleuchtender als die Behauptung von K. *Völker*, Groteskformen des Theaters, S. 333, es handele sich hier um »die Form des Märchens«.

60 Vgl. E. *Straßner*, Schwank, S. 7 f.

61 F. G. *Jünger*, Über das Komische, S. 36.

62 P. *Szondi*, Satz und Gegensatz, Sechs Essays. Frankfurt a. M. 1964, S. 53.

63 So zuerst Erich *Lissner*, »Der Fischzug«. Früher Brecht in Heidelberg. Frankfurter Rundschau 13. 1. 1967 — Vgl. jetzt dazu die im Literaturverzeichnis aufgeführte Arbeit von H. *Knust*, der allen nur möglichen Anspielungen und Andeutungen in dieser Richtung nachspürt.

64 Vgl. E. *Catholy*, Farce, S. 458.

65 Eine sprachliche Analyse bei D. *Schnetz*, Der moderne Einakter, S. 163 ff.

66 K. *Völker*, Groteskformen des Theaters, S. 333.

67 Aufschlußreich ist, auf welche Weise der Text von späteren Herausgebern auf den je zeitgemäßen Stand gebracht wurde! Hatte *Knigge* den Bürgern geraten, im Umgang mit den Oberen nie zu vergessen, daß jene, »was sie sind und was sie haben, nur durch Übereinkunft des Volkes sind und haben«, so empfiehlt der Bearbeiter von 1888 lediglich zu berücksichtigen, daß die Oberen »was sie sind und was sie haben, nur durch die Gnade Gottes sind und haben«. — Zit. nach dem Nachwort von Iring *Fetscher* in: *Knigge*, Schaafskopf, S. 92 f.

68 *Marx*, Zur Kritik der Hegelschen Rechtsphilosophie. Einleitung, MEW 1, S. 382.

69 *Goethe,* Hermann und Dorothea, Werke Hamburger Ausgabe, Bd. 2, S. 514.

70 Ibid., S. 614. Kommentar von E. *Trunz.*

71 H. *Bergson,* Le rire, p. 29.

72 J. H. *Voss,* Luise, Werke in einem Band, S. 170. — Dies ist übrigens ein Grundmotiv frühbürgerlicher Literatur: daß die Poesie der Liebe der Prosa der bürgerlichen Ehe konfrontiert wird, die bürgerliche Ehe selbst indes dabei nicht direkt kritisiert werden soll. Siehe z. B. folgenden Passus in »Wilhelm Meisters Wanderjahren«: »Hersilie, die bisher lächelnd schweigsam geblieben, versetzte dagegen: »Wir Frauen sind in einem besondern Zustande. Die Maximen der Männer hören wir immerfort wiederholen, ja wir müssen sie in goldnen Buchstaben über unsern Häupten sehen, und doch wüßten wir Mädchen im stillen das Umgekehrte zu sagen, das auch gölte, wie es gerade hier der Fall ist. Die *Schöne* findet Verehrer, auch Freier, und endlich wohl gar einen Mann; dann gelangt sie zum *Wahren,* das nicht immer höchst erfreulich sein mag, und wenn sie klug ist, widmet sie sich dem *Nützlichen,* sorgt für Haus und Kinder und verharrt dabei. Wir Mädchen haben Zeit zu beobachten, und da finden wir meist, was wir nicht suchten.« (Werke Hamburger Ausgabe, Bd. 8, S. 66.)
Vgl. in diesem Zusammenhang jetzt den ausgezeichneten Aufsatz von Heinz *Schlaffer:* Poesie und Prosa. Liebe und Arbeit. Goethes »Bräutigam« (in: H. S., Der Bürger als Held. Sozialgeschichtliche Auflösungen literarischer Widersprüche, Frankfurt/M. 1973, edition suhrkamp 624, S. 51—85).

73 W. *Benjamin,* Einbahnstraße, S. 14 f. (jetzt auch in: Gesammelte Schriften IV/1, S. 89).

74 F. *Engels* an Paul *Ernst,* am 5. 6. 1890, MEW 37, S. 412.

75 Man lese in *Kants* »Metaphysik der Sitten« den Abschnitt »Des Rechts der häuslichen Gesellschaft erster Teil: Das Eherecht« (§§ 24—27). Mann und Frau erwerben einander durch den Vertrag »als Sache«: »Die *Erwerbung* einer Gattin oder eines Gatten geschieht also nicht facto (durch die Beiwohnung) ohne vorhergehenden Vertrag, auch nicht pacto (durch den bloßen ehelichen Vertrag, ohne nachfolgende Beiwohnung), sondern nur lege: d. i. als rechtliche Folge aus der Verbindlichkeit, in eine Geschlechtsverbindung nicht anders, als vermittelst des wechselseitigen *Besitzes* der Personen, als welcher nur durch den gleichfalls wechselseitigen Gebrauch ihrer Geschlechtseigentümlichkeiten seine Wirklichkeit erhält, zu treten.« (*Kant,* Werke 7, S. 392 f.)
Für Brecht war die *Kantsche* Definition stets unmittelbar komisch: vgl. das Sonett GW 9, 609 und die »Hofmeister«-Bearbeitung GW 6, 2384. — Siehe Anm. 333 dieser Arbeit.

76 Vgl. W. *Hecht,* Brechts Weg zum epischen Theater, S. 141.

77 Bertolt-Brecht-Archiv, Mappe 49, Blatt 08, zit. nach K. *Rülicke-Weiler,* Die Dramaturgie Brechts, S. 9.

78 Man vergleiche die Gestalt des Spießers in den Komödien *Sternheims,* bei *Toller* (Der entfesselte Wotan, 1923) oder *Goll* (Methusalem oder der ewige Bürger, 1924) mit dem, was sich in *Horváths* Komödien tummelt (Sladek, der schwarze Reichswehrmann, 1928 — Italienische Nacht, 1930), um zu verfolgen, wie die Kleinbürgerzeichnung immer schärfere Akzente erhält.

79 G. *Lukács,* Historischer Roman und historisches Drama. In: Schriften zur Literatursoziologie, S. 177.

80 P. *Szondi,* Theorie des modernen Dramas, S. 90 u. 92 f.

81 Vgl. D. *Schnetz,* Der moderne Einakter, S. 116 ff., K. *Völker,* Das Phänomen des Grotesken, S. 44. — Typisch ist, wie in *Völkers* Aufsatz »Groteskformen des Theaters« die Termini durcheinander geraten: Tragödie wird Komödie, ist Tragikomödie, deren Komik wird grausig, absurd, also grotesk usw.

82 M. *Esslin,* Das Theater des Absurden, S. 292.

83 Ibid., S. 293.
84 Ibid., S. 325, 312, 319.
85 Es sei daran erinnert, daß zu dieser Zeit noch immer die sog. »Philosophie des Absurden« (*Camus* u. a.) gläubig rezipiert wurde. Nachdem auf den Theatern der Bundesrepublik der Nachholbedarf an den vermeintlichen »Klassikern der Moderne« gedeckt war, setzte der Siegeszug der »Absurden« ein, dem ein entpolitisiertes Bewußtsein der intellektuellen Öffentlichkeit sehr entgegenkam. Eine gesellschaftsbezogene Literatur wurde nicht nur nicht erwartet, sondern für »überholt« erklärt, was vor allem auch hieß, die politische Intention des Brecht-Theaters zu verwerfen. (Paradoxerweise wurde sogar die »Modernität« Brecht dort zu »retten« versucht, wo er — in seinen frühen Stücken — »die Absurden vorweggenommen« habe.) Statt an der Restaurationsphase der bürgerlich-kapitalistischen Gesellschaft im CDU-Staat die Möglichkeiten kritischer Literatur neu zu überprüfen, zielte die »Kritik« auf das, was man Absurdität des menschlichen Daseins, Bedrohlichkeit *der* Welt usw. zu nennen pflegte.
86 W. *Kayser,* Das Groteske, S. 106 u. 137.
87 Ibid., S. 12, 136, 137.
88 Autoren wie K. *Völker,* M. *Kesting,* R. *Grimm,* D. *Schnetz* übernehmen *Kaysers* »Ergebnisse« kritiklos und sehen jede Übersteigerung des Komischen schon als etwas qualitativ ganz anderes, eben als »das Groteske« an.
In diesem Zusammenhang ist interessant, daß W. *Hinck,* der in seinem Buch »Die Dramaturgie des späten Brecht«, S. 104 ff. unter Berufung auf W. *Kayser* dem Grotesken bei Brecht nachspürte, in seiner späteren Arbeit »Das deutsche Lustspiel [...], S. 42 zu dem Ergebnis kommt, man könne nicht »im Sinne W. Kaysers das Groteske als selbständige Kategorie vom Komischen ablösen«.
89 A. *Heidsieck,* Das Groteske und das Absurde, S. 17, 72, 31, 37, 114, 47, 69.
90 Ibid., S. 82, 114, 110, 114.
91 Ibid., S. 115.
91a Ibid., S. 72: »Das Motiv des Verstümmelns findet sich auffallend häufig bei Brecht und überhaupt in der zeitgenössischen Kunst und Literatur als der Versuch einer kritischen Darstellung der Verstümmelungen, die der erste Weltkrieg verursacht hatte.« *Heidsieck* denkt *nur* an die Verstümmelung im konkreten Sinn (damit er sie aus der historischen Wirklichkeit ableiten kann), nicht aber auch zugleich an die in übertragenem Sinn: gerade die ist aber für Brecht wichtig. So würde *Heidsieck* die Selbstkastration des Sergeant Fairschild in »Mann ist Mann« und die Läuffers im »Hofmeister« doch mit Sicherheit ebenfalls als grotesk definieren, könnte das Motiv aber hier schwerlich direkt auf die geschichtliche Wirklichkeit fundieren. — Immer wieder gerät *Heidsieck* beim Versuch, eine von der Realität diktierte Groteske nachzuweisen, in beträchtliche Schwierigkeiten. Vollends abwegig muß indes der Versuch ausfallen, der Groteske nicht allein die Funktion des »Nachzeichnens« von Wirklichkeit, sondern darüber hinaus noch die einer »Vorwegnahme« zuzugestehen: so kommentiert *Heidsieck* etwa S. 71 das Schlußtableau aus »Mahagonny« mit einem Zitat aus Erich *Kästners* »Notabene 45«. Das von Brecht konstruierte Modell, also der Reigen der für kapitalistische Verhältnisse noch im brennenden Mahagonny unverdrossen demonstierenden Tafelträger, solle die allegorische Groteske der aneinander vorbeiziehenden Flüchtlingstrecks vorwegnehmen.
92 Es kann hier nicht erörtert werden, daß (und warum) das *Ironische* als Ausnahme in Frage käme. Dieses fungiert bekanntlich in Tragödien wie Komödien gleichermaßen und hat eine maximale Unabhängigkeit von den literarischen Gattungen an sich.
93 M. *Kesting,* Die Groteske vom Verlust der Identität, S. 193 sieht die Komödie »Mann ist Mann« schon deshalb als »Groteske« an, weil in ihr »jeder Anflug von Realismus vermieden« sei. Durch die Darbietung der »Komödie in der Komödie« werde viel-

mehr der »Umschlag des Lustspiels in die Groteske« erzwungen. Das ist natürlich keine Begründung, sondern terminologische Willkür.

94 A. *Heidsieck*, Das Groteske und das Absurde, S. 67.

95 Äußerung Brechts am 10. 1. 1952, mitgeteilt von M. *Wekwerth*, Notate [...], S. 57.

96 W. *Benjamin*, Versuche über Brecht, S. 48.

97 Es wurde in Anm. 22 bereits angedeutet, daß bei Brecht die zumindest latente Gefahr besteht, daß er den Wechsel bzw. die Veränderung an sich fetischisiert, so wie eben hier im Moldau-Lied. Andererseits fehlt es aber auch nicht an Stellen, wo Brecht gegen solche Auffassung expressis verbis polemisiert. In »Me-ti« bemängelt er, es werde »zuviel dahergeredet von der Vergänglichkeit aller Dinge«. »Viele halten das schon für sehr umstürzend. Aber das heißt die *Große Methode* [gemeint ist die Dialektik] schlecht angewendet. Sie verlangt, daß man davon spricht, wie gewisse Dinge zum Vergehen gebracht werden können.« (GW 12, 469) (Ähnlich GW 12, 525 f.) Solche Stellen sind durchaus *auch* als Selbstkritik zu lesen!

Zwiespältig ist die Konzeption des Brechtschen Schweyk dadurch, daß er das von *Hašek* kommende Moment eines Volksrepräsentanten Schweyk, der an seiner Passivität die Pläne der Großen zerschellen läßt (vgl. GW 19, 460), durchaus positiv wertet — es aber auch zugleich kritisieren will, weil diese Haltung natürlich nicht ausreicht: sich fatalistisch-verschmitzt auf mögliche Änderungen einzurichten, führt keine Änderung herbei. Vgl. hierzu das Programmheft des Berliner Ensembles, insbesondere die programmatische Notiz Hanns *Eislers* und Brechts Eintragung in sein Arbeitsbuch vom 27. 5. 1943 Vgl. hierzu auch Antony *Tatlow*, China oder Chima?, in: Brecht heute — Brecht today I (1971) S. 33 f.

98 F. *Dürrenmatt*, Die Physiker ([1]1962), in: Spectaculum 7, Moderne Theaterstücke, Frankfurt a. M. 1964, S. 103—147. Ibid., S. 359: »21 Punkte zu den Physikern«.

99 Die Bestimmung von Komödie als einer in »Kritik« und »Utopie« sich realisierenden Intention wird hier beibehalten, wobei ehrlich eingestanden sein muß, wie unangenehm es ist, dieselbe Definition schon in H. *Arntzens* Buch »Die ernste Komödie« zu finden. (Mit dem, was *Arntzen* in diesem Buch aus der Definition macht, ergeben sich allerdings nicht immer Übereinstimmungen, vgl. S. 194 ff. der vorliegenden Arbeit). Es ist nur so, daß trotz längeren Suchens genauere Begriffe als »Kritik« und »Utopie« nicht haben gefunden werden können. Das ist nicht nur wegen *Arntzens* »Erstgeburtsrecht« fatal, sondern auch deshalb, weil mit »Kritik« (im Sinne von kontinuierlicher Reflexion) und »Utopie« zugleich ein anderes Phänomen, nämlich Friedrich *Schlegels* Begriff der »Ironie« definiert werden kann!

Zur Abgrenzung sei vielleicht soviel gesagt: »Kritik« und »Utopie« werden hier verstanden als ineinander vermittelte Konstituentien der Komödie, dergestalt daß sich an der Utopie als dem konkret Besseren die Kritik an der gesellschaftlichen Gegenwart orientiert, wie andererseits aus der konkreten Kritik erst die Utopie sich ergibt. (Utopie meint also nicht wie bei F. *Schlegel* das »ganz andere«, durch das praktisch alles Bestehende annihiliert werden kann.)

100 *Lenin*, Philosophische Hefte, S. 132.

101 Es ließe sich wohl die These begründen, daß es einzeln Tragisches nicht gibt noch geben kann, wogegen das Komische durchaus punktuell realisierbar ist. Tragisches entsteht im unentrinnbaren zeitlichen Prozeß: gerade was befreien soll, erweist sich als verhängnisvoll, der Weg zur Rettung ist der in die Vernichtung usw. Es handelt sich um ein Modell, das auf Kontinuität eines sich beschleunigenden Zeitablaufs angelegt ist, mit Retardation und Umschlag. Die volle Erkenntnis des Tragischen stellt nur dann sich ein, wenn sozusagen alle Etappen mitgegangen werden: ein einzelnes Moment bleibt in seiner Isolierung nur »schrecklich«. In diesem Sinn wäre auch der Satz Walter *Benjamins* aufzufassen, daß es Tragisches nur im Leben der sich darstellenden dramatischen Person gebe, niemals aber in dem eines Menschen. (W. *Benjamin*, Goethes Wahlverwandtschaften, in: Illuminationen, S. 100.)

102 W. *Kayser,* Das Groteske, S. 73 f. setzt das Groteske mit dem Tragikomischen gleich. K. S. *Guthke,* Die moderne Tragikomödie, S. 80 ff. setzt das Tragikomische vom Grotesken ab, indem er jenes mit dem Absurden identifiziert.

103 K. S. *Guthke,* Die moderne Tragikomödie, S. 122, 53, 119. Besonders das Schlußkapitel, »Die Weltanschauung des Tragikomikers« überschrieben, S. 166 ff., macht deutlich, worum es hier geht.

104 H. *Kaufmann,* Geschichtsdrama und Parabelstück, S. 140 f.

105 Ibid., S. 139.

106 Ibid., S. 138.

107 Es ist sehr fraglich, ob die Szene mit der sterbenden Frau wirklich wie im Erstdruck (in: Sinn und Form, 1957) und in der Ausgabe »Stücke« (Bd. IX, 1957) an den Schluß des »Arturo Ui« gehört. Die Herausgeber der »Gesammelten Werke« von 1967, die sich auf ein Brecht-Typoskript berufen (GW 4, Anm. S. 3*) ordnen sie nach dem Speicherhausbrand als Szene 9 a ein. Die »beste« Stelle ist aber zweifellos die zwischen der Schauspielerszene (6) und der Rede vor den Grünzeughändlern (7). So entstünde folgender Ablauf: Ui verwandelt sich in einen Staatsmann. Die Frau wird erschossen. Ui beginnt seine Rede mit: »Mord! Schlächterei! Erpressung! Willkür! Raub! / Auf offener Straße knattern Schüsse!« usw. — Vgl. M. *Wekwerth,* Notate [...], S. 43.

108 *Hegel,* Ästhetik, S. 1087.

109 Ibid.

110 H. *Kaufmann,* Geschichtsdrama und Parabelstück, S. 138 f. bestreitet denn auch konsequent den Komödien »Misanthrope«, »George Dandin«, »Figaros Hochzeit«, »Hofmeister«, »Leonce und Lena« ihren Komödiencharakter!

111 *Schiller,* Über naive und sentimentalische Dichtung, in: Sämtliche Werke 5, S. 724.

112 Das »Badener Lehrstück« sei erinnert, um ein Beispiel dafür zu geben, daß Brecht sich nicht auf die unmittelbare Wirkung des Schrecklichen verläßt: in der zweiten »Untersuchung« der Frage, ob der Mensch dem Menschen helfe, »werden zwanzig Photographien gezeigt, die darstellen, wie in unserer Zeit Menschen von Menschen abgeschlachtet werden«. (GW 2, 593) Darauf folgt indes als dritte und letzte Untersuchung die »Clownsnummer«, in der dieselbe Frage in grotesker Vermittlung, und d. h. didaktisch eindringlicher, beantwortet wird.

113 Vgl. *Hegel,* Ästhetik, S. 1072.

114 »Eine gute Übung besteht darin, daß ein Schauspieler seine Rolle andern Schauspielern einstudiert (einem Schüler, einem Schauspieler andern Geschlechts, dem Partner, einem Komiker usw.) Der Spielleiter fixiert für ihn dann seine demonstrative Haltung. Außerdem ist es nur gut, wenn der Schauspieler seine Rolle von andern gespielt sieht, und die Darstellung des Komikers wird besonders instruktiv sein.« (GW 15, 351) Das heißt noch nicht, daß verfremdend spielen komisch spielen bedeutet! Allenfalls wird hier klar, wie die Verfremdung sich des Komischen bedienen kann. Denn im Spiel des Komikers tritt besonders der »gesellschaftliche Gestus« hervor. Der Komiker, und Brecht denkt dabei zumeist an *Chaplin,* zeigt stets das sozial Typische einer Person. In diesem Sinne können die Schauspieler von ihm lernen, die gesellschaftlichen Verhältnisse, die im Verhalten einer Person ablesbar sind, »mitzuspielen«.

115 Vgl. hierzu M. *Wekwerth,* Notate [...], S. 24 ff.

116 Beim Kommentieren dieses Textes ist das Problem übergangen worden, inwieweit sich gesellschaftliche Sachverhalte überhaupt an Analogien aus der Natur darstellen lassen. Die Saurier gingen schließlich an sich selbst zugrunde — nur ist das eben *nicht* übertragbar auf »den Kapitalismus«, als würde auch er schon einmal an seinen sog. Widersprüchen den Tod finden, was dann bloß noch abzuwarten wäre. Eine gesellschaftliche Klasse, Institution usw. erliegt nicht einfach ihren Schwächen, sondern da

braucht es der konkreten »Nachhilfe«. Um bei dem zitierten Beispiel zu bleiben: den »besseren Tieren«, die schon »Fleisch bevorzugen«, müßte also bewußt gemacht werden, daß vor allem die Saurier eßbar sind.

117 Vgl. die Rezension von Alfred *Kerr:* »Er [= Brecht] läßt vor jedem Bild einen ›Ansager‹ (im dinner jacket) an die Rampe treten, welcher die Ironie der Hörer vorwegnehmen soll. Auch das mißlingt. Die Zuschauer ulken sogar über den versuchten Ulk.« (Der böse Baal/Materialien, S. 189.)

118 Vgl. E. *Nef,* Illusionszerstörung bei Tieck und Brecht, z. B. S. 203: »Das Aus-der-Rolle-Fallen, das wir als ein altes Stilmittel der Komödie kennen, [...] wird bei Brecht überhaupt nicht um der Komik willen gebraucht.« — Vgl. auch W. *Hinck,* Die Dramaturgie des späten Brecht, S. 141: »Brecht betont wohl die Spielhaftigkeit, aber er treibt nicht wie sie [= *Tieck, Pirandello*] ein Spiel mit der Spielhaftigkeit der Bühnenvorgänge.« — Schon W. *Benjamin,* Versuche über Brecht, S. 19 hatte die Brecht-Dramaturgie deutlich von der der *Tieckschen* Komödie abgehoben.

119 *Hegel,* Phänomenologie des Geistes, in: Werke 3, S. 35.

120 Es kann hier nicht näher darauf eingegangen werden, daß und wie die Brechtsche Theatertheorie, aus der Ablehnung der Abbild-Dramaturgie des naturalistischen Dramas entstanden, zugleich gegen den vulgärmarxistischen Gedanken einer bloß passiven »Widerspiegelung« der Wirklichkeit im Bewußtsein gerichtet ist. Hier wäre u. a. auf Karl *Korsch* zu verweisen, dessen Ansichten mit denen Brechts sich häufig deckten bzw. diese hervorriefen. — Der Zusammenhang der Brechtschen »Historisierung« mit marxistischer (Geschichts-)Theorie ist recht gut dargestellt bei K. D. *Müller,* Die Funktion der Geschichte im Werk Betolt Brechts, S. 22 ff.

121 W. *Benjamin,* Versuche über Brecht, S. 15.

122 G. *Lukács,* Geschichte und Klassenbewußtsein, S. 266.

123 Vgl. W. *Hempel,* Parodie, Travestie und Pastiche, S. 157: »Der Zeitpunkt, zu dem eine erhabene Gattung einen ihrer historischen Höhepunkte erreicht und bereits überschritten hat, ist gemeinhin derjenige, welcher die Parodie auf den Plan ruft. Epigonentum ist die gefügige, Parodie die aufbebehrende Endphase eines gattungsgeschichtlichen Entwicklungsvollzugs.« — Die Formulierung klingt so, als hätte W. *Hempel* die *Marx*sche Definition der Komödie als »letzte Phase einer weltgeschichtlichen Gestalt« für seinen Begriff von Parodie übernommen, nur daß hier eben lediglich für den allein-literarischen Bereich formuliert wird und der Gattungsgeschichte eine Selbständigkeit der realen Geschichte gegenüber eingeräumt wird.

124 Thomas *Mann,* einer der großen Parodisten der deutschen Literatur, war sich bereits der Sterilität der Parodie bewußt. Vgl. die oft zitierte Dialogstelle im Gespräch Leverkühns mit dem Teufel: »Man könnte das Spiel potenzieren, indem man mit Formen spielte, aus denen, wie man weiß, das Leben geschwunden ist.« — »Ich weiß, ich weiß, die Parodie. Sie könnte lustig sein, wenn sie nicht gar so trübselig wäre in ihrem aristokratischen Nihilismus.« (Doktor Faustus, S. 329)

125 P. *Hacks,* Das Poetische, S. 112.

125a Zu reden ist von Arnold *Heidsiecks* Aufsatz »Die Travestie des Tragischen im deutschen Drama«, in dem die Travestie nun tatsächlich so definiert wird: als ein »Erkenntnisbegriff [...], der sich auf Historisches bezieht.« (S. 456) *Heidsieck* bezieht Travestie also nicht etwa auf literarische Tragödien als deren mehr oder weniger arbiträre »Umformung«, sondern sieht in der zeitgenössischen Wirklichkeit die reale Travestie von geschichtlichen Vorgängen, Motiven und Personen, die ehemals tragisch waren und so dann auch in die literarische Form von Tragödie übernommen wurden.

Mit anderen Worten: *Heidsieck* verwendet den Travestie-Begriff fast genau so, wie das hier mit dem Begriff des »Gesellschaftlich-Komischen« durchgehend geschieht. Daher muß hier besonders interessieren, wie und warum *Heidsieck* seinen Travestie-

Begriff ausdrücklich von dem des Komischen absetzt. Denn zunächst zeichnet *Heidsieck* das Verhältnis nach, in das Tragödie und Komödie von *Schiller, Hegel* und schließlich *Marx* gebracht wurde, und er kommt danach konsequenterweise auf Brecht zu sprechen. Soweit entspricht die Argumentation also in hohem Maße dem, was hier ebenfalls versucht worden ist. Der Unterschied zu *Heidsieck* scheint somit vorwiegend ein terminologischer — der Unterschied ist aber wichtig und läßt sich z. B. an folgender Stelle explizieren:
»Wir verwenden hier generell den Begriff der Travestie, gewissermaßen eine Hilfskonstruktion, um all dieses anzuzeigen [gemeint ist das Marxsche Postulat von Komödie als historischem Resultat und dessen Anwendung durch Brecht] und darüber hinaus, daß es sich heute bei der geschichtlichen Ablösung des Tragischen keinesfalls vor allem um Komik handeln kann, also um Darstellung menschlicher Freiheit und Heiterkeit, sondern um einen *defizienten* Modus des Komischen, um Groteskes oder, wie wir mit Marx sagen [gemeint ist die Stelle aus dem ›Achtzehnten Brumaire‹, MEW 8, 115], um Farcenhaftes.« (S. 465)
Es sei daran erinnert, daß *Heidsieck* in seiner früheren Arbeit »Das Groteske und das Absurde im modernen Drama« unbedingt das Groteske als selbständige Kategorie und nicht als *einen* Modus innerhalb der Phänomenologie des Komischen ansehen wollte (vgl. dazu oben S. 40 ff.). In dem späteren »Travestie«-Aufsatz zeigt sich wiederum, daß *Heidsieck* den Begriff des Komischen zu eng faßt. Und *wenn* er schon differenzieren will, und wenn er deshalb nicht mehr vom Komischen, sondern von einem »*defizienten* Modus des Komischen« sprechen will, dann ist es doch sehr unglücklich, daß er diesen Modus durch gleich drei verschiedene Begriffe (Groteskes, Farcenhaftes, Travestie) beschreibt, was alle Differenzierung zunichte machen muß. Immer wieder will *Heidsieck* vom Komischen weg — weil sein Begriff des Komischen zu eng gefaßt ist. Und warum ist sein Begriff des Komischen zu eng gefaßt? Weil dieser — siehe die zitierte Wendung »Komik, also Darstellung menschlicher Freiheit und Heiterkeit« — im Grunde immer nur der der *Hegelschen* »Ästhetik« ist: »das in sich absolut versöhnte, heitre Gemüt«, »diese absolute Freiheit des Geistes«, »diese Welt der subjektiven Heiterkeit«. (*Hegel,* Ästhetik, S. 1091)
Es mag daher erlaubt sein, den »Travestie«-Aufsatz *Heidsiecks* als indirekten Beweis dafür zu nehmen, daß die hier vorgeschlagene Terminologie — ein Begriff des »Gesellschaftlich-Komischen« und darüber hinaus ein Begriff von Komödie als Intention, die in verschiedenen Modi realisierbar ist — eine klarere Anwendbarkeit ermöglicht als der Versuch, einen [Hegelschen] Begriff »reiner« Komik als *den* Komik-Begriff schlechthin zu akzeptieren und daneben andere Termini (Groteskes, Farce, Travestie) zu stellen, die doch untereinander wieder nicht mehr differenziert werden bzw. werden können.

126 Thomas *Mann,* Meerfahrt mit »Don Quichote«, in: Adel des Geistes, S. 544.

127 Eine rühmliche Ausnahme ist F. G. *Jünger,* Über das Komische, S. 93 ff., der der vermeintlichen »Tiefe« des Humors mit erfrischender Skepsis begegnet.

128 Trotzdem ist in der Literaturwissenschaft natürlich versucht worden, Brecht damit zu »ehren«, daß man ihm »Humor« zuspricht; vgl. z. B. Ch. W. *Hoffmann,* Brechts humor, p. 166: Brecht sei es gelungen, »to laugh at things he once could only condemn, to find humor as well als malice in the world, and to realize a large measure of the comic potential in our ›human comedy‹«. — Dies ist übrigens typisch für das Vorgehen der bürgerlichen Literaturwissenschaft: sind bei einem Autor die verschiedensten Aspekte seines Werkes analysiert und kommentiert, so findet sich unfehlbar einer, der sozusagen als Nachtrag damit ankommt, der Mann habe doch auch Humor gehabt, bisher habe man das übersehen usw.

129 Das Thema »Volkstümlichkeit« bei Brecht verdiente eine gesonderte Behandlung, die hier nicht möglich ist. Heranzuziehen wären vor allem GW 12, 517 f. sowie GW

19, 318 f., 322—335, 505. In den theoretischen Äußerungen wehrt sich Brecht gegen die *geforderte* Volkstümlichkeit im Sinne eines Hinabsteigens zum Volk, das sonst nicht mitkäme.

130 (Vgl. Anm. 97) Brecht notierte am 27. 5. 1943 in sein Arbeitsbuch zum »Schweyk«: »Auf keinen Fall darf Schweyk ein listiger, hinterfotziger Saboteur werden. Er ist lediglich der Opportunist der winzigen Opportunitäten, die ihm geblieben sind. Er bejaht aufrichtig die bestehende Ordnung, so zerstörend für ihn, soweit er eben ein Ordnungsprinzip bejaht, sogar das nationale, das er nur als Unterdrückung trifft. Seine Weisheit ist umwerfend. Seine Unzerstörbarkeit macht ihn zum unerschöpflichen Objekt des Mißbrauchs und zugleich zum Nährboden der Befreiung.« — In dieser Notiz ist zweifellos auch Kritik an Schweyk enthalten (»unerschöpfliches Objekt des Mißbrauchs«). Andererseits hat Brechts Schweyk durchaus die Züge, die Brecht vermeiden wollte: in der Szene auf dem Güterbahnhof (GW 5, 1953 ff.) muß Schweyk eben doch als listiger Saboteur wirken! Das sieht eben doch so aus, als sei die Haltung Schweyks eine Kampfform gegen das Regime.

Da dieser Eindruck, den Brecht verhindern wollte, also doch entsteht, wird im Programmheft des Berliner Ensembles an erster Stelle die programmatische Notiz Hanns *Eislers* abgedruckt, in der es heißt: »Was Schweyk tut, reicht natürlich nicht aus; ein bewußter, direkter, ›kräftiger‹ Widerstand ist notwendig, und es hat ihn auch gegeben.« Diesen aber zeigt die Brechtsche Komödie nicht!

131 Zur Kritik an der »Theatralik vollkommener Schlichtheit« und zur Kritik an Brecht überhaupt vgl. T. W. *Adorno*, Engagement, in: Noten zur Literatur III, S. 117 ff. Adorno wirft Brecht nicht weniger vor, als daß dessen artistisches Prinzip der Simplifikation am Ende auch zu Infantilität und Simplifikation als Ergebnis führe. Der Vorwurf verliert aber viel an Gewicht, wenn man weiß, daß *Adornos* Kunsttheorie emphatisch auf der »Unmöglichkeit der Darstellung des Geschichtlichen« besteht. (Minima Moralia. Reflexionen aus dem beschädigten Leben, Frankfurt a. M. [2]1964, S. 187.) In *Adornos* »Ästhetischer Theorie« finden sich an verschiedenen Stellen dezidiert kritische Einschätzungen Brechts, und bekannt ist ja auch, daß *Adorno* immer versucht hatte, *Benjamin* vom Brechtschen Einfluß zu »reinigen«. Vgl. dazu jetzt H. *Brüggemann,* T. W. Adornos Kritik an der literarischen Theorie und Praxis Bertolt Brechts. In: alternative 15 (1972) Heft 84/85, S. 137 ff.

132 P. *Kostic,* Turandot, S. 189 f.

133 Vielleicht sind die erzählerischen Gattungen der Satire günstiger als die dramatischen. Ein Vergleich des »Dreigroschenromans« mit der »Dreigroschenoper« würde mit Sicherheit zu diesem Ergebnis kommen. — Vgl. H. *Olles*, Von der Anstrengung der Satire, S. 155: »Der satirische Schriftsteller wird [...] die Satire aus der Sprache selbst entwickeln; er läßt den Irrtum zu Wort kommen, auf daß er im Wort zu Fall komme. Es ist bezeichnend, daß die Sprachsatire bei Brecht nicht allzu häufig ist.« (Der Grund ist vermutlich darin zu sehen, daß Brecht seine Figuren nicht aus dem Sprachlichen so sehr, als vielmehr aus ihrem »Gestus« entwickelt.)

134 *Schiller,* Über naive und sentimentalische Dichtung, in: Sämtliche Werke 5, S. 722.

135 J. *Borew,* Über das Komische, S. 193.

136 Ibid., S. 197 f.

136a Der Idealismusverdacht gegenüber der Intention Satire gilt auch dann, wenn man wie *Lukács* das moralische und emotionale Moment der Satire mit politischem Inhalt füllen und als »*heiligen Haß* der revolutionären Klasse« bestimmen will: »Zur Entstehung von wirklichen Satiren muß also diese Kritik [gemeint ist die der Literatur von gesellschaftskritischem Anspruch] noch eine besondere Nuance erhalten: die der Empörung, der Verachtung, eines *Hasses,* der aus Leidenschaft, Tiefe und Einsicht hellsichtig wird und hellsichtig in den geringsten Symptomen, in bloßen Möglichkeiten und Zufälligkeiten eines Gesellschaftssystems seine Krankheit, seine Todeswürdigkeit erblickt und gestaltet.« (*Lukács*, Zur Frage der Satire, S. 149.)

137 Vgl. *Marx/Engels*, Die deutsche Ideologie, MEW 3, S. 35: »Der Kommunismus ist für uns nicht ein *Zustand*, der hergestellt werden soll, ein *Ideal*, wonach die Wirklichkeit sich zu richten haben wird. Wir nennen Kommunismus die *wirkliche* Bewegung, welche den jetzigen Zustand aufhebt. Die Bedingungen dieser Bewegung ergeben sich aus der jetzt bestehenden Voraussetzung.«

138 Karl *Kraus*, Nestroy und die Nachwelt, in: Ausgewählte Werke, Bd. 1, S. 437.

139 W. *Benjamin*, Karl Kraus, in: Illuminationen, S. 404.

140 *Hegel*, Grundlinien der Philosophie des Rechts, in: Werke 7, S. 28.

141 Äußerung Brechts aus dem Jahre 1951, zit. nach K. *Rülicke-Weiler*, Bemerkungen Brechts zur Kunst, S. 10.

142 Vgl. die Gespräche Brechts mit *Sternberg* und *Piscator* aus dem Jahr 1928 (Schriften zum Theater II, S. 292—317). Zunächst wollte Brecht untersuchen, »ob es möglich, den Typ Kragler zu verteidigen, [...] indem man die deutsche Revolution angreift«. (S. 292 f.) In gewisser Hinsicht, nämlich im Vergleich mit der russischen Oktoberrevolution, ist die deutsche Revolution von 18/19, man denke an *Toller* und seinen Kreis, wirklich nur etwas »Romantisches« gewesen. In demselben Gespräch nennt Brecht seinen Kragler dann einen »Ebert-Mann, dem tatsächlich das private Leben höhersteht«. (S. 297) Dann ist ihm Kragler der »typische Revolutionär« dieser Zeit, der »Millionentyp«, wogegen die richtigen Revolutionäre Rosa *Luxemburg* und Karl *Liebknecht* gerade nicht typisch waren. (S. 299 f.). — In dem Aufsatz »Bei Durchsicht meiner ersten Stücke« von 1954 ist Brechts Sicht auf die deutsche Revolution dann uneingeschränkt positiv: die Proletarier als Initiatoren des Kampfes »waren die tragischen Gestalten; er [= Kragler] war die komische«. (GW 17, 946)

143 Vielleicht könnte ein Vergleich von »Mann ist Mann« mit den Sosias-Szenen in *Kleists* »Amphitryon« zu interessanten Ergebnissen führen. Galy Gays »der eine Ich und der andere Ich« (GW 1, 361) erinnert z. B. an Sosias' »dies eine Ich, das vor Euch steht / [...] Das andere, das aus dem Hause trat«. Wie Galy Gay seine Identität verlor, sobald er aus dem Haus ging, so auch Sosias, »der einfach aus dem Lager ging«, usw. (Amphitryon, Akt II, Sz. 1, Vers 675 ff.).

144 Vgl. V. *Klotz*, Engagierte Komik, S. 29: »Der Grundvorgang dessen, was hier vorgeführt wird, ist in vielem eine Umkehrung des berühmten Märchens von einem, der auszog, das Gruseln zu lernen. [...] Der im Märchen lernt das Gruseln, der im Stück lernt es nicht, doch er lehrt es — hoffentlich — den Zuschauer.« — Vgl. auch die von Uta *Birnbaum* und Hilmar *Thate* erwogene Assoziation an ein anderes Märchen (abgedruckt im Programmheft des Berliner Ensembles): »Hans im Glück, der mit einem Goldbatzen weggeht und durch vielerlei Geschäfte mit einem Stein in der Hand zurückkehrt, und Galy Gay, der weggeht, einen Fisch zu kaufen, und ebenfalls durch vielerlei Geschäfte mit einem Maschinengewehr in den Krieg zieht — beide zeigen keinerlei Erstaunen über ihren Zustand. Sorglos betrachtet der eine am Ende seinen Stein, sorglos benutzt der andere sein Maschinengewehr.«

145 W. *Kayser*, Das sprachliche Kunstwerk, S. 381 f. warnt davor, daß das Komische zu satirisch ausfalle, weil seiner Meinung nach dann das Gebiet der wahren Literatur verlassen werde in »Richtung auf jenes Feld, das als didaktische Literatur bezeichnet wird«. (Als sei diese eo ipso minderwertig.) *Kaysers* Neigung gilt dem reinen »Spiel«. (S. 386 f.)

G. v. *Wilpert*, Sachwörterbuch der Literatur, S. 345 nennt das Lustspiel »im Gegensatz zu der aus der Komik abgeleiteten Komödie die aus der Haltung des Humors entstandene Dramenform«. Das Lustspiel bezwecke »nicht Lächerlichkeit durch Aufdeckung der Unzulänglichkeiten, sondern reines Lachen der Heiterkeit, entstanden aus der Überlegenheit des Wissens um menschlich-irdische Bedingtheit und getragen von einer fröhlich verzeichenden, weil verstehenden Liebe zu Mensch und Natur, welche die Gegensätzlichkeit der Welt anerkennt, aber nicht richten oder ändern will«. — Statt einer Definition wird hier eine Probe des Jargons der Eigentlichkeit geliefert. Literatur gilt hier als Dokument einer »Lebenshaltung«: in der deutschen Klassik habe »der Ernst und das Bewußtsein der hohen Sendung« (S. 346), was immer das sei, das Entstehen von Lustspielen verhindert.

Aus den im Literaturverzeichnis genannten Aufsätzen von O. *Rommel* ist neben antisemitischen Angriffen auf Sigmund *Freud* zu entnehmen, daß in der Komödie, die »satirisch« und »treffend« sei, eine »Unzulänglichkeitskomik« herrschen soll, während die Komik des Lustspiels die des »weltüberlegenen Spiels« sei. Aufgrund welcher Kriterien (z. B. Handlung, Typen, Motiv, Sprachstil usw.) *Rommel* zu seiner These kommt, glaubt er verschweigen zu dürfen.

Eine noch steilere Variante gibt Otto *Mann*, Der junge Friedrich Schlegel, S. 67 (zit. nach K. *Pestalozzi*, Hrsg.: *Tieck*, Die verkehrte Welt, Berlin 1964, Komedia 7, S. 106): »Die Komödie gestaltet das Verhältnis zwischen Mensch und Gottheit, das Sittenlustspiel zwischen Mensch und Gesellschaft. [...] Jene ist humoristisch, Lachen über die notwendige menschliche Endlichkeit; dieses enger komisch, Verlachung und Geißelung der menschlichen Fehler.« Die Ausführungen *Pestalozzis*, des Germanisten der folgenden Generation, zeigen, daß er zu solch »tiefen« Definitionen ebenfalls fähig ist.

Vollends verwirrt ist der Artikel »Lustspiel« im »Reallexikon«, dessen kühne Schlußthese zu Brecht bereits auf S. 8 f., Anm. 11 der vorliegenden Arbeit zitiert wurde. Hier ist der Wunsch der Vater des germanistischen Gedankens: als ob Brecht je allgemein-menschliche Schwächen dem befreiten Lachen hätte überantworten wollen!

Eine vernünftige Einschätzung des Problems Lustspiel oder Komödie gibt H. *Arntzen*, Die ernste Komödie, S. 253:

»Wir unterscheiden nicht zwischen Komödie und Lustspiel, da diese Differenzierungen nur Ephemeres fassen und überdies bei ihrer Anwendung keinerlei Übereinstimmung herrscht. Das Hauptbedürfnis, die ›Übersetzung‹ Lustspiel als besonderen Begriff zu verstehen, ist durch die Romantik geweckt worden: die vorwiegend satirische Komödie soll vom ›Humorlustspiel‹ und vom ›reinen‹ Lustspiel unterschieden werden. Dabei handelt es sich aber, soweit überhaupt noch von Komödie oder Lustspiel zu sprechen ist, um ein Mißverständnis: wo jeweils ein Moment der Komödienintention stärker hervortritt, glaubt man, jeweils ganz anderes vor sich zu haben.« — Dazu kann angemerkt werden, daß nicht erst die Romantiker, sondern schon *Schiller* und *Goethe* in der Dramatischen Preisaufgabe von 1800 »die reine Komödie, das lustige Lustspiel« gefordert hatten. (*Schiller*, Sämtliche Werke 5, S. 845.)

Wie illusorisch das war, und wie sich *Lenz* davon unterscheidet, dazu vgl. das »Hofmeister«-Kapitel in der vorliegenden Arbeit. Hier sei festgehalten, daß das Lustspiel — weit entfernt, im klaren Gegensatz zur Komödie zu stehen — eine ihrer spezifischen Erscheinungsformen ist, die eine graduelle Abstufung der kritischen und utopischen Momente gemäß dem aktuellen Gesellschaftszustand impliziert. Ein eigener Bergriff kann schwerlich begründet werden.

Die Forderung nach einem »reinen« Lustspiel muß stets ideologiekritisch geprüft werden. Vgl. dazu Hans *Schumacher*, Hrsg.: *Kotzebue*, Die deutschen Kleinstädter, Berlin 1964, Komedia 5, S. 96: »Die Komödie als reines Spiel, bloßes Amüsement besteht als negatives Abbild einer Gesellschaft, die gleichfalls ihr Zentrum verloren hat und sich mit leeren Formeln, in gleichgültig witzigen Situationen umeinanderdreht.«

146 W. *Benjamin*, Einbahnstraße, S. 118 (jetzt auch: Gesammelte Schriften IV/1, S. 144).

147 *Marx/Engels*, Manifest der Kommunistischen Partei, MEW 4, S. 465.

148 Bertolt *Brecht*, Kuhle Wampe, S. 88.

149 Ibid., S. 90 f.

150 Ibid., S. 44 f. (mit Szenenfoto) u. S. 49 f.

151 Ibid., S. 125.

152 Ibid., S. 116: »Bei der Szene, in der die jungen Mädchen und Männer nackt baden, hört man im Hintergrund Kirchenglocken läuten und sieht den Kirchturm. Das ist doch absichtlich. Damit soll offenbar die kommunistische Nacktkultur in scharfen Gegensatz gestellt werden zur christlichen Kultur, auf der das deutsche Staatswesen beruht.« — S. 133 f.: »ist geeignet, die *Ehe* als durch den gesetzlichen Verbotsgrund der entsittlichenden Wirkung geschütztes Rechtsgut [...] und damit das sittliche Empfinden des Beschauers herabzuwürdigen und zu schädigen.« — S. 139: »Das Erscheinen des Autos mit der Aufschrift ›Fromm's Act‹ hielt die Kammer für einen allzu billigen Hinweis darauf, wie die jungen Leute die aus ihrem Verhältnis erwachsenen Schwierigkeiten hätten vermeiden können.« — Vgl. dazu die Programmrichtlinien des Zweiten Deutschen Fernsehens, Jahrbuch 1962/64, Mainz 1965, S. 40: »Ehe und Familie dürfen als Institution nicht in Frage gestellt, herabgewürdigt oder verhöhnt werden. In diesem Rahmen sind analytische und kritische Auseinandersetzungen mit Ehe- und Familienproblemen dann erlaubt, wenn sie nicht im Übermaß gesendet werden; künstlerisch-dramatische Behandlungen, wenn die Zerrüttung von Ehe und Familie nicht als Normalfall erscheint.« (Zit. nach Friedrich *Knilli,* Die Unterhaltung der deutschen Fernsehfamilie. Ideologiekritische Untersuchungen, München 1971, Reihe Hanser 64, S. 19.)
Zur beeindruckenden Kontinuität bürgerlicher Familienideologie und deren reaktionärem Charakter vgl. Dietrich *Haensch,* Repressive Familienpolitik. Sexualunterdrückung als Mittel der Politik, Hamburg 1969 (= rororo sexologie 8023).

153 Das Hochzeitsschema in GW 1, 168 ff. [= Text der Druckfassung von 1927], also neue Möbel, neue Kleider, Fressen usw., ist der Szene nicht von Anfang an unterlegt gewesen! Es fehlt noch völlig in der Erstfassung von 1922. Vgl. die entsprechende Szene in »Im Dickicht/Materialien«, S. 59 ff.

154 *Kant,* Metaphysik der Sitten, in: Werke 7, S. 391.

155 Vgl. Anm. 75 und 333 dieser Arbeit.

156 H. *Bergson,* Le rire, p. 109 s. meint, daß in der Komödie die Aufmerksamkeit mehr auf die Gesten denn auf die Handlungen gelenkt werde. Bergson versteht unter »geste« aber nur allgemein den mechanisch-automatischen körperlichen Ausdruck — während der »Gestus« bei Brecht kein anthropologisches Für-sich ist, sondern das sozial Typische hervorkehrt.

157 J. *Willett,* Das Theater Bertolt Brechts, S. 113 nennt die Hochzeitsszene »ein Spiegelbild von A Night at the Opera der Brüder Marx«.

158 W. *Hinck,* Die Dramaturgie des späten Brecht, S. 106 f. beschreibt ausführlich die Brechtsche Bewegungsregie dieser Szene. *Hinck* sieht und will sehen das Nachwirken der Commedia dell'arte. — Interessant der Kommentar Kenneth *Tynans* zum Gastspiel des BE in London: »Offensichtlich bieten sich hier Gelegenheiten für grobe Farce an, aber sie werden alle verworfen.« (Kreidekreis/Materialien, S. 119) — Eine instruktive Momentaufnahme bietet das Foto 32 von K. *Rülicke-Weilers* »Die Dramaturgie Brechts«.

159 H. *Kaufmann,* Drama der Revolution, S. 322 f. ist sogar der Meinung, Brecht habe dieses Motiv in »Trommeln in der Nacht« aufgegriffen.

160 Erich *Fromm,* in: M. *Horkheimer* (Hrsg.), Autorität und Familie I, S. 89.

161 Vgl. hierzu H. *Kaufmann,* Brecht, die Entfremdung und die Liebe, S. 100.

162 Diese Unfreiheit zeigt sich darin, daß die Frau nichts ohne den Mann gilt. Grusche wird von ihrem Bruder mit dem bezeichnenden Argument überredet: »da du ein Kind hast — er seufzt —, mußt du einen Mann haben, damit nicht die Leute reden«, und sei es auch nur ein »Mann auf dem Papier«. (GW 5, 2050) — Das Motiv der Unterordnung der Frau (als Magd) unter den Mann (als den Herrn) ist an dem Verhältnis zwischen Mutter und Bräutigam sinnfällig demonstriert: im ersten Teil der Szene, wo der Mann »tot« ist, entfaltet sie eine ungeheure Aktivität, regiert die

ganze Szene. Im zweiten Teil, wo ihr Sohn wieder »lebt«, teilt er als der Mann im Haus die Befehle aus. Nun muß ihn die Mutter wieder bedienen, muß nach Wasser laufen, ihm den Rücken schrubben usw.
(Hier wie an anderen Stellen zeigt sich Brecht entschieden als Vorkämpfer dessen, was heute modisch-pauschal »Emanzipation der Frau« heißt.)

163 Leider konnte Brecht sein Stück nicht mehr selbst in Szene setzen, so daß keine der bei ihm so wichtigen Probennotate zur Choreographie der Szene vorliegen. Zweifellos hätte er hier einige »Nummern« bühnenwirksam verstärken wollen. Mit Hilfe der Szenenanweisungen kann man sich ungefähr vorstellen, wie die Rolle des Bonzen ausgespielt werden kann, wie das dreimal auftauchende Geräusch von Schritten jedesmal gespannte Erwartung auslöst, die darauf in sich zusammenfällt. Die Bewegungsregie kann nur vermutet werden: Suns Mutter redet mit dem Sohn über das Finanzielle, macht dann einen den ganzen Raum ausnutzenden Gang hin zu den einzelnen Gästen, spricht von Liebesheirat, den Gefühlen einer Mutter usw., hat mit dem Bonzen zu tun, der nicht lange mehr warten will, muß gleichzeitig den Forderungen des Kellners ausweichen usw.

164 F. *Engels,* Der Ursprung der Familie, MEW 21, S. 73.

165 Vgl. »Theaterarbeit«, S. 45 die abgebildeten Masken und den Hinweis: »Der Einwand, hier handle es sich um Symbolismus, wäre nicht stichhaltig. Es wird keine hintergründige Bedeutung angestrebt. Das Theater nimmt lediglich Stellung und überhöht wesentliche Züge der Realität, nämlich Deformierungen der Physiognomien, die sich bei Parasiten finden.«

166 Die »Eheprobe« ist ein klassisches Komödienmotiv, das stets ein betont gesellschaftliches Element enthält. Brecht erinnert in diesem Zusammenhang selbst an die Kästchenszene im »Kaufmann von Venedig«. (GW 17, 1167) — Vgl. auch die in falscher Heiterkeit begonnene Eheprobe, der Sun seine Shen Te unterziehen will. (GW 4, 1556) Der hier das Examen abnimmt, ist hingegen an dessen Ergebnis gar nicht interessiert. Nur die Wartezeit soll verkürzt werden, daher kommt es nicht zum »Spiel«.

167 Besonders die Nummer »Heringsessen« tritt heraus. Die kargen Szenenanweisungen lassen nur ahnen, wie genau und akzentuiert der Vorgang gespielt werden kann und muß. (Vgl. dazu das Foto und die Erläuterung in »Theaterarbeit«, S. 36 f.)
An dieser Stelle sollte nochmals darauf verwiesen werden, daß im Rahmen der vorliegenden Arbeit das einzelne Komische nicht so genau analysiert werden konnte, wie das eigentlich notwendig wäre. So mußte eine Untersuchung der komischen Diktion ganz unterbleiben. Man sehe etwa den Satz Mattis: »O Hering, du Hund, wenn du nicht wärst, möchten wir anfangen, vom Gut Schweinefleisch verlangen, und was würd da aus Finnland?« (GW 4, 1687) Hier könnte schon allein die Sprache, ganz formal betrachtet, Anlaß zu weitreichenden Reflexionen werden. Wie etwa ein Wort, das ein Tier nennt, zum Schimpfwort geworden, die ursprüngliche Bedeutung einbüßt, diese aber zurückgewinnt, wenn ein anderes Wort, das ebenfalls ein Tier bezeichnet, daneben tritt — welche Wirkung dadurch entsteht, wann sie entsteht, was sie über die augenblickliche Verfassung des Sprechenden verrät, über dessen Wortschatz und Wortbeherrschung allgemein aussagt, also auch über seine soziale Rolle usw. Es wäre weiter auf die Tradition solcher Wendungen gerade in der Komödie einzugehen, man erinnere sich etwa an die Worte Adams im »Zerbrochenen Krug«: »Ich meine hätt die *Katze* heute morgen / gejungt, das *Schwein*!« (Vers 242 f.)

168 Richtig gesehen hat H. *Rischbieter,* Brecht II, S. 50: »Brecht billigt hier also der Gutsbesitzerstochter, die meist als verzogene, lüsterne, verklemmte höhere Tochter auf die Bühne gebracht wird, lachende Einsicht zu. Sie ist die dritte Hauptfigur des Stücks.«

169 F. *Engels,* Ludwig Feuerbach [...], MEW 21, S. 282.

170 Der böse Baal/Materialien, S. 95 f.

171 Baal erinnert auch insofern an die traditionelle komische Figur, als er, seinem Lust-

prinzip folgend, die anderen ständig hereinlegt, ihnen Streiche spielt. Noch als Sterbender hat Baal die Holzfäller überlisten können, und die beklagen sich: »Wir könnten jetzt die Eier haben, wenn er sie uns nicht gefressen hätte. Es heißt was: auf dem Totenbett Eier stehlen! Zuerst hat er mich gejammert, aber das ist mir in die Nase gestiegen. Den Schnaps hat er Gott sei Dank die drei Tage lang nicht gerochen. Rücksichtslosigkeit: Eier in einem Leichnam!« (GW 1, 67)

172 Vgl. hierzu H. *Marcuse,* Zur Kritik des Hedonismus, in: Kultur und Gesellschaft I, S. 128 ff.

173 Das »Abc der Teutschen Misere«, das Brechts »Hofmeister« in einem »Gleichnis überlebensgroß« zusammenfaßt (GW 6, 2333), war bereits in der Sergeant Fairchild-Episode in »Mann ist Mann« in einer Variante vorweggenommen (GW 1, 368 f.). Sergeant Fairchild will seinen »Namen« verteidigen, will weiterhin der »Blutige Fünfer« sein, und diese soldatische Identität ist ihm so wichtig, daß er, um sie zu erhalten, sich die eigene Sinnlichkeit radikal ausmerzt. Der Stellenwert des Motivs ist hier nicht völlig mit dem des »Hofmeisters« identisch: Läuffers Tat ist gesellschaftlich erzwungen, resignativ (»aus Reue und Verzweiflung« heißt es bei *Lenz*), während Sergeant Fairchild seine Rolle als »Blutiger Fünfer« unbedingt erhalten und wahren will. Läuffer [bei *Lenz*] muß sich kastrieren, um einen Platz in der Gesellschaft zu finden, Fairchild kastriert sich, um seinen Platz in ihr zu halten. Gleichwohl ist in beiden Fällen der Konflikt zwischen Privatrolle und öffentlicher in drastischer Komik am Moment des Geschlechtlichen exemplifiziert. Und der Brechtsche Hofmeister rückt sehr nahe an Sergeant Fairchild heran, wenngleich die Bearbeitung noch eine »übertragene« Bedeutung impliziert, die der Episode in »Mann ist Mann« fehlt.

174 Vgl. H. *Marcuse,* Zur Kritik des Hedonismus, in: Kultur und Gesellschaft I, S. 151: »In einer gesellschaftlichen Organisation, welche die vereinzelten Individuen in Klassen gegeneinanderstellt und ihre besondere Freiheit dem Mechanismus des unbeherrschten ökonomischen Systems überläßt, ist die Unfreiheit schon in den Bedürfnissen und erst recht im Genuß wirksam. So, wie Bedürfnis und Genuß hier sind, erfordern sie nicht einmal die allgemeine Freiheit.«

175 GW 7, 2895: »Und die laufen hinter ihren Weibern her / Wie in alter Zeit mit einem so gierigen Ausdruck / Als hätten sie keine andere Sorge, als auf sie / Hinaufzukommen. Das ist nicht gut. / Sie sind nicht recht geschwächt genug. / Oder schlimmer: / Sie sind die blutige Zeit gewöhnt. / Alles geht weiter. Freilich, das kriecht / Noch mit zermalmter Kniescheib / Auf ein behaartes Loch zu. So lang / Sie das noch haben, ist / Ihnen alles recht. Das müßt man / Ihnen auch noch verstopfen.

176 F. *Engels,* Der Ursprung der Familie, MEW 21, S. 77.

177 K. *Marx,* Ökonomisch-philosophische Manuskripte, MEW EB 1, S. 514 f.

178 Vgl. ibid., S. 535.

179 W. *Benjamin,* Paris, die Hauptstadt des XIX. Jahrhunderts, in: Illuminationen, S. 196 und: Zentralpark, ibid., S. 263.

180 Vgl. hierzu auch K. D. *Müller,* Die Funktion der Geschichte [...] S. 82 ff. (Exkurs: Das Dirnenmotiv bei Brecht im Lichte des marxistischen Menschenbilds.)

181 Siehe die Beschreibung in »Courage/Materialien«, S. 72: »Sie ist rasch gealtert, ihren Jahren voraus. Ihr übriggeblieben als einzige Freuden sind das Fressen und das Kommandieren. Diese Freuden haben sie völlig verunstaltet. Sie schleppt watschelnd ihren Bauch vor sich her wie eine Sehenswürdigkeit. Die verächtlich herabgezogenen Mundwinkel lassen den Grad ihrer Verdummung erkennen, sie schnappt wie ein Dorsch auf Land nach Luft.«

182 Der Aufsatz von H. *Kaufmann,* »Brecht, die Entfremdung und die Liebe«, geht auf die Möglichkeit, daß Brecht aus der Entfremdung auch ein komisches Motiv macht, überhaupt nicht ein. Dabei hat Kaufmann doch gesehen (S. 100), daß bei Brecht die »für die Literatur des 19. Jahrhunderts charakteristische Auffassung« nicht mehr gegeben ist, »wonach die Liebe zwischen Mann und Frau eine kleine Insel der Huma-

nität im Meer bürgerlicher Gemeinheit bildet«. *Kaufmann* hat aber übersehen, wie es genau die Antiposition zu dieser Auffassung ist, die Brecht den Ausgangspunkt für eine komische Darstellung — z. B. in den Hochzeitsszenen — liefert.

183 Vgl. die Entwürfe in: Sezuan/Materialien, S. 17 f.

184 Für Brechts persönliche Neigungen bzw. deren Wandel ist interessant, daß er in »Mahagonny« das Boxen als Spezies des professionellen Sports in seiner gesellschaftlichen Funktion, nämlich als Ablenkung und Ersatzbefriedigung, erkennt, während ihm einst der Boxsport als eine quasi »mythische Vergnügung« (GW 17, 948) gegolten hatte.

185 H. *Rischbieter*, Brecht I, S. 73.

186 V. *Klotz*, Interpretation des »Guten Menschen von Sezuan«, in: Sezuan/Materialien, S. 135. Ähnliche Thesen vertritt auch Walter H. *Sokel*. Vgl. dazu unten Anmerkung 190a.

187 K. *Rülicke-Weiler*, Die Dramaturgie Brechts, S. 57.

188 J. *Borew*, Über das Komische, S. 312.

189 *Marx/Engels*, Die heilige Familie, MEW 2, S. 37.

190 W. *Benjamin*, Traumkitsch, in: Angelus novus, S. 158.

190a An dieser Stelle sei auf eine Arbeit hingewiesen, die der hier versuchten Interpretation einzelner Doppelrollen diametral entgegensteht: Walter *Sokels* Aufsatz »Brechts gespaltene Charaktere und ihr Verhältnis zur Tragik«. Für *Sokel* wird z. B. im »Puntila« »das ewige und tragische Mißlingen des menschlichen Vermögens durch Puntilas Unfähigkeit, die Mauern der menschlichen Isolation zu durchbrechen, ausgedrückt, eine Unfähigkeit, Freundschaft zu schließen, die außerhalb und jenseits seiner Klassen- und Standesschranken liegt«. (S. 388) *Sokels* Bemerkungen zum »Guten Menschen von Sezuan« oder zur »Mutter Courage« haben den gleichen Tenor. Das Tragische gilt diesem Interpreten als immer gleichbleibende Grundbefindlichkeit menschlichen Daseins, und daß er es zu erkennen meint, wird ihm geradezu erst zum dichterischen Qualitätsbeweis des Autors.

Nun ist sich *Sokel* durchaus bewußt, daß er in seinen Ausführungen stets ungefähr das krasse Gegenteil von dem formulieren muß, was Brecht gewollt und geschrieben hat, und er erklärt daher die eigene Kalamität als »einen interessanten Widerspruch zwischen Brechts Theorie und Praxis«. (S. 390) Gleichwohl hält *Sokel* einige Einschränkungen für angebracht, weil ihm das tragische Element bei Brecht auf den sozialen Verhältnissen zu beruhen scheint (S. 389) und weil immerhin ein scharfer Gegensatz zur abendländischen Tragödie bestehe, denn diese habe angeblich immer »das Individuum«, Brecht hingegen »das Problem« in den Mittelpunkt gestellt. (S. 391) *Sokel* erwägt sogar die Möglichkeit, die Stücke könnten Komödien sein (S. 392), wird indessen nicht an seiner zentralen These irre. Die lautet, die »eigentliche Aussage« jener Brechtschen Stücke, »in denen die Schizophrenie die tragische Lage des Menschen enthüllt«, sei, daß letztlich auch »der Kommunismus [...] die tragische Existenz des Menschen nicht überwinden« könne (S. 393). Brecht habe das auch selbst mehr und mehr begriffen, in der »Maßnahme« den Kommunismus als den tragischen Helden par excellence präsentiert, ihn dann später fast vollständig aus seinem Werk verbannt (S. 396). Daher würden seine Stücke eben »nicht wie die Komödie, sondern eher wie die Tragödie [...] den Untergang des Strebens, des Besten im Menschen« zeigen (S. 392). So wäre Brecht denn ein Tragiker, der sein entsprechendes »Grundanliegen« insbesondere im Motiv der gespaltenen Person immer wieder ausgedrückt habe (S. 381).

Die ideologische Position dieser Arbeit von 1962 ist wohl inzwischen nicht unbedingt mehr repräsentativ für die bürgerliche Brecht-Exegese (doch wurde der Aufsatz noch im Jahre 1971 für den Sammelband »Tragik und Tragödie«, nach dem hier zitiert wird, nachgedruckt). Immerhin macht der Beitrag von *Sokel* auf seine Weise sehr schön deutlich, daß das »Gesellschaftlich-Komische« wie das Tragische Phänomene sind, bei deren Definition es sehr auf die historische und klassenmäßige

Perspektive ankommt. Der Versuch, die Brechtschen Texte in Übereinstimmung mit bürgerlichem Lebensgefühl zu bringen, muß fast zwangsläufig zur Tragik-These führen, und diese kann dann nur durchgehalten werden, wenn sie in ein Plädoyer gegen »den Kommunismus« mündet.

191 *Lessing*, Hamburgische Dramaturgie 29, in: Gesammelte Werke 6, S. 150. Wer die Stelle nachliest, wird bemerken, daß hier der Passus, in dem Lessing dem Lachen eine so wichtige Funktion zuerkennt (»Ihr [= der Komödie] wahrer allgemeiner Nutzen liegt in dem Lachen selbst.«), absichtlich ausgelassen wurde. Der Argwohn, der Satz sei deshalb nicht mitzitiert worden, weil er nicht ins Konzept der vorliegenden Arbeit paßt, besteht zu Recht. Zur Rechtfertigung der Auslassung dieses Satzes könnte aber eine andere Lessingsche These herangezogen werden: »Das wahre Lächerliche ist nicht, was am lautesten lachen macht; und Ungereimtheiten sollen nicht bloß unsere Lunge in Bewegung setzen.« (*Lessing*, Das Theater des Herrn Diderot, in: Gesammelte Werke 3, S. 721.)

192 Vgl. dazu die bei W. *Hinck*, Die Dramaturgie des späten Brecht, S. 74 ff. angeführten Beispiele aus »Courage« und »Puntila«. Durchweg handelt es sich um komische Exempla, auch wenn *Hinck* nur einem von ihnen die sog. »reine« Komik zugesteht. Das Komische erscheint hier lediglich *in der Form* von »einfacher Persiflage und Parodie«, von »Paradoxon«, von »Phrase und folgender Selbstentlarvung« usw. Es bleibt unerfindlich, warum Hinck so völlig den komischen Inhalt glaubt übergehen zu können.

193 Zu erwähnen ist wiederum der Gestenreichtum dieser Szene. Die für den Azdak charakteristische Geste ist die geöffnete Hand, die nach Bezahlung verlangt. Die Geste wird aber nicht verstohlen, d. h. mit schlechtem Gewissen, gebraucht, sie will nicht primär ausdrücken, daß hier ein Bestechlicher sitzt. Azdak hat vielmehr ein gesundes Selbstbewußtsein, er ist sein Geld eben wert. — W. *Hinck*, Die Dramaturgie des späten Brecht, S. 103 beschreibt an einem Beispiel, wie der Regisseur Brecht den gesellschaftlichen Gestus herausarbeitet: »In der entscheidenden Urteilsszene nähert sich der erste Anwalt der Gouverneursfrau, bevor er sein salbungsvoll-pathetisches Plädoyer beginnt, dem Richterstuhl mit eleganten, selbstgefälligen Sprüngen und einem abschließenden Schaustück von Verbeugung.«

194 Es ist ein gewaltiger Auftritt: »Bouque la Madonne! Wo ist der gottverdammte Hund von einem Rittmeister [...] Komm heraus, du Dieb! Ich hau dich zu Koteletten!« (GW 4, 1392) Das erinnert von fern an den Capitano der Commedia dell'arte bzw. an die »polternden Militärs«, seine Nachfolger in der europäischen Komödie. Doch wäre ein solcher Vergleich recht gezwungen, handelt es sich hier doch nicht primär um die »Komik der blendenden Nichtigkeit«. (Vgl. das so benannte Kapital zum Capitano bei W. *Hinck*, Das deutsche Lustspiel, S. 105 ff.) Wenn ein Modell gesucht werden soll, so täte es schon die sprichwörtliche Wendung, derzufolge Hunde, die bellen, nicht beißen. Aber auch das trifft nur ungenau den besonderen Charakter der »kurzen Wut«, die nicht (wie beim Capitano) aus Feigheit so kurz ist, sondern einfach aus Mangel an Dauer.

195 Eine sprachliche Analyse könnte die einzelnen Phasen der beginnenden Resignation detailliert herausarbeiten. (Abschwächung der Wut, kurzes Wiederaufflackern, aber die Flüche stehen schon nicht mehr am Satzbeginn, werden fast pflichtgemäß nur noch ausgestoßen, darauf folgen dann bereits die ersten Fragesätze, der Soldat stellt sich also auf die Courage ein, verliert immer mehr an spontaner Empörung.)

196 Mutter Courage »Ja, die kennen sich aus in uns und wissen, wie sie's machen müssen. Hinsetzen! und schon sitzen wir. Und im Sitzen gibt's kein Aufruhr.« (GW 4, 1394) Dieses Moment begegnete schon in »Trommeln in der Nacht«. Balicke: »Bring ihn bloß zum Sitzen! Sitzt er, ist er schon halb eingeseift. Im Sitzen gibt es kein Pathos.« (GW 1, 91)

197 Allenfalls wäre es der sog. »kleine Humor«, wie ihn *Freud* definiert: »Den kleinen Humor, den wir etwa selbst in unserem Leben aufbringen, produzieren wir in der

Regel auf Kosten des Ärgers, anstatt uns zu ärgern.« (*Freud*, Der Witz und seine Beziehung zum Unbewußten, in: Studienausgabe Bd. IV, S. 215.) Keinesfalls wollte Brecht in dieser Szene eine positiv-humoristische Haltung darstellen. Vgl. Courage/Materialien, S. 45: »Eine solche Szene ist gesellschaftlich verhängnisvoll, wenn die Darstellerin der Courage das Publikum durch hypnotisches Spiel einlädt, sich in sie einzuleben. Das Publikum wird nur eigene Neigungen zu Resignationen und Kapitulationen stärken — und außerdem und dazu noch sich den Genuß verschaffen, über sich selbst zu stehen. Die Schönheit und Anziehungskraft eines gesellschaftlichen Problems wird es nicht zu fühlen bekommen.«

198 Vgl. dazu H. *Mayer*, Brecht in der Geschichte, S. 222 ff.

199 Brecht, Texte für Filme II, S. 632—635. Der Einfall Brechts, Eulenspiegel als Nebenfigur einen kleinen Jungen beizugeben, »der unterrichtet wird in Tricks und Schwindel, der immer als kleiner Ganove funktionieren muß« (633), gehört übrigens in die Tradition des Pikaro-Romans (vgl. den »Lazarillo von Tormes«). — Vgl. auch Brechts »Eulenspiegel-Geschichten«, GW 11, 367 ff.

199a Vgl. *Hegel*, Ästhetik, S. 1076: »Denn als wahrhafte Kunst hat auch die Komödie sich der Aufgabe zu unterziehen, durch ihre Darstellung nicht etwa das an und für sich Vernünftige als dasjenige zur Erscheinung zu bringen, was in sich selbst verkehrt ist und zusammenbricht, sondern im Gegenteil als dasjenige, das der Torheit und Unvernunft, den falschen Gegensätzen und Widersprüchen auch in der Wirklichkeit weder den Sieg zuteilt noch letztlich Bestand läßt.« *Hegels* Negativbestimmung der Komödie, d. h. das, was sie nicht sein soll und dürfe, beschreibt genau die Position der Brechtschen Komödie: die bürgerliche Gesellschaft, als »in sich selbst verkehrt« beurteilt, wird zur Komödie reif. Die einzelnen Bestandteile des »an und für sich Vernünftigen« enthüllen ihre Unvernunft und werden als Motive des »Gesellschaftlich-Komischen« gesammelt.

200 Möglich wäre dabei etwa folgende Gliederung. I (mehr formal): was das Exempel im Kleinen, ist oft die Parabel im Großen. Also ein Kapitel »Komödie und Parabeltypus«, mit einer Interpretation etwa des »Guten Menschen von Sezuan«. Zudem ein Kapitel »Volksstück und Komödie«, Interpretation etwa des »Puntila«, mit Reflexionen zur deutschen Volksstück-Tradition, Seitenblick auf *Horváth*, Marieluise *Fleißer*, zeitgenössisches bundesdeutsches Theater (*Kroetz* usw.).
II (mehr inhaltlich): Kapitel »Zum Problem der Darstellung des Kapitalismus in Komödienform«. Interpretation von »Mahagonny« und der »Heiligen Johanna«, wobei zugleich darauf hinzuweisen wäre, daß Brecht sich immer auf die Zirkulationssphäre beschränkt, im »Guten Menschen von Sezuan« sogar auf das Modell der Manufakturperiode zurückgeht usw.
Ein weiteres Kapitel könnte sein »Zum Problem der Darstellung des Faschismus in Komödienform«. Interpretation des »Ui«, der »Rundköpfe und Spitzköpfe«, des »Schweyk«.
Weiterhin denkbar wäre ein Vergleich der Komödientendenz bei *Wedekind, Sternheim, Horváth* mit der Brechtschen, oder auch ein intensives Eingehen auf *Hacks*. Die Gefahr solchen Vorgehens liegt darin, daß plötzlich eine Komödientradition in den Mittelpunkt rückt, die in Brecht dann nur einen neben anderen ihrer Repräsentanten hätte. Der besondere Charakter des »Gesellschaftlich-Komischen« würde untergehen.

201 *Molières* »Dom Juan« und *Lenzens* »Hofmeister« sind für das hier gestellte Thema aus leicht ersichtlichen Gründen besonders interessant. (*Molière* ist *der* europäische Komödienautor, die Figur des Don Juan überdies eine der wesentlichen Symbolgestalten, die immer neue Gestaltungen gefunden hat, von denen die dezidiert ideologiekritische Sicht Brechts sich gerade durch das Moment des »Gesellschaftlich-Komischen« klar unterscheidet. *Lenzens* Komödie ist *als Komödie* — was in der Literaturwissenschaft weitgehend bestritten wird — von überragendem Rang in der deut-

schen Literatur.) *Farquhars* »Recruiting officer« wie Brechts Bearbeitung sind von eher schmalem Gewicht. Was den Vergleich der »Dreigroschenoper« mit der »Beggar's opera« betrifft, so wäre auf den Aufsatz von W. *Hecht,* »Die Dreigroschenoper« und ihr Urbild (W. H., Aufsätze über Brecht, S. 26 ff.) zu verweisen, der im Grundsätzlichen wohl nur noch ergänzt und konkretisiert zu werden brauchte. Auch ist die »Dreigroschenoper« nicht im gleichen Sinn Bearbeitung, wie das für die anderen Versuche Brechts gilt, sondern sie ist, vor allem durch die Sprache, ein originäres Brecht-Werk der zwanziger Jahre geworden und hat das Original — zumindest auf deutschem Boden — verdrängt. Von der *Hauptmann*-Bearbeitung liegt außer den im Band »Theaterarbeit«, S. 171 ff. abgedruckten Szenen kein veröffentlichter Text vor. Außerdem würde die Interpretation nur wieder auf das leidige Problem des »Tragikomischen« stoßen, das in der vorliegenden Arbeit schon häufiger begegnete und vor allem beim »Hofmeister« noch stärker hervortreten wird. Das heißt also, es wäre kaum qualitativ Neues zu erwarten; analog der oben (S. 190 ff.) skizzierten skandalösen Behandlung des »Hofmeister« in der spätbürgerlichen Literaturwissenschaft wäre am Beispiel des »Biberpelz«-Aufsatzes von H. J. *Schrimpf* (in: H. *Steffen,* Hrsg., Das deutsche Lustspiel II, S. 25—60), der S. 49 ff. auf Brechts Bearbeitung eingeht, wiederum dieselbe Blindheit gegenüber dem Phänomen des »Gesellschaftlich-Komischen« aufzuzeigen usw.

202 Die Übernahme antiker Stoffe und Motive, sei es auch in äußerlicher Anlehnung an griechische oder römische Autoren, ist mit dem Begriff Bearbeitung nicht zutreffend zu beschreiben. (Sonst bestünde z. B. das Gesamtwerk *Racines* aus »Bearbeitungen«!) Auch *Goethes* »Iphigenie« wie überhaupt sämtliche Rückgriffe auf das griechische Drama sperren sich gegen den Begriff. Ein wenig anders ist der Fall bei *Kleists* »Amphitryon«. Der Untertitel spricht von einem »Lustspiel nach Molière«, und zumal die sog. Szenenfolge wahrt eine erstaunliche Parallelität zur Vorlage. (Hier ist auf die vorzügliche Untersuchung von Peter *Szondi* zu verweisen, die aufzeigt, wie sich neben dem Ton der Vorlage auch Themen und Motive verändern, und zwar gerade auch dort, wo man von einer fast wörtlichen Übersetzung sprechen könnte. — P. S., Satz und Gegensatz, Ffm. 1964, S. 44—57.) Dennoch wäre der Begriff Bearbeitung bei *Kleist* schwerlich in gleichem Maße am Platze wie bei Brechts »Don Juan von Molière. Bearbeitung.« Das jeweilige Verhältnis des Autors zu seiner Vorlage ist verschieden. Bei *Kleist* macht sich eine Dichterindividualität neben der anderen geltend. Es handelt sich um eine qualitative Differenz, die sich für das Selbstverständnis *Kleists* als eine unterschiedliche »persönliche« Sicht darstellt und nicht als eine, die durch den veränderten historisch-gesellschaftlichen Hintergrund notwendig entsteht. *Kleist* schwebte eine Variation des Amphitryon-Motivs vor, die — zwar nach *Molière* gefertigt — dennoch den Anspruch auf selbständige Existenz anmeldet. Brechts Bearbeitungen dagegen wollen nicht mit ihren Vorlagen in Konkurrenz treten, wenigstens nicht in erster Linie.

203 Nebenbei sei vermerkt, daß die dem Brechtschen Werk gewidmete Literatur das Faktum Bearbeitung eher beiläufig registrierte und dann allenfalls an dem direkten Vergleich Interesse fand. Dies ist insofern erstaunlich, als die Bearbeitung durch ihre bloße Existenz das Verhältnis von Vergangenheit und Gegenwart bzw. das Problem der Tradition berührt, was doch eine Provokation der Literaturwissenschaft darstellt. Denn diese hätte sich provoziert sehen *müssen,* da es auch ihr um die Gegenwärtigkeit der überlieferten Texte zu tun ist. Diese Gegenwärtigkeit muß ja voraussetzen, wer mit dem Postulat des produktiven »Verstehens« sich die Rechtfertigung für immer neue »Interpretationen« selbst bestätigt — womit zugleich ein Monopol beansprucht ist. Der Brechtsche Bearbeitungstypus ist daher in dem Maße provokativ, wie er, den »normalen« Rezeptionsprozeß durch einen Eingriff unterbrechend, jene Möglichkeiten der Verlebendigung des Vergangenen zu negieren scheint, die der Literaturwissenschaft die conditio sine qua non ihres Bemühens sind.

204 Zit. nach K. *Völker,* Brecht-Chronik, S. 143.

205 Vgl. GW 19, 533 ff. — Zum Beginn der Diskussion vgl. Ernst *Fischer,* Doktor Faustus und der deutsche Bauernkrieg, jetzt in: F. J. *Raddatz,* Hrsg., Marxismus und Literatur III, S. 110 ff.; sowie Alexander *Abusch,* Faust — Held oder Renegat in der deutschen Nationalliteratur? (Ibid., S. 123 ff. — vgl. zum Ganzen die Anmerkungen des Herausgebers, S. 380 ff.) Siehe S. 219 ff. dieser Arbeit.

206 Zit. nach H. *Mayer,* Brecht und die Tradition, S. 58.

207 So erklärt Brecht »gewisse klassische Stücke, deren reiner Materialwert nicht ausreicht«, für »ungenießbar«. (GW 15, 113) — »Das Theater wird in absehbarer Zeit das verstaubte Repertoire eines Jahrhunderts einfach auf seinen Materialwert hin untersuchen, indem es die guten alten Klassiker wie alte Autos behandelt, die nach dem reinen Alteisen-Wert eingeschätzt werden.« (GW 18, 50) — »Wozu sind alte Kunstwerke brauchbar? Vielleicht könnten sie, dem Studium unserer Künstler überliefert, die technische Grundlage für neue Werke abgeben, für Werke, die wir brauchen? Aber eine neue Kunst wird endlich ihren Gebrauchswert nennen und angeben müssen, wozu sie gebraucht werden will.« (GW 18, 77)

208 Der Philosoph im »Messingkauf« erklärt sein Interesse am Theater folgendermaßen: »Ich fühle diese Besonderheit meines Interesses so stark, daß ich mir wie ein Mensch vorkomme, der, sagen wir, als Messinghändler zu einer Musikkapelle kommt und nicht etwa eine Trompete, sondern bloß Messing kaufen möchte. Die Trompete des Trompeters besteht aus Messing, aber er wird sie kaum als Messing verkaufen wollen, nach dem Wert des Messings, als soundso viele Pfund Messing.« (GW 16, 507) Vgl. ibid., S. 533: es gehe darum, »die Vorfälle möglichst ernst [zu] nehmen und ihre Verwertung durch den Stückeschreiber möglichst leicht«.

209 W. *Hecht,* Die Trompete und das Messing, in: Aufsätze über Brecht, S. 50.

210 W. *Benjamin,* Literaturgeschichte und Literaturwissenschaft, in: Angelus Novus, S. 456 (jetzt in: Gesammelte Schriften III, S. 290).

211 Vgl. etwa folgende Behauptung, in der sich Brecht, mit dem Zeitgeist verbündet, als »Stellvertreter«des Autors ausgibt: »Ich glaube nicht, daß die neue Fragestellung Shakespeare davon abgehalten hätte, einen ›Coriolan‹ zu schreiben. Ich glaube, er hätte ungefähr in der Weise, wie wir es taten, dem Geist der Zeit Rechnung getragen, vermutlich mit weniger Überzeugung, aber mit mehr Talent.« (GW 17, 1253)

212 Es sei nochmals die Fixierung des Problems zitiert (und nicht die versuchte Antwort): »Aber die Schwierigkeit liegt nicht darin zu verstehn, daß griechische Kunst und Epos an gewisse gesellschaftliche Entwicklungsformen geknüpft sind. Die Schwierigkeit ist, daß sie uns noch Kunstgenuß gewähren und in gewisser Beziehung als Norm und unerreichbare Muster gelten.« (*Marx,* Grundrisse [...], S. 31.)
Zu der Stelle gibt es sehr verschiedene Deutungen. Zumal der deutliche Anklang an *Hegel* (vgl. dessen emphatische Deutung der griechischen Kunst: »Schönres kann nicht sein und werden.« Ästhetik, S. 495) ist vielen nicht genehm. Besonders die Rede von der geschichtlichen Kindheit der Menschheit wird dann zum Anlaß, hier »nicht mehr als ein bildliches, von der klassischen deutschen Philosophie übernommenes Symbol« zu sehen, wodurch dann der eigentlichen Problematik ausgewichen wird. (M. *Lifschitz,* Karl Marx und die Ästhetik, S. 145.)
Auch H. *Mayer* betont den idealistischen Hintergrund und meint, daß *Marx* »plötzlich zum Schillerianer [werde] in der Sehnsucht nach der verlorenen Naivität mitten im sentimentalischen Zeitalter«. Daß *Marx* immerhin an dieser Stelle »das Phänomen der Ungleichzeitigkeit ebenso wie jenes der ästhetischen Konstanten im Wandel gesellschaftlicher Formen und Strukturen« konstatiert hat, wird dann von *Mayer* zwar gesagt, aber nicht mehr gedeutet. (H. *Mayer,* Karl Marx und die Literatur, in: F. J. *Raddatz,* Hrsg., Marxismus und Literatur III, S. 331.)

Auch Interpreten, die so hämisch wie triumphierend feststellen, hier habe eben »Marx' persönliches Werturteil, seine traditionelle Bewunderung der Griechen, [...] den Sieg über die graue Theorie des wirtschaftlichen Determinismus davon[getragen]«, fühlen sich dadurch einer eigenen Stellungnahme zu dem von *Marx* fixierten Problem enthoben. (P. *Demetz,* Marx, Engels und die Dichter, S. 75.)
Gleiches gilt für Rodolfo *Banfi,* wenn hier auch von der anderen Seite argumentiert wird: der Marxismus habe sich vor einer »neoidealistischen Interpretation der ästhetischen Phänomene« zu hüten, und »in diesen eher beiläufigen Marxschen Notizen« dürfe auf keinen Fall eine Art Einleitung in die Ästhetik gesehen werden. (Probleme und Scheinprobleme bei Marx und im Marxismus, in: Folgen einer Theorie. Essays über »Das Kapital« von Karl Marx, Frankfurt a. M. 1967, edition suhrkamp 226, S. 160.) Paul Gerhard *Völker* wird dem Problem gleichfalls nicht gerecht, weil er es auf die Wirkung der griechischen Kunst einschränkt: nur in der antiken Kunst könne der Mensch sich wiedererkennen, aber »eine ähnliche Betrachtung der Kunst der letzten Jahrhunderte verbietet sich aus eben diesen Gründen: die bürgerliche Gesellschaft und deren Kunstproduktion haben weder den Reiz der ursprünglichen Menschheitsgeschichte noch die Spuren der aus ihrer Vorgeschichte bereits herausgetretenen Menschheit«. (Skizze einer marxistischen Literaturwissenschaft, in: M. L. *Gansberg*/ P. G. *Völker,* Methodenkritik der Germanistik, Stuttgart 1970, Texte Metzler 16, S. 120.) Diese sich so radikal gebärdende Begründung hat nichts Geringeres gegen sich als die Tatsachen: die »Schwierigkeit«, daß Werke wie die *Balzacs* oder *Flauberts* »noch Kunstgenuß gewähren«, kann doch nicht damit umgangen werden, daß erklärt wird, eigentlich dürften sie es nicht mehr.
Eine fast noch primitivere Deutung der *Marx*-Stelle sieht den Grund für das Überleben bestimmter Werke darin, daß es »im thematischen Repertoire der Kunst neben Themen, die in jeder Epoche entstehen und vergehen, auch die sogenannten ›ewigen Themen‹« gebe, daß ein Kunstwerk dann »Unsterblichkeit« annehme, wenn »in ihm Gedanken und Gefühle verkörpert sind, die in ihrer *Unveränderlichkeit beständig*« seien. (M. *Kagan,* Vorlesungen zur marxistisch-leninistischen Ästhetik, S. 444.) Das hieße, die Autoren brauchten sich nur an die »ewigen« Themen zu machen, um damit die Garantie für die »Unsterblichkeit« ihres Werkes zu erhalten.
Demgegenüber ist mit *Adorno* (Ästhetische Theorie, S. 264) an die Erfahrung zu erinnern, daß der »Prozeßcharakter der Kunstwerke [...] nichts anderes als ihr Zeitkern [ist]. Wird ihnen Dauer zur Intention, derart, daß sie das vermeintlich Ephemere aus sich entfernen und sich durch reine, unanfällige Formen oder gar das ominöse Allgemeinmenschliche von sich aus verewigen, so verkürzen sie ihr Leben.«
Georg *Lukács* ist bei seiner Deutung der *Marx*-Stelle allzu schnell der Begriff des Klassischen bei der Hand: es trete eben in den griechischen Werken »der ›klassische‹ Charakter der menschlichen Beziehungen« hervor, der daraus »folge«, daß »das Kunstwerk imstande ist, den wesentlichsten und allertypischsten menschlichen Verhältnissen den maximalen Ausdruck der Versinnbildlichung, der Individualisierung zu geben«. (Literatur und Kunst als Überbau, in: Beiträge zur Geschichte der Ästhetik, Berlin 1954, S. 425.) Das Werk ist demnach klassisch, weil es dauert, und es dauert, weil es klassisch ist. In solcher Erklärung, die sich im Kreise dreht, wird einfach als beantwortet vorausgesetzt, was *Marx* als Frage formulierte.
K. *Kosik* hat sicher recht, wenn er den »wirklichen Sinn« dieser Frage so auffaßt: »Das Hauptproblem ist nicht die Idealität der antiken Kunst, sondern eine allgemeinere Frage: wie und warum überlebt ein künstlerisches Werk die Verhältnisse, in denen es entstanden ist?« (Die Dialektik des Konkreten, S. 134.) *Kosiks* Antwort: »Das Werk lebt, soweit es wirkt. In der Wirkung des Werkes ist einbegriffen, was sich sowohl im Konsumenten des Werkes als auch am Werk selbst vollzieht. Das, was mit dem Werk geschieht, ist ein Ausdruck dessen, was das Werk ist. Dieses Geschehen ist nicht ein Ausgeliefertsein des Werkes an die Elemente, die ihr Spiel mit

ihm treiben, es ist im Gegenteil die innere Mächtigkeit des Werkes, die sich in der Zeit realisiert.« (S. 138) Die »Überzeitlichkeit des Werkes [liege] in seiner Zeitlichkeit als Aktivität«. (S. 141) »Im Verhältnis zur Vergangenheit [sei] die menschliche Geschichte eine ununterbrochene Totalisierung, in welcher die menschliche Praxis Momente der Vergangenheit in sich einschließt und eben durch diese Integration belebt.« (S. 148) *Kosik* versucht also, indem er den Kunstcharakter des Werkes bestimmt, Wesen und Wirkung des Werkes dialektisch zu vermitteln. So kann aber allenfalls das *Wie* seines Überlebens beschrieben werden! *Warum* aber dieses Werk (und jenes nicht) noch wirkungsmächtig ist, wird auch durch noch so intensive Bemühung des *Marxschen* Praxis-Begriffs nicht völlig geklärt. Und in der Tat sucht *Kosik* dann auch Zuflucht beim »Allgemein-Menschlichen«, wenn auch dazu gesagt wird, dieses »reproduzier[e] sich in jeder Epoche als Ergebnis und als Besonderes« (S. 143), was impliziert, daß die einzelnen Ergebnisse und Besonderungen dann »aufgehoben« werden: »Die historischen Etappen der menschlichen Entwicklung [...] integrieren sich durch die schaffende Aktivität der Menschheit (durch die Praxis) unaufhörlich in die Gegenwart. Der Prozeß der Integrierung ist gleichzeitig eine Kritik und Neubewertung der Vergangenheit.« (S. 147) Das würde bedeuten: jene Werke überleben, die in ihrer Besonderheit, und ohne es direkt anstreben zu müssen, so viel an »Allgemein-Menschlichem« enthalten, daß spätere Epochen von ihm noch mitbetroffen sind. In den Werken wäre eine virtuelle Kraft enthalten, die oft erst sehr viel später »entdeckt« wird. Unter den vorliegenden Deutungsversuchen der *Marx*-Stelle ist der von *Kosik* vermutlich der überzeugendste. Sein Mangel liegt darin, daß die konkreten Empfänger des Werkes nur in abstrakter Allgemeinheit in dem Wirkungsprozeß mitgedacht sind.

Der gleiche Einwand trifft den von H. R. *Jauss* unternommenen Versuch, eine Rezeptionsästhetik zu begründen. *Jauss* zitiert beifällig die Thesen von *Kosik* (Literaturgeschichte als Provokation der Literaturwissenschaft, S. 163 u. 250 f.), und er führt zur Untermauerung ein weiteres Zitat aus den »Grundrissen« an: »Der Kunstgegenstand — ebenso wie jedes andre Produkt — schafft ein kunstsinniges und schönheitsgenußfähiges Publikum. Die Produktion produziert daher nicht nur einen Gegenstand für das Subjekt, sondern auch ein Subjekt für den Gegenstand.; (*Marx*, Grundrisse, S. 14.) Das ist zwar völlig richtig, doch für eine ästhetische Theorie wird das Zitat nur dann fruchtbar, wenn auch, wie *Marx* weiter ausführt, die Rolle der Distribution mitbedacht wird und dazu die Frage erörtert, *wer* denn bislang das »kunstsinnige Publikum« gewesen ist, das sich die Kunstwerke aneignet. Wie jedes Produkt erst in der Konsumtion sich vollendet, so auch jedes Werk erst in seiner Rezeption. Doch: wenn der Wert eines Werkes (oder, in der Sprache der Kunstphilosophie, sein »Wahrheitsgehalt«) bestimmt werden soll, war und ist nicht jeder Rezipient gleichermaßen in der Lage, ihn zu erkennen. Auch einer längerdauernden Wirkung gingen Kritik und Kommentar voraus, in denen das Werk sich bewährt und an denen sein Prozeßcharakter erst meßbar wird. Diese Aufgabe übernimmt nicht *das* Publikum, sondern nur ein kleiner Teil von ihm. Was Werk und Empfänger im Prozeß zusammenschließt, ist Geschichte. Aber die Vorstellung, die Geschichte sei per se identisch mit Entfaltung des Wahrheitsgehalts, ist ungenügend. (Bei dieser Vorstellung stehenbleiben heißt in idealistische Philosophie zurückfallen, die das jeweilige Interesse des Rezipienten bei der Rezeption mit Stillschweigen übergeht.) In dem sog. Urteil der Geschichte ist der Wahrheitsgehalt des Werkes nicht unmittelbar gegeben, sondern geprägt von der jeweiligen Herrschaft als herrschender Ansicht. (Vgl. *Adorno*, Ästhetische Theorie, S. 291.) Zur Kritik an *Jauss* vgl. jetzt R. *Weimann*, Literaturgeschichte und Mythologie, passim.

213 Hier kann H. R. *Jauss* voll zugestimmt werden: »Ein vergangener Text vermag jedoch nicht von sich aus über die Zeiten hinweg an uns oder Späterkommende eine Frage zu stellen, die der Interpret nicht erst einmal von der Antwort aus, die der

Text überliefert oder zu enthalten scheint, für uns erschließen oder neu formulieren müßte. Literarische Tradition ist eine Dialektik von Frage und Antwort, die stets, obschon oft uneingestandenermaßen, von der gegenwärtigen Position aus in Gang gehalten wird. Ein vergangener Text überlebt in der geschichtlichen Überlieferung nicht dank alter Fragen, die durch Tradition aufbewahrt und für alle Zeit, also auch an uns, auf die gleiche Weise gestellt wären. Denn ob uns eine alte oder vermeintlich zeitlose Frage noch oder wieder angeht, während uns unabsehbar viele andere Fragen gleichgültig lassen, entscheidet immer erst ein Interesse, das der gegenwärtigen Situation entspringt oder sich kritisch, oder auch bewahrend, ihr entgegenstellt.« (Literaturgeschichte als Provokation, S. 235.) — Dem muß nur hinzugefügt werden, daß die Rezeption nicht so einfach für sich etwas Allgemeines ist, sondern klassenmäßig bestimmt werden muß. Dann ist weiter zu beachten, daß der allgemeinen Rezeption durch *das* Publikum immer eine spezielle vorausgeht: bei einem Bühnentext sind es z. B. Dramaturg, Regisseur oder eben auch »Bearbeiter«, bei einem Lesetext, von dem eine Neuauflage geplant ist, sind es Lektor und Verlag, die als erste in sich sozusagen den »Bewußtseinsstand der Epoche« repräsentieren.

214 W. *Benjamin,* Geschichtsphilosophische Thesen, in: Illuminationen, S. 270 ff. (vgl. dazu auch Brecht, GW 18, 76 f.). Brecht hat übrigens *Benjamins* Geschichtsphilosophische Thesen gekannt und sehr positiv beurteilt. (K. *Völker,* Brecht-Chronik, S. 87.)

215 *Marx* und *Engels* fanden es »leicht zu begreifen, daß jedes massenhafte, geschichtlich sich durchsetzende Interesse, wenn es zuerst die Weltbühne betritt, in der Idee oder Vorstellung weit über seine wirklichen Schranken hinausgeht und sich mit dem menschlichen Interesse schlechthin verwechselt«. (Die heilige Familie, MEW 2, S. 85.) In der »Deutschen Ideologie« heißt es ähnlich: »Die revolutionierende Klasse tritt von vornherein, schon weil sie einer Klasse gegenübersteht, nicht als Klasse, sondern als Vertreterin der ganzen Gesellschaft auf, sie erscheint als die ganze Masse der Gesellschaft gegenüber der einzigen, herrschenden Klasse. Sie kann dies, weil im Anfange ihr Interesse wirklich noch mehr mit dem gemeinschaftlichen Interesse aller übrigen nichtherrschenden Klassen zusammenhängt, sich unter dem Druck der bisherigen Verhältnisse noch nicht als besonderes Interesse einer besonderen Klasse entwickeln konnte.« (MEW 3, S. 47 f.)

216 Vgl. hierzu die unterschiedliche Wertung *Baudelaires* bei *Brecht* und *Benjamin.* Während Brecht angesichts der reaktionären Haltung des Dichters sofort zu einer Geringschätzung auch seines Werkes neigt (GW 19, 408 ff.), geht *Benjamin* dialektischer vor und kommt zu einer gerechteren Wertung: »Es hat wenig Wert, die Position eines Baudelaire in das Netz der vorgeschobensten Befestigungen im Befreiungskampfe der Menschheit einzubeziehen zu wollen. Es erscheint von vornherein sehr viel chancenreicher, seinen Machenschaften dort nachzugehen, wo er ohne Frage zu Hause ist: im gegnerischen Lager. Dem schlagen sie nur in den seltensten Fällen zum Segen aus. Baudelaire war ein Geheimagent. Ein Agent der geheimen Unzufriedenheit seiner Klasse mit ihrer eignen Herrschaft. Wer ihn mit dieser Klasse konfrontiert, der holt mehr heraus als wer ihn vom proletarischen Standpunkt aus als uninteressant abtut.« (*Benjamin,* Fragment über Methodenfragen einer marxistischen Literaturanalyse, S. 3.)

217 Vgl. Jürgen *Habermas:* »Die Welt des tradierten Sinnes erschließt sich dem Interpreten nur in dem Maße, als sich dabei zugleich dessen eigene Welt aufklärt.« (Erkenntnis und Interesse, in: Technik und Wissenschaft als »Ideologie«, Frankfurt a. M. 1968, edition suhrkamp 287, S. 158.) — »Eine Interpretation kann die Sache nur in dem Verhältnis treffen und durchdringen, in dem der Interpret diese Sache und *zugleich* sich selbst als Momente des beide gleichermaßen umfassenden und ermöglichenden objektiven Zusammenhangs reflektiert.« (*Habermas,* Erkenntnis und Interesse, Frankfurt a. M. [2]1970, S. 228.)

218 Vgl. hierzu E. *Bloch*, Das Prinzip Hoffnung I, S. 494 ff., der versucht, die »wirkliche Aktualisierung gegen die sog. aktuellen Stilisierungen abzugrenzen. Eine Bearbeitung sei dann erlaubt, wenn »der Neubearbeiter oder auch Ergänzer dem Autor verwandt und ebenbürtig ist«: »So hat Brecht den Hofmeister von Lenz als eine Menschenpflanze besichtigt, die aus der feudalen Misere des achtzehnten Jahrhunderts in die kapitalistische des zwanzigsten weiterwächst.« — *Bloch* umgeht aber die Problematik der Bearbeitung, indem er Brecht — weil es eben der große Künstler Brecht ist — etwas zugesteht, was er anderen, minderbegabten Leuten vorwirft: »Aber die Sache wird sofort prekär, wenn freche Regisseure, verhinderte Autoren oder kummervolle Epigonen Altes als Krücke und Produktionsersatz benutzen wollen. Die Epigonal-Ergänzer [...] übertragen immer wieder eine unsägliche Aktualisierung in den Dramentext, aufgrund vulgär-politischer ›Auffassung‹ desselben.« Bloch führt weiter aus, daß »auch bei richtigster Tendenz [...] die vulgärpolitische Aktualisierung auf ein werkfremdes Feld [führt], mit Verlust des gegebenen Dramas«. — Wenn *Bloch* derart auf der Werktreue insistiert, dann hätte es mehr bedurft als des Hinweises auf den »Künstler« Brecht mit seiner außer Frage stehenden Kongenialität, um dessen Bearbeitungen gutzuheißen.

219 Als Beispiel sei die folgende Bemerkung kommentiert: »Wichtig ist, daß man, wenn man ändert, den Mut und die Geschicklichkeit haben muß, genügend zu ändern. Ich erinnere mich an eine Aufführung der Schillerschen »Räuber« im Theater des Piscator. Das Theater fand, daß Schiller einen der Räuber, Spiegelberg, als Radikalisten für das Publikum ungerechterweise unsympathisch gemacht habe. Er wurde also sympathisch gespielt, und das Stück fiel buchstäblich um. [...] Das Stück wirkte reaktionär (was es nicht ist, historisch gesehen), und Spiegelbergs Tiraden wirkten nicht revolutionär. Nur durch sehr große Änderungen, die mit historischem Gefühl und viel Kunst hätten vorgenommen werden müssen, hätte man eine kleine Aussicht gehabt, Spiegelbergs Ansichten, die radikaler sind als die der Hauptperson, als die fortgeschritteneren zu zeigen.« (GW 16, 605)
Auch unter der Voraussetzung, man stellt Theaterpraktiker und Literarhistoriker abstrakt gegenüber und gesteht dem ersteren die wichtigere Aufgabe zu (GW 16, 605: »Man darf nicht vergessen, daß nicht das Stück, sondern die Vorstellung der eigentliche Zweck aller Bemühungen ist.«), genügt das noch nicht, die Notwendigkeit der Bearbeitung zu erweisen. Wenn z. B. eine *Schiller*inszenierung sowieso immer nur die gegenwärtige Erfahrung mit *Schiller* in Szene setzen kann und als Resultat dabei herauskäme, daß das Stück reaktionär wirkt, so wäre (vorausgesetzt, auch andere Regisseure als *Piscator* müßten zu diesem Ergebnis kommen, was erst zu beweisen wäre) das Resultat als solches schon wertvoll. Eine Bearbeitung aber, die den ursprünglichen nicht-reaktionären Charakter des Stückes durch Änderung wiedergewinnen will, würde durch solche historische Treue gerade Gefahr laufen, unwahr zu werden, weil sie die historische Erfahrung negiert. »Mit historischem Gefühl und viel Kunst« würde so etwas entstehen, das in dieser Form weder von *Schiller* ist noch in dieser Form heute geschrieben werden könnte, ein eigenartiger Zwitter.

220 Genau diese Funktion hatte Brecht immerhin ins Auge gefaßt: »Die Kunstmittel der Verfremdung eröffneten einen breiten Zugang zu den lebendigen Dramatiken anderer Zeitläufte. Er wird durch sie möglich, ohne zerstörende Aktualisierungen und ohne Museumsverfahren die wertvollen alten Stücke unterhaltend und belehrend aufzuführen.« (GW 15, 304)

221 An dieser Stelle müßte auf den besonderen Charakter der »Dreigroschenoper« hingewiesen werden, der sie von anderen Bearbeitungen unterscheidet. Sie hat eine Eigenexistenz gewonnen, die selbst traditionsstiftend wirkt, eben deshalb, weil Brecht hier seinen eigenen Anteil in einer Weise betont, die — nicht mehr als »Dienst« oder »Hilfe« gegenüber der Vorlage beabsichtigt — von jener unabhängig geworden ist.

222 Sowohl die Geschichte des Textes wie seine formale Eigenart sichern dem »Dom Juan«

einen Sonderplatz im Oeuvre *Molières.* Für die Zeit ungewöhnlich ist, daß eine fünfaktige Komödie in Prosa geschrieben ist und daß die Einheit von Ort und Zeit nicht beachtet wird. Über das Schicksal des Textes informiert fast jede Ausgabe oder Interpretation in ausführlicher Weise. Hier sei nur erwähnt, daß die Komödie nach nur 15 erfolgreichen Aufführungen vom Spielplan verschwand, von Molière nicht zum Druck gegeben wurde und erst Mitte des 19. Jahrhunderts in der ursprünglichen, unzensierten Gestalt erschien.

223 Auch auf das Verhältnis der *Molièreschen* Komödie zu ihren Vorgängern soll hier nicht eingegangen werden. Das Thema erfreute sich jedenfalls großer Beliebtheit, und zwar gerade auch, was das »Äußerliche« betrifft: vgl. die Versanzeige von *Loret* zur Aufführung, abgedruckt in: Molière, Dom Juan, éd. L. *Lejealle,* Paris 1965, Nouveaux classiques Larousse, p. 114.

224 *Molière* macht eine merkwürdige Angabe zum Ort des Geschehens (»La scène est en Sicile«), als wollte er noch einmal auf den tatsächlichen Weg hinweisen, den das literarische Thema von Spanien nach Italien nahm. Nach der im 17. Jahrhundert verbreiteten Vorstellung war Italien die eigentliche Heimat der Freigeister und des intellektuellen libertinage: vgl. G. *Schneider,* Der Libertin, S. 193. — Das Personal ist höchst heterogen zusammengesetzt. Sganarelle, Pierrot sind bekannte Spielfiguren der französischen Farce. Das spanische Element (Elvire, ihre Brüder, Dom Juan, sein Vater) ist hier — wie in *Corneilles* »Cid« — auch so zu verstehen, daß die Probleme amour und honneur an dem dafür clichéhaft zuständigen Nationalcharakter exemplifiziert werden.

225 Zu dieser spezifischen Sozialgruppe (die etwa in Deutschland keine Entsprechung hatte!) vgl. N. *Elias,* Die höfische Gesellschaft, S. 258 ff.

226 Im Jahre 1619 noch konnte *Vanini* wegen atheistischer Reden auf den Scheiterhaufen kommen, bei Théophile de *Viau* war ein Todesurteil nicht mehr gegen den Hof durchsetzbar. Vgl. A. *Adam,* Les libertins au XVIIe siècle, p. 51s. sowie F. *Borkenau,* Der Übergang vom feudalen zum bürgerlichen Weltbild, S. 201 ff.

227 Gerade der parti des dévots nahm den Schluß nicht ernst. Vgl. die Auszüge aus den »Observations sur une comédie de Molière intitulée« »Le Festin de Pierre« von Sieur de *Rochemont,* in: *Molière,* Dom Juan, éd. G. *Leclerc,* Paris 1968, Les classiques du peuple, p. 13 ss., p. 29 ss.

228 Vgl. W. G. *Moore,* »Dom Juan« Reconsidered, p. 514, der solche metaphysische Komik zu erwägen scheint: »The comedy lies in the recognition that evil men do not and cannot cease to be men. The theme of Don Juan must have appealed to the creator of Alceste as a case, rough enough to be funny, of a man who despises humanity, who sets himself apart and above the rest and is thus bound, being human, to fail. It is folly to act as if God were not, to replace God.« — *Moore* rückt aber gleich darauf wieder von dieser Deutung ab: »Molière's real discovery and real achievement was not of course in the religious field.« (515) Er kommt dann zu dem Ergebnis, *Molière* habe nach dem Vorbild des *Cervanteschen* Gegensatzpaares Don Quichote / Sancho Pansa eine Komödie des Herr-Diener-Kontrasts geschaffen.
Der Aufsatz von H. *Walker,* The Self-Creating Hero in »Dom Juan«, der dem von *Moore* stark verpflichtet ist, nähert sich ebenfalls dem Gedanken einer metaphysischen Komödie: »Molière here deals with the ultimate absurdity of man's tireless labor to project his own ego and its fancies into the world of society, and the resulting disturbances are not always laughable but are profoundly comic.« (p. 173 f.)

229 Das Oeuvre *Molières* zeigt mitunter deutlich reaktionäre Affirmationen dieser Art. Vgl. in der »Ecole des maris« die Worte Aristes, des sog. »raisonneur« der Komödie:

> Toujours au plus grand nombre on doit s'accommoder.
> Et jamais il ne faut se faire regarder.
> L'un et l'autre excès choque, et tout homme bien sage
> Doit faire des habits ainsi que du langage,

N'y rien trop affecter, et sans empressement
Suivre ce que l'usage y fait de changement.
[...]
Mais je tiens qu'il est mal, sur quoi que l'on se fonde,
De fuir obstinément ce que suit tout le monde,
Et qu'il vaut mieux souffrir d'être au nombre des fous,
Que du sage parti se voir seul contre tous. (I, 2, 320)

Dergleichen Aussagen stehen nicht vereinzelt und sollten vor allem in Hinsicht auf den »Misanthrope« beachtet werden. Dagegen *Rousseau:* »Ayant à plaire au public, il [= *Molière*] a consulté le goût le plus général de ceux qui le composent: sur ce goût il s'est formé un modèle, et sur ce modèle un tableau des défauts contraires, dans lequel il a pris ses caractères comiques, et dont il a distribué les divers traits dans ses pièces.« (Lettre à d'Alembert, p. 150.) Man braucht nicht die ganze Argumentation *Rousseaus* zu teilen, nicht einmal deren moralisierende Grundlagen zu akzeptieren, um zu erkennen, daß er einen wichtigen Einwand zur Wirkung der Bühne überhaupt formuliert, wenn er behauptet, ein Einverständnis mit dem Publikum sei *immer,* auch bei den sog. schonungslosen Demaskierungen, Provokationen usw., gegeben, und zwar ein Einverständnis auf der Basis des ohnehin schon allgemein Verbindlichen: »Imaginez la comédie aussi parfaite qu'il vous plaira; où est celui qui, s'y rendant pour la première fois, n'y va pas déjà convaincu de ce qu'on y prouve, et déjà prévenu pour ceux qu'on y fait aimer?« (p. 139 s.)
Vgl. dazu den Diskussionsbeitrag von W. *Preisendanz,* in: H. R. *Jauss,* (Hrsg.) Die nicht mehr schönen Künste, S. 709.

230 *Goethe* zu *Eckermann* am 12. 5. 1825. Goethes Gespräche mit Eckermann, hrsg. v. F. *Deibel,* Leipzig 1908, Bd. I, S. 245.

231 Vielleicht ist für diesen Vergleich noch von Interesse, daß auch zur Zeit *Molières* im absolutistischen Frankreich Alexander *kein* positives Modell eines Feldherrn und Eroberers war. Vgl. *Boileau,* Satire XI, in: Oeuvres, éd. G. *Mongrédien,* Paris 1961, Classiques Garnier, p. 90.

232 *Molières* Dom Juan sollte deshalb nicht leichtfertig in die Reihe der literarischen roués des folgenden Jahrhunderts (Lovelace, Valmont, Dolmancé etc.) aufgenommen werden. Auch ist zu berücksichtigen, daß die Möglichkeiten eines Hofautors, den Adligen »in Aktion« zu zeigen, notwendig begrenzt sind. Solches Vorgehen ist schon für die galant-erzählerische Literatur waghalsig gewesen: vgl. die Folgen, die *Bussy-Rabutins* verschlüsselte »Histoire amoureuse des Gaules« für ihren Verfasser hatte. *Molière,* der verschiedentlich Stellen aus den »Historiettes« von *Tallemant des Réaux* wörtlich übernimmt, so z. B. gerade das »Je crois que deux et deux sont quatre« als libertinistische Devise (Historiettes I, éd. A. Adam, Paris 1960, Bibl. de la Pléiade 142, p. 226. 891), hätte unmöglich eine für den »Dom Juan« »passende« Episode von *Tallemant* auf die Bühne bringen können.

233 »Typus« hier verstanden nach der Definition von *Lukàcs*: »Der Typus wird nicht infolge seiner Durchschnittlichkeit zum Typus, aber auch nicht durch seinen nur — wie immer vertieften — individuellen Charakter, sondern dadurch, daß in ihm alle menschlichen und gesellschaftlich wesentlichen, bestimmenden Momente eines geschichtlichen Abschnitts zusammenlaufen, sich kreuzen, daß die Typenschöpfung diese Momente in ihrer höchsten Entwicklungsstufe, in der extremsten Entfaltung der in ihr sich bergenden Möglichkeiten aufweist, in der extremsten Darstellung von Extremen, die zugleich Gipfel und Grenzen der Totalität des Menschen und der Periode konkretisiert.« (Schriften zur Literatursoziologie, S. 244)

234 Alfred de *Musset:* Namouna (1832)

XXIII Quant au roué français, au Don Juan ordinaire,
Ivre, riche, joyeux, raillant l'homme de pierre,
Ne demandant partout qu'à trouver le vin bon,

Bernant monsieur Dimanche, et disant à son père
Qu'il serait mieux assis pour lui faire un sermon,
C'est l'ombre d'un roué qui ne vaut pas Valmont.
XXIV Il en est un plus grand, plus beau, plus poétique
Que personne n'a fait, que Mozart a rêvé
Qu'Hoffmann a vu passer, au son de la musique
[...]
Et que de notre temps Shakespeare aurait trouvé.
(Premières poésies 1829—1835, éd. M. *Allem*, Paris 1958, Classiques Garnier, p. 264 s.)
Gerade in dem, worin er sich unterscheiden will, in seinem Epikuräertum, sei also *Molières* Dom Juan zu gewöhnlich, gesellschaftlich-»normal«, so daß der Held der »Liaisons dangereuses« gleichsam eine höhere Entwicklungsstufe des Typus darstelle. Was dem Romantiker *Musset* vorschwebt, ist eine poetische Totalität, wie sie allenfalls einem *Shakespeare* zuzutrauen wäre. Paradigmatisch ist die Wendung, noch niemand sei dem symbolischen Typus bisher gerecht geworden — sie taucht noch bei *Nietzsche* auf, der in »Morgenröte. Gedanken über die moralischen Vorurteile« (1881) an einen »Don Juan der Erkenntnis« denkt, der selbstredend »noch von keinem Philosophen und Dichter entdeckt worden« sei. (Werke in drei Bänden, hrsg. v. K. *Schlechta*, München [2]1963, Bd. I, S. 1198.)
Je idealer der Typus verstanden wird, desto weniger scheint irgendeine Inkarnation ihm entsprechen zu können. *Kierkegaards* Interpretation (Entweder-Oder, 1843) ist in dieser Hinsicht am konsequentesten, wenn ihr »nur die Musik« eine Vorstellung von der »Genialität der Sinnlichkeit« usw. zu geben vermag. (Vgl. Die unmittelbaren erotischen Stadien oder das Musikalisch-Erotische. Drittes Stadium: Don Juan, in: W. *Oehlmann*, Hrsg., Don Juan, Deutung und Dokumentation, S. 193 ff.)
Don Juan wird in der Romantik als einer ihrer Epochentypen gewertet: vgl. das (letzte) Kapitel LIX »Werther et Don Juan« in *Stendhals* De l'amour (1822). An anderer Stelle hat *Stendhal* den gesellschaftlichen Charakter der *Molièreschen* Figur wie folgt hervorgehoben:
»Le Don Juan de Molière est galant sans doute, mais avant tout il est homme de bonne compagnie; avant de se livrer au penchant irrésistible qui l'entraîne vers les jolies femmes, il tient à se conformer à un certain modèle idéal, il veut être l'homme qui serait souverainement admiré à la cour d'un jeune roi galant et spirituel.« *Mozarts* Don Giovanni sei dagegen schon »plus près de la nature«: »il pense moins à *l'opinion des autres*, il ne songe pas, avant tout, à *parestre*.« (Les Ceni [1837], in: Romans et nouvelles II, éd. H. *Martineau*, Paris 1952, Bibl. de la Pléiade 13, p. 678.)
Für die romantische Don-Juan-Sicht noch charakteristischer ist *Stendhals* Behauptung, es sei das Christentum, das die »possibilité du rôle satanique de Don Juan« (p. 679) geschaffen habe. Auf die Bedeutung von satanisme (später: dandysme) in der französischen Literatur seit der Romantik kann hier nicht eingegangen werden. Man vergleiche etwa *Baudelaires* Gedicht »Don Juan aux enfers« (1846), das in dieser Richtung, unter Beibehaltung des *Molièreschen* Personals, entwickelt ist. (Oeuvres complètes, p. 18 s.) *Baudelaire* spielte auch mit dem Plan eines Dramas »La fin de Don Juan« und skizzierte dabei zwei weitere Kernbegriffe der Romantik: »Don Juan arrivé à l'ennui et à la mélancolie.« (p. 563) *Baudelaire* betont dann aber auch, weil das Thema allzu sehr in Mode gekommen war, die nüchterne Sicht *Molières:* »Bien qu'il faille être de son siècle, gardez-vous bien de singer l'illustre Don Juan qui ne fut d'abord, selon Molière, qu'un rude coquin, bien stylé et affilié à l'amour, au crime et aux arguties; — puis il est devenu, grâce à MM. Alfred de Musset et Théophile Gautier, un flâneur *artistique*, courant après la perfection à travers les mauvais lieux, et finalement n'est plus qu'un vieux dandy éreinté de tous ses voya-

ges, et le plus sot du monde auprès d'une honnête femme bien éprise de son mari.« (p. 475)

235 Da hier keine ganz ins Detail gehende Interpretation des *Molièreschen* »Dom Juan« möglich ist, muß auch auf einen Kommentar zu dieser wichtigen Szene verzichtet werden. Soviel sei aber doch angemerkt, daß die Mehrzahl der Interpreten wie gebannt auf den Satz »Va, va, je te le donne pour l'amour de l'humanité« (III, 2/748) blickt, um die Frage nach dem Atheismus Dom Juans zu klären. Mindestens ebenso wichtig ist der gesellschaftliche Faktor. Man vergleiche die entsprechende Szene im »Festin de pierre« von *Villiers* (III, 3), die *Molière* bekannt war (abgedruckt in *Molière*, Dom Juan, éd. *Lejealle*, Paris 1965, Nouveaux classiques Larousse, p. 109—112). Dort ist noch ein »pèlerin«, der bei *Molière* ein »pauvre« ist. Daher liegt es nahe zu vermuten, daß mit dem Motiv, der Arme müsse für den Wohlstand der Reichen beten, nicht allein die göttliche, sondern eben auch die gesellschaftliche Ordnung visiert ist.

236 *La Rochefoucauld:* »Nos vertus ne sont, le plus souvent, que des vices déguisés.« (Maximes, éd. J. *Truchet,* Paris 1967, Classiques Garnier, p. 7.) Die Maxime wurde den »Réflexions morales« seit der 4. Edition von 1675 — das Erscheinungsdatum der ersten ist übrigens dasselbe wie das des »Dom Juan« — als Epigraphe vorangestellt.

237 Es geht nicht darum, ob *Molières* Ideologie des bon sens und des juste milieu »bürgerlich« ist, aber auch nicht darum, ob in seinem Werk die Bourgeois häufiger satirisch angegriffen werden als die Adligen, sondern darum, daß das Bürgertum sich mit entscheidenden Momenten der *Molièreschen* Komödien (z. B. der positiven Wertung der Ehe) hat identifizieren können.
Vgl. A. *Hauser,* Sozialgeschichte der Kunst und Literatur, S. 492: »Man wird ihn vielmehr zu jenen Dichtern zählen, die, bei all ihrem subjektiven Konservatismus, durch die Demaskierung der sozialen Wirklichkeit, oder wenigstens eines Teiles dieser Wirklichkeit, zu den Vorkämpfern des Fortschritts geworden sind.«

238 Die europäische Komödie des 17. Jahrhunderts sieht die Gesellschaft aus der Sicht der herrschenden Ordnung: »oben« spielt sich das Tragische, »unten« das Komische ab. Die sog. Ständeklausel beruht auf einem absolutistisch-religiösen Weltbild, das jedem Menschen seinen Platz zuweist. Sie wird dann, außer in Spanien, weniger einer religiösen Grundhaltung als wegen der Ehrerbietung den Oberen gegenüber beibehalten. Eine beliebte Methode, die ständetypische Komik zu verstärken, ist, zu zeigen, was geschieht, wenn einer bewußt oder unbewußt seinen Stand überschreitet. Vgl. von *Molière* »Le Bourgois gentilhomme«, »Les précieuses ridicules«, »George Dandin«. Die deutsche Barockkomödie verbindet das Motiv, in dem gesellschaftliches Sein und Schein gegeneinander ausgespielt werden, oft mit dem Vanitas-Topos: vgl. E. *Catholy,* Das deutsche Lustspiel, S. 159 ff. — Wie verschieden auch immer der ideologische Hintergrund der unverrückbaren Ständeordnung in die Komödie eingeht (vgl. etwa die Spannweite von *Calderon* bis zur Commedia dell'arte), stets handelt es sich um eine konservative Grundlage. Dazu kontrastiert allerdings ein merkwürdig »demokratisches Prinzip« der Komödie: das Dienerpersonal erweist sich als der eigentliche Hausherr der Komödie, seine »Macht« gründet sich auf eine der Gattung immanente Sympathie für die sozial tiefer Gestellten.

239 Diese Parallele wird erwogen bei G. *Leclerc* in seiner Dom-Juan-Edition Paris 1968, Les classiques du peuple, p. 34 s. Vgl. dagegen L. *Gossman,* Men and Masks. A Study of Molière, p. 65, der den anachronistischen Charakter des Dom Louis hervorhebt und zu dem Ergebnis kommt: »Dom Juan does not glorify the libertine nobleman, who is, after all, the hero of the comedy, nor does it undertake to defend the feudal nobility with its Christian and chivalrous ideology against the monsters to which it gives birth. It mocks all the political and moral pretensions of an outmoded social order.«
Ähnlich J. *Guicharnaud,* Molière, une aventure théâtrale, p. 282: »Ce père

qui surgit du passé de Dom Juan surgit aussi du passé des spectateurs — passé réel ou passé mythique, peu importe. Il évoque une vieille morale oubliée, l'effort de grandeur d'un temps qui n'est plus. Dom Louis parle un langage qui n'a plus cours, il affirme des lieux communs — c'est-à-dire des valeurs vers lesquelles on ne tend pas, mais dont on s'éloigne et qu'on regrette.« — Vgl. auch G. *Mander,* Molière, S. 74 f.

240 Vgl. P. *Bénichou,* Morales du grand siècle, p. 284: »Finalement Dom Juan marque le point où l'ambition aristocratique presque détachée de la réalité sociale, devient à la fois subversive et vaine. Molière, tenté avant tout de reproduire fidèlement un état de choses, ne semble pas avoir beaucoup pensé à prendre position lui-même dans le débat: le prestige qu'il a donné à son héros était conforme au sentiment, secret tout au moins, du public; mais ce prestige est fortement compensé par une adhésion, non moins évidente, à la réprobation qui entourait le personnage. Il n'y a là rien de contradictoire.«

241 Zit. nach *Tallemant des Réaux,* Historiettes I, p. 10.

242 Vgl. K. *Robra,* Molière. Philosophie und Gesellschaftskritik, S. 96: »Dom Juan ist ein Feudalherr, der allerdings nicht mehr nach dem überlieferten Klassenschema lebt [...]. Dom Juans Asozialität ist sicher nicht das eigentliche Problem des Stückes Das ›gesunde Volksempfinden‹ wird durchweg lächerlich gemacht; zum Widerstand gegen den asozialen Aristokraten scheint es kaum fähig zu sein.« — Solche Deutung ist allzu global und stützt sich auf unhistorische Kategorien. Wer die Abweichung des *Molièreschen* Dom Juan von seiner Klassenideologie zu positiv wertet (etwa im Sinne einer »fortschrittlichen Sexualmoral«), verstellt sich den Blick auf den Komödiencharakter des Werkes.

243 Vgl. J. *Guicharnaud,* Molière, une aventure théâtrale, p. 260: »la pensée, ›forte‹ ne serait-elle pas tout simplement une justification a posteriori et paresseuse de l'abandon total au pur amour de soi?« — R. *Laufer,* Le comique du personnage de Dom Juan de Molière, p. 18: »la base de son rationalisme est irrationelle, sa philosophie n'est faite que pour assurer la satisfaction de des sens, et il l'oublie en voyant ses plaisirs menaçés. Il n'est pas l'esprit libre pour lequel il veut passer. Il est esclave de ses désirs. Le philosophe libertin n'est qu'un jouisseur égoiste. Tel semble être le ressort profond du comique du personnage de Dom Juan.« — Lucien *Goldmann,* Sciences humaines et philosophie, suivi de: Structuralisme génétique et création littéraire, Paris 1966, Bibl. Médiations 46, p. 114: »›Dom Juan‹, la quatrième comédie de caractère, est la satire des quelques têtes folles qui, à la cour, érigeaient l'athéisme et l'épicurisme en système explicite et agressif.« Zu den Begriffen wäre noch zu sagen, daß die Begriffe libertin und libertinisme schon im Verlauf des 17. Jahrhunderts ihre kritisch-philosophische Bedeutungsschicht verloren und durch athée bzw. athéisme (oder auch: irréligieux, sceptique, pyrrhonien) ersetzt wurden. Libertin und libertinage beschränken sich mehr und mehr auf den moralisch-sexuellen Bereich: vgl. G. *Schneider,* Der Libertin, S. 215 ff. (Da *Schneider* vor allem Stellen sammelt, wo das *Wort* libertin begegnet, übersieht er die Möglichkeit, *Molières* »Dom Juan« — den er gleichfalls zitiert — als ein Dokument dieses Bedeutungswandels zu interpretieren.)

244 »Esprit fort« ist ein Synonym von libertin, und zwar im Sinne der intellektuellen Bedeutungsschicht: vgl. G. *Schneider,* Der Libertin, S. 194 ff. Die so naheliegende Pointe, die esprits forts seien die eigentlichen esprits faibles, beherrschte natürlich die zeitgenössischen Polemiken. — Eine extensive Deutung der Worte Sganarelles: »Voilà de mes esprits forts, qui ne veulent rien croire« (III, 5/756), die er in Hinblick auf Dom Juan gebraucht, wäre derart zusammenzufassen, daß die intellektuelle Position Dom Juans zu unbeweglich ist, um auf etwas reagieren zu können, das seinem Rationalismus widerspricht.

245 So auch schon H. *Heiss,* Molière, S. 118: »Die ganze Heuchelei-Episode ist der Ko-

mödie keineswegs äußerlich angeflickt.« (Nur gibt das Wort »Episode« nicht ganz den richtigen Eindruck.)

246 *La Bruyère,* Les Caractères [...], p. 403 s.: »Le courtisan autrefois [...] était libertin. Cela ne sied plus: il porte une perruque, l'habit serré, le bas uni, et il est dévot: tout se règle par la mode.« — p. 405: »Un dévot est celui qui sous un roi athée serait athée.« — p. 467: »Il y a deux espèces de libertins: les libertins, ceux du moins qui croient l'être, et les hypocrites ou faux dévots, c'est-à-dire ceux qui ne veulent pas être crus libertins: les derniers dans ce genre-là sont les meilleurs.«

247 Vgl. besonders das »Premier Placet présenté au Roi«, die erste Bittschrift für den »Tartuffe«:
»Le devoir de la comédie étant de corriger les hommes en les divertissant, j'ai cru que, dans l'emploi où je me trouve, je n'avais rien de mieux à faire que d'attaquer par des peintures ridicules les vices de mon siècle.« (Oeuvres complètes I, p. 632.) Wenn in der Argumentation auch die *Horazische* Poetik durchscheint, so ist das »Placet« dennoch als *Molières* dezidiert eigene theoretische Position zu werten. Die nach der zitierten Stelle folgenden Gedanken *Molières* belegen übrigens auch, daß es der *Molièreschen* Komödie um eine parteiliche Bestandsaufnahme der »vices« zu tun ist, d. h. daß deren Gefährlichkeit und nicht nur bloße Lächerlichkeit enthüllt werden soll.

248 Ausgangspunkt dafür wäre Pierrots Bericht über Dom Juans Kleidung (II, 1/728). Es könnte ausgespielt werden, wie — sozusagen in Parallele zur Ankleidungsszene des Papstes in Brechts »Galilei« — der adlige Verführer mit jedem Kleidungsstück mehr in die Rolle einer ständischen »Größe« hineinschlüpft.

249 Die meisten Änderungen, Szenenumstellungen usw. sind vermerkt bei R. *Grimm,* Bertolt Brecht und die Weltliteratur, S. 41 ff.

250 Der Herausgeber R. *Jouanny* merkt dazu an: »Ce troc d'habits dont Molière trouve l'idée chez Cigognini, Dorimon et Villiers, n'est pas mis à exécution. Il aurait avili Don Juan.« (Oeuvres complètes I, p. 929, note 894.)

251 *Hegel,* Ästhetik, S. 531.

252 Die Geschichte des Begriffs »honnête homme« kann hier nicht nachgezeichnet werden. Seine zentrale Bedeutung im 17. Jahrhundert erlangt er dadurch, daß sowohl der Adel wie die Bourgeoisie ihn ideologisch »besetzen«, was aber immer erst an der Wahl des polemischen Gegenbegriffs deutlich wird. Er ist also nicht primär klassenbezogen, was die Aufgabe derjenigen erleichtert, die — wie etwa *Pascal* — von jansenistischer Seite gegen ihn zu Feld ziehen. Der Zusammenhang ist äußerst kompliziert. Das wesentliche gesellschaftliche Moment ist aber darin zu sehen, daß der Begriff eine Wertvorstellung impliziert, die eben nicht mehr im Sinne des spezifischen Adelsethos gewertet werden kann, sondern auf eine allgemeinverbindliche »mesure« zielt. So ist er das Zeichen einer Gesellschaft, die zwei gleich große Klassen im Gleichgewicht hält. Dom Carlos in *Molières* Komödie fühlt sich ganz in diese Gesellschaft integriert, er ist daher der honnête homme. Dom Juan ist der »grand seigneur méchant homme«, ein Mann der alten »Ehre«.

253 *Hegel,* Ästhetik, S. 532.

254 Ibid., S. 529 f.

255 N. *Elias,* Die höfische Gesellschaft, S. 355. Vgl. P. *Bénichou,* Morales du grand siècle, p. 85 ss., der in dem »Römertum« der *Corneilleschen* Tragödien vermittelt findet, wie die noblesse d'épée um ihre Autonomie kämpft.

256 *Hegel,* Ästhetik, S. 525.

257 Choderlos de *Laclos,* Les Liaisons dangereuses, p. 45 (Lettre 21).

258 *Baudelaire,* Oeuvres complètes, p. 645.

259 Vgl. den gleichnamigen Aufsatz von *Lessing,* in: Gesammelte Werke 3, S. 158 ff.

260 F. G. *Jünger,* Über das Komische, S. 59.

261 Benutzt wurden u. a.: E. *Welsford,* The Fool. His Social and Literary History,

London 1935. — H. *Hohenemser,* Pulcinella, Harlekin, Hanswurst. Ein Versuch über den zeitbeständigen Typus des Narren auf der Bühne. Emsdetten 1940 (= Die Schaubühne 33). — G. *Attinger,* L'esprit de la Commedia dell'arte dans le théâtre français, Paris 1950. — J. *Emelina,* Les valets et les servantes dans le théâtre de Molière, Aix-en-Provence 1958. — A. *Nicoll,* The World of Harlequin. A Critical Study of the Commedia dell'arte, Cambridge 1963. — H. *Steinmetz,* Der Harlekin. Seine Rolle in der deutschen Komödientheorie und -dichtung des 18. Jahrhunderts, Neophilologos 50 (1966), S. 95—106. — N. *Deloffre,* Einleitungen und Kommentare zu seiner Ausgabe: *Marivaux,* Théâtre complet, 2 vol., Paris 1968, Classiques Garnier. — P. *Bürger,* Herr und Knecht bei Marivaux, in: Studien zur französischen Frühaufklärung, Frankfurt a. M. 1972, edition suhrkamp 525, S. 133—150. — Vgl. dazu die im Literaturverzeichnis aufgeführten Arbeiten besonders von W. *Hinck* und E. *Catholy,* sowie die vorzügliche Studie von Robert *Weimann,* Shakespeare und die Tradition des Volkstheaters. Soziologie, Dramaturgie, Gestaltung, Berlin 1967.

262 Hier kann an einem Beispiel erläutert werden, was für die in Anm. 261 genannten Arbeiten — mit Ausnahme vielleicht von R. *Weimann* — charakteristisch ist: daß sie nämlich den Aspekt der gesellschaftlichen Vermittlung übersehen oder unvollständig nur berücksichtigen. Zunächst einmal kann ihr Material übernommen werden. E. *Catholy,* Das deutsche Lustspiel, S. 117 ff. definiert die Typologie der von den englischen Komödianten auf die deutschen Bühnen des 17. Jahrhunderts gebrachten komischen Figuren folgendermaßen: da ist der »Vice« (lat. vitium = Mangel, Gebrechen, Laster), ein Nachfahre der komischen Teufel aus den mittelalterlichen Mysterienspielen; der »Fool« (lat. follis = Blasebalg, Hohlkopf, Windhund), nach der konkreten Figur des Hofnarren gebildet; der »Clown« (lat. colonus = Bauer), Symbolfigur der animalischen Wirklichkeit des Menschen. *Catholy* bietet eine einleuchtende Erklärung, warum von ihnen allein der Clown sich als stehende Figur in Deutschland hat durchsetzen können. Zum einen ist die Komik des Clowns weniger auf Sprache angewiesen als die von Vice und Fool (vgl. die »weisen Narren« bei *Shakespeare,* deren Wortspiele die Doppeldeutigkeit der Sprache benutzen, um auf die Ambiguität vieler Aspekte des menschlichen Daseins hinzuweisen), so daß der Clown zum zentralen Mittler zwischen englischsprechenden Komödianten und der englischen Sprache nicht mächtigem Publikum werden mußte. Zum anderen konnte der Clown leicht mit der deutschen Hanswurst-Tradition verschmolzen werden, der Typus wird durch eindeutige, »sprechende« Namen wie Pickelhering, Knapkäse usw. festgelegt.

Nun geht es *Catholy* (vgl. auch seinen im Literaturverzeichnis genannten Aufsatz zur Komischen Figur) vor allem um zwei Aspekte: erstens will er die Bedeutung des Schauspielerstandes für die komische Figur hervorheben. Seine zentrale These lautet, daß diese Figur die dramatische Wirklichkeit ständig durchbricht und in *direkten* Kontakt mit dem Publikum tritt; dieser Spielcharakter sei für das Lustspiel schlechthin konstitutiv. Die berüchtigte Komponente des »befreiten Lachens«, zu der solche These zwangsläufig hinführen muß, wird durch den zweiten wesentlichen Ansatz *Catholys* wenigstens gesellschaftlich-allgemein modifiziert: die Komik des Lustspiels habe eine Entlastungsfunktion, d. h. das Publikum identifiziere sich deshalb so freudig mit der komischen Figur, weil es sich während der Aufführung von der Rollenhaftigkeit des eigenen Lebens befreien will und nur allzu gern zu der amoralischen vitalen Triebsphäre sich bekennt.

Die Thesen können übernommen werden. Sie sollten allerdings durch eine materialistische Grundlage ergänzt werden. Zwar könnte man sagen, daß auch *Catholy* die gesellschaftliche Vermittlung bei seinem Thema beachtet. Doch muß er, seiner grundlegenden These folgend, die Relation Komische Figur/Publikum als festes Schema aufrechthalten, in das dann lediglich geschichtliche Veränderungen einzutragen sind.

Der umgekehrte Weg ist richtig: primär sind stets die gesellschaftlichen Verhältnisse, nach denen das Theater seine Figuren entwickelt. Komische Figuren *antworten* nur auf bestimmte Wünsche und Vorstellungen, die das Publikum aus einer je konkreten realen gesellschaftlichen Situation heraus entwickelt.
So ein reales Modell ist z. B. durch die Dienerfigur gegeben. Sie gilt es in der vermeintlich nur theaterautonomen, für den Spielcharakter sorgenden komischen Figur zu entdecken. Dann ergibt sich folgendes: der Vice verschwindet von der Bühne, weil er zu weit vom konkreten Modell des Dieners (und damit zu weit von der konkreten Erfahrung des Publikums) entfernt ist. Es ist kein Zufall, daß die große Zeit des Vice bzw. des komischen Teufels im Mittelalter war. Wo noch objektive oder vermeintliche Ohnmacht gegenüber den Wirkungen der Naturkräfte die menschliche Entwicklungsstufe bestimmen, soll das Böse und Bedrohende, der Teufel, gebannt werden, indem es als Komisches gezeigt wird. Diener ist solche Figur allenfalls indirekt, als unfreiwilliger Gehilfe des göttlichen Heilsplans. Das, wie gesagt, ist von dem konkreten Abhängigkeitsverhältnis eines Dieners zu weit abgelegen. Der Fool ist zwar näher an einer realen gesellschaftlichen Situation, nämlich der des Hofnarrs, aber diese lädt — weil zu spezifisch auf das Verhältnis eines Dieners am Hof eines Fürsten bezogen — das Publikum nicht zur Identifikation ein. Jedenfalls nicht im gleichen Maße wie der Clown bzw. Hanswurst: weil dieser allgemeiner verstanden werden kann, impliziert er ein grundsätzliches Abhängigkeitsverhältnis, an das sich persönliche Erfahrung heften kann.
Nun aber das entscheidende Moment: während sich in Frankreich, das eine Nation ist mit einem Zentrum Paris, verschiedene Dienertypen in der Wirklichkeit und auch auf der Bühne etablieren, bleibt es in Deutschland, das keine Nation ist, geschweige denn eine Nationalbühne haben kann, bei dem Hanswurst-Typus. In Frankreich, bei einer entstehenden bürgerlichen Gesellschaft, ist der Emanzipationsprozeß des Bürgertums gegenüber dem Adel in dem Verhältnis der Diener zu ihren Herren vermittelt. Über die dabei zu beobachtenden Abstufungen vgl. oben S. 147 ff. In Deutschland bleibt es beim Hanswurst, und *Gottscheds* Polemik gegen ihn fordert praktisch vom Theater, was von der deutschen Wirklichkeit nicht ermöglicht wurde. Eine nur »gattungsbezogene« Übersicht bzw. ein Schema von Lustspiel, das auf der festen Relation Komische Figur/Publikum beharrt, wird nie erklären können, warum die deutsche Komödie hinter dem französischen Standard zurückbleiben mußte und kaum je hat internationale Geltung finden können.

263 Auffällig ist, mit welcher Häufigkeit die französische Komödie um/nach 1700 den Triumph der Diener zeigt: vgl. z. B. »Le Légataire universel« (1708) von *Regnard*, »Crispin rival de son maître« (1707) und »Turcaret« (1709) von *Lesage*. Das ist nicht so zu verstehen, als seien die Dienerfiguren *nur* sympathisch gezeichnet und könnten das bürgerliche Publikum zur unmittelbaren Identifikation einladen. Wichtig ist die Tatsache, *daß* es den Dienern gelingt, sich gegen ihre Herren durchzusetzen, während sie in der Barock-Komödie des 17. Jahrhunderts bei dem Versuch, es den Herren gleich zu tun, komisch zu Fall kamen.
Dem höfisch-aristokratischen Weltbild, dem vor allem die strenge tragédie royale entsprach, kontrastiert das bürgerliche allein schon in der neuen Wertschätzung der »offeneren« Gattungen Komödie und Roman, in denen der »niedere« Held in den Mittelpunkt rückt. Es ist kein Zufall, daß im Werk von Autoren wie *Lesage, Marivaux, Fielding* diese beiden Gattungen gleich stark hervortreten. »Gil Blas, »Le Paysan parvenu«, »Tom Jones« haben dies gemein, daß sie erzählen, wie einem der Aufstieg in geachtete soziale Position gelingt, für die er von seinem Stande her nicht ausersehen war. In den »Unteren«, den Dienern, wird das dynamische Moment gesehen, das den Herren fehlt. Stets ist dabei das Herr-Knecht-Modell implizit zugrunde gelegt, dessen reinste Verwirklichung in *Diderots* »Jacques le Fataliste« gegeben ist.

264 Die deutsche Komödie kennt keine »revolutionären Diener«. Typisch ist eher die

Spezies »ehrlicher Kerl« (vgl. *Lessings* Just), der seine Abhängigkeit als personale Bindung an den Herrn verinnerlicht hat und auf dessen Gefolgstreue allemal Verlaß ist. *Beaumarchais'* Barbier Figaro findet nur als reaktionäre Karikatur Eingang in die deutsche Komödie: der Barbier Schnaps in *Goethes* »Bürgergeneral« (1793) und der Chirurgus und Barbier Breme in *Goethes* »Aufgeregten« (1793) werden lächerlich gemacht in Komödien, deren Thema die hausbackene Rechtfertigung der feudalen Ständeordnung ist. Die Komödie der deutschen Romantik benutzt zwar die Spielfiguren der Commedia dell'arte, doch schließt sie bezeichnenderweise nicht an *Goldoni,* sondern an die Märchenkomödien *Gozzis* an, will jeden realistischen Gehalt vermeiden. Dafür finden sich aber, wie z. B. in *Tiecks* »Gestiefeltem Kater« und »Verkehrter Welt«, reaktionäre Anspielungen auf die Französische Revolution.

265 *Diderot,* Scène entre un Grand Seigneur et son Créancier, in: Mémoires pour Catherine II, p. 276.

266 H. H. *Holz,* Herr und Knecht bei Leibniz und Hegel, S. 79. Vgl. *Marx,* Das Kapital III, MEW 25, S. 798 ff.

267 *Marx,* Ökonomisch-philosophische Manuskripte, MEW EB 1, S. 556. Vgl. ibid., S. 555: »Die Bestimmung des sich nur zum Genuß preisgebenden, untätigen und verschwendenden Reichtums [...] — dieser Reichtum hat noch nicht den *Reichtum* als eine gänzlich *fremde* Macht über sich selbst erfahren; er sieht in ihm vielmehr nur seine eigne Macht, und nicht der Reichtum, sondern der *Genuß* ist ihm letzter Endzweck.« — Marx unterscheidet den »arbeitenden, nüchternen, prosaischen, ökonomischen« Industriellen von der bloß genießenden Ausbeutung der ehemaligen Feudalherren. Marx übernimmt die Thesen der britischen Nationalökonomie, deren »wahres Ideal der *asketische,* aber *wuchernde* Geizhals und der *asketische,* aber *produzierende* Sklave« ist. (S. 549 ff.) — Im »Kapital I« zwar ironisiert Marx diese Abstinenztheorie (MEW 23, S. 617 ff.), wiederholt aber die Tatsache, daß »die Verschwendung des Kapitalisten nie den bona fide Charakter der Verschwendung des flotten Feudalherrn besitzt.« (S. 620)

267a In diesem Zusammenhang sei an eine Bemerkung Friedrich *Engels'* erinnert: »Indes kann ich doch die Bemerkung nicht unterdrücken, daß auch für die deutschen Sozialisten einmal der Augenblick kommen muß, wo sie dies letzte deutsche Philistervorurteil, die verlogene spießbürgerliche Moralprüderie offen abwerfen, die ohnehin nur als Deckmantel für verstohlene Zotenreißerei dient.« (Georg Weerth, MEW 21, S. 8)

268 Vgl. *Hegel,* Phänomenologie des Geistes, in: Werke 3, S. 362 ff. Dazu: *Marx* an *Engels,* 15. 4. 1869, MEW 32, S. 303 f.

269 *Marx* an *Lassalle,* 10. 6. 1858, MEW 29, S. 562.

270 E. *Bloch,* Das Prinzip Hoffnung III, S. 1185 f.

271 Ibid., S. 1184.

272 Neuere Versionen wie etwa *Horváths* »Don Juan kommt aus dem Krieg« (1936), *Montherlants* »Don Juan« (1958) erweitern die Dimension der Figur nur geringfügig. Allenfalls *Frischs* »Don Juan oder die Liebe zur Geometrie« (1953) hat als ironische Kontrafaktur einen gewissen Reiz. Es ist zu vermuten, daß weitere Neukonzeptionen stets weniger für sich selbst interessieren werden, denn als Variationen des Themas, und sich aus einer gewissen Abhängigkeit von der Überlieferung nie völlig werden befreien können.

273 Ähnlich lautet die Kritik, die H. *Kaufmann,* Geschichtsdrama und Parabelstück, S. 215 ff. an Brechts »Don-Juan«-Bearbeitung übt. Ihm geht es allerdings wieder einmal um die »Tragikomödie«: er wirft Brecht vor, den angeblich »halbtragischen« Helden zu einem lächerlichen gemacht zu haben.

274 *Kierkegaard* bestimmt z. B. Don Juan als »Ausdruck des Dämonischen, das als das Sinnliche bestimmt ist; Faust ist der Ausdruck des Dämonischen, das als das vom christlichen Geist ausgeschlossene Geistige bestimmt ist.« (in: W. *Oehlmann,* Hrsg., Don Juan, S. 195) — *Camus* behauptet, die Liebe Don Juans sei seine Art des »Er-

kennens«, in dem Sinne, den die Bibel diesem Wort verleiht. Don Juan wisse, was Faust verborgen sei, daß man die Güter dieser Welt nicht reklamieren solle, man habe nur die Hand nach ihnen auszustrecken. Es gelte zu leben, als ob die Welt einen Sinn habe usw., Don Juan sei ein Heros des absurden Menschen. (Le mythe de Sisyphe, chap. »Le Don Juanisme«, Paris 1961, collection idées 1, p. 97 ss.)

275 M. *Wekwerth,* Notate [...], S. 111: »Ein ernster Fehler der vorliegenden »Coriolan«-Bearbeitung scheint mir die Idealisierung des Volks, der die Idealisierung des Adels durch *Shakespeare* aufheben soll. In Wirklichkeit wird der Idealismus verlagert und nicht aufgehoben.«

276 Brecht hat als Autor, Dramaturg und Regisseur Wirkung gehabt, die sich auch dann erweist, wenn das jeweils aufgeführte Stück keine direkte Beziehung zu Brecht zeigt. Wichtig ist die aktuelle Stellungnahme des Theaters zur Geschichte bzw. zu alten Stücken, wobei das Phänomen Komödie fast zwangsläufig in den Vordergrund rückt. *Dürrenmatt* z. B. schreibt zu seiner Bearbeitung des *Strindbergschen* »Totentanz«: »Aus der bürgerlichen Ehetragödie wird eine Komödie über die bürgerlichen Ehetragödien: Play Strindberg« (zit. nach: Theater heute 10 [1969] Heft 3, S. 39).
Der politisch-gesellschaftliche Gehalt in den Komödienaufführungen von Giorgio *Strehler,* Roger *Planchon,* Benno *Besson* u. a. wird vom Brechtschen Werk her klarer verständlich, ohne daß mit der Kategorie »Einfluß«, die immer so etwas wie Epigonentum impliziert, hantiert zu werden braucht. Stets handelt es sich darum, aus einer mehr oder weniger sozialistisch zu nennenden Perspektive heraus wichtige Momente der Vergangenheit noch einmal zu zitieren, um das spezifische »Bürgerliche« als das Komische freizulegen. So kommt es gerade in den Spitzenleistungen des zeitgenössischen europäischen Theaters zu komödischen Aufführungen, die kaum mit einem gattungsgeschichtlich bestimmten Begriff Komödie korrelieren. Die Französische Revolution etwa wird derart rekapituliert, daß als aktuelles Moment die Verhinderung einer wirklich sozialen Revolution durch das Bürgertum aufscheint: vgl. »1789. La Révolution doit s'arrêter à la perfection du bonheur«, Théâtre du Soleil, Texte programme, Paris 1971. Ist hier die gegenwärtige Komödienkritik am Bürgertum an dessen heroischer Phase festgemacht, so nehmen die komödischen Behandlungen von Werken aus dem 19. Jahrhundert natürlich einen noch größeren Raum ein. Paradigmatisch ist »Peer Gynt. Ein Schauspiel aus dem neunzehnten Jahrhundert«. Dokumentation der Schaubühnen-Inszenierung, Berlin 1971, die sich übrigens ebenfalls ausdrücklich auf das *Marxsche* Wort über Komödie in der Geschichte beruft. (S. 67)
Ließe sich demnach behaupten, daß Brecht sich tatsächlich politisch durchgesetzt hat, so muß hinzugefügt werden, daß dies gerade in der DDR mitnichten immer so war (vgl. oben S. 211 ff.).

277 H. *Bunge,* Fragen Sie mehr über Brecht. Hanns Eisler im Gespräch, S. 242.

278 Vgl. E. *Genton,* Lenz et la Scène allemande, p. 62: »Depuis cette adaptation du »Précepteur«, chaque fois que l'on joue du Lenz, ce sera ou bien dans l'adaptation de Brecht, ou bien dans le texte original interprété à la lumière de Brecht, ou bien tout au moins en tenant compte de l'interprétation brechtienne de Lenz.« — p. 214: »Il se produit ici un étrange phénomène littéraire: une adaptation exerce une influence sur le texte original.«

279 So lautet der Titel des Nachworts von H. *Mayer* in der hier benutzten *Lenz*-Ausgabe (siehe Lit.-Verzeichnis), S. 795—827.

280 »Lenz übt — vom Standpunkt eines demokratischen Plebejers — Gesellschaftskritik an beiden Klassen.« (Sturm und Drang. Erläuterungen zur deutschen Literatur, S. 178.)
Dieses Urteil ist mehr als fragwürdig. Die im »Hofmeister« manifestierte bürgerliche Illusion eines Klassenkompromisses zwischen Reformadel und Bürgertum ist mit Sicherheit nicht ein Standpunkt, der einen »demokratischen Plebejer« auszeichnet. Zwar richtet sich die *Lenzsche* Kritik tatsächlich gegen beide Klassen, doch darf hier-

aus doch nicht geschlossen werden, der Kritiker stünde deshalb schon außerhalb beider.

281 Zum Begriff »episch« gehört die »Geschichte« (oder, wie Brecht meist sagt, die »Fabel«), die auf dem Theater erzählt wird, wie immer auch diese in dialektischen Sprüngen verläuft und jeder Einzelszene ein starkes Eigengewicht beläßt. Davon kann bei *Lenz* aber nicht die Rede sein — vgl. dazu G. *Mattenklott*, Melancholie in der Dramatik des Sturm und Drang, S. 131 ff., — wohl aber ist Brechts »Hofmeister« wirklich die Geschichte Läuffers, in die die Nebenhandlungen integriert sind.

282 *Lenz* nannte sein Stück in der Handschrift ein »Lust- und Trauerspiel«, welche Bezeichnung all jenen Interpreten teuer ist, die auf »Tragikomödie« aus sind. In mehreren Briefen aus dem Jahre 1771 steht »mein Trauerspiel« (Briefe I, Nr. 12, S. 25; Nr. 24, S. 58 f.; Nr. 25, S. 62). Im Brief an den Bruder vom 7. 11. 74 (Briefe I, Nr. 39, S. 84) taucht dann der endgültige Titel auf: »Der Hofmeister, oder Vortheile der Privaterziehung, eine Komödie.« So dann auch im Druck, und die Gattungsbezeichnung wird nicht mehr revidiert.
Brecht wertet den »Hofmeister« als »bürgerliches Trauerspiel« (GW 9, 610 und GW 19, 363), das Programmheft des Berliner Ensembles verzeichnet »Komödie«, die Dokumentation im Band »Theaterarbeit« aber »Tragikomödie«, die Druckausgaben der Bearbeitung haben keine Gattungsbezeichnung.

283 F. *Engels*, Brief an Franz Mehring, 14. Juli 1893, MEW 39, S. 99.

284 F. *Engels*, Deutsche Zustände, MEW 2, S. 566 f.

285 Nach E. *Genton*, Lenz et la Scène allemande, p. 204 s., sei dieser Text von *Engels* nicht nur charakteristisch für die Brechtsche »Hofmeister«-Konzeption, sondern generell für die *Lenz*-Rezeption in der DDR. Als Beleg kann sie aber lediglich das Programmheft einer Aufführung der »Soldaten« in Bautzen von 1952 anführen. *Genton* läßt durchblicken, daß sie eine derart »einseitige« politische Wertung *Lenzens* in der DDR für bedenklich hält. Ihr entgeht dabei gerade das Wichtigste: daß nämlich in den fünfziger Jahren in der DDR eine erbitterte Kontroverse um die sog. »Misere-Theorie« geführt wurde und daß die offizielle Kulturpolitik von solchen Worten *Engels'* gerade abzurücken bestrebt war, um eine Kontinuität der sozialistischen Bewegung im Bereich der Literatur sozusagen von der bürgerlich-progressiven deutschen Literatur bis in die fünfziger Jahre konstruieren zu können.

286 Gleichwohl ist die objektiv »revolutionäre« Geltung der »Figaro«-Komödie ein Faktum, von dem auszugehen ist, unabhängig von dem historisch-kritischen Urteil, zu dem eine eingehende Behandlung des Werkes führen muß.
Brecht hat das durchaus richtig gesehen, indem er von der *generellen* historischen Situation ausging und nicht vom Beifall der »falschen Leute« in dieser Situation. Vgl. GW 16, 703: »Es wirkte nicht nur Gift als Reiz, wenn der Hof von Versailles dem Figaro Beifall klatschte.« (Die Ausführung dieser These ist sicher nicht unabhängig von Brechts eigener Erfahrung mit der »Dreigroschenoper«.

287 *Marx/Engels*, Die deutsche Ideologie, MEW 3, S. 178.

288 Zit. nach H. *Mayer*, B. Brecht und die Tradition, S. 54.

289 An dieser Stelle ist an Brechts Wort zu erinnern, daß es »zweifellos die berüchtigte deutsche Misere [war], die uns die Lustspiele gekostet hat, die Goethe hätte schreiben können« (GW 17, 1279 f.) — was doch wohl nicht als Vorwurf zu verstehen ist, sondern unterstreichen soll, daß Misere und Komödie für Brecht nicht zusammen »passen«. Andererseits aber hat Brecht die Tendenz, unter gesellschaftlich-politischem Aspekt die »kleineren Genien« wie *Lenz* gegen die deutschen Dichterheroen polemisch auszuspielen (vgl. GW 19, 465), und gerade das Faktum Komödie wird ihm dann zum positiv unterstreichenden Argument.

290 Es ist kein Zweifel, daß Brecht die politische Haltung des bloßen Protests stets ungenügend und verwerflich schien und daß er *deshalb* Tragödie überhaupt ablehnte,

indem er sie — fälschlich — mit bürgerlich-renommierender und sentimentaler Ausdrucksform identifizierte.
Vgl. dazu *Marx/Engels,* Die deutsche Ideologie, MEW 3, 281: »Die Einheit von Sentimentalität und Renommage ist die Empörung. In ihrer Richtung nach Außen, gegen Andre, ist die Renommage; in ihrer Richtung nach innen, als Knurren-in-sich, ist sie Sentimentalität. Sie ist der spezifische Ausdruck des ohnmächtigen Widerwillens des Philisters.«

291 C. H. *Schmidt,* Allmanach der deutschen Musen 1775, S. 42 (zit. nach M. N. *Rosanow,* J. M. R. Lenz, der Dichter der Sturm- und Drangperiode. Sein Leben und seine Werke, Leipzig 1909, S. 207).

292 Die Bezeichnung Komödie ist doch viel weniger willkürlich als die erste Bezeichnung »Trauerspiel«, die sich an den zeitgenössischen Sprachgebrauch anlehnt, wie er in der voranstehenden Anmerkung zum Ausdruck kommt, oder als die zweite, »Lust- und Trauerspiel«, die einen Kompromiß mit diesem Sprachgebrauch sucht. — Zu den Thesen *Guthkes* zur »Tragikomödie«, vgl. oben S. 195 ff.

293 Um es ganz deutlich zu sagen: die Stücke sind nie die Fußnoten zu den Theorien der Autoren. Dies ist geradezu ein Kriterium für das Niveau des literaturwissenschaftlichen Ansatzes: die *Lenz*-Literatur, die von den »Anmerkungen übers Theater« bzw. von der »Rezension des neuen Menoza« her schon die Deutung der *Lenzschen* Komödie gesichert glaubt, führt denn auch stets zu denselben kümmerlichen Ergebnissen wie die Brecht-Literatur, die am »Kleinen Organon« entlang schreibt. Vgl. hierzu P. *Hacks,* Das Poetische, S. 45.

294 Vgl. *Lenz,* Werke und Schriften I, S. 361 und 419.

295 Gegenüberzustellen sind: *Lessing,* Hamburgische Dramaturgie 51, in: Gesammelte Werke 6, S. 266 und *Lenz,* Anmerkungen übers Theater, in: Werke und Schriften I, S. 361.
Lessing: »Die verschiedensten Charaktere können in ähnliche Situationen geraten; und da in der Komödie die Charaktere das Hauptwerk, die Situationen aber nur die Mittel sind, jene sich äußern zu lassen, und ins Spiel zu setzen: so muß man nicht die Situationen, sondern die Charaktere in Betrachtung ziehen, wenn man bestimmen will, ob ein Stück Original oder Kopie genannt zu werden verdiene. Umgekehrt ist es in der Tragödie, wo die Charaktere weniger wesentlich sind, und Schrecken und Mitleid vornehmlich aus den Situationen entspringt. Ähnliche Situationen geben also ähnliche Tragödien, aber nicht ähnliche Komödien. Hingegen geben ähnliche Charaktere ähnliche Komödien, anstatt daß sie in den Tragödien fast gar nicht in Erwägung kommen.«
Lenz: »Meiner Meinung nach wäre immer der Hauptgedanke einer Komödie *eine Sache,* einer Tragödie *eine Person.* [...] Die Personen sind für die Handlungen da [...] und es ist eine Komödie. Ja wahrlich, denn was soll sonst Komödie in der Welt sein? Fragen Sie sich und andere! Im Trauerspiele aber sind die Handlungen um der Person willen da [...] In der Komödie aber gehe ich von den Handlungen aus, und lasse Personen Teil daran nehmen welche ich will. Eine Komödie ohne Personen interessiert nicht, eine Tragödie ohne Personen ist ein Widerspruch.«

296 Die in Anm. 293 angedeutete Problematik zeigt sich besonders deutlich an der Dissertation von B. *Titel,* »›Nachahmung der Natur‹ als Prinzip dramatischer Gestaltung bei J. M. R. Lenz«, die sich vorbehaltlos auf die *Lenzsche* Terminologie einläßt, z. B. auch auf seinen höchst unglücklichen Begriff des »Rückspiegelns«, und von daher weitreichende Schlüsse wagt: »Die tragikomische Sicht [entspreche] im tiefsten Lenzens Konzeption der dramatischen Kunst als Zurückspiegeln ungedeuteter [sic!] Wirklichkeit.« (S. 58)

297 *Lenz* an Sophie von *La Roche,* Juli 1775, Briefe I, Nr. 57, S. 115: »Doch bitte ich Sie sehr, zu bedenken, gnädige Frau! daß mein Publikum das ganze Volck ist; daß ich den Pöbel so wenig ausschließen kann, als Personen von Geschmack und Erziehung,

und daß der gemeine Mann mit der Häßlichkeit seiner Regungen des Lasters nicht so bekannt ist, sondern ihm anschaulich gemacht werden muß, wo sie hinausführen.«

298 Vgl. »Rezension des neuen Menoza«, in: Werke und Schriften I, S. 419 und »Pandämonium Germanicum«, in: Werke und Schriften II, S. 275 f.

299 Vgl. W. *Hinck* in: *Lenz,* Der neue Menoza, S. 82: »Der gesellschaftlichen Heterogenität entspricht im ästhetisch-dramatischen Bereich die gattungsgesetzliche Heterogenität.« — F. *Martini,* Die Einheit der Konzeption [...], S. 178:
»Der Zustand der Ungleichheit in der Gesellschaft, die Lenz als das ganze Volk mit seinem Drama erreichen wollte, ist also eine Begründung der tragikomischen Mischform.«
Zu fragen wäre wenigstens, ob denn »Heterogenität« bzw. »Ungleichheit« bei *Lenz* wirklich eindeutig im sozialen oder nur im kulturell-bildungsmäßigen Sinn gemeint ist. Aber wie dem auch sei, die Folgerung: wenn gesellschaftliche »Ungleichheit«, dann keine Komödien oder Tragödien, sondern nur Mischformen möglich, kann ja wohl nicht ernsthaft aufrechterhalten werden, will man nicht nachträglich sämtlichen großen Werken, die in einer »unfreien« Gesellschaft entstanden, das Attribut des »Tragikomischen« anhängen.

300 »Menschliche Gesellschaft« ist bei *Lenz* wahrscheinlich wieder als Gegensatz zum »Charakter« gedacht und damit ein unterscheidendes Kriterium zwischen Komödie und Tragödie gemäß seiner »Theorie«. Diese Einschränkung ändert jedoch nichts daran, daß der Begriff tautologisch und vage ist.

301 *Lenz* an Sophie von *La Roche,* Juli 1775, Briefe I, Nr. 57, S. 115: »überhaupt wird meine Bemühung dahin gehen, die Stände darzustellen, wie sie sind; nicht, wie sie Personen aus einer höheren Sphäre sich vorstellen, und den mitleidigen, gefühlvollen, wohltätigen Gottesherzen unter diesen, neue Aussichten und Laufbahnen für ihre Göttlichkeit zu eröffnen.«

302 So die Behauptung von F. *Martini,* Die Einheit der Konzeption [...], S. 177. Nach *Martini* zielt die *Lenzsche* Tragikomödie »auf eine Bildung des Publikums, aus der sich eine freie und ungeschiedene Gesellschaft endlich entwickeln soll. In dieser Gesellschaft würde es mit dem frei handelnden Charakter erneut die Tragödie und, weil das Ernsthafte, das jetzt dem problematischen Zustand der Gesellschaft entspringt, überwunden wäre, auch wieder die Komödie der artigen, heiteren Begebenheiten geben. Beides setzt den Zustand der gesellschaftlichen Freiheit voraus.« (S. 181 f.) — Der Aufsatz von *Martini* ist ein schönes Beispiel für den Idealismus der bürgerlichen Literaturwissenschaft, wie er in solch naiver Unbefangenheit kaum noch begegnet. Angeblich sei Tragödie »Resultat und Ziel« der von *Lenz* erstrebten »höchsten Bildungszustände, nämlich einer zum Bewußtsein der Freiheit gelangten Gesellschaft«. Klingt diese Voraussetzung schon wunderlich, so sind es die daraus gezogenen Folgerungen noch mehr: was soll denn das für eine Tragödie sein, wo der »frei handelnde Charakter« nicht notwendig an die »Freiheit« anderer Charaktere stößt und stoßen muß? Und was soll denn das für eine Komödie sein, die immer nur »artige« und »heitere« Begebenheiten schildert, ohne darüber seicht zu werden? Die Rede von einem »Zustand der gesellschaftlichen Freiheit«, der dann — wie könnte ein bürgerlicher Literaturwissenschaftler auch anderes sehen — vor allem dazu dient, die reine Tragödie und die reine Komödie wiederherzustellen, ist der pure Schwachsinn, der dem Autor *Lenz* nicht unterstellt werden sollte. Wie lächerlich die Vorstellung einer problemlosen Gesellschaft, die gleichwohl Tragödie neu ermöglicht, auch ist, so ist die Konstruktion trotzdem nicht einmal in sich stringent: denn warum sollte ein Autor eine literarische Form, die zur Zeit dem gesellschaftlichen Zustand nicht adäquat scheint, nicht antizipieren können? Warum überhaupt ist bei solchem paradiesischen »Zustand« ausgerechnet die Herstellung von Tragödien und Komödien noch wichtig?

303 Vgl. *Kluge/Mitzka,* Etymologisches Wörterbuch der deutschen Sprache, Berlin

[10]1963, S. 855, wonach eine Bedeutung wie etwa »mehr Ruhm« dem Namen Wenzeslaus entnommen werden kann. Das gäbe im Zusammenhang des »Hofmeister«, besonders was die Wenzeslaus-Läuffer-Komponente betrifft, einen ironischen Sinn.

304 Der abstrakte Unterschied von »Natur« und »Situation« bei der Beurteilung Läuffers wurde zuerst von Friedrich *Hebbel* postuliert, der es als Fehler ansah, daß »Lenz den Hofmeister Läufer durchgehends als symbolisch geltend zu machen sucht, ohne daß er es wirklich ist. Es mag in der Hofmeister-Zeit manchen Lump der Art gegeben haben, aber der Grund davon liegt in der Natur dieser Lumpe, nicht in der Natur ihrer Situation.« (Tagebücher I, in: Werke, hrsg. von G. *Fricke*, W. *Keller* u. K. *Pörnbacher*, Bd. IV, München 1966, S. 270.)
In der Tat hat *Hebbel* soweit recht, daß aus der Situation des Hofmeisterstandes z. B. die »Verführung« Gustchens nicht direkt ableitbar ist. Das Verhalten Läuffers aber lediglich aus einer eben so seienden »Natur« abzuleiten, verkennt völlig Intention und Gehalt der *Lenzschen* Komödie.

305 G. *Mattenklott*, Melancholie in der Dramatik des Sturm und Drang, S. 126.

306 Dies ist die These von A. *Schöne*. (Vgl. S. 193 der vorliegenden Arbeit.)

307 G. *Mattenklott*, Melancholie [...], S. 161: »Die Selbstentmannung erscheint als introvertiertes Verbot der Promiskuität. Nicht die rächende Familie überfällt den Hofmeister, sondern — in ›Reue und Verzweiflung‹ — er sich selbst. So wahrt er zwar formal die Gebärde des Opfers, und doch tragen die Schuld — ihm selbst unbewußt — jene, die ihn dazu trieben. Läuffer würde die Abhängigkeit von seinen Lebensumständen erfahren, wenn er sich bewußt gegen sie stellte. Er erfährt sie ebenso, wenn er sich, passiv duldend, die formale Selbständigkeit wahrt. So kehrt er sich mit der Logik des Unterdrückten gegen sich selbst.«

308 Der Sache nach zählt ein weiterer Beruf dazu, nämlich der des »Dichters«. Mit masochistischer Ehrlichkeit läßt der Autor *Lenz* seinen Geheimen Rat darauf hinweisen, daß Romane nur »in der ausschweifenden Einbildungskraft eines hungrigen Poeten ausgeheckt« werden. Eben weil die bürgerlichen Poeten ein kärgliches Dasein fristen, flüchten sie — und laden ihre Leser dazu ein — in jene Sphäre, von der, wie der Geheime Rat weiß, »ihr in der heutigen Welt keinen Schatten der Wirklichkeit antrefft«. (I, 6/23) — Es besteht keine Identität zwischen *Lenz* und Läuffer oder einer anderen seiner Figuren, aber in den bürgerlichen Figuren insgesamt spiegelt sich tatsächlich die objektive Realität bzw. die damaligen Berufsmöglichkeiten eines bürgerlichen Intellektuellen. Vgl. dazu die informativen historischen Schautafeln, die Brecht zur Aufführung seiner Bearbeitung aufstellen ließ, reproduziert im Band »Theaterarbeit«, S. 84.

309 Dieser Signalwert tritt zumal in der Komödie, in den Motiven Heirat (Mitgift), Erbschaft, Lotteriegewinn usw. überdeutlich hervor. Besonders die französische Komödienliteratur seit den beiden letzten Jahrzehnten des 17. Jahrhunderts greift das Geld als zentrales Thema auf, es handelt sich um die frühbürgerliche Kritik an der Finanzbourgeoisie.

310 Dies ist allerdings noch immer die communis opinio der Literaturwissenschaft. E. *Genton*, Lenz et la Scène allemande, p. 202 vermerkte dagegen, daß der Geheime Rat bei *Lenz* keineswegs uneingeschränkt »Sprachrohr« des Autors ist, sondern daß dies von den Interpreten der Bearbeitung (P. *Rilla*, H. *Mayer*) behauptet wurde, um in diesem Kontrast die Verdienste Brechts desto deutlicher hervorheben zu können. Auch H. *Arntzen*, Die ernste Komödie, S. 88 f. erkennt, daß der Geheime Rat ursprünglich vielleicht als »Ausnahme« geplant war, daß er in der Struktur der Komödie aber durchaus nicht als »Ausnahme« bzw. als durchweg positiv-vorbildliche Gestalt fungiert.

311 K. S. *Guthke*, Geschichte und Poetik der deutschen Tragikomödie, S. 60.

312 »Peinlich versöhnlich« ist der Schluß für *Guthke*, S. 63; als »parodistisch« bzw. »ironisch« wird er von der Mehrzahl der Autoren verstanden.

313 E. *Bloch*, Das Prinzip Hoffnung I, S. 515.

314 *Schubart*, Werke, ausgewählt und eingeleitet von U. *Wertheim* und H. *Böhm*, Berlin und Weimar [3]1965, Bibliothek deutscher Klassiker, S. 36.

315 Auserlesene Bibliothek der neuesten deutschen Literatur, Bd. 7, Lemgo 1775, S. 393 (zit. nach G. *Mattenklott*, Melancholie [...], S. 131).

316 Belegt bei E. *Genton*, Lenz et la Scène allemande, p. 233.

317 Matthias *Claudius*, Rezension des »Hofmeister«, zit. nach H. *Mayer*, Hrsg., Meisterwerke deutscher Literaturkritik. Aufklärung, Klassik, Romantik, Stuttgart 1962, S. 361 f.

318 H. O. *Burger*, J. M. R. Lenz: »Der Hofmeister«, in: H. *Steffen*, Hrsg., Das deutsche Lustspiel I, S. 60 f.

319 A. *Schöne*, Säkularisation als sprachbildende Kraft, S. 115 f.

320 H. A. *Glaser*, »Heteroklisie — derFall Lenz«, sieht den»Hofmeister« als *soziales Drama* und *deshalb* als »Tragikomödie«. Die gedankliche Konstruktion ist etwa folgende: das bürgerliche Trauerspiel zeige den Antagonismus von Feudalklasse und Bürgertum aus der Perspektive des letzteren; Komödie wäre erst möglich, wenn das Bürgertum den Kampf realiter gewonnen und die Aristokratie von der historischen Bühne weggelacht hätte. *Beide* Möglichkeiten, Bürgerliches Trauerspiel wie Komödie, seien für Lenz *noch nicht* gegeben, und darum melde sich bei ihm das soziale Drama in der unreinen Mischform der Tragikomödie. *Glaser* postuliert daher im Vergleich des Typus' Bürgerliches Trauerspiel bei *Schiller* mit *Lenz*, daß *Schiller* eine historische Stufe weiter sei, was das bürgerliche Selbstbewußtsein betrifft, während »Lenzens bürgerliche Hampelmänner zwischen den Schranken der Ständegesellschaft einfach zu Fall kommen, bevor sie ihr Interesse als allgemeines Standesinteresse hätten begreifen können«. (S. 151) *Glaser* merkt allerdings zu *Schiller* kritisch an, daß diesem sich der Antagonismus der Stände zur tragischen Antinomie versteife, die eben so sein müsse, so daß sich hier trotz aller Auflehnung schon der spätere Klassizismus ankündige, der sich ins Bestehende zu schicken weiß.
Das ist die Antithese zu der hier vertretenen These, derzufolge der »Hofmeister« zur Komödie deshalb wird, weil *Lenz* die bürgerlich-moralische Protesthaltung nicht mehr akzeptiert bzw. nicht mehr als »tragisch« begreifen kann und will, so daß umgekehrt gerade *Lenz* historisch eine Stufe weiter scheint als *Schiller*. Das eben zeigt sich nicht zuletzt darin, daß — was *Glaser* übersieht — im *Lenzschen* »Hofmeister« die bürgerliche Illusion vom Klassenkompromiß schon voll zutage tritt, die *Glaser* erst bei der deutschen Klassik zu finden meint.

321 Man lese bei E. *Genton*, Lenz et la Scène allemande, p. 212 die vollends verwirrte Anmerkung 13, in der nicht weniger behauptet wird, als daß *Guthkes* »Hofmeister«-Analyse und Tragikomödien-Konzeption von Brechts Bearbeitung inspiriert worden sei. — Scheint E. *Genton* hier noch *Guthkes* Ansichten zu teilen, so rückt sie später davon ab: vgl. E. *Genton*, Quelques Lenziana, Etudes germaniques 25 (1970) p. 397: »En effet, la tragi-comédie n'est que l'une des formes de la comédie, et Lenz n'a pas utilisé seulement celle-là.«

322 K. S. *Guthke*, Geschichte und Poetik der deutschen Tragikomödie, S. 59, 62, 63.

323 Thomas *Mann*, Vorwort zu Joseph Conrads Roman »Der Geheimagent«, in: Altes und Neues, Frankfurt a. M. [2]1961, S. 472 f.

324 Es ist nicht überflüssig, daran zu erinnern, daß die Tragikomödie-Theorie selbst ja keineswegs neu ist, sondern eher die Regel in der Beurteilung von Komödie war. Tragödie und Tragisches galten fast immer als ästhetisch wertvoller denn die Komödie, vom Komischen gar nicht zu reden, so daß die Versuche Legion sind, die großen Komödien tragisch zu interpretieren, so als hätten diese es nötig. Neuerdings kommt man zu demselben Ergebnis eben mit anderer Begründung: das Neueste, die von irgendeinem vagen Begriff des »Modernen« abgeleitete Behauptung, weder Tra-

gödie noch Komödie seien noch »möglich« und eigentlich aktuell sei die »Tragikomödie«, ist daher zugleich das Alte.
Von diesem modischen Begriff »Tragikomödie«, der sich mit dem des Grotesken und Absurden mischt, ist allerdings der von H. *Kaufmann* abzugrenzen. *Kaufmann* sieht bei Brecht deshalb Tragikomödie, weil die Komödie, die als heiteres Scheiden von der Vergangenheit einmal möglich werden wird, es zu Zeiten Brechts noch nicht sein konnte. Wo *Guthke* und die bürgerlichen Literaturwissenschaftler in seinem Gefolge (z. B. *Girard)* lediglich eine neue Gattungstypologie etablieren wollen, geht *Kaufmann* wenigstens von einer gesellschaftlich-politischen Situationsanalyse aus. (zur Kritik an *Kaufmann* vgl. S. 51 ff. der vorliegenden Arbeit).

325 So stimmt etwa, um ein Beispiel zu geben, das in GW 6, 2350 f. geschilderte Rivalitätsverhältnis zwischen *Wolff* und *Kant* (*Wolff* hasse die *Kantschen* Freiheitsschriften usw.) mit der tatsächlichen Chronologie nicht überein.

326 Für Walter *Benjamin* kommt das in Deutschland typische »Aufeinanderangewiesensein des kargen eingeschränkten Daseins und der wahren Humanität nirgends eindeutiger zum Vorschein [...] als bei *Kant* (welcher die strenge Mitte zwischen dem Schulmeister und dem Volkstribunen markiert)«. (Deutsche Menschen. Eine Folge von Briefen, ausgew. und eingel. von W. *Benjamin,* Frankfurt a. M. 1962, S. 18; jetzt auch in: Gesammelte Schriften Bd. IV/1, S. 157.)
Für Brecht, der den Wert einer Philosophie gern an der »Haltung«, am normalen »Verhalten« des Philosophierenden mißt (vgl. z. B. GW 12, 375; 409 f.; 576; — siehe dazu *M. Riedel,* Brecht und die Philosophie) ist es fast unmöglich, der Philosophie eines *Kant* gerecht zu werden.

327 *Heine,* Zur Geschichte der Religion und Philosophie in Deutschland, in: Werke und Briefe 5, S. 260.
Bekanntlich hat sich F. *Engels* später ausdrücklich Heines These zueigen gemacht. (Ludwig Feuerbach [...], MEW 21, S. 265.)

328 Vgl. *Marx/Engels,* Die deutsche Ideologie, MEW 3, S. 176 f.: »Der Zustand Deutschlands am Ende des vorigen Jahrhunderts spiegelt sich vollständig ab in Kants Critik der practischen Vernunft. Während die französische Bourgeoisie sich durch die kolossalste Revolution, die die Geschichte kennt, zur Herrschaft aufschwingt und den europäischen Kontinent eroberte, während die bereits politisch emanzipierte englische Bourgeoisie die Industrie revolutionierte und sich Indien politisch und die ganze andere Welt kommerziell unterwarf, brachten es die ohnmächtigen deutschen Bürger nur zum ›guten Willen‹. Kant beruhigte sich bei dem bloßen ›guten Willen‹, selbst wenn er ohne alles Resultat bleibt, und setzte die *Verwirklichung* dieses guten Willens, die Harmonie zwischen ihm und den Bedürfnissen und Trieben der Individuen, ins *Jenseits.* Dieser gute Wille Kants entspricht vollständig der Ohnmacht, Gedrücktheit und Misère der deutschen Bürger.«

329 Im Band »Theaterarbeit« heißt es, nachdem die beiden ersten *Lenz*-Szenen und die erste Szene der Bearbeitung parallel abgedruckt sind: »Die Figur des Geheimen Rats, positiv bei Lenz, betrachtet die Bearbeitung kritisch.« (S. 87) — Dies wurde unbesehen immer wieder nachgesprochen und, z. B. von H. *Mayer,* als Hauptunterscheidungsmerkmal zwischen Original und Bearbeitung angesehen.

330 Vgl. GW 17, 1222: »Der Prolog vor dem Vorhang wurde zu den feinen Tönen einer Spieldose gesprochen. Da der Prologsprecher die ganze historische Spezies Hofmeister vertritt, wurde ihm etwas von der Mechanik von Glockenspielfiguren verliehen.« Jedoch hat, wie Brecht weiter bemerkt, der Schauspieler »das Puppenhafte weiter aus[gearbeitet], und die Meisterschaft respektierend, ließen wir es gut sein.« — Obwohl das natürlich die Regie-Intention letztlich zerstören mußte: war diese nämlich auf den historischen Abstand zwischen dem Darsteller und seiner Rolle aus, so lieferte nun der Schauspieler mit seiner »Meisterschaft« eine Nummer ab, die mehr zur dargestellten Figur Läuffer gehört.

331 G. *Löfdahl,* »Moral und Dialektik. Über die Pätus-Figur im ›Hofmeister‹«, glaubt Brecht wegen seiner Pätus-Figur kritisieren zu sollen: da Pätus bei allgemeiner gesellschaftlicher Determination gar nicht anders handeln könne, dürfe Brecht ihm auch kein Versagen anlasten. Löfdahl, der seine dümmlichen Notizen zur »Freiheit« des Individuums contra Determination durch gesellschaftliche Verhältnisse ernsthaft als Widerlegung des Marxismus versteht, verkennt völlig den Brechtschen Ansatz. Brecht will ja eben nicht psychologisch bewerten bzw. im Horizont des Geschehens selbst Verhaltensalternativen aufzeigen, sondern er führt die schlechte Vergangenheit als solche vor, damit sie von heute aus kritisiert werden kann, wobei die praktische Kritik als gesellschaftliche Aufgabe definiert wird. Weder hier noch sonst im Brecht-Theater handelt es sich um individuell lösbare Konflikte, sog. Entscheidungssituationen, Darstellung persönlichen »Scheiterns« usw. Brecht ist kein Dramatiker existentieller Problematik.

332 So E. *Genton,* Lenz et la Scène allemande, p. 205, deren Behauptung in H. *Mayers* Nachwort (*Lenz,* Werke und Schriften II, S. 802) übernommen wird. An dieser Stelle sei grundsätzlich angemerkt, daß die »Genealogie« *Lenz — Büchner — Wedekind — Brecht* zwar eine wirkliche Traditionslinie der deutschen dramatischen Literatur ausmacht, daß diese aber zu sehr strapaziert würde, wenn man sie, mit Hilfe der Kategorie »Einfluß«, inhaltlich festlegen wollte, so als nähme ein Autor nur deshalb ein ähnliches Motiv, weil der von ihm geschätzte »Vorläufer« das auch schon tat.

333 H. *Eisler* bestätigte, daß Brecht mit *Kant* »überhaupt nichts anfangen« konnte und etwa den *Kantschen* Ehevertrag als etwas für sich Komisches ansah. (H. *Bunge,* Hrsg., Fragen Sie mehr über Brecht, S. 147 f.) Während *Eisler* anläßlich der Aufführung des »Hofmeister« im Streitgespräch mit Brecht auf den »enormen Fortschritt« der *Kantschen* nüchternen Ehetheorie als Rechtsverhältnis gegenüber dem von der Kirche postulierten Sakrament hinwies, sah Brecht den Vertrag selbst, der den Menschen zur Ware macht, als ein negativ-komisches Motiv an, wie er denn überhaupt »Entfremdung« als komisches Motiv verwendete.

334 Vgl. Anmerkung 173.

335 Zunächst orientierte sich das bürgerliche Feuilleton in seiner Brecht-Einschätzung an der jeweils aktuellsten Form des Antikommunismus: mal wurde der »Dichter« Brecht vom »Kommunisten Brecht« spitzfindig unterschieden, mal der politische Brecht schlicht attackiert und verboten, dann auch wieder gegen die DDR ausgespielt usw. Schließlich eigneten sich die bürgerlichen Tuis die Begriffssprache Brechts an, sprachen von »V-Effekten« und »epischem Theater«, dem Autor somit einen modischen Sensationswert verleihend, der natürlich nicht lange erhalten bleiben konnte: bald schien dann Brecht »veraltet«, »überlebt«, er »provoziere« nicht mehr so richtig usw. *Adorno* und seine Adepten bauten ganz auf die abstrakte »Negation« der *Kafka* und *Beckett,* die angeblich viel »politischer« als die der Brechtschen Werke sei. Schließlich einigte sich das bürgerliche Feuilleton auf das dümmliche Bonmot von Max *Frisch,* der Brecht die »Wirkungslosigkeit eines Klassikers« zudiktierte. (Öffentlichkeit als Partner, Frankfurt a. M. 1967, edition suhrkamp 209, S. 73.) Nachdem die Mode des absurden Theaters verebbt war, sah man das »dokumentarische Theater«, das »Theater der Grausamkeit« (Living Theatre usw.), den spät entdeckten *Horváth* oder gar Peter *Handke* jeweils für viel »moderner« als Brecht an. Diejenigen, die idealistisch-überspannte Hoffnungen auf die direkte Wirkung von Literatur gesetzt hatten, wollten das Scheitern dieser Hoffnungen Brecht zur Last legen oder verkündeten dann gleich die »Überholtheit« von Kunst und Literatur überhaupt, spekulierten aber gleichwohl über das sog. »Straßentheater« usw. — stets in direkter oder indirekter Antithese zu Brecht.

336 Dieser noch andauernde Prozeß (vgl. insbesondere die der »Materialistischen Literaturtheorie« gewidmeten Hefte der Zeitschrift »Alternative« Nr. 67/68, 78/79, 84/

85 (1969—1972) sowie den »Sonderband Bertolt Brecht« der Zeitschrift »Text + Kritik« [1972], wurde nicht innerhalb der einschlägigen Literaturwissenschaft ausgelöst, sondern innerhalb der politischen Entwicklung der sog. Neuen Linken, soweit diese für literarisch-kulturelle Fragen Interesse hatte. Die erneute »Entdeckung« Brechts ist zudem eine Folge der *Benjamin*-Rezeption, z. B. was die Medientheorie betrifft, und auch eine Folge der kritischen Lösung von *Adorno*. Generell erstarkte das Interesse an Brecht in dem Maße, wie das Interesse an undoktrinärer marxistischer Theorie (z. B. *Korsch, Lukács*) zunahm.

337 M. *Wekwerth,* Versuch einer Analyse der bisherigen Arbeit des BE und einer Konzeption für die nächsten Jahre, unveröffentlichtes Manuskript (1951?), S. 8 (zit. nach: Theater in der Zeitenwende, Bd. I, S. 194).

338 F. *Schiller,* Die Künstler, in: Sämtliche Werke 1, S. 175.

339 Äußerung Brechts im Jahre 1955, zit. nach K. *Rülicke-Weiler,* Bemerkungen Brechts zur Kunst, S. 5.

340 G. *Lukács,* Von Nietzsche zu Hitler oder Der Irrationalismus und die deutsche Politik, Frankfurt a. M. 1966, Fischer Bücherei 784, S. 11.

341 Vgl. die kleingedruckten Sätze auf der Seite GW 17, 1179, die in diskutabler Form resumieren, wogegen Brecht sich diesmal zu verteidigen hatte. Aus einer Bemerkung von E. *Hauptmann* (Stücke IX, Berlin 1958, S. 373) geht hervor, daß die unter Punkt 3 der »Anmerkungen zum Arturo Ui« zu findenden Notizen Brechts ausschließlich wegen dieser Diskussion erst geschrieben wurden.

342 F. *Engels,* Ludwig Feuerbach [...], MEW 21, S. 269.

343 F. *Engels,* Deutscher Sozialismus in Versen und Prosa, MEW 4, S. 232.

344 Die Bemerkungen zum »Urfaust« stützen sich auf direkte Anschauung, nämlich auf den — im Juli 1972 bei den Westberliner Filmfestspielen erstmals gezeigten — Film von Hans Jürgen *Syberberg* »Bei meinem letzten Umzug«. Der Film, den der Schüler *Syberberg* im Jahre 1953 mit einer Handkamera aufnahm und den er — daher der Titel — bei einem Umzug zufällig wiederfand, zeigt authentisches Material der »Urfarst«-Inszenierung sowie Ausschnitte aus »Puntila« und der »Mutter«. Der Film ist stumm, doch sind ihm Erläuterungen von *Syberberg* und Hans *Mayer* eingearbeitet.
In welchem Ton übrigens die Kontroverse um den »Urfaust« von offizieller Seite geführt wurde, dazu sehe man das lange Zitat aus dem »Neuen Deutschland«, das bei J. *Rühle,* Theater und Revolution, S. 190 abgedruckt ist. (Hier wird nicht weniger als die gesamte Produktion Brechts bzw. seine künstlerischen Prinzipien verworfen, Brecht habe die jungen Künstler »verleitet« usw. usf. Brecht habe »fatalistische Zustandsschilderungen«, deren »einziger Held« die »deutsche Misere« sei, geben wollen und sich damit gegen die deutsche Nationalkultur versündigt usw.)

345 Vgl. z. B. GW 12, 517 f. sowie GW 19, 319, 323, 334 f., 505, 528.

346 Vgl. Anmerkung 130.

347 Allerdings hatte Brecht im Exil durchaus Gedanken, die in diese Richtung liefen. Vgl. W. *Benjamin,* der am 25. 7. 1938 folgende Äußerung Brechts festhielt: »Die Deutschen sind ein Scheißvolk. Das ist nicht wahr, daß man von Hitler keine Schlüsse auf die Deutschen ziehen darf. Auch an mir ist alles schlecht, was deutsch ist.« (Versuche über Brecht, S. 132 f.) Diese Äußerung Brechts steht aber vereinzelt. Im Gegenteil verwahrte sich Brecht, entschiedener als Thomas *Mann,* gegen alle Versuche, »die Deutschen« mit »den Faschisten« einfach gleichzusetzen: vgl. Brecht GW 19, 478 ff. und Thomas *Mann,* Briefe 1937—1947, Frankfurt a. M. 1963, S. 339 ff.

348 Vgl. etwa: Theater in der Zeitenwende, Bd. I, S. 354 ff., wo von der Synthese »Brecht und Stanislawski« gehandelt wird. Dabei war die *Stanislawski*-Parole von dem einflußreichsten Theaterkritiker und Brecht-Feind F. *Erpenbeck* einzig zu dem Zweck ausgegeben worden, ein Gegengewicht zur Brechtschen Dramaturgie zu gewinnen. Der Beweis, wo Brecht denn bei *Stanislawski* Wichtiges hätte lernen können,

ist schwer zu erbringen, also spricht man eben von einer notwendigen »Synthese«, die sich denn auch ereignet habe.

349 Eine genaue Untersuchung des Verhältnisses Brecht-*Hacks* steht noch aus. Peter *Hacks,* der bedeutendste zeitgenössische deutsche Dramatiker, dem in der DDR zumeist politische Schwierigkeiten gemacht werden, begegnet man in Westdeutschland meist von oben herab mit dem Vorwurf, er sei ein »Epigone« Brechts, so als käme der kleinere Autor aus dem Schatten des größeren nicht heraus. Das bürgerliche Feuilleton, dem literarische Werke nur das Material zu modischen Etikettierungen liefern, ist unfähig, die Eigenart dieses Autors zu erkennen. Andererseits liegt hier aber auch, jenseits des »Originalitätsproblems« eine grundsätzliche und schwer zu beantwortende Frage vor, ob nämlich der Literatur womöglich ein Innovationsanspruch immanent ist, der nicht nur polemisch abzutun wäre. (So ist *Hacks'* letzte Arbeit, Über das Poetische. Versuch einer postrevolutionären Dramaturgie, deutlich als Versuch angelegt, von Brecht weg zu kommen — ohne daß der neue Weg einer »postrevolutionären« Dramaturgie ein eben klares Ziel anzubieten vermöchte.)

350 *Lenin,* Ökonomik und Politik in der Epoche der Diktatur des Proletariats, in: Ausgewählte Werke III, S. 323 u. 330 Vgl. hierzu auch: Zum Verhältnis von Ökonomie, Politik und Literatur im Klassenkampf, Berlin 1971, Materialistische Wissenschaft 1, S. 213 ff. u. passim.

351 Bereits F. *Engels* machte sich über diese Terminologie lustig. Im Vorwort zur dritten Auflage des »Kapital I; (MEW 23, S. 34) schrieb er:
»Es konnte mir nicht in den Sinn kommen, in das ›Kapital‹ den landläufigen Jargon einzuführen, in welchem deutsche Ökonomen sich auszudrücken pflegen, jenes Kauderwelsch, worin z. B. derjenige, der sich für bare Zahlung von andern ihre Arbeit geben läßt, der Arbeit*geber* heißt, und Arbeit*nehmer* derjenige, dessen Arbeit ihm für Lohn abgenommen wird. Auch im Französischen wird travail im gewöhnlichen Leben im Sinn von ›Beschäftigung‹ gebraucht. Mit Recht aber würden die Franzosen den Ökonomen für verrückt halten, der den Kapitalisten donneur de travail und den Arbeiter receveur de travail nennen wollte.«
Vgl. dazu Brecht, GW 20, 317: »Der Westen Deutschlands ist unter der Herrschaft der großen bürgerlichen Eigentümer und damit der bürgerlichen Ideen geblieben. Es gibt Arbeitsgeber und Arbeitsnehmer, und die einen können völlig frei Arbeit geben und nicht geben, die andern Arbeit nehmen oder nicht nehmen. Allerdings verhungern die Arbeitsgeber nicht, wenn sie Arbeit nicht geben, während die Arbeitnehmer verhungern, wenn sie nicht Arbeit nehmen.«

Literaturverzeichnis

Bertolt Brecht
Ausgaben, Kritische Editionen, Materialienbände

GW. Gesammelte Werke in 20 Bänden. Hrsg. v. Suhrkamp-Verlag in Zusammenarbeit mit Elisabeth *Hauptmann.* Frankfurt a. M. 1967 (= werkausgabe edition suhrkamp).

Texte für Filme I, II. Hrsg. v. Wolfgang *Gersch* u. Werner *Hecht.* Frankfurt a. M. 1969 (= werkausgabe edition suhrkamp. Supplementband).

Schriften zum Theater I—VII. Hrsg. v. Werner *Hecht.* Berlin 1964.

Die Antigone des Sophokles. Materialien zur »Antigone«. Zusammengestellt v. Werner *Hecht.* Frankfurt a. M. 1965. (= edition suhrkamp 134).

Baal. Drei Fassungen. Kritisch ediert und kommentiert von D. *Schmidt.* Frankfurt a. M. 1966 (= edition suhrkamp 170).

Baal. Der böse Baal der asoziale. Texte, Varianten, Materialien. Kritisch ediert und kommentiert von D. *Schmidt.* Frankfurt a. M. 1968 (= edition suhrkamp 248).

Der Brotladen. Stückfragment. Die Bühnenfassung und Texte aus dem Fragment. Frankfurt a. M. 1969 (= edition suhrkamp 339).

Im Dickicht der Städte. Erstfassung und Materialien. Ediert und kommentiert von G. E. *Bahr.* Frankfurt a. M. 1968 (= edition suhrkamp 246).

Bertolt Brechts Dreigroschenbuch. Texte, Materialien, Dokumente. Hrsg. v. S. *Unseld.* Frankfurt a. M. 1960.

Die heilige Johanna der Schlachthöfe. Bühnenfassung, Fragmente, Varianten. Kritisch ediert von G. E. *Bahr.* Frankfurt a. M. 1971 (= edition suhrkamp 427).

Der Jasager und Der Neinsager. Vorlagen, Fassungen, Materialien. Herausgegeben und mit einem Nachwort versehen von P. *Szondi.* Frankfurt a. M. 1966 (=edition suhrkamp 171).

Kuhle Wampe. Protokoll des Films und Materialien. Hrsg. von W. *Gersch* und W. *Hecht.* Frankfurt a. M. 1969 (= edition suhrkamp 362).

Die Maßnahme. Kritische Ausgabe mit einer Spielanleitung von R. *Steinweg.* Frankfurt a. M. 1972 (= edition suhrkamp 415).

Materialien zu Brechts »Der gute Mensch von Sezuan«. Zusammengestellt und redigiert von W. *Hecht.* Frankfurt a. M. 1968 (= edition suhrkamp 247).

Materialien zu Brechts »Der kaukasische Kreidekreis«. Zusammengestellt von W. *Hecht.* Frankfurt a. M. 1966 (= edition suhrkamp 155).

Materialien zu Brechts »Leben des Galilei«. Zusammengestellt von W. *Hecht.* Frankfurt a. M. 1963 (= edition suhrkamp 44).

Materialien zu Bertolt Brechts »Die Mutter«. Zusammengestellt und redigiert von W. *Hecht.* Frankfurt a. M. 1969 (= edition suhrkamp 305).

Bertolt Brecht, »Die Mutter«. Regiebuch der Schaubühnen-Inszenierung. Hrsg. v. V. *Canaris.* Frankfurt a. M. 1971 (= edition suhrkamp 517).

Materialien zu Brechts »Mutter Courage und ihre Kinder«. Zusammengestellt von W. *Hecht.* Frankfurt a. M. 1964 (= edition suhrkamp 50).

Theaterarbeit. Sechs Aufführungen des Berliner Ensembles. Hrsg. v. Berliner Ensemble. Berlin [2]1961.

Benutzte Literatur

Adam, Antoine: Les libertins au XVIIe siècle. Paris 1964.
Adorno, Theodor W.: Ästhetische Theorie. Frankfurt a. M. 1970 (= Adorno Gesammelte Schriften 7).
ders.: Minima Moralia. Reflexionen aus dem beschädigten Leben. Frankfurt a. M. [2]1964.
ders.: Noten zur Literatur III. Frankfurt a. M. 1965 (= Bibliothek Suhrkamp 146).
ders.: Ohne Leitbild. Parva Aesthetica. Frankfurt a. M. 1967 (= edition suhrkamp 201).
Allemann, Beda: Die Struktur der Komödie bei Frisch und Dürrenmatt. In: H. Steffen (Hrsg.), Das deutsche Lustspiel II, S. 200—217.
Arendt, Hannah: Walter Benjamin. Bertolt Brecht. Zwei Essays. München 1971 (= Serie Piper 12).
Arntzen, Helmut: Die ernste Komödie. Das deutsche Lustspiel von Lessing bis Kleist. München 1968 (= sammlung dialog 23).
ders.: Komödie und episches Theater. DU 21 (1969) S. 67—77.
Auerbach, Erich: La cour et la ville. In: E. A., Vier Untersuchungen zur Geschichte der französischen Bildung. Bern 1951, S. 12—50.
Baudelaire, Charles: Oeuvres complètes. Ed. Y.-G. Le Dantec/C. Pichois. Paris 1961 (= Bibl. de la Pléiade 1 et 7).
Baum, Georgina: Humor und Satire in der bürgerlichen Ästhetik. Zur Kritik ihres apologetischen Charakters. Berlin 1959 (= Germanistische Studien).
Bausinger, Herbert: Schwank und Witz. In: Studium Generale 11 (1958) S. 699—710.
Beckley, Richard: Adaptation as a Feature of Brecht's Dramatic Technique. GLL 15 (1961/62) S. 274—284.
Bénichou, Paul: Morales du grand siècle. Paris 1967 (= coll. »idées« 143).
Benjamin, Walter: Einbahnstraße. Frankfurt a. M. [2]1965 (= Bibliothek Suhrkamp 27).
ders.: Illuminationen. Ausgewählte Schriften (I). Hrsg. v. S. Unseld. Frankfurt a. M. 1961 (= Die Bücher der Neunzehn 78).
ders.: Angelus Novus. Ausgewählte Schriften II. Frankfurt a. M. 1966.
ders.: Versuche über Brecht. Hrsg. und mit einem Nachwort versehen von R. Tiedemann. Frankfurt a. M. 1966 (= edition suhrkamp 172).
ders.: Fragment über Methodenfragen einer marxistischen Literatur-Analyse. Mit Überlieferung, Lesearten, Hinweisen und einer Notiz von R. Tiedemann. In: Kursbuch 20/1970, S. 1—9.
ders.: Kritiken und Rezensionen. Hrsg. v. H. Tiedemann-Bartels. Frankfurt a. M. 1972 (= Benjamin Gesammelte Schriften III).
Bentley, Eric: Die Theaterkunst Brechts. Sinn und Form 9 (1957) S. 159—177 (= Sinn und Form 2. Sonderheft Bertolt Brecht).
Bergson, Henri: Le Rire. Essai sur la signification du comique. Paris 233e édition 1967.
Bihler, Heinrich: Molière. »Don Juan«. In: Das französische Theater. Vom Barock bis zur Gegenwart. 2 Bände. Düsseldorf 1968. Hrsg. v. J. v. Stackelberg. Bd. I, S. 247 bis 270.
Bloch, Ernst: Das Prinzip Hoffnung. 3 Bände. Wissenschaftliche Sonderausgabe Frankfurt a. M. 1967.
Borew, Jurij: Über das Komische. Berlin 1960.
Borkenau, Franz: Der Übergang vom feudalen zum bürgerlichen Weltbild. Studien zur Geschichte der Philosophie der Manufakturperiode. Paris 1934 (= Schriften des Instituts für Sozialforschung 4).
Brandt, Thomas O.: Die Vieldeutigkeit Bertolt Brechts. Heidelberg 1968.
Bray, René: Molière, homme de théâtre. Paris 1954.
Brecht-Dialog 1968. Politik auf dem Theater. Dokumentation 9.—16. Februar 1968. Hrsg. vom Sekretariat des Brecht-Dialogs. Zusammenstellung und Leitung W. Hecht. Berlin 1968.

Brody, Jules: Esthétique et société chez Molière. In: Dramaturgie et société, éd. J. Jacquot, Paris 1968, p. 307—326.

Brüggemann, Heinz: Theodor W. Adornos Kritik an der literarischen Theorie und Praxis Bertolt Brechts. In: alternative 15 (1972) Heft 84/85: Materialistische Literaturtheorie V, S. 137—149.

Bunge, Hans: Fragen Sie mehr über Brecht. Hanns Eisler im Gespräch. München 1970.

Burger, Heinz O.: J. M. R. Lenz, Der Hofmeister. In: H. Steffen (Hg. Das deutsche Lustspiel I, S. 48—67.

Cairncross, John: Molière, bourgeois et libertin. Paris 1964.

Catholy, Eckehard: Farce. RL I, Berlin [2]1958, S. 456—458.

ders.: Posse. RL III, Berlin [2]1967, S. 220—223.

ders.: Komische Figur und dramatische Wirklichkeit. Ein Versuch zur Typologie des Dramas. In: Festschrift de Boor Tübingen 1966, S. 193—208.

ders.: Das deutsche Lustspiel. Vom Mittelalter bis zur Barockzeit. Stuttgart 1969 (= Sprache und Literatur 47).

Coe, R. N.: The Ambiguity of »Don Juan«. Australian Journal of French Studies 1 (1964) S. 23—35.

Crumbach, Franz H.: Die Struktur des Epischen Theaters als die eines kontrastierenden Dramas. In: R. Grimm (Hrsg.), Episches Theater, S. 348—377.

Daunicht, R./Kohlschmidt, W./Mohr, W.: Lustspiel. RL II. Berlin [2]1965, S. 226—240.

Demetz, Peter: Marx, Engels und die Dichter. Ein Kapitel deutscher Literaturgeschichte. Frankfurt a. M. — Berlin 1969 (= Ullstein Buch 4021/22).

Diderot, Denis: Oeuvres esthétiques. Edition de P. Vernière. Paris 1959 (= Classiques Garnier).

ders.: Mémoires pour Catherine II. Edition de P. Vernière. Paris 1966 (= Classiques Garnier).

Doolittle, James: The Humanity of Molières »Dom Juan«. PMLA 68 (1958) S. 509 bis 534.

Dort, Bernard: Lecture de Brecht. Paris [2]1967.

ders.: Certitudes et incertitudes brechtiennes. In: B. D., Théâtre réel. Essais de critique 1967—1970. Paris 1971, p. 115—169.

Dürrenmatt, Friedrich: Theater-Schriften und Reden. Hrsg. von E. Brock-Sulzer. Zürich 1966.

Eisler, Hanns: → *Bunge*

Elias, Norbert: Die höfische Gesellschaft. Untersuchungen zur Soziologie des Königtums und der höfischen Aristokratie. Neuwied 1969 (= Soziologische Texte 54).

Engels, Friedrich: → *Marx*

Esslin, Martin: Brecht. Das Paradox des politischen Dichters. Frankfurt a. M. 1962 (= Bücher zur Dichtkunst).

ders.: Das Theater des Absurden. Hamburg 1965 (= rowohlts deutsche enzyklopädie 234—236).

Ewen, Frederic: Bertolt Brecht. Sein Leben, sein Werk, seine Zeit. Düsseldorf 1970.

Fleischer, Helmut: Marxismus und Geschichte. Frankfurt a. M. 1969 (= edition suhrkamp 323).

Frank, Günter: Zur Rezeption Bertolt Brechts. In: Kürbiskern 1968, Heft 4, S. 597 bis 606.

Freud, Sigmund: Der Witz und seine Beziehung zum Unbewußten. In: Psychologische Schriften. Frankfurt a. M. 1970 (= Conditio humana. Freud Studienausgabe Bd. IV) S. 9—219.

Gallas, Helga: Marxistische Literaturtheorie. Kontroversen im Bund proletarisch-revolutionärer Schriftsteller. Neuwied 1971 (= Sammlung Luchterhand 19).

Genton, Elisabeth: J. M. R. Lenz et la Scène allemande. Paris 1966 (= Germanica 8).

Girard, René: Lenz 1751—1792. Genèse d'une dramaturgie du tragicomique. Paris 1968.

Glaser, Horst Albert: Heteroklisie — der Fall Lenz. In: Gestaltungsgeschichte und Gesellschaftsgeschichte. Literatur-, Kunst- und Musikwissenschaftliche Studien. Hrsg. v. H. Kreuzer. Stuttgart 1969, S. 132—151.
Goethe, Johann W.: Werke. Hamburger Ausgabe. 14 Bde. Hrsg. von E. Trunz. Hamburg 1948—1960.
Gossmann, Lionel: Men and Masks. A Study of Molière. Baltimore 1963 [zu »Dom Juan«: S. 36—65].
Grimm, Reinhold: Bertolt Brecht. Die Struktur seines Werkes. Nürnberg [4]1965 (= Erlanger Beiträge zur Sprach- und Kunstwissenschaft 5).
ders.: Bertolt Brecht und die Weltliteratur. Nürnberg 1961.
ders.: Komik und Verfremdung. In: R. G., Strukturen. Essays zur deutschen Literatur. Göttingen 1963, S. 226—247.
ders.: Bertolt Brecht. Stuttgart [3]1971 (= Sammlung Metzler 4).
ders.: (Hrsg.): Episches Theater. Köln 1966 (= Neue Wissenschaftliche Bibliothek 15).
Guicharnaud, Jacques: Molière, une aventure théâtrale. »Tartuffe«, »Don Juan«, »Le Misanthrope«. Paris 1963 [p. 177—343].
Guthke, Karl S.: Lenzens »Hofmeister« und »Soldaten«. Ein neuer Formtypus in der Geschichte des deutschen Dramas. WW 9 (1959), S. 274—286.
ders.: Geschichte und Poetik der deutschen Tragikomödie. Göttingen 1961.
ders.: Die moderne Tragikomödie. Theorie, Gestalt, Geschichte. Göttingen 1968 (= Kl. Vandenhoeck-Reihe 270).
Guthwirth, Marcel: Molière ou l'invention comique. Paris 1966.
Hacks, Peter: Zwei Bearbeitungen. Brief an einen Dramaturgen. Frankfurt a. M. 1963 (= edition suhrkamp 47).
ders.: Kunst und Revolution. Die Fragen des Wechselbalgs. In: arbeitskreis bertolt brecht Nr. 78, April/Mai 1971, S. 1—7.
ders.: Das Poetische. Ansätze zu einer postrevolutionären Dramaturgie. Frankfurt a. M. 1972 (= edition suhrkamp 544).
Hall, A. Gaston: A Comic Dom Juan. YFS 23 (1960) S. 77—84.
Hartung, Günter: Brecht und Schiller. Sinn und Form 18 (1966) Sonderheft Probleme der Dramatik I, S. 743—766.
Hauser, Arnold: Sozialgeschichte der Kunst und Literatur. Frankfurt a. M. 1970.
Hecht, Werner: Brechts Weg zum epischen Theater. Beitrag zur Entwicklung des epischen Theaters 1918—1933. Berlin 1962.
ders.: Aufsätze über Brecht. Berlin 1970.
ders./Bunge, H. J./*Rülicke-Weiler*, K.: Bertolt Brecht. Sein Leben und Werk. Berlin 1969 (= Schriftsteller der Gegenwart 10).
Hegel, Georg W. F.: Ästhetik. Mit einem einführenden Essay von G. Lukacs. Hrsg. v. F. Bassenge. Berlin 1955.
ders.: Werke in 20 Bänden. Redaktion E. Moldenhauer und K. M. Michel. Frankfurt a. M. 1969—1971 (= Theorie Werkausgabe).
Heidsieck, Arnold: Das Groteske und das Absurde im modernen Drama. Stuttgart 1969 (= Sprache und Literatur 53).
ders.: Die Travestie des Tragischen im deutschen Drama, in: Tragik und Tragödie, hrsg. von V. Sander, Darmstadt 1971 (= Wege der Forschung 108), S. 456—481.
Heine, Heinrich: Werke und Briefe in zehn Bänden. Hrsg. von H. Kaufmann. Berlin 1961—1964.
Heise, Wolfgang: Hegel und das Komische. Sinn und Form 16 (1964) S. 811—830.
Heiss, Hanns: Molière. Leipzig 1929.
Hempel, Wido: Parodie, Travestie und Pastiche. GRM 46 (1965) S. 150—176.
Hermand, Jost: Herr Puntila und sein Knecht Matti. Brechts Volksstück. In: Brecht heute — Brecht today 1 (1971) S. 117—136.
Hinck, Walter: Die Dramaturgie des späten Brecht. Göttingen [4]1966 (= Palaestra 229).

ders.: Das deutsche Lustspiel des 17. und 18. Jahrhunderts und die italienische Komödie. Stuttgart 1965 (= Germanistische Abhandlungen 8).

Hoffmann, Charles W.: Brechts humor. Laughter while the shark bites. GR 38 (1963) S. 157—166.

Holl, Karl: Geschichte des deutschen Lustspiels. Leipzig 1923 (Reprogr. Nachdruck Darmstadt 1964).

Holz, Hans H.: Herr und Knecht bei Leibniz und Hegel. Zur Interpretation der Klassengesellschaft. Neuwied 1968 (= Soziologische Essays 18).

Horkheimer, Max (Hrsg.): Studien über Autorität und Familie. Forschungsberichte aus dem Institut für Sozialforschung. Paris 1936.

Hultberg, Helge: Die ästhetischen Anschauungen Bertolt Brechts. Kopenhagen 1962.

Jäger, Manfred: Zur Rezeption des Stückeschreibers Brecht in der DDR. In: Bertolt Brecht I. Sonderband aus der Reihe »Text + Kritik« 1972, S. 107—118.

Jauss, Hans R.: Literaturgeschichte als Provokation. Frankfurt a. M. 1970 (= edition suhrkamp 418).

ders. (Hrsg.): Die nicht mehr schönen Künste. Grenzphänomene des Ästhetischen. München 1968 (= Poetik und Hermeneutik III).

Jendreiek, Helmut: Bertolt Brecht. Drama der Veränderung. Düsseldorf 1969.

Jünger, Friedrich G.: Über das Komische. Frankfurt a. M. [3]1948.

Kagan, Moissej: Vorlesungen zur marxistisch-leninistischen Ästhetik. Berlin 1969.

Kant, Immanuel: Werke in zehn Bänden. Hrsg. v. W. Weischedel. Wiss. Buchges. Darmstadt 1968.

Kaufmann, Hans: Drama der Revolution und des Individualismus. Brechts Drama »Trommeln in der Nacht«. Weimarer Beiträge 7 (1961) S. 316—331.

ders.: Bertolt Brecht. Geschichtsdrama und Parabelstück. Berlin 1962 (= Germanistische Studien).

ders.: Brecht. Die Entfremdung und die Liebe. Zur Gestaltung der Geschlechterbeziehungen im Werk Brechts. Weimarer Beiträge 11 (1965) S. 84—101.

ders.: Zum Tragikomischen bei Brecht und anderen. In: Studien zur Literaturgeschichte und Literaturtheorie, hrsg. v. H.-G. Thalheim u. U. Wertheim. Berlin 1970, S. 272 bis 290.

Kayser, Wolfgang: Das Groteske in Malerei und Dichtung. Hamburg 1960 (= rowohlts deutsche enzyklopädie 107).

ders.: Das sprachliche Kunstwerk. Eine Einführung in die Literaturwissenschaft. Bern [8]1962.

Kesting, Marianne: Das epische Theater, Zur Struktur des modernen Dramas. Stuttgart [2]1962 (= Urban-Bücher 36).

dies.: Die Groteske vom Verlust der Identität. Bertolt Brechts »Mann ist Mann«. In: H. Steffen (Hrsg.), Das deutsche Lustspiel II, S. 180—199.

dies.: Brecht und Diderot, oder Das »paradis artificiel« der Aufklärung. Euphorion 64 (1970) S. 414—422.

Kließ, Werner: Sturm und Drang. Velber 1966 (= Friedrichs Dramatiker des Welttheaters 25).

Klotz, Volker: Geschlossene und offene Form im Drama. München [2]1962 (= Literatur als Kunst).

ders.: Engagierte Komik. Zu Bertolt Brechts »Mann ist Mann«. In: V. K., Kurze Kommentare zu Stücken und Gedichten. Darmstadt 1963 (= Hessische Beiträge zur deutschen Literatur 10), S. 29—35.

ders.: Bertolt Brecht. Versuch über das Werk. Bad Homburg [3]1967.

Knigge, Adolph Freyherr v.: Des seligen Etatsraths Samuel Conrad von Schaafskopf hinterlassene Papiere. Mit einem Nachwort von I. Fetscher. Frankfurt a. M. 1965 (= slg. insel 12).

Knust, Herbert: Brechts »Fischzug«. In: Brecht heute — Brecht today 1 (1971) S. 98 bis 109.

Kofler, Leo: Zur Theorie der modernen Literatur. Der Avantgardismus in soziologischer Sicht. Neuwied 1962.

ders.: Von Diderots »Jakob« zu Brechts »Matti«. In: L. K., Der proletarische Bürger. Marxistischer oder ethischer Sozialismus? Wien 1964, S. 15—21.

Korsch, Karl: Marxismus und Philosophie. Hrsg. und eingeleitet von E. Gerlach. Frankfurt a. M. ²1966 (= Politische Texte).

Kosik, Karel: Die Dialektik des Konkreten. Eine Studie zur Problematik des Menschen und der Welt. Frankfurt a. M. 1967.

Kostić, Pedro: »Turandot«. Das letzte dramatische Werk Bertolt Brechts. Weimarer Beiträge 14 (1968) S. 185—194 (Brecht-Sonderheft 1968).

Kraus, Karl: Ausgewählte Werke, 3 Bände, unter Mitarbeit von K. Krolop und R. Links hrsg. von D. Simon. München 1971.

Kunz, Josef: Die Dramaturgie von J. M. R. Lenz. Etudes germaniques 25 (1970) S. 53 bis 61.

Laboulle, Luise J.: Bertolt Brecht's fun and games. An approach to the epic theatre? GLL 15 (1961/62) S. 285—294.

La Bruyère: Les Caractères ou les Moeurs de ce siècle. Ed. R. Garapon. Paris 1962 (= Classiques Garnier).

Laclos, Choderlos de: Les Liaisons dangereuses. Ed. Y. Le Hir. Paris 1961 (= Classiques Garnier).

La Rochefoucauld: Maximes. Ed. J. Truchet. Paris 1967 (= Classiques Garnier).

Laufer, Roger: Le comique du personnage de Dom Juan de Molière. MLR 58 (1963) p. 15—20.

Lauter, Paul (ed.): Theories of Comedy. New York 1964.

Lenin, Wladimir I.: Philosophische Hefte. Berlin ²1968 (= Lenin Werke Bd. 38).

ders.: Ausgewählte Werke in drei Bänden. Berlin 1970.

Lenz, Jakob M. R.: Werke und Schriften, 2 Bände, hrsg. von B. Titel und H. Haug. Stuttgart 1966—67.

ders.: Briefe von und an J. M. R. Lenz, 2 Bände, hrsg. v. K. Freye u. W. Stammler. Leipzig 1918.

ders.: Der neue Menoza. Text und Materialien zur Interpretation, besorgt von W. Hinck. Berlin 1965 (= Komedia 9).

Lespire, R.: Le »libertinage« de Molière et la portée de »Dom Juan«. Revue Belge de Philologie et d'Histoire 28 (1950) p. 30—45.

Lessing, Gotthold E.: Gesammelte Werke in zehn Bänden. Hrsg. von P. Rilla. Berlin 1954—1958.

Lifschitz, Michail: Karl Marx und die Ästhetik. Dresden ²1967 (= Fundus Bücher 3).

Lind, Th.: Le comique étudié dans Molière. OL 21 (1966) 255—272.

Lindner, Burkhardt: Brecht/Benjamin/Adorno — Über Veränderungen der Kunstproduktion im wissenschaftlich-technischen Zeitalter. In: Bertolt Brecht I. Sonderband aus der Reihe »Text + Kritik« 1972, S. 14—36.

Lion, Friedrich: Möglichkeiten des Komischen. Kleines Molière-Brevier. Akzente 5 (1958) S. 389—398.

Löfdahl, Göran: Moral und Dialektik. Über die Pätus-Figur im »Hofmeister«. OL 20 (1965) S. 19—31.

Lukács, Georg: Geschichte und Klassenbewußtsein. Studien über marxistische Dialektik. Berlin 1923 (= Kleine revolutionäre Bibliothek 9).

ders.: Zur Frage der Satire, in: Internationale Literatur II/4—5 (Moskau 1932), S. 136 bis 153.

ders.: Schriften zur Literatursoziologie. Ausgewählt und eingeleitet von P. Ludz. Neuwied ²1963 (= Soziologische Texte 9).

ders.: Schriften zur Ideologie und Politik. Werkauswahl Bd. 2 Ausgewählt und eingeleitet von P. Ludz. Neuwied 1967 (= Soziologische Texte 51).

ders.: Von Nietzsche zu Hitler oder Der Irrationalismus und die deutsche Politik. Frankfurt a. M. 1966 (= Fischer Bücherei 784).

Mander, Gertrud: Jean-Baptiste Molière. Velber 1967 (= Friedrichs Dramatiker des Welttheaters 39).

Mann, Thomas: Doktor Faustus. Berlin 1954.

ders.: Adel des Geistes. Sechzehn Versuche zum Problem der Humanität. Frankfurt a. M. 1959 (= Stockholmer Gesamtausgabe der Werke von Thomas Mann).

ders.: Altes und Neues. Kleine Prosa aus fünf Jahrzehnten. Frankfurt a. M. [2]1961 (= Stockholmer Gesamtausgabe der Werke von Thomas Mann).

Mao Tse-tung: Über die Praxis. Über den Widerspruch. Zwei Aufsätze. Mit einem Nachwort von H. Kuhn. Berlin 1968 (= Rotbuch 5).

Marcuse, Herbert: Kultur und Gesellschaft I, II. Frankfurt a. M. 1965 (= edition suhrkamp 101, 135).

Martini, Fritz: Soziale Thematik und Formwandlungen des Dramas. In: R. Grimm (Hrsg.), Episches Theater, S. 246—278.

ders.: Die Einheit der Konzeption in J. M. R. Lenz' »Anmerkungen übers Theater«. In: Schiller-Jahrbuch 14 (1970) S. 159—182.

Marx, Karl/*Engels,* Friedrich: Werke, 39 Bände (MEW) und zwei Ergänzungsbände (MEW EB 1, 2). Hrsg. vom Institut für Marxismus-Leninismus beim ZK der SED. Berlin 1956—1968.

dies.: Über Kunst und Literatur I, II. Hrsg. von M. Kliem. Berlin 1967—1968.

Mattenklott, Gert: Melancholie in der Dramatik des Sturm und Drang. Stuttgart 1968 (= Studien zur Allgemeinen und Vergleichenden Literaturwissenschaft 1).

Mayer, Hans: Anmerkungen zu Brecht. Frankfurt a. M. 1965 (= edition suhrkamp 143).

ders.: Bertolt Brecht und die Tradition. München 1965 (= dtv 45).

ders.: Brecht in der Geschichte. In: H. M., Brecht in der Geschichte. Drei Versuche. Frankfurt a. M. 1972 (= Bibliothek Suhrkamp 284), S. 183—251.

Merchant, Moelwyn: Comedy. London 1972 (= The Critical Idiom 21).

Mittenzwei, Werner: Gestaltung und Gestalten im modernen Drama. Zur Technik des Figurenaufbaus in der sozialistischen und spätbürgerlichen Dramatik. Berlin 1955.

ders.: Bertolt Brecht. Von der »Maßnahme« zu »Leben des Galilei«. Berlin 1962.

ders.: Marxismus und Realismus. Die Brecht-Lukács-Debatte. Das Argument 10 (1968) S. 12—43.

ders.: Erprobung einer neuen Methode. Zur ästhetischen Position Bertolt Brechts. In: Positionen. Beiträge zur marxistischen Literaturtheorie in der DDR. Leipzig 1969 (= Reclam UB 482), S. 59—100.

Molière, Oeuvres complètes. Ed. R. Jouanny, 2 vol. Paris 1962 (= Classiques Garnier) (»Dom Juan«, t. I, p. 707—776).

ders.: Dom Juan ou le Festin de Pierre. Ed. G. Leclerc. Paris 1968 (= Les classiques du peuple).

ders.: Dom Juan ou le Festin de Pierre. Ed. L. Lejealle. Paris 1965 (= Nouveaux Classiques Larousse).

Moore, Will G.: »Dom Juan« Reconsidered. MLR 52 (1957) 510—517.

Müller, Gerd: Brechts »Heilige Johanna der Schlachthöfe« und Schillers »Jungfrau von Orleans«. Zur Auseinandersetzung des modernen Theaters mit der klassischen Tradition. OL 24 (1969) S. 182—200.

Müller, Klaus D.: Die Funktion der Geschichte im Werk Bertolt Brechts. Studien zum Verhältnis von Marxismus und Ästhetik. Tübingen 1967 (= Studien zur deutschen Literatur 7).

ders.: Der Philosoph auf dem Theater. Ideologiekritik und »Linksabweichung« in Bertolt

Brechts »Messingkauf«. In: Bertolt Brecht I. Sonderband aus der Reihe »Text + Kritik« 1972, S. 45—71.
Müller-Seidel, Walter: Dramatische Gattungen. In: Literatur II/1 hrsg. von W.-H. Friedrich und W. Killy. Frankfurt a. M. 1965 (= Fischer-Lexikon 35/1), S. 162—184.
Münsterer, Hans O.: Bertolt Brecht. Erinnerungen aus den Jahren 1917—1922. Zürich 1963.
Nef, Ernst: Das Aus-der Rolle-Fallen als Mittel der Illusionszerstörung bei Tieck und Brecht. ZfdPh 83 (1964) S. 191—215.
ders.: Brechts neue Naivität. In: arbeitskreis bertolt brecht, Nachrichtenbrief 12, Oktober 1963, S. 1—7.
Oehlmann, Werner: Don Juan. Deutung und Dokumentation. Frankfurt a. M. 1965 (= Dichtung und Wirklichkeit 14).
Olles, Helmut: Zur Dichtung Bertolt Brechts. Zur Anstrengung der Satire. Akzente 1 (1954) S. 154—163.
Olson, Elder: The Theory of Comedy. Bloomington 1968.
Onderdelinden, J. W.: Brechts »Mann ist Mann«: Lustspiel oder Lehrstück? Neophil. 54 (1970) S. 149—166.
Pascal, Roy: Der Sturm und Drang. Stuttgart 1963 (= Kröner TB 33).
Pfrimmer, Edouard: Brecht et la parodie: »Arturo Ui«. Etudes germaniques 26 (1971) p. 73—88.
Piscator, Erwin: Das Politische Theater. Neubearbeitet von F. Gasbarra. Hamburg 1963 (= Rowohlt Paperback 11).
Plessner, Helmut: Lachen und Weinen. Bern ^{3}1961 (= Slg. Dalp 54).
Pohl, Rainer: Strukturelemente und Entwicklung von Pathosformen in der Dramensprache Bertolt Brechts. Bonn 1969 (= Bonner Arbeiten zur deutschen Literatur 20).
Prang, Hermann: Geschichte des Lustspiels. Von der Antike bis zur Gegenwart. Stuttgart 1968 (= Kröner Taschenausgabe 378).
Puknat, Siegfried B.: Brecht and Schiller. Nonelective affinities. MLQ 26 (1965) S. 558 bis 570.
Raddatz, Fritz J.: Marxismus und Literatur. Eine Dokumentation in drei Bänden. Hamburg 1969 (= Rowohlt Paperbacks 80—82).
Rasch, Wolfdietrich: Bertolt Brechts marxistischer Lehrer. Zu einem ungedruckten Briefwechsel zwischen Brecht und Karl Korsch. Merkur 17 (1963) S. 988—1003.
Reich, Wilhelm: Massenpsychologie des Faschismus. Zur Sexualökonomie der politischen Reaktion und zur proletarischen Sexualpolitik. Kopenhagen o. J. [1934].
Riedel, Manfred: Bertolt Brecht und die Philosophie. Neue Rundschau 82 (1971) S. 65 bis 85.
Rilla, Paul: Vom bürgerlichen zum sozialistischen Realismus. Aufsätze. Leipzig 1967 (= Reclam UB 385).
Rischbieter, Henning: Bertolt Brecht I, II. Velber 1966 (= Friedrichs Dramatiker des Welttheaters 13, 14).
Robra, Klaus: Molière. Philosophie und Gesellschaftskritik. Tübingen 1969 (= Das wissenschaftliche Arbeitsbuch VI/9).
Rommel, Otto: Die wissenschaftlichen Bemühungen um die Analyse des Komischen. DVJs 21 (1943) S. 161—195.
ders.: Komik und Lustspieltheorie. DVJs. 21 (1943) 252—86.
Rosenbauer, Hansjürgen: Brecht und der Behaviorismus. Bad Homburg 1970 (= Thesis 1).
Rousseau, Jean-Jacques: Lettre à M. d'Alembert. In: J.-J. R., Du contrat social. Paris 1962 (= Classiques Garnier), p. 123—234.
Rühle, Jürgen: Theater und Revolution. Von Gorki bis Brecht. München 1963 (= dtv 145).

Rülicke-Weiler, Käthe: Die Dramaturgie Brechts. Theater als Mittel der Veränderung. Berlin [2]1968.

dies.: Bemerkungen Brechts zur Kunst. Notate 1951—1955. Weimarer Beiträge 14(1968) S. 5—11 (Brecht-Sonderheft 1968).

Schaefer, Heinz: Der Hegelianismus der Bert Brechtschen Verfremdungstechnik in Abhängigkeit von ihren marxistischen Grundlagen. Diss. Stuttgart 1957.

Schaer, Wolfgang: Die Gesellschaft im deutschen bürgerlichen Drama des 18. Jahrhunderts. Bonn 1963 (= Bonner Arbeiten zur deutschen Literatur 7).

Scherer, Jacques: Sur le »Dom Juan« de Molière. Paris 1967.

Schiller, Friedrich: Sämtliche Werke, 5 Bände. Hrsg. von G. Fricke und H. G. Göpfert. München [3]1962.

Schneider, Gerhard: Der Libertin. Zur Geistes- und Sozialgeschichte des Bürgertums im 16. und 17. Jahrhundert. Stuttgart 1970 (= Studien zur Allgemeinen und Vergleichenden Literaturwissenschaft 4).

Schnetz, Diemut: Der moderne Einakter. Eine poetologische Studie. Bern 1967.

Schöne, Albrecht: Bertolt Brecht. Theatertheorie und dramatische Dichtung. Euph. 52 (1958) S. 272—296.

ders.: Säkularisation als sprachbildende Kraft. Studien zur Dichtung deutscher Pfarrersöhne. Zweite, überarbeitete und ergänzte Auflage. Göttingen 1968 (= Palaestra 226) [zu Lenz S. 92—138].

Schrimpf, Hans J.: Lessing und Brecht. Von der Aufklärung auf dem Theater. Pfullingen 1965 (= opuscula 19).

Schulte, Michael: Karl Valentin in Selbstzeugnissen und Bilddokumenten. Hamburg 1968 (= Rowohlts Monographien 144).

Schumacher, Ernst: Die dramatischen Versuche Bertolt Brechts 1918—1933. Berlin 1955 (= Neue Beiträge zur Literaturwissenschaft 3).

ders.: Drama und Geschichte. Bertolt Brechts »Leben des Galilei« und andere Stücke. Berlin 1965.

Semmer, Gerd: Trommeln in der Nacht. In: arbeitskreis bertolt brecht, Nachrichtenbrief 63, Nov. 1968, S. 86—94.

Sokel, Walter H.: Brechts gespaltene Charaktere und ihr Verhältnis zur Tragik [1962], jetzt in: Tragik und Tragödie, hrsg. von V. Sander, Darmstadt 1971 (= Wege der Forschung 108), S. 381—396.

Speidel, E.: Brecht's »Puntila«: A Marxist Comedy. MLR 65 (1970) S. 319—332.

Staiger, Emil: Grundbegriffe der Poetik. Zürich [4]1959.

Steffen, Hans (Hrsg.): Das deutsche Lustspiel I, II. Göttingen 1968/69 (= Kleine Vandenhoeck-Reihe 271, 277).

Steinweg, Reiner: Das Lehrstück. Brechts Theorie einer politisch-ästhetischen Erziehung. Stuttgart 1972.

Strassner, Erich: Schwank. Stuttgart 1968 (= Slg. Metzler 77).

Strelka, Joseph: Brecht, Horváth, Dürrenmatt. Wege und Abwege des modernen Dramas. Wien 1963.

Sturm und Drang. Erläuterungen zur deutschen Literatur. Hrsg. vom Kollektiv für Literaturgeschichte im Volkseigenen Verlag Volk und Wissen. Berlin [3]1967.

Sühnel, Rudolf: Satire/Parodie. In: Literatur II/2, hrsg. von W. H. Friedrich und W. Killy. Frankfurt a. M. 1965 (= Fischer-Lexikon 35/2), S. 507—519.

Szondi, Peter: Theorie des modernen Dramas. Frankfurt a. M. 1963 (= edition suhrkamp 27).

Tallemant des Réaux: Historiettes I, II. Ed. A. Adam. Paris 1960/61 (= Bibliothèque de la Pléiade 142, 151).

Theater in der Zeitenwende. Zur Geschichte des Dramas und des Schauspieltheaters in der DDR 1945—1968. Hrsg. von einer Forschungsgruppe unter Leitung von W. Mittenzwei im Institut für Gesellschaftswissenschaften beim ZK der SED Berlin, 2 Bände, Berlin 1972.

Titel, Britta: »Nachahmung der Natur« als Prinzip dramatischer Gestaltung bei J. M. R. Lenz. Diss. Frankfurt a. M. 1962.

Völker, Klaus: Groteskformen des Theaters. Akzente 7 (1960), S. 321—339.

ders.: Das Phänomen des Grotesken im neueren deutschen Drama. In: Sinn oder Unsinn? Das Groteske im modernen Drama. Hrsg. v. R. Grimm. Basel 1962 (= Theater unserer Zeit 3), S. 9—46.

ders.: Brecht und Lukács. Analyse einer Meinungsverschiedenheit. In: alternative 12 (1969) Heft 67/68: Materialistische Literaturtheorie I, S. 134—147.

ders.: Brecht-Chronik. Daten zu Leben und Werk. München 1971 (= Reihe Hanser 74).

Voss, Johann H.: Werke in einem Band. Ausgewählt und eingeleitet von H. Voegt. Berlin 1966 (= Bibl. Deutscher Klassiker).

Wagner, Peter: Das Verhältnis von »Fabel« und »Grundgestus« in Bertolt Brechts Theorie des epischen Theaters. ZfdPh 89 (1970) S. 601—615.

Walker, Hallam: The Self-Creating Hero in »Dom Juan«. FR 36 (1962/63) S. 167 bis 174.

Wekwerth, Manfred: Auffinden einer ästhetischen Kategorie. Sinn und Form 9 (1957) S. 260—268 (2. Sonderheft Bertolt Brecht).

ders.: Notate. Über die Arbeit des Berliner Ensembles 1956—1966. Frankfurt a. M. 1966 (= edition suhrkamp 219).

ders.: Das Theater Brechts 1968. Versuche, Behauptungen, Fragen. In: Brecht-Dialog 1968, S. 42—73.

Willett, John: Das Theater Bertolt Brechts. Eine Betrachtung. Hamburg 1964 (= Rowohlts Paperback 32).

Wilpert, Gero v.: Sachwörterbuch der Literatur. Stuttgart [3]1961 (= Kröners Taschenausgabe 231).

Wirth, Andrzej: Über die stereometrische Struktur der Brechtschen Stücke. Sinn und Form 9 (1957) S. 346—387 (2. Sonderheft Bertolt Brecht).

Witt, Hubert (Hrsg.): Erinnerungen an Brecht. Leipzig [2]1966 (= Reclam UB 117).

Zmegać, Viktor: Einfühlung und Abstraktion. Brecht als Antipode Schillers. Sinn und Form 17 (1965) S. 517—528.

ders.: Kunst und Wirklichkeit. Zur Literaturtheorie bei Brecht, Lukács und Broch. Bad Homburg 1969.

Zwerenz, Gerhard: Aristotelische und Brechtsche Dramatik. Versuch einer ästhetischen Wertung. Rudolstadt 1956 (= Wir diskutieren 5).

Brecht-Titel-Register

Personen-Register

Nachtrag

Die vorliegende Arbeit ist bis auf geringfügige Änderungen identisch mit meiner im Jahre 1972 an der FU Berlin eingereichten Dissertation, in die bereits Teile meiner Staatsexamensarbeit von 1970 eingingen. Der zeitliche Abstand zur jetzigen Veröffentlichung mag erklären helfen, daß ich heute nicht mit allen Partien mehr zufrieden bin, und das ist wohl nur normal. Ebenso normal wird sein, daß mir die Grundkonzeption der Arbeit noch immer keiner inhaltlichen Modifikationen zu bedürfen scheint. Ich beschränke mich daher darauf, das Literaturverzeichnis um einige Publikationen zu ergänzen, die seit 1972 erschienen sind.

Brecht-Werke

Bertolt *Brecht:* Arbeitsjournal 1938—1955. Zwei Bände und eine Broschur mit Anmerkungen des Herausgebers Werner Hecht. Frankfurt/M. 1973

Materialien zu Bertolt Brechts »Schweyk im zweiten Weltkrieg«. Vorlagen (Bearbeitungen), Varianten, Fragmente, Skizzen, Brief- und Tagebuchnotizen. Ediert und kommentiert von Herbert Knust. Frankfurt/M. 1974 (= edition suhrkamp 604)

Ist der eine Band von Bedeutung für ein bestimmtes Stück, zu dem er nützliche Materialien bereitstellt, und kann das »Arbeitsjournal« generell unsere Kenntnis von Brecht intensivieren helfen, so geben beide Veröffentlichungen zu Komik und Komödie bei Brecht keine unmittelbaren Hinweise. Zwei Stellen aus dem »Arbeitsjournal« seien trotzdem zitiert. Am 6. 9. 1940 notierte Brecht: »die engländer und franzosen haben seit dem 17. jahrhundert nur noch die komödie, die deutschen haben sie im 19. jahrhundert noch nicht. *Puntila* und sein knecht *Kalle* passen gut in die galerie der *Baal, Kragler, Anna Balicke, Gaveston, Galy Gay, Witwe Begbick, Johanna Dark, Mauler, Pächter Callas, Galilei, Courage, Shen Te.*« (Bd. I, 165) Dann aber, am 13. 9. 1953: »wäre ich im ganzen ein komödienschreiber, was ich beinahe bin, aber eben nur beinahe, dann stünde um solch ein werk [Turandot] wenigstens die verwandtschaft, und der clan könnte sich behaupten.« (Bd. II, 1011) Die frühe Notiz koppelt die Wendung des Dramas zur »fortschrittlichen« Gattung Komödie mit dem geschichtlichen Prozeß, in dem Deutschland stets nachhinkte, überrascht aber dann mit der Aufzählung Brechtscher Stückfiguren, als könne deren Vorkommen im jeweiligen Stück schon dessen Komödiencharakter in jenem angedeuteten Sinn festlegen. Jedenfalls scheint sich Brecht hier durchaus als Komödienautor verstehen zu wollen und auf einen »clan« zu verweisen, dessen Fehlen ihm in der späteren Notiz die Gewähr bietet, eben doch kein Komödienschreiber zu sein. Und in irgend traditionellem, genremäßigem Sinn ist er es tatsächlich nicht.

Literatur zu Brecht

Gudrun *Schulz:* Die Schiller-Bearbeitungen Bertolt Brechts. Eine Untersuchung literarhistorischer Bezüge im Hinblick auf Brechts Traditionsbegriff. Tübingen 1972 (= Studien zur deutschen Literatur 28)

Werner *Mittenzwei:* Brechts Verhältnis zur Tradition. Berlin 1972

Ernst *Schumacher:* Brecht. Theater und Gesellschaft im 20. Jahrhundert. Einundzwanzig Aufsätze. Berlin 1973

Heinz *Brüggemann:* Literarische Technik und soziale Revolution. Studien zum Verhältnis von Kunstproduktion, Marxismus und literarischer Tradition in den theoretischen Arbeiten Brechts. Reinbek 1973 (= Das neue Buch 33)

Jan *Knopf:* Bertolt Brecht. Ein kritischer Forschungsbericht. Fragwürdiges in der Brecht-Forschung. Frankfurt/M. 1974 (= Athenäum-Fischer-Taschenbuch 2028)

Für weitere Angaben sei auf das Buch von Knopf verwiesen, in dem die Literatur bis 1973 nahezu vollständig verzeichnet ist.

Den angeführten Arbeiten gemeinsam ist das Interesse an Fragen der Tradition, wie sie aus der Perspektive des Brechtschen Werks besonders prägnant formulierbar werden. Auch ist die sog. »Erbe-diskussion« in der DDR auf hohem Niveau wieder aufgelebt, also nicht mehr mit jener der fünfziger Jahre vergleichbar: siehe besonders: Dt. Zschr. f. Philosophie 21 (1973) H. 9, S. 1096—110, und Weimarer Beiträge 19 (1973) die Hefte 2, 6, 10 sowie 20 (1974) H. 1. Die genannten Schriften sind für die vorliegende Untersuchung zum »Gesellschaftlich-Komischen« mittelbar wichtig, insoweit sie die entsprechenden Passagen (vgl. oben S. 112 ff., S. 211 ff.) ergänzen und vertiefen können. Auf das Thema Komik und Komödie bei Brecht geht indessen nur ein Autor direkt ein: *Knopf,* S. 31—37. Auch *Knopf* wendet sich gegen jede oberflächliche Parallelisierung von Komik und Verfremdung. Er glaubt aber zudem, der Eigenart des Brechtschen Oeuvres nur dann gerecht werden zu können, wenn er es von dem abgrenzt, was er »traditionelle Komödie« nennt. Komödie zeige angeblich nicht auf die Realität: am Phänomen des guten Schlusses meint Knopf zu erkennen, daß die Komödie die dargestellten Widersprüche stets abschwäche, einebne, letztlich als scheinbare erweise. Solche Definition von Komödie ist nun mit Sicherheit zu eng und muß an Werken wie eben z. B. *Molières* »Dom Juan« oder *Lenzens* »Hofmeister« versagen. Demgegenüber bestätigt sich die Richtigkeit des umgekehrten Weges: statt von einem starren und irgendwoher gekommenen Begriff Komödie auszugehen, der dann nur zu dem »Beweis« führt, keine Gültigkeit für Brecht zu haben, sollte Komödie am Beispiel Brecht erst einmal reflektiert werden, damit von daher auch an früheren Beispielen andere als nur »traditionelle« Aspekte hervortreten können.

Weitere Literatur

Zu Komödienautoren nach Brecht.

Horst *Laube:* Peter Hacks. Velber bei Hannover 1972. (= Friedrichs Dramatiker des Welttheaters 68)

Ulrich *Profitlich:* Friedrich Dürrenmatt. Komödienbegriff und Komödienstruktur. Eine Einführung. Stuttgart 1973 (= Sprache und Literatur 86)

Wolfgang *Schivelbusch:* Sozialistisches Drama nach Brecht. Drei Modelle: Peter Hacks, Heiner Müller, Hartmut Lange. Darmstadt 1974 (= Sammlung Luchterhand 139)

Laube und *Schivelbusch* untersuchen zwar Stücke, die überwiegend Komödien sind, gehen auf das Problem des Komödiencharakters indes nicht ein. *Profitlich* nimmt, so kritisch-distanziert er sich auch gegen Dürrenmatt verhält, diesen Autor vermutlich noch immer zu ernst, und seine Ausführungen zum Komischen, Grotesken, Paradoxen etc. gehen kaum über das hinaus, was in der Sekundärliteratur schon vorher zu lesen war.

Zum Verhältnis Komödie/Bürgerliches Trauerspiel (bzw. zum »Hofmeister«-Kapitel).

Peter *Szondi:* Zur Theorie des bürgerlichen Trauerspiels im 18. Jahrhundert. Der Kaufmann, der Hausvater, der Hofmeister. Frankfurt/M. 1973 (= suhrkamp taschenbücher wissenschaft 15)

Heinz *Schlaffer:* Tragödie und Komödie. Ehre und Geld. Lessings »Minna von Barnhelm«. In: H. S., Der Bürger als Held. Sozialgeschichtliche Auflösungen literarischer Widersprüche. Frankfurt/M. 1973 (= edition suhrkamp 624), S. 86—125

Anders als der Untertitel des posthum erschienenen Bandes vermuten läßt, geht *Szondi* nicht direkt auf das Stück von *Lenz* ein. Er bietet der Beschäftigung mit diesem (wie mit der Dramatik des 18. Jahrhunderts überhaupt) allerdings wertvolle Anregungen, auf die man in Zukunft nicht wird verzichten können. Der ausgezeichnete Aufsatz von *Schlaffer* darf als eine Modellanalyse des »Gesellschaftlich-Komischen« angesehen werden.

Zu Komik und Komödie allgemein.

Von der Wissenschaftlichen Buchgesellschaft Darmstadt ist seit langem angekündigt:
Reinhold *Grimm*/Klaus L. *Berghahn* (Hrsgg.): Wesen und Formen des Komischen im Drama. (Wege der Forschung 62)
Der Band versammelt fast nur schon bekannte Aufsätze. Von größerem Interesse dürfte daher das Symposion der Konstanzer »Poetik und Hermeneutik«-Gruppe über das Komische sein, dessen Dokumentation demnächst im Münchener Fink-Verlag erscheinen wird.